Mentira perfeita

CARINA RISSI

Mentira perfeita

8ª edição
Rio de Janeiro-RJ / Campinas-SP, 2021

VERUS
EDITORA

Editora
Raïssa Castro

Coordenadora editorial
Ana Paula Gomes

Copidesque
Lígia Alves

Revisão
Raquel de Sena Rodrigues Tersi

Capa e projeto gráfico
André S. Tavares da Silva

Foto da capa
Rich Legg / iStockphoto

ISBN: 978-85-7686-458-5

Copyright © Verus Editora, 2016

Direitos reservados em língua portuguesa, no Brasil, por Verus Editora. Nenhuma parte desta obra pode ser reproduzida ou transmitida por qualquer forma e/ou quaisquer meios (eletrônico ou mecânico, incluindo fotocópia e gravação) ou arquivada em qualquer sistema ou banco de dados sem permissão escrita da editora.

Verus Editora Ltda.
Rua Benedicto Aristides Ribeiro, 41, Jd. Santa Genebra II, Campinas/SP, 13084-753
Fone/Fax: (19) 3249-0001 | www.veruseditora.com.br

CIP-BRASIL. CATALOGAÇÃO NA FONTE
SINDICATO NACIONAL DOS EDITORES DE LIVROS, RJ

R483m

Rissi, Carina
  Mentira perfeita / Carina Rissi. - 8. ed. - Campinas, SP : Verus, 2021.
  23 cm.

  ISBN 978-85-7686-458-5

  1. Romance brasileiro. I. Título.

16-30048
CDD: 869.93
CDU: 821.134.3(81)-3

Revisado conforme o novo acordo ortográfico

Para Adri e Lalá

Oh, doce sonho que agora se abriga em meu peito,
sei que você também irá voar, como aconteceu antes.
— CHARLOTTE BRONTË, *Jane Eyre*

1
Júlia

Algumas pessoas passam pela vida em um cor-de-rosa infinito, cheio de boas lembranças e histórias engraçadas que serão sucesso nas festas de fim de ano.

Eu não era uma dessas pessoas.

Anda, anda, anda, caramba!, quiquei no banco do táxi, observando o aglomerado de carros que atravancava a avenida. Havia sirenes mais à frente, e uma multidão de curiosos impedia que o trânsito fluísse. Eu não podia esperar. Fazia mais de uma hora que Dênis tinha me ligado para avisar que tia Berenice havia sido internada. O tom de voz de meu amigo, que costuma falar pelos cotovelos, estava muito sério. Ele não deu nenhum detalhe, e isso me fez imaginar a gravidade da situação.

— Tudo bem, eu fico aqui mesmo — falei para o motorista. Dei uma olhada nos números do taxímetro e abri a bolsa para pegar o dinheiro.

— Tem certeza que não quer esperar? Talvez o trânsito melhore ali na frente.

— Já estou bem perto. Consigo chegar mais rápido a pé do que de carro. Obrigada. — Entreguei as notas a ele e, sem esperar pelo troco, abri a porta para sair.

Atravessei a rua, me espremendo entre os veículos quase inertes. Olhei para o relógio ao pisar na calçada. Uma hora e sete minutos desde que Dênis ligara e eu saíra correndo da L&L Cosméticos. Nem tive tempo de avisar Amaya. Minha amiga e colega de empresa certamente ficaria preocupada quando eu não aparecesse no refeitório no horário do almoço, mas eu não pensei direito quando ouvi a voz profunda de Dênis dizendo que estava levando tia Berê para o hospital e que eu deveria correr para lá. Só juntei minhas coisas e entrei no primeiro táxi que vi, implorando mentalmente que minha tia aguentasse mais essa.

Porque ela tinha que aguentar.

Tirei os óculos e esfreguei os olhos para enxugar as lágrimas que ameaçavam transbordar, engolindo o nó que me fechava a garganta antes de começar a correr. Cinco quarteirões depois, eu estava me dirigindo à recepção do hospital, com seus tons frios de madeira clara e suas paredes brancas. Após intermináveis dez minutos, fui levada por um dos enfermeiros ao andar onde minha tia estava internada. Enchi o cara de perguntas no caminho, mas ele não sabia muito. Ou fingiu não saber.

Avistei Dênis andando de um lado para o outro. Mesmo sendo tão alto, ele me pareceu menor que de costume.

— Dênis! — chamei, me adiantando até ele.

— Júlia. Graças a Deus! — Ele inspirou fundo e passou os braços ao redor dos meus ombros, me apertando tanto que acabei gemendo.

— Como é que ela tá? O que aconteceu? — Eu me afastei para ver seu rosto bonito. Os olhos cinzentos estavam vidrados, deixando a pele amendoada meio sem cor.

Ai, não!

— Ela começou a sentir dores e não conseguia respirar direito. Ficou muito pálida. Enfiei ela no táxi e trouxe para cá. Achei que era o certo a fazer.

— E ela não protestou? — Porque tia Berenice nunca ia para o hospital sem uma bela discussão.

Ele negou com a cabeça.

Ah, meu Deus!

— Como é que ela tá, Dênis? — repeti, sentindo um tremor subir pelos tornozelos.

— Eu não sei, Júlia. Só avisaram que o dr. Victor vai falar com você daqui a pouco.

Sempre que o dr. Victor falava comigo, as notícias eram as piores possíveis. E nos últimos tempos nós tínhamos conversado um bocado de vezes.

O problema era no coração de tia Berenice. A insuficiência progredira com muita velocidade, e agora ela precisava de um transplante. E, diferentemente do que ocorre nas novelas e nos filmes, um coração novo não saltou na nossa frente assim que o diagnóstico foi dado. Nenhum órgão compatível apareceu nos últimos seis meses. Eu tentava manter a fé, a esperança de que a qualquer momento um doador surgiria. Porém, conforme as semanas iam passando sem nenhuma novidade — exceto o fato de a saúde de minha tia definhar a cada dia —, acreditar em um milagre se tornou quase impossível.

Dênis me levou para dentro do consultório onde o enfermeiro havia pedido para aguardarmos. Nem tive tempo de me acomodar na cadeira de aparência desconfortável antes de a porta se abrir e o homem de cabelo prateado entrar. A baixa estatura e o corpo mirrado não faziam justiça à sua competência.

— Como é que ela tá, doutor? — Eu me aproximei do dr. Victor, as mãos unidas em súplica.

Ele me olhou com gravidade.

Merda.

— Os remédios surtiram pouco efeito nas últimas semanas, Júlia.

— Não!

— Calma, florzinha. — Dênis estava logo atrás de mim, as mãos grandes em meus ombros, me confortando. Ou me mantendo de pé. Eu não tinha certeza.

— Deve haver algo que o senhor possa fazer — sussurrei para o médico.

— Estou tentando tudo o que posso, tudo o que ela suporta, mas, Júlia, a sua tia precisa de um transplante imediatamente. Ela não vai aguentar muito mais. Aliás, a Berenice está consciente agora e quer ver você. Está preocupada.

Quase dei risada. Ela estava passando mal e seus pensamentos eram todos para mim. Bem típico de tia Berê. Sempre foi assim, desde muito antes de a minha guarda ter sido dada a ela, não é?

— Antes de ir vê-la... — dr. Victor acrescentou. — Procure não deixá-la agitada. E não permita que a Berenice a veja sofrer desse jeito. Pode piorar o quadro dela, e o tempo agora é o nosso pior inimigo.

— Posso acompanhar a Júlia, doutor? — Dênis perguntou. — Acho que ela não vai conseguir entrar naquela sala sozinha. Está a ponto de cair.

— Claro.

Um soluço ameaçou me tirar dos eixos, e eu pedi licença para usar o banheiro. Mal consegui fechar a porta antes de perder o controle.

Tia Berê não podia estar indo embora. A mulher que me criara e educara não podia partir ainda. Precisávamos de mais tempo.

Tempo. Não existe nada mais precioso que isso.

E eu estava desperdiçando, me dei conta, perdendo o controle daquela maneira. Endireitei os ombros, marchei até o lavatório e molhei o rosto, tentando me refazer. Apoiei as mãos no mármore frio, obrigando minhas pernas a manterem sua função de me sustentar. No espelho, vi os olhos assustados da menina magricela de seis anos, que esperava o juiz decidir se a mandaria para uma família que também a rejeitaria ou se permitiria que ela vivesse com tia Berenice. Naquele dia, a menina também fez o que pôde para fingir que estava tudo bem.

Agarrei as bordas da pia e encarei meu reflexo. Eu não tinha mais seis anos. Meu cabelo castanho-claro ainda era muito liso, mas agora terminava no meio das costas, e meus olhos já não pareciam grandes demais para o meu rosto de vinte e cinco anos. Meu corpo mudara, ganhara curvas — modestas, admito —, e eu era uma cabeça mais alta que tia Berenice. Não que fosse grande coisa, já que ela tinha apenas um metro e cinquenta e três, contando o topete. Havia no espelho muito pouco que remetesse àquela menina assustada, exceto pelo medo em meus olhos. A mesma expressão daquela tarde, quando eu esperara pelo fim do mundo, que nunca veio. Mas ameaçava vir agora, como um tsunami, impossível de ser contido.

Para com isso! Ainda existe uma chance! Um coração vai aparecer a qualquer instante!, repeti sem parar, até obter o controle de minhas emoções de novo.

Endireitando os ombros, saí do banheiro e acompanhei o médico até a UTI. Dênis me amparou sempre que foi preciso. Uma coisa é fingir ter coragem. Outra, completamente diferente, é convencer suas pernas dessa coragem.

Depois de vestirmos as roupas que o dr. Victor nos indicou, entramos na sala gelada, que cheirava a pinho, éter e dor.

Na cama alta, plugada a muitos fios, tia Berê parecia pálida e minúscula, tão diferente da mulher forte e dona de si que sempre fora. Seu peito subia e descia mais rápido que o normal. Ela moveu a cabeça assim que ouviu a porta se abrir e sorriu por baixo da máscara de oxigênio.

— Dênis. Juju, meu amorzinho. — Ouvi sua voz cansada enquanto me aproximava.

— Tia Berê... — foi tudo o que eu consegui dizer, engolindo em seco e tentando calar os gritos desesperados em minha cabeça. Dênis não parava de piscar.

— Seja sincera, Júlia... — ela começou, e eu temi o fim daquela frase.

Eu devia ter previsto. Quando é que tia Berenice agiu como uma pessoa normal?

— ... minha raiz tá aparecendo muito?

Pisquei e deixei escapar uma risada histérica. Acariciei seu cabelo curto e encaracolado pela permanente, onde uma fina linha branca se fazia visível rente ao couro cabeludo, contrastando com os fios tingidos de acaju.

— A senhora está linda como sempre, tia.

— Uma deusa glamorosa! — Dênis ajudou.

Ela revirou os olhos.

— Não sejam mentirosos. É impossível estar glamorosa com esses malditos respiradores. Mas está tudo bem. Meus dias de beleza terminaram. Aliás, meus dias terminaram. Ponto.

Meu rosto deve ter revelado o horror que senti ao ouvir a última parte, porque ela me olhou com ar aborrecido.

— Não seja boba, Juju. Você sabe que não estou sendo literal. A minha vida acabou no momento em que aquele déspota ali na porta me proibiu de comer costelinha de porco. Como ele espera que eu sobreviva a isso?

— É, não dá mesmo, dona Berê. — Dênis riu, encarando o dr. Victor, que também achou graça.

A relação de tia Berenice com as costelinhas ainda era um mistério para mim. Quando o médico sugeriu que ela substituísse a carne de porco por brócolis e aspargos, tive que segurá-la. Por pouco ela não pulou no pescoço do seu cardiologista para lhe arrancar os olhos, ou algo assim.

— Bem — dr. Victor disse, abrindo a porta —, se você está pretendendo falar mal do médico, é melhor ele ser educado e se retirar. Volto em meia hora.

— Covarde! — resmungou minha tia depois que ele saiu. — Não aguenta um pouco da verdade. Aposto que come costelinha todo dia.

— O coração dele não está com problemas — eu me ouvi dizendo.

— Não importa. E deve ter sido isso que fez meu coração se comportar mal hoje. Ele não sabe viver sem costelinha. — Ela soltou um suspiro desconfortável e cravou seus olhos castanhos, exatamente do mesmo tom dos meus, em mim. — Mas eu não posso reclamar de verdade, não é, Juju? Tive uma vida boa. Vivi cada aventura que pude. Você, meu amor, ainda nem começou.

— Tia, não é o melhor momento para a senhora me dar uma bronca.

— Não é uma bronca. Estou preocupada de verdade. Sabe, um dia eu vou ter que partir e você vai ficar sozinha. — Ela virou o rosto, olhando para o equipamento repleto de luzes acima de sua cabeça.

— Então esta conversa é desnecessária, já que a senhora não vai a lugar nenhum tão cedo. — *Por favor!* — Quer que eu ligue a TV ou pegue alguma coisa?

— Não, meu docinho. — Ela balançou a cabeça uma vez, a agitação se avolumando em seu semblante. — E não mude de assunto. Sabe o que mais me entristece quando eu penso na morte? Não estar aqui para saber como será a sua vida, quem cuidará de você.

— Ora... Eu! — Dênis tocou a mão dela.

— Eu sou adulta, tia. Posso cuidar de mim mesma. Mas a senhora não devia pensar nessas coisas, porque...

— Eu só queria que você demonstrasse por alguém de carne e osso a mesma paixão que tem pelos seus programas de computador — Ela esfregou o peito.

Ah, droga.

Eu me virei, pronta para disparar porta afora, quando Dênis interveio:

— Mas isso mudou, dona Berê! Júlia, você não contou para a sua tia que está namorando?

— Ela está? — Tia Berenice o encarou, ao mesmo tempo em que eu me virava e o fuzilava com os olhos.

O quê?, movi os lábios. O que aquele maluco estava dizendo? Não era hora para brincadeiras!

Dênis abriu um sorriso cheio de dentes que, em contraste com sua pele escura, ficaram ainda mais brancos. Seus olhos se estreitaram minimamente.

— Eu acho que você não devia guardar segredos da sua tia. O que tem de mais ela saber que você está *loucamente apaixonada*? — E me lançou um olhar que dizia: *Fica quieta e entra na minha.*

— Você tem namorado, Juju? — minha tia quis saber.

— Tem sim! Vai, Júlia. — Dênis estendeu o braço e beliscou minha cintura sem que ela visse. — Conta pra sua tia como o seu namorado é carinhoso e preocupado. Ele está louco por ela, dona Berê.

— Preocupado com ela, Dênis?

O que você está fazendo?, movi os lábios novamente.

— O que o médico mandou. Acalmando a sua tia — ele sibilou, abaixando as sobrancelhas grossas em direção à cama. — Ah, muito preocupado, dona Berê. Nunca vi um homem tão apaixonado!

— Isso é verdade, Júlia?

Eu me virei para tia Berenice, pronta para responder que Dênis tinha batido a cabeça e não estava falando coisa com coisa. Porém, quando meu olhar encontrou o dela, algo me fez hesitar. Uma faísca de vida cintilava em seu rosto. Foi aí que eu entendi o que Dênis estava fazendo. Nada agradaria mais tia Berenice do que me ver com um namorado.

Exceto, talvez, umas costelinhas de porco.

— Isso é verdade, Juju? — ela repetiu, a mão sobre seu coração se aquietando.

— Éééééééé... — concordei devagar. Eu devia ter me sentido mal, mas não. Uma mentirinha de nada que tirara aquele véu sombrio e agourento do seu rosto não podia ser ruim. Talvez até ganhássemos mais tempo! — É verdade, tia.

Ela arqueou a sobrancelha, escrutinando meu rosto. Fiz o melhor que pude para não coçar o nariz. Não sei bem por quê: toda vez que eu minto, meu nariz comicha como se eu tivesse esfregado pimenta nele.

— Por que não me contou antes? — ela quis saber, um tanto magoada.

— Porque eu... não queria...

— Que a senhora pensasse que ela não estava preocupada com o seu estado de saúde — Dênis improvisou.

— Júlia! — Ela fez cara feia. — Eu jamais pensaria isso! Quem é ele? Eu conheço? É alguém do seu trabalho?

— Não, mas ele está louco para conhecer a senhora. — Agora que eu havia começado, não tinha como voltar atrás. — Na verdade, ele já te ama.

— Ah, meu Deus! Eu quero conhecê-lo! — Seu olhar reluziu. Era impressão minha ou suas bochechas pareciam mais coradas?

Estava funcionando!

— Eu o vi pela primeira vez no ponto de ônibus. — Tá bem. Eu podia fazer aquilo. Podia inventar uma porcaria de história de amor cheia daquelas coisas melosas de que ela tanto gostava. — Ele estava sentado, e eu acertei a cara dele sem querer com a mochila.

— Seu computador estava dentro da mochila? — Um pequeno sorriso apareceu naqueles lábios sem cor.

— Estava — assenti. Meu amigo empurrou uma cadeira sob meus joelhos.

— Obrigada, Dênis.

— Disponha. — Ele contornou a cama e pegou a mão de tia Berenice, acariciando-a.

— E aí? O que aconteceu? — ela me incentivou.

Pois é. O quê? Nunca fui muito boa em inventar histórias.

Dênis, em compensação...

— Ela pediu desculpas — meu amigo se entusiasmou — e ele fingiu que não estava doendo, mesmo com metade do rosto quase roxa pela pancada. Aí ela perguntou se podia fazer alguma coisa para que ele a perdoasse. Ele sorriu e disse que perdoaria se ela aceitasse tomar um café. "Mas e se eu te acertar de novo sem querer com esta mochila descontrolada?", ela perguntou. E ele respondeu com um sorriso daqueles bem brilhantes: "Estou contando com isso. Assim você teria que se desculpar de novo, e eu teria outra chance de te ver".

— Ownnnn... — minha tia suspirou, o olhar vidrado em Dênis. — Fala mais, querido. Como ele é? Você o conhece?

— Ainda não. A Júlia queria primeiro apresentá-lo para a senhora. Diz para a sua tia como ele é, Júlia.

— Ele é... o cara mais lindo que eu já vi. Gosta das mesmas coisas que eu... — Fui buscando na memória todas as características dos heróis dos livros e filmes que tia Berenice mais amava. Por fim, acabei descrevendo um homem tão perfeito que foi um milagre ela ter acreditado que ele realmente existia.

— E ele mencionou alguma vez a palavra que começa com C? — Tia Berenice umedeceu os lábios.

— Hã... É... Mencionou, sim. — Uma mentira a mais, uma a menos... que diferença faria? — Acho que ele pretende pedir a minha mão para a senhora, como manda a tradição, assim que sua saúde melhorar.

— Ah, Juju! Que menino encantador! Ele não devia ter esperado nada. Quem se importa com uma velha doente?

— Eu!

Ela riu de leve, mas seu rosto estava contorcido, como se sentisse dor.

— Já posso até ver você entrando na igreja com um dos meus vestidos. Um quarteto de cordas no canto, um corredor de flores brancas. E aquela tiara da vovó Marta. Você tem que usar aquela tiara, Júlia! Vai ser a noiva mais linda de que já se teve notícia.

— Vamos ver — desconversei. — A senhora trouxe a bolsinha de remédios?

— Devo ter trazido. Mas isto aqui é um hospital. Remédio é o que não falta. Como foi o seu dia, meu amor?

— Bom. — Entrei no automático, contando a ela sobre o pouco que havia acontecido naquela manhã enquanto meu cérebro girava a toda a velocidade, passando por estatísticas e números de compatibilidade, coisas tão familiares para mim. De modo geral, havia 13,3 doadores de órgãos para cada milhão de habitantes. Desses, quarenta e cinco por cento não chegavam realmente a fazer a doação, já que a família se negava a autorizar na hora H. Restavam, então, apenas 8,6 doadores para cada milhão de habitantes. Se você levasse em conta a compatibilidade desses 8,6 com tia Berenice, teríamos algo em torno de...

Ela gemeu baixinho, me arrancando de meus pensamentos. Seu rosto estava contorcido em uma careta de agonia, mas ela não emitiu som algum. Eu a conhecia bem o suficiente para saber que a dor estava ficando insuportável.

Apertei o botão na cabeceira, chamando ajuda.

— Júlia, querida — ela disse com dificuldade —, por que você e o Dênis não vão buscar um pouco de água pra mim?

— Tem água aqui. — Peguei a jarra sobre a mesa alta de metal.

— Essa não. Tá aí desde que o hospital foi construído. Pegue um pouco de água fresca.

Eu a encarei por alguns segundos. O que ela estava fazendo?

— Tia...

— Vá pegar a água, menina!

A porta se abriu e uma enfermeira entrou. Dênis se abaixou e beijou o dorso da mão de minha tia antes de se afastar da cama.

— É melhor deixarmos a dona Berê descansar — ele me pediu em um sussurro.

— Mas...

— Vá pegar minha água, Juju! Por favor! Vou estar no mesmo lugar quando você voltar.

Hesitante, deixei a enfermeira mexer nos tubos ligados a ela. Eu me inclinei e beijei sua testa demoradamente.

— Volto em dois minutos — sussurrei. — Te amo.

— Te amo, minha Jujuba. Mais do que você jamais poderia sonhar. Mas vá depressa. Estou com muita sede. Vá!

Eu me demorei um minuto a mais. Não queria me afastar dela. O dr. Victor podia entrar a qualquer momento dizendo que o coração novo apareceu.

Dênis deve ter percebido minha hesitação, pois me levou para fora com firmeza, ainda que fosse gentil. Parei quando alcancei a porta, olhando por sobre o ombro para a única mãe que já tive.

Tão pequena sobre aquela cama. Tão frágil e sem cor. Onde estava aquele bendito coração novo?

Meu amigo me puxou com carinho para fora dali.

— Onde fica o bebedouro? — ele perguntou, segurando a jarra.

— No fim do corredor — falei no automático. Havia algo errado. Comecei a andar, mas um pensamento sinistro me fez derrapar no piso. — Ah, meu Deus!

— O que foi? — Ele me amparou quando minhas pernas bambearam.

— Dênis, ela tá fazendo a coisa do elefante!

Ele entendeu imediatamente.

Tia Berê era costureira e trabalhara a vida inteira em um ateliê de noivas. Teve que parar quando a insuficiência cardíaca apareceu, e desde então passava muito tempo em frente à TV vendo filmes antigos ou programas do Animal Planet. Um deles a fascinou tanto que ela fez Dênis e eu assistirmos à reprise com ela. Um elefante preso no zoológico de Michigan adoecera e percebera que não iria resistir. O animal entrou em parafuso, tentando escapar do cativeiro e ir para longe da sua fêmea. Segundo o documentário, os elefantes sempre sabem quando é hora de partir e preferem morrer longe dos parceiros e da manada, para não provocar sofrimento.

Um apito agudo ressoou pelo corredor. Um enfermeiro passou zunindo por mim e entrou no quarto de tia Berê. Outro deles veio em seguida. E depois o dr. Victor.

Tentei voltar, entrar lá, mas o médico me impediu.

— É melhor esperar aqui fora, Júlia — ele disse antes de fechar a porta.

No entanto, ele não foi rápido o bastante. Pela fresta, pude ver um dos enfermeiros debruçado sobre a cama, aplicando uma ressuscitação cardiopulmonar em minha tia.

— Júlia... — Dênis também se viu sem palavras, correndo a mão pelo cabelo curto. — Cacete, Júlia! Eu sinto muito! Eu sinto muito, florzinha. — E me abraçou com força.

Tia Berenice teria se levantado e ido para bem longe se pudesse. Como não podia, ela me mandou embora.

Ela estava fazendo a coisa do elefante do jeito que podia.

2
Júlia

Não me deixaram entrar na UTI. Nem mesmo ficar no corredor! Me enxotaram dali como se eu fosse um cão sarnento. Talvez o fato de eu ter tentado entrar à força tenha algo a ver com isso.

Dênis ficou ao meu lado o tempo todo e tentava me consolar, afirmando que tudo daria certo e que ela sairia dessa, como aconteceu das outras vezes. Eu queria muito acreditar nele. Queria desesperadamente, mas já não podia.

— Eu não devia ter inventado aquela história, Dênis — murmurei, tentando conter os soluços. — Agora ela pode ir embora e a última coisa que eu falei para ela foi uma mentira!

— Não, florzinha. A última coisa que você falou para ela foi "Eu te amo".

Dona Magda invadiu a sala de espera lotada. A mãe de Dênis tinha os olhos inchados e o cabelo escuro enrolado em bobes do tamanho do meu pulso.

— Eu só soube agora, Júlia. Estava no cabeleireiro — ela foi dizendo. — Como a minha amiga está?

— Por que você não senta um pouco, mãe? — Dênis se levantou e deu o lugar a ela. Eu tive que me levantar também. Ver Magda sem minha tia por perto parecia errado. As duas eram como fone de ouvido e iPod desde que ela e o pequeno Dênis se mudaram para o sobrado amarelo em frente ao nosso.

Meu amigo atualizou a mãe, e não tardou para que ela se desmanchasse em lágrimas, tirando um terço preto de dentro da bolsa.

Aquilo foi demais para mim. Comecei a andar de um lado para o outro, um olho no relógio, o outro na porta que dava para o corredor da UTI. Levou muitas horas para que o cardiologista de minha tia passasse por ela. Quando por fim ele apareceu, trazia no rosto uma expressão indecifrável.

— Acho melhor falarmos na minha sala — ele anunciou com a voz grave.

Não, não, não!
Ainda assim, assenti uma vez, reprimindo o desejo de sair correndo aos berros.
— Quer que eu vá com você? — Dênis perguntou.
— Não precisa. Cuida da sua mãe. — Dona Magda havia tomado um calmante e estava meio chapada.
Ele pegou minha mão e a apertou de leve.
Fingindo uma coragem que eu não sentia, fui atrás do médico.
O dr. Victor fechou a porta assim que passei por ela e foi se sentar atrás de sua mesa, as mãos unidas, os olhos nos meus. Inspirou fundo antes de começar. Prendi a respiração.
— Júlia, sua tia teve três paradas cardíacas...
Fechei os olhos, meu próprio coração ameaçando parar de bater. Ele continuou falando.
— ... e nós conseguimos trazê-la de volta, com algum custo.
Abri os olhos de imediato.
— Na última, pensei que ela não fosse resistir — prosseguiu. — Mas alguma coisa aconteceu e ela sobreviveu. Não só isso, Júlia. O quadro todo teve uma melhora espantosa.
Eu apenas ouvia e piscava enquanto ele se recostava na cadeira e olhava para mim.
— Ela está bem. — Sorriu. — Aliás, está bem como há muito tempo não ficava. A doença ainda existe, ainda é grave. A sua tia *ainda* precisa do transplante. Preciso fazer mais alguns exames, mas, ao que tudo indica, ganhamos um pouco mais de tempo. Estou me perguntando o que fez o quadro mudar tão depressa e não chego a nenhuma conclusão. Acho que foi um...
— Milagre — completei. Ele concordou com a cabeça.
Ah, meu Deus. Eu havia recebido mais um. Diversas emoções perpassavam meu corpo, o tremor me sacudindo de leve.
— Ela ainda requer cuidados — o médico prosseguiu —, por isso vai ficar conosco mais alguns dias, mas em breve vai poder voltar para casa. As recomendações anteriores devem ser seguidas à risca. Alimentação, pegar leve com atividades motoras... Você está bem? — ele perguntou, preocupado.
— Sim, eu... posso usar o banheiro?
Deixei a mochila na cadeira e atravessei a sala correndo, sentindo o olhar curioso do médico me seguir durante todo o percurso. Assim que entrei e fechei a porta, meu corpo não aguentou mais. Tombei contra o painel de madeira e cobri a boca com a mão para que o dr. Victor não ouvisse meus soluços.
Obrigada! Obrigada! Obrigada!

Assim que meu colapso terminou e eu voltei a ter controle sobre minhas emoções, retornei para a sala e pedi que ele me deixasse falar com tia Berenice. Eu precisava ver com meus próprios olhos que ela estava bem, que ele não estava inventando aquilo tudo.

— Claro que pode — o dr. Victor respondeu, amável. — Ela está chamando por você desde que recuperou a consciência. Só peço que seja cuidadosa e não a deixe nervosa. No mais, pode permanecer o tempo que quiser, mas seus amigos vão ter que esperar. Ela pode ficar agitada se receber muita gente no quarto, e nós não queremos arriscar até os novos exames ficarem prontos.

Fiquei de pé. Ele sorriu diante de minha impaciência, mas se levantou e liderou o caminho.

Bateu uma vez e abriu a porta da UTI, enfiando a cabeça entre ela e o batente.

— Pronta para sua primeira visita, Berenice?

— Estou pronta já faz horas! — a voz firme reverberou pelo quarto e me alcançou.

Era real. Ela estava bem. Ainda estava comigo.

— Ela é toda sua. — O médico se afastou para me dar passagem.

Aprumei os ombros, empurrei os óculos para cima e entrei. Encontrei minha tia sentada naquela cama de aparência pouco confortável, raspando um copinho de plástico com uma colher.

— Juju! — Ela passou a mão no rosto, limpando os restos de gelatina do queixo.

Corri para ela e a abracei com força, tomando cuidado para não esbarrar em nenhum fio ou mangueira.

— Ah, tia Berê...

— Eu sabia! Sabia que você ia ficar preocupada. Aquele médico malvado não me deixava ver você. — Ela me agarrou pelos ombros e examinou meu rosto. Uma expressão aflita tomou conta dela. — Falei para o dr. Victor que você ficaria assim, mas aquele homem insensível não acreditou quando eu garanti que não ia morrer. Isto é, depois que o meu coração baleado voltou a bater e tudo o mais.

— A senhora devia estar comendo? — Peguei o copinho de suas mãos e o coloquei sobre a mesa de apoio.

Ela fez uma careta.

— Tecnicamente não, mas eu estava morta de fome, e uma enfermeira muito boazinha contrabandeou um potinho de gelatina para cá. Não precisa fazer essa carinha. Estou bem, viu? Acredite em mim! Eu não vou embora tão cedo!

Minha visão embaçou e eu tive que piscar algumas vezes para evitar chorar de novo. O dr. Victor tinha pedido para pegar leve. Chorar a deixaria abalada, e ela precisava de descanso e tranquilidade naquele instante.

— O médico me disse que a sua melhora foi um milagre.

— Claro que foi! E foram as novidades que operaram esse milagre!

— Que novidades? — perguntei, com a incômoda sensação de que não queria saber a resposta.

Ela deu risada e um tapinha na minha mão.

— Não finja que não é importante! Você acha mesmo que eu iria perder o seu casamento? Não vai ser uma insuficiência cardíaca aguda de merda que vai me impedir de ver o meu sonho se tornar realidade. Você se casar com um vestido desenhado e confeccionado por mim! — E me encarou com aqueles enormes olhos castanhos. — Você me deu uma razão para lutar. E eu venci! Você é o motivo de eu ainda estar aqui, meu amor. Quando é que eu vou conhecer o seu futuro noivo?

O quê?

Não, eu não tinha entendido direito. Não podia ser esse o motivo que a trouxera de volta das paradas cardíacas. Não podia ser. Se fosse, eu estaria ferrada.

— Tia, eu... Humm...

Ela arfou e um som de engasgo lhe escapou da garganta.

— Você não estava falando sério? Júlia, você mentiu para mim? — Tia Berê piscou como se algo a ferroasse e levou uma mão ao peito. Gemeu.

Ah, merda!

Ah, meu Deus!

— Não, não, não! Ninguém mentiu! Fica calma. — Eu me estiquei para apertar o botão que avisava a enfermaria, mas minha tia segurou meu pulso.

— Não mentiu? — arfou, ainda pressionando o peito, os olhos nos meus.

— Claro que não. Que ideia, tia. — Tentei sorrir. — Eu realmente tenho um namorado e estou apaixonada. Muito apaixonada. Tanto que... eu nem... humm... sei dizer.

— Ah! — Sua respiração começou a voltar ao ritmo normal. A mão em meu pulso afrouxou. — Que susto, menina! Então, quando vou conhecê-lo?

Assim que eu conhecer, eu quis dizer.

— Logo, tia. Ele tá... humm... viajando a trabalho, mas assim que voltar eu apresento para a senhora. — Isso! Assim eu ganhava um pouco mais de tempo para pensar no que fazer sobre aquele assunto. Onde diabos eu iria conseguir um namorado tão em cima da hora? E não qualquer um, mas o homem perfeito que eu descrevera para tia Berê!

Desde que a doença dela se agravara, eu praticamente só saía de casa para ir para o trabalho. Como eu poderia me envolver com alguém se a minha vida estava um caos?

Eu nunca me socializei com facilidade, nunca fui capaz de conversar com pessoas que não conheço, como vejo os outros fazerem. Passei pela escola sem deixar saudade em ninguém, tenho certeza. Exceto, talvez, nos professores. A questão é que as pessoas, uma hora ou outra, acabam te decepcionando. Era por isso que relacionamentos, de qualquer gênero, eram tão complicados para mim. Você conta com alguém, ama esse alguém de todo o coração, e ele vai embora sem aviso. Aprendi isso muito cedo, e evitava a todo custo me relacionar. Doía demais quando as pessoas iam embora.

Mas tudo bem. O que importava agora era manter a minha tia estável e calma. Todo o restante se ajeitaria depois. Uma mentirinha de nada não podia ter consequências tão graves assim.

3
Marcus

Desejei, e não pela primeira vez, estar em qualquer lugar do mundo que não fosse ali, na sala de estar do apartamento do meu irmão mais velho. Na fila do correio com um office boy armado com duas gordas pastas bem na minha frente; aguardando uma consulta num hospital do SUS; acompanhando minha mãe em uma loja de departamentos. Qualquer uma dessas alternativas seria melhor que ficar ali ouvindo a gritaria sem sentido da minha família.

— Não posso aceitar, Julius! Ele é só um bebê! — Minha mãe soluçava. Mirna Cassani era uma das mulheres mais duronas que eu conhecia. A menos, é claro, que o assunto fosse um dos seus filhos.

— Mirna, calma, por favor. — Meu pai tentava, em vão, fazê-la parar de andar de um lado para o outro na sala pouco espaçosa do apartamento de Max e Alicia. — Ninguém vai se mudar e ponto-final.

— Vou sim, vocês queiram ou não — desafiei. — Agora, podemos cortar o drama e jantar?

— Marcus, pelo menos ouça — demandou meu irmão. Max ainda não tinha se manifestado até então. Parecia dividido entre a preocupação e o entendimento de que eu já não era um garoto.

— Pra quê, Max? — retorqui. — Eu já tomei a minha decisão. Não tenho que pedir permissão, sou maior de idade. Você saiu de casa sem nenhum escândalo.

Ele revirou os olhos.

— Isso é o que você pensa.

— Por que você quer se mudar, Marcus? — Minha mãe se ajoelhou na minha frente, pegando minha mão e a aninhando entre as suas. — Não me opus quando você saiu da chácara porque achei que ficar com o seu irmão poderia ser bom. Você está bem instalado aqui. Pra que sair? O Max não tem te tratado bem?

Soltei o ar com força.

— Mãe, o Max e a Alicia são ótimos. Sério. Mas eu quero um canto só pra mim. — Não era pedir muito, era?

— Mas você não pode ter um canto só pra você, meu querido. — Seu rosto se contorceu de angústia. — Porque... porque você...

— Mãe — Max interferiu. — Não.

Mas eu sabia como aquela frase teria terminado se meu irmão não tivesse se intrometido. *Porque você é um maldito aleijado.* Era assim que ela acabaria. Não que minha mãe fosse dizer com todas as letras. Provavelmente escolheria algo sutil, na linha do "pessoa com deficiência", ou o meu favorito: "portador de necessidades especiais". A babaquice do politicamente correto.

Eu estava farto. Estava cansado dos olhares preocupados de minha mãe, de meu pai se levantar cada vez que eu respirava para perguntar se eu precisava de alguma ajuda, de atrapalhar o relacionamento do meu irmão. Estava de saco cheio de tudo isso.

Eu entendia que toda aquela preocupação era porque eles me amavam. Mas até o amor cansa às vezes. Eu queria encontrar um canto onde pudesse ouvir meus pensamentos sem ter que me preocupar se um dos meus familiares se ofereceria para fazer isso por mim.

Além disso, eu estava apenas antecipando as coisas. A lesão em minha medula não era total, e meu quadro tinha mudado havia pouco mais de um ano. Voltei a ter sensibilidade nas pernas e nos pés e, segundo minha ortopedista, isso era indício de que ainda havia uma chance de voltar a andar. Então, no fim das contas, eu só estava me preparando para o momento em que minha vida sairia daquele limbo tenebroso.

Eu até tinha voltado a estudar — por exigência de Max, mas ainda assim. Esse tinha sido o acordo para que eu pudesse sair da chácara onde meus pais moravam e vir para a cidade. Eu frequentava as aulas todos os dias, conseguira um emprego. O salário não era lá essas coisas, mas dava para sair umas seis vezes por mês sem ter que pedir dinheiro para ninguém.

Minha família entendia isso?

— Desculpe, meu amor. — Minha mãe piscou algumas vezes, então se levantou e desabou no sofá, enterrando o rosto afogueado entre as mãos. Seus ombros sacudiram de leve. — Eu me preocupo com você. Quero cuidar de você.

— Eu sei disso, mãe. — Soltei um longo suspiro. — Mas não estou fazendo nada perigoso. Só vou viver por conta própria. Todo mundo faz isso.

— E se você escorregar da cadeira na hora do banho, Marcus? — Ela ergueu a cabeça, o horror estampado no rosto. — Quem vai te acudir?

— Eu mesmo, suponho. — *Como qualquer outra pessoa que mora sozinha*, pensei. Mas aparentemente fui o único.

— Isso não vai dar certo. Ele vai tentar de novo, Julius. — Ela voltou a chorar. — E vai fazer parecer um acidente, como da outra vez. Eu não vou suportar. Não vou suportar perder o meu menino.

— Ele não vai fazer nada estúpido, mãe. — Max me olhou duro. — Não seria tão burro.

— Como podemos saber, Max? — ela quis saber. — Como podemos ter certeza?

— Eu nunca tentei me matar, caramba! — Soquei a roda da cadeira.

Max se aproximou e virou meu pulso para cima, exibindo a cicatriz irregular sem dizer uma única palavra.

Grunhi baixinho, fitando a marca em meu pulso direito. Aquilo me perseguiria pelo resto da vida. Eles não acreditaram quando expliquei que havia sido um acidente. Desde então ninguém me permitia chegar perto demais de comprimidos, facas, cadarços, parafusadeiras...

Ok, *pareceu* que eu havia tentado dar um fim a tudo, e as estatísticas também não colaboravam. O índice de suicídio entre a população cadeirante é altíssimo. Mas eu não tentei me matar. Não mesmo. O que aconteceu foi a porra de um acidente.

Meu pai estava em sua oficina — ele sempre adorou trabalhar com marcenaria — e eu estava sem nada para fazer. Fiquei ali com ele, ajudando a pregar o fundo do que seria uma jardineira. Então, bati o cotovelo sem querer na caixa de ferramentas sobre a mesa. Tentei pegá-la antes que tudo se espalhasse pelo chão, mas estava pesada, e o impacto empurrou meu braço para baixo. Meu pulso encontrou a cabeça de um prego meio solto e foi rasgado de um lado ao outro. Um ato desastrado que me rendeu dezoito pontos e um ano de terapia.

Não que eu não tivesse pensado em algo do tipo, confesso. Mas, depois de ver o estado em que meus pais ficaram, para não mencionar Max, que ainda se sentia responsável pelo acidente, já que a moto havia sido um presente dele, percebi que seria egoísta demais pensar apenas em mim. Eles tentavam o melhor que podiam para fazer da minha vida o mais "fácil" possível. Aqueles últimos três anos haviam sido um inferno, mas teriam sido muito piores sem a minha família por perto.

— Foi um acidente — falei pela milionésima vez. — Você acha que eu sou burro a ponto de tentar me matar cortando os pulsos e ficar ali agonizando por sabe-se lá quantas horas? Existem meios muito mais rápidos e indolores — expliquei, esperando que com isso colocássemos uma pedra sobre esse assunto.

No entanto, meu pequeno discurso surtiu o efeito contrário.

— Ele vai fazer de novo, Julius! — Minha mãe chorou enquanto Max me olhava feio e murmurava um "idiota".

Meu pai chegou mais perto, plantando as botas na minha frente, braços cruzados sobre o peito, o rosto fechado numa carranca que poderia muito bem pertencer a um coronel do exército.

— Me diga a verdadeira razão de querer sair da casa do seu irmão. E não minta, ou juro por Deus que vou te dar uma surra daquelas.

Sorri de leve. Era por coisas assim que eu amava tanto o meu velho.

— O Max e a Alicia vão se casar em poucas semanas. Eles precisam de privacidade.

A porta da sala se abriu. A noiva em questão apareceu meio descabelada, e logo percebeu o clima pesado.

— Saco. — Soltou um longo suspiro ao deixar a bolsa sobre a mesa, que ainda nem havia sido posta. Deus do céu, o jantar seria servido só no café da manhã? — Fiquei presa no trânsito. O que eu perdi?

— Nada de tão importante. — Max foi até ela e a beijou brevemente. — Não decidimos nada ainda.

— Falem por vocês — resmunguei. — E eu já resolvi. Agora, quando é que a gente vai comer?

Alicia se desprendeu de Max para se aproximar de minha mãe, beijando-a delicadamente no alto da cabeça, depois se empoleirou no braço do sofá.

— Pelo clima estranho, ninguém é a favor dessa mudança — Alicia ponderou, olhando para cada um de nós. — Tá legal, vamos encarar os fatos. O Marcus é cadeirante e isso complica as coisas.

— Valeu, Alicia! — Olhei feio para ela.

— Ainda não terminei. — Ela voltou a encarar minha família. — Mas complicar não é o mesmo que impossibilitar. Se ele acha que está pronto para viver sozinho, então nós deveríamos acreditar. Ele é adulto, não vai ser estúpido a ponto de se colocar em risco só para provar um argumento.

— Você não sabe o que está falando — Max retrucou, e eu podia apostar que ele estava se lembrando de quando éramos crianças e apostamos quem comeria mais minhocas.

É claro que eu venci.

E também passei três dias no hospital, vomitando.

— Max. — Ela pegou a mão de seu ex e agora futuro marido e o encarou com aqueles enormes olhos azuis enganosamente doces. — Ele tem se mostrado responsável. Não faltou a nenhuma aula desde que voltou para a faculdade. É sempre o primeiro a chegar ao trabalho e o último a sair. Eu acho que vocês deviam dar uma chance a ele.

Era por coisas como aquela que eu amava tanto Alicia. Max tinha ganhado na loteria. Tinha mesmo. E estava prestes a ceder à súplica de sua noiva, percebi pela expressão em seu rosto.

— Mas, querida... — minha mãe se aprumou, como se percebesse que perdia terreno. — Ele nunca ficou por conta própria.

— Ele se vira bem na cozinha. Bem melhor do que eu.

Qualquer um com duas mãos esquerdas se virava melhor que Alicia. Estremeci ao lembrar a noite em que Max ficou preso em uma reunião e ela disse que cuidaria do jantar. Ainda não entendo como é que ela conseguiu transformar miojo em algo intragável. E olha que eu não sou de frescura com comida.

— Sim, eu sei. Ensinei meus filhos a cozinhar. — Minha mãe deu de ombros. — Nenhum deles vai morrer de fome, mas...

— Eu sei, dona Mirna. — Alicia pousou uma das mãos no braço dela e lançou um daqueles seus sorrisos. — Também vou ficar preocupada. Mas a gente pode dar um jeito nisso.

— Como, querida?

— É, como? — eu quis saber. Porque eu topava. Quaisquer que fossem os termos, eu topava.

— Ele podia... podia... — Alicia olhou para a sala como que em busca de inspiração. O canto de sua boca se ergueu repentinamente. — Ele podia contratar um acompanhante!

— O *quê*? — Não. Qualquer coisa menos *isso*! Era tudo de que eu não precisava. A porra de uma babá grudada em mim o dia todo.

Max, aquele traidor, sorriu de leve.

— É uma boa ideia.

— Concordo — minha mãe cedeu, parecendo um pouco menos nervosa. — Eu ficaria mais tranquila se ele tivesse alguém por perto.

— Não. De jeito nenhum! — Fui para perto da janela, sentindo uma necessidade doentia de bater em alguma coisa.

O simples ato de pensar na palavra me embrulhou o estômago.

Um cuidador.

A essa altura do campeonato, ter um cuidador minguaria todos os planos de me preparar para retomar minha vida de onde havia parado, três anos antes.

— Muito bem, Marcus. — Meu pai me seguiu e com um empurrão fez a cadeira girar até eu ficar de frente para ele. Julius Cassani sorria como se tivesse acabado de ganhar uma briga. — Você pode se mudar daqui, desde que arranje um cuidador.

— Pai! Você não pode estar falando sério. Eu não vou ter a porra de uma babá!

— Olha essa boca suja, moleque! — ele vociferou. — Não foi essa a educação que sua mãe e eu lhe demos. E você vai ter um cuidador sim, a menos que tire essa ideia de morar sozinho da cabeça e continue aqui com o seu irmão e a noiva dele. Esses são os termos. É pegar ou largar.

Saco.

❦

Só me dei conta de que a aula já havia terminado quando percebi que a sala estava quase vazia. Minha cabeça estava ainda mais cheia do que o normal. Eu não era o melhor aluno da turma — longe disso —, mas sempre acompanhava o que estava acontecendo ao meu redor, ainda que a matéria às vezes me escapasse.

— Ei, Marcus — chamou Davi do outro lado da sala, juntando suas coisas. — Não vai para a próxima aula?

— Vou dar um tempo hoje.

— Ah, não, cara. Você pode dar um tempo outro dia. Hoje você *tem* que ir! O Guto perdeu a aposta. Ele não conseguiu comer oito cachorros-quentes e vai ter que beijar o professor Sérgio em plena aula. Só não sei como ele vai fazer isso sem acabar sendo expulso. Em todo o caso, vou gravar pra postar no YouTube mais tarde.

Estremeci ao imaginar o Guto beijando o cinquentão casca-grossa, que mais parecia um lutador de MMA que um professor de programação.

— Vejo na internet depois.

Ele deu de ombros e saiu às pressas. Juntei meu material e fui para o estacionamento. Depois de me acomodar no carro e jogar a cadeira no banco do carona, parti sem destino. Aquela era a primeira vez que eu matava aula desde que retomei o curso, no início do ano. Max ficaria doido se soubesse. Mas minha cabeça não estava onde deveria estar, então qual era o sentido?

Um cuidador. Se eu quisesse me preparar para retomar minha vida, teria que arranjar um cuidador, que passaria o dia me perguntando se podia limpar a minha bunda. Que espécie de liberdade era essa, porra?

Sair de casa se tornara uma questão de honra agora. E me preocupava o fato de minha família ter tão pouca fé que eu fosse voltar a andar. Porque eles não fariam todo esse estardalhaço se acreditassem nisso. Eles não faziam por mal, claro que não. Só gostavam de manter os pés no chão. Ainda assim, isso me magoava.

Eu não havia concordado com nada imediatamente. Assim que meu pai expusera seus termos, eu me trancara no quarto e só saí de lá de manhã, para ir para a faculdade. Alicia e Max tinham me esperado, mesmo que eu tivesse deixado bem claro que não queria falar com eles. Então, desci até o estacionamento de cara amarrada. É claro que, entre o processo de entrar no carro e desmontar a maldita cadeira, eles tiveram tempo de se acomodar no meu Honda Fit. Família às vezes é um saco.

Não, nada disso. Família *constantemente* é um saco.

— Marcus, vai mais devagar — Max disse um tempo depois, quando já estávamos numa avenida larga.

— Estou devagar. — Acionei a alavanca do acelerador ainda mais, só de birra.

— Você está bravo, e eu entendo, mas arriscar sofrer outro acidente não vai resolver nada.

— Vai se foder, Max.

— Pega leve, Marcus — Alicia tentou apaziguar. — A gente só quis ajudar. Não deu pra perceber, não?

Limitei-me a olhar feio para ela pelo retrovisor.

Meu irmão bufou.

— Eu sei que você ficou chateado, mas o que queria que a gente fizesse? E no fim você conseguiu o que queria. Vai morar sozinho, se quiser.

— Caso eu arranje um velhote enrugado que cheira a talco para dividir o quarto. É, isso era exatamente o que eu queria, Max.

— Não precisa ser um senhor — Alicia interveio. — Existem vários perfis de cuidadores. Vamos encontrar um que seja adequado para você. Posso te ajudar a escolher.

— Valeu, Alicia, mas você já fez bastante. Pode deixar que eu mesmo escolho quem vai viver comigo.

— Talvez a Mazé aceite — ela continuou, como se eu não tivesse dito nada.

— Ela é ótima, Marcus, e não cheira a talco. Tem cheiro de bolinho de chuva.

Estremeci ao pensar na mulher robusta com ares de sargento que cuidava da garotada na Fundação Narciso, onde eu trabalhava desde o começo do ano passado. Mazé era ótima para pôr as crianças na linha, e eu tinha certeza de que o fato de eu ter vinte e três anos faria pouca diferença para ela.

— Nem pensar, Alicia. A Mazé é legal, mas viver com ela seria pior que morar com os meus pais.

— Eu vivi com ela a minha vida toda e sobrevivi.

— Só queremos que você fique bem — Max disse. — E é provisório. Os nossos pais logo vão se acostumar com a ideia. Depois que você provar que não pretende fazer nenhuma bobagem, pode se livrar do cuidador. Não vai ser tão ruim assim.

Eu o encarei, deliberando se deveria dar um soco nele ou bater sua cabeça no painel. Um soco aliviaria minha irritação mais depressa, mas para isso eu precisaria parar o carro, e não estava nada a fim de tirar a mão do acelerador.

Max deve ter notado quanto eu estava irritado, pois bufou de novo e disse:

— Cacete, Marcus, eu só quis ajudar! Os nossos pais não iriam permitir que você saísse lá de casa. Não consegue entender isso?

— Eles não tinham que permitir nada. Sou adulto.

— É, mas o que você acha que iria acontecer se você saísse contra a vontade deles? Nossa mãe iria ligar a cada cinco minutos, e a sua vida se tornaria um inferno. E a minha também, porque ela ia me ligar logo depois que falasse com você.

— Acho mais provável que a dona Mirna acabasse se mudando com o Marcus — Alicia ponderou. — Ela tá preocupada de verdade.

Inferno, Alicia estava certa. Quando se tratava de seus filhos, Mirna Cassani era pior que um leão de chácara diante de alguém que não tem o nome na lista VIP e está querendo entrar de penetra no evento mais importante do ano.

— Tá certo — cedi a contragosto. — Mas isso não quer dizer que eu vou agradecer vocês por me obrigarem a ter uma babá. Não serão vocês que terão que conviver por sei lá quantos meses com uma Mazé, que provavelmente vai tentar me amarrar a uma cama para que eu me comporte.

Alicia riu, apoiando os cotovelos entre o encosto dos bancos.

— A Mazé é bem capaz disso mesmo. Uma vez ela tentou me amarrar na mesa da cozinha. Eu tinha uns nove anos e cismei que queria montar um foguete. Até tinha um pouco de pólvora na mochila. Aí eu...

Poderia não ser tão ruim, ponderei enquanto ela seguia falando. Eu podia conversar com um dos caras da faculdade. Muitos eram de fora da cidade e viviam em repúblicas. Talvez um deles topasse dividir o apartamento comigo.

— Você vai se divertir tendo companhia — adicionou meu irmão. — Morar sozinho às vezes é muito chato.

Foi a minha vez de bufar feito um touro bravo.

— Sabia que você se tornou o maior idiota do planeta desde que conheceu a Alicia?

Ele olhou para a noiva e o sorriso mais bobo do mundo lhe esticou a cara toda.

— É, eu sei.

Revirei os olhos. Aquela era uma das razões pelas quais eu precisava sair do apartamento do Max. Ele e Alicia estavam apaixonados, e eu me sentia como um elefante branco no meio da sala dançando street dance. Se eu tivesse uma garota como ela, não iria querer ninguém por perto para me atrapalhar. Não que eles alguma vez tenham dito qualquer coisa. Ao contrário, Alicia e Max pareciam mesmo contentes pelo fato de eu estar com eles. Mas sabe como é, volta e meia eu ouvia. Paredes muito finas. A vida sexual do meu irmão não era um dos assuntos que mais me atraíam.

A minha vida sexual, sim, me interessava, e muito. E morar com meu irmão andava dificultando as coisas. Não era tão simples encontrar um motel adaptado, e eu estava na pista. Tinha uma menina na faculdade com quem fiquei umas três vezes. O problema é que de repente ela decidiu que nós deveríamos namorar, e eu não estava nem um pouco a fim de compromisso. E também tinha a Sandrinha, da academia. Garota descomplicada que, assim como eu, estava a fim de curtição e nada mais.

— Vamos sair para comer hoje à noite — Max sugeriu quando paramos em frente à L&L. — Juntos nós podemos pensar em algo que te desagrade menos.

— Já marquei de sair com o Nicolas.

— Ok. Amanhã?

— Vou ver.

— Deixa de ser chato. — Alicia me deu um peteleco na cabeça. — Pare de se comportar como um bebê chorão, ou ninguém vai acreditar que você é realmente capaz de se virar sozinho. — Ela se esticou para beijar meu rosto. — Obrigada pela carona.

Alicia tinha toda a razão. Eu estava sendo um grande babaca. Estava na hora de começar a agir com inteligência. Se para viver sozinho eu precisava da porra de um cuidador, então que fosse. Eu só teria que escolher bem.

— Tudo bem — cedi. — Vamos sair amanhã, então.

— Divirta-se com o Nick. Até mais tarde.

Uma buzina penetrou meus ouvidos, me trazendo de volta para o presente. Eu não tinha me dado conta de que estava indo para o centro da cidade até acabar na rua em que minha vida havia mudado. Estacionei o carro a poucos metros de onde tudo acontecera. Ironicamente, havia uma moto no exato local onde eu tinha me estropiado quase quatro anos atrás.

Eu me flagrei suspirando ao admirar a moto. O que eu não daria por uma volta em uma belezinha daquelas outra vez...

Max não conseguia entender. Pensara que depois do acidente eu as odiaria — ele passou a odiá-las —, mas não foi assim. Merdas acontecem, certo? É simples assim.

Na época, com dezenove anos, minha opinião era diferente. Eu tinha tudo o que queria, e isso incluía pernas que funcionavam.

Olhei para a calçada em busca de alguma marca. *Deveria* ter uma, já que eu carregava várias por todo o corpo, mas não havia nada além do concreto áspero. Era engraçado, já que fora ali que meu pior pesadelo tivera início. Era ali que jaziam todos os meus sonhos de um futuro brilhante.

O acidente acontecera quando tudo na minha vida parecia estar dando certo. Eu tinha terminado o sexto período do curso de design de games, havia mais garotas atrás de mim do que eu conseguia contar e o olheiro de um importante clube de regatas havia me visto nadando em uma competição não oficial. Ele me oferecera uma vaga. Até havia falado em olimpíadas.

E tudo agora estava acabado. Ou pelo menos em suspenso.

Era por isso que eu me dedicara tanto às sessões de fisioterapia no último ano. Porque as dores nas pernas e nos pés, muitas vezes insuportáveis, diziam que ainda *havia* uma chance. E era a isso que eu me agarrava. Eu voltaria a andar, e então poderia voltar a sonhar.

4
Júlia

Saltei do ônibus e tive que correr três quadras para chegar à L&L em cima da hora. Bati o ponto e fui para a minha mesa, no terceiro andar, onde ficava o setor de tecnologia da informação. Alicia Moraes de Bragança e Lima, a dona de tudo aquilo e membro da diretoria desde o ano passado, havia proposto a criação de um site de vendas diretas. Ela achava que o cliente deveria ter a opção de comprar os cosméticos como bem entendesse, inclusive no site da própria marca. Desde então, o andar de TI estava de cabeça para baixo, já que o site teria que ir ao ar no próximo mês. Ivan e eu éramos os responsáveis pela página. Almoçar, atender o telefone ou ir ao banheiro eram coisas que não faziam mais parte da nossa rotina.

Ajeitei a mochila num cantinho do meu cubículo e liguei a máquina, mas meus pensamentos pareciam não compreender a familiar linguagem HTML, CSS, PHP. Tia Berê tivera alta no dia anterior, e eu não me sentia segura deixando-a aos cuidados de Magda. Não que nossa vizinha não fosse atenciosa. Ela era ótima, sobretudo em criar distrações, mas eu me sentia responsável por minha tia e, apesar da visível melhora, temia que seu estado piorasse a qualquer instante e eu não estivesse por perto para acudi-la. Mas eu precisava trabalhar. Tinha faltado na última semana inteira e não podia me dar ao luxo de arriscar perder o emprego.

Eu me obriguei a me desligar dos problemas e prestar atenção nos códigos que surgiram na tela do computador, avaliando rapidamente o que fora executado na minha ausência.

— Ei, Ivan, tem um erro nessa CSS — alertei, observando a tela.

Meu vizinho de cubículo esticou o pescoço.

— Não tem, não. Eu conferi três vezes ontem.

— Tem sim. Linha nove. Vai bugar o projeto todo.

— Peraí, deixa eu dar uma olhada. — Ele abriu o arquivo e apertou os olhos minimamente quando encontrou o erro. — Que bosta.

— Quer que eu altere por aqui?

— Não precisa. Já vou fazer isso.

Ivan e eu tínhamos sido contratados na mesma época. Ainda no estágio, agíamos como dois concorrentes disputando a mesma vaga, sem saber que ambos seríamos efetivados. E sabe como é: a rixa acabou se tornando rotina mesmo depois que fomos contratados. Ele era minucioso ao analisar o que eu programava. Era justo que eu fizesse o mesmo por ele.

Eu estava acertando o layout da página dos produtos para cabelo quando o telefone da minha mesa tocou. Américo tinha dito que eu não deveria atender a menos que fosse uma emergência, mas como é que eu ia saber se não atendesse?

— Júlia, sou eu! Preciso de ajuda! — Amaya falou num tom meio histérico. — Eu tenho que acompanhar a reunião do Comex. A Alicia é quem deveria ir, na verdade, mas ela se enrolou e acabou ficando presa na fundação. Preciso que ela assine um documento megaimportante. Eu não devia pedir para ninguém fazer isso, é ultraconfidencial. Mas estou enrolada aqui. Só confio em você.

— E você quer que eu vá até a mansão do seu Narciso falar com ela? Agora? May, estou meio...

— Eu sei que você tá toda enrolada também, Ju. Desculpa. Eu não teria pedido se não fosse superultraimportante. Você só precisa pegar a assinatura dela, voltar pra cá e entregar o documento pra mim. Pra *mim*, nada de deixar na minha mesa. Por favor, por favor, por favorzinho?

— Tudo bem, May. — Soltei um suspiro. Américo iria me matar se descobrisse. — Eu vou.

— Não se preocupa com o Américo — ela disse, como se tivesse lido meus pensamentos. — Vou dizer a ele que a Alicia mandou te chamar. Vou pedir um táxi pra você. Já desço aí pra te entregar a papelada.

Eu adorava Amaya, e não apenas porque ela sempre estava disposta a me dar cobertura quando tia Berenice precisava de mim em pleno expediente. Nós nos conhecemos ali na L&L e nos víamos sempre no refeitório da empresa, ela rodeada de pessoas, conversando com entusiasmo. Eu ficava no meu canto, um livro ou o celular na mão, e estava bem com isso. Era o meu protocolo. Um dia, calhou de estarmos lendo o mesmo livro — *A cor púrpura*, de Alice Walker. Amaya se aproximou puxando papo, perguntando se eu estava gostando. Foi uma conversa cheia de hiatos constrangedores, mas ela não pareceu se intimidar, pois voltou à minha mesa no dia seguinte, e no outro, até que se tornou um padrão, e aquelas lacunas deixaram de existir.

Desliguei o telefone, o computador e peguei a mochila.

— Vai sair? — Ivan questionou, sem tirar os olhos da tela. — Você faltou a semana toda e já vai dar uma escapada?

— Não enche o saco, Ivan. Checa a linha dezenove também. Tem dois erros nela.

Ele apertou algumas teclas.

— Que bosta.

Fui esperar Amaya em frente ao elevador. Quando as portas se abriram, ela me puxou para dentro. Acreditei que estivesse mesmo tendo um dia daqueles, pois seus olhos estreitos, normalmente sorridentes, pareciam meio alucinados.

— Aqui. — Ela me entregou um fino envelope pardo. — Volta correndo porque tenho que autenticar a assinatura dela antes de entregar para o seu Hector. Talvez você queira almoçar por lá, tudo bem, só não enrola muito. A comida da Mazé é coisa de outro mundo.

— Tá, mas e se a Alicia não estiver mais lá?

— Já liguei avisando que você está indo. — Ela juntou nas mãos os cabelos grossos e lisos, e fez um coque no topo da cabeça. — Ela vai te esperar. A tia Berê passou bem a noite?

Ajeitei os óculos depois de guardar o documento na mochila.

— Sim, e quando eu saí estava fazendo planos de ir até a pracinha. O médico disse que ela podia fazer pequenas caminhadas. Mas aposto que ela só quer ir até lá pra comer pipoca doce.

Amaya riu.

— E como você está?

— Me sentindo muito mal, May. — Esfreguei o rosto. Os óculos pularam antes de voltarem ao lugar. — Eu fiz uma coisa horrível.

— Como assim?

Contei a história do meu namorado imaginário e expliquei como aquilo tinha salvado minha tia. Amaya ouviu tudo calada, mas seus olhos puxados se alargaram como eu nunca vira antes.

— E agora eu não posso contar a verdade — gemi. — Tenho medo de ela não aguentar. Eu sou uma pessoa horrível!

— Ah, Júlia, não é não. Você fez o que devia. Eu teria feito a mesma coisa se estivesse no seu lugar. — Ela tentou me consolar, mas não funcionou.

Eu jamais tinha mentido para tia Berê antes. Esconder alguns fatos, sim, claro, mas mentir nunca. E agora eu teria que sustentar aquela mentira até o coração novo aparecer. Meu namorado fictício faria uma longa, longa viagem...

— Vai dar tudo certo. Você vai encontrar um jeito. Agora vai. Diz para o Marcus que eu mandei um oi! — O elevador se abriu, e minha amiga praticamente me empurrou para fora.

— Quem é Marcus?

— O cara mais folgado que eu conheço. E o mais legal também. Boa sorte com ele. — As portas metálicas se fecharam, e o elevador começou a subir.

O táxi já me esperava, instruído sobre o meu destino. Aproveitei o momento de calma para ligar para casa. Ninguém atendeu. Na terceira tentativa, comecei a ficar preocupada, então liguei para o celular de Magda e fiquei aliviada quando ela atendeu.

— Sua tia está ótima. Estamos passeando. E ela não andou muito. Juro! — ela se apressou.

— Certo, Magda, mas tenta convencer ela a voltar pra casa. Tá um pouco abafado hoje.

— Vou tentar. Ela já fez o que queria mesmo, então não vai ser difícil.

— Como assim? O que ela queria fazer?

— Humm... Nada não! Eu tenho que ir! — Desligou.

Claro que eu passaria o resto do dia preocupada. As ideias de tia Berenice sempre acabavam em confusões que envolviam a polícia, os bombeiros ou o seu Russo, o dono do boteco da esquina com quem ela vivia em pé de guerra desde que o flagrara marinando frangos dentro de uma banheira.

❦

Eu tinha ido até a Fundação Narciso de Bragança e Lima apenas uma vez, na festa anual dos funcionários, e o tamanho da construção me fascinara. Era monstruosa, mas de uma graça que só a casa dos ricos tem. Talvez pelas janelas repletas de rococós, daquelas que levam uma semana para ser limpas.

Atravessei o jardim bem cuidado e entrei pela porta da frente, que estava escancarada. Crianças de todos os tamanhos e idades corriam descontroladas pelo cômodo. Uma mulher de cabelo preto e óculos tentava pôr alguma ordem. Ela não percebeu minha entrada, então fiquei ali, no canto, esperando não sei bem o quê.

— Já chega, seus pestinhas. Quem não parar de correr agora vai ficar sem sobremesa por uma semana! — ela esbravejou.

As crianças se aquietaram no mesmo instante e olharam para ela em completo horror.

— Isso mesmo! Agora vão lá pra fora, sem baderna, e esperem o problema ser resolvido.

As crianças formaram uma fila indiana e começaram a sair, algumas de cabeça baixa.

— Hunf! Como se eu fosse me deixar comover por essas carinhas de anjo. Eu sobrevivi à menina Alicia. Nenhum de vocês vai conseguir me dobrar, ouviram? Ah... Oi. — Ela finalmente me notou.

— Oi. Eu sou a Júlia. Trabalho na L&L e estou procurando a Alicia.

— Ela me avisou que você viria. A menina está no escritório. É por aqui.

A mulher me guiou até uma sala e abriu a porta sem bater. Eu esperei no corredor.

— A moça da L&L chegou — anunciou.

— Obrigada, Mazé. Manda ela entrar.

Respirei fundo e ajeitei os óculos. A sala era na verdade uma biblioteca, com estantes até o teto e uma larga mesa no centro, onde a garota loira de ar angelical estava debruçada, os olhos no computador, uma das mãos no encosto da cadeira ocupada por um rapaz. Ao menos eu acho que havia uma cadeira, já que os ombros dele eram bem generosos sob a camiseta vermelha e escondiam o espaldar.

Ele tinha um perfil bonito. Nariz reto, queixo quadrado e obscurecido pela barba rala, a pele dourada que deixava o cabelo liso e negro ainda mais brilhante, a boca larga apertada em concentração. Não sei por que notei tudo isso. Também não faço ideia do motivo pelo qual meu rosto começou a esquentar.

O dia estava quente. Devia ser isso.

Empurrei os óculos para cima e torci para que as lentes não embaçassem. Acontecia de vez em quando.

Alicia ergueu os olhos para mim, ao contrário do rapaz.

— Ei, Júlia, já falo com você. — Ela voltou a olhar para a tela. — E se tirar esse negocinho? Não parece muito útil. Será que não resolveria o problema?

O rapaz a encarou.

— Alicia, isso é o Java.

Ela queria desinstalar o Java? Meu Deus do céu!

Alicia apenas olhou para ele, dando de ombros, e eu engoli o riso. O rapaz, porém, bufou.

— É como... como... — Ele mordeu o lábio inferior (um pouco mais carnudo que o superior; não sei por que registrei essa informação também), procurando as palavras. — Tudo bem, é como um livro. Você tem as folhas em branco, que não servem pra nada se não tiverem algo impresso. Mas se torna um livro depois que a tinta entra. As folhas são o Java.

— Ah, saquei. Acho. — Ela não parecia ter sacado coisa nenhuma. — Não sou grande coisa com computadores e programas.

— Se você não me dissesse, eu nunca teria adivinhado. — Ele voltou a teclar. — Me dá um tempo. Vou acabar encontrando o erro e botando o sistema pra funcionar outra vez.

— É o sistema? — acabei me intrometendo. Tá, eu tenho uma quedinha por máquinas com problemas. O que eu posso fazer? Sou apenas humana!

— É. Essa porcaria deu pau. E... — Ele levantou os olhos para mim.

Um arrepio subiu pela minha coluna e explodiu no centro do meu estômago.

Ele não era apenas bonito. Era lindo, de um jeito tão irritantemente perfeito que cheguei a me perguntar se era de verdade ou se eu havia fabricado um dos heróis dos romances de tia Berê.

E ele me pareceu familiar, mas eu estava certa de que nunca o tinha visto. Eu não teria esquecido.

Apenas porque minha memória sempre foi ótima. Nada a ver com o fato de ele ter um rosto marcante ou os olhos verdes mais incríveis que eu já tinha visto nem nada assim. Nada mesmo.

Percebi, com um pouco de atraso, que ele também estava me encarando. Endireitei os ombros — reação reflexa àquele tipo de exame — e lutei contra a vontade de empurrar os óculos para cima.

Eu me considerava uma garota normal, sem nenhum grande atrativo, mas também não havia nada tão desagradável assim. Houve uma época em que meus óculos assustavam as pessoas. As lentes grossas demais, que corrigiam minha miopia, deixavam meus olhos muito pequenos, como se tivessem encolhido nas órbitas. Então a tecnologia avançou, minhas lentes já não pareciam uma lupa e pesavam poucos gramas. Não devia ser isso que chamara tanto a atenção daquele cara.

Por que ele continuava me olhando daquele jeito? Não percebia que era grosseiro? E que minhas bochechas ficavam cada vez mais quentes?

— E...? — Alicia instigou.

Ele piscou e desviou os olhos para ela, graças aos céus. A quentura em meu rosto, porém, persistiu.

— Nada. Tenho tudo sob controle. — Ele voltou a olhar para a máquina.

Alicia contornou a mesa e veio ao meu encontro.

— Isso aqui tá uma loucura hoje, Júlia. Já aconteceu de tudo. É só assinar?

Fiz que sim com a cabeça e lhe entreguei o envelope. Ela o abriu e começou a morder a ponta do dedão enquanto examinava o documento, andando de um lado para o outro na biblioteca.

Espiei o rapaz pelo canto do olho, tentando decifrar o que ele estava fazendo pelas teclas que apertava. Uma mecha de cabelo escuro lhe caía no olho, e ele a afastou com um movimento brusco dos dedos.

Max!

Foi por isso que o achei tão familiar. Ele se parecia com o Max, do Comex, exceto pelo cabelo. E pelo fato de ser um pouco mais jovem que o executivo. E mais bonito e largo também.

O calor em meu rosto se intensificou. Mas que droga! Alguém devia dar uma olhada no ar-condicionado daquela sala.

— Porcaria — ele chiou baixinho.

— Quer que eu dê uma olhada? — me ouvi dizendo. — Sou programadora.

Ele virou a cabeça, um dos cantos da boca curvado para cima.

— Você faz programa, é?

Toda vez que alguém usava aquela piada comigo, eu sentia um desejo quase incontrolável de chutar alguma coisa.

— Chega pra lá. — Deixei a mochila no sofá de couro marrom e contornei a mesa. Ele não se levantou, o que me deixou ainda mais irritada.

Então eu vi as rodas pretas com o círculo cromado preso à cadeira.

Ele não se levantou porque não podia.

A surpresa me fez hesitar. Mãos grandes tocaram as rodas e as empurraram. A cadeira se afastou. Olhei para o rosto dele e encontrei seus olhos verdes ridiculamente claros reluzindo, me desafiando. Olhos profundos, de um verde cristalino, como as águas da praia de Maragogi, em Alagoas, aonde tia Berenice me levara para comemorar meus quinze anos. E pareciam ainda mais pálidos em contraste com o cabelo preto e a barba de um dia que lhe recobria o maxilar e o pescoço. Descendo o olhar um pouco mais, notei alguns fios negros encaracolados escapando da gola em V da camiseta vermelha.

Uma fisgada no baixo-ventre me fez engolir um palavrão e me perguntar se eu estava com algum problema no estômago. Devia estar, porque ele se contorcia de um jeito muito esquisito agora.

O rapaz se afastou mais para me dar espaço. Não perdi tempo e parti para cima da máquina, me inclinando.

— Belo traseiro — pensei tê-lo ouvido murmurar.

— O quê? — Lancei a ele um olhar cortante.

— Belo chaveiro. — Indicou o pequeno Mario pendurado no meu bolso.

Eu sabia. Sabia que eu não ia gostar dele. No momento em que atravessei aquela porta e o vi, eu soube que era um idiota. Pessoas bonitas demais sempre são.

Estreitei os olhos.

— Você deve ser o Marcus.

Uma de suas sobrancelhas se arqueou.

— E você deve ser amiga de alguém cujo nome eu devia lembrar, mas não lembro, então vamos fazer isso de novo. Eu sou o Marcus, e você é...

— A programadora que acabou de colocar seu sistema operacional no ar.

Ele piscou e olhou para o monitor.

— Já? — Chegou mais perto para enxergar melhor. Suas sobrancelhas se arquearam de um jeito inacreditavelmente cômico e ofensivo.

— Só tinha desconectado da rede.

— Tudo certo, Júlia. — Alicia guardou os papéis no envelope. — Já assinei. Diz para a Amaya que ainda vou demorar. Vou ficar por aqui até os computadores voltarem a funcionar.

— Ela... já resolveu o problema. — Marcus clicava sem parar, testando se estava tudo ok.

Claro que estava. Eu era boa nisso.

Ele voltou a me examinar — minhas bochechas voltaram a esquentar —, e algo em seu rosto mudou. Não sei o quê. Nunca fui muito boa em ler as pessoas.

— Preciso ir. — Peguei a mochila no sofá e a joguei no ombro. — O táxi está me esperando.

— Diz pra Amaya me ligar quando a reunião terminar. — Alicia me levou até a porta e a abriu.

Concordei com a cabeça. Lancei um último olhar a Marcus, que ainda mantinha a atenção em mim.

Quente. Estava quente demais ali. Antes que eu entrasse em combustão, deixei a biblioteca, um pouco desorientada, fechando a porta. O painel de madeira não era grosso o bastante para abafar os sons que vinham lá de dentro.

— Você está bem, Marcus? — ouvi Alicia perguntar.

— Claro. Por quê? — ele respondeu, com aquela voz de barítono.

— É a primeira vez que você cruza com uma garota linda e não pede o telefone dela.

— Ela não é tão linda assim...

Claro que eu não era. Mas existe uma grande diferença entre você estar ciente disso e outra pessoa dizer em voz alta. Senti muitas coisas ao mesmo tempo: vergonha, tristeza, indignação e uma raiva quase homicida. Quem ele pensava que era?

— E é porque ela não é tão linda assim que você não conseguiu tirar os olhos dela? — Alicia questionou.

Não sei o que ele respondeu, já que uma gritaria vinda da sala me fez pular e sair do caminho, ou eu seria engolida por uma onda de crianças. Mas não fazia a menor diferença. Eu nunca mais o veria. Ele e sua opinião sobre mim podiam muito bem ir para o inferno.

5
Júlia

Já passava das nove quando entrei no sobradinho verde onde cresci. A pequena sala estava arrumada como eu a deixara pela manhã, e o cheiro de comida no ar fez meu estômago roncar. Nossa casa era simples, mas aconchegante.

— Júlia? — chamou tia Berê, da cozinha.
— Sou eu, tia.

Eu a encontrei tirando um assado do forno. Corri para pegar a travessa.

— A senhora não devia estar descansando?
— Vou descansar bastante quando eu morrer. Fiz seu prato preferido. Bisteca de porco na cerveja com batatas coradas. Na verdade, foi a Magda que fez.

Aquele não era o meu prato preferido, e nós duas sabíamos. Às vezes tia Berenice se comportava como se tivesse três anos.

— Eu acho que estou mais a fim de uma salada. Quer também? — sugeri.
— Você não vai me deixar comer um pedacinho, Juju? — Sua voz era de partir o coração.

Droga!

Peguei um prato, separei uma lasca um pouco menor que meu dedo mindinho e entreguei a ela. Depois despejei a comida em um pote de plástico e, na pressa, deixei cair um pouco de caldo e duas batatas sobre a pia. Enfiei o pote no freezer, grudando as costas na porta.

A tia Berenice riu.

— Você parece um soldado que acabou de jogar uma granada.

Bem, e não era quase isso? Ao menos para aquele coração doente?

Ela se esticou, puxou para perto o prato com a lasca de bisteca e o aproximou do nariz, inalando profundamente.

— Bem, agora só preciso comer esse fiapo bem devagar e fazê-lo durar para sempre.

Acabei rindo enquanto abria a geladeira, em busca de folhas e legumes para preparar uma salada.

— Como foi o seu dia? — ela perguntou quando coloquei os ingredientes sobre a pia. Abri a torneira e comecei a lavá-los.

— Bem. Tive que ir até a fundação levar uns papéis para a Alicia. Depois voltei e consegui colocar mais uma parte do site no ar. E a senhora, o que fez?

Ela balançou a cabeça e sorriu.

— Depois eu conto. Você foi de ônibus?

— De táxi. A empresa que pagou.

— Tem certeza que não quer ir para a autoescola, meu amor? Facilitaria muito pra você se soubesse dirigir. Além de não chegar sempre tão tarde em casa.

O que ela não entendia era que de nada adiantaria ter carteira de motorista se eu não tivesse um carro. Meu salário era ótimo, mas minhas despesas eram altas. A tia Berenice tinha uma pequena poupança, e eu não pretendia mexer nela. Eram os sacrifícios de uma vida inteira, seu pezinho de meia. Ela ainda não tinha conseguido se aposentar legalmente, então eu ajudava nas contas da casa. Entre isso, seus remédios e o plano de saúde, acabava não me sobrando muito. E eu estava guardando uma grana para o transplante. Não sabia que tipo de despesa teria quando ele acontecesse. Era melhor estar prevenida.

— Vou pensar no assunto, tia. Cadê a Magda? — Terminei com as folhas, coloquei-as em um escorredor e parti para os tomates.

— Foi pra casa. Ela estava meio desanimada porque o Dênis não reparou que ela pintou o cabelo. Tem que ser muito desatento para não perceber a mudança de castanho-amêndoa para castanho-avelã.

— A Magda mudou a cor do cabelo? — Tá, eu não era uma observadora muito boa.

— Faz quase um mês, Juju! — Ela jogou o guardanapo em mim, mas errou o alvo e ele caiu caprichosamente sobre o vasinho com a begônia no peitoril da janela. Amaya e o namorado, Paulo, haviam levado a flor para ela no hospital.

— A Magda me disse que você queria fazer uma coisa hoje. — Olhei fixamente para o tomate sob o jato de água.

Silêncio. Algo realmente peculiar quando tia Berenice estava presente.

— Fiquei tentando adivinhar o que poderia ser... — Coloquei o tomate no escorredor também. Peguei o aipo e encarei a mulher do outro lado da cozinha.

Ela mantinha a boca pressionada em uma linha apertada, o rosto adquirindo cor, o fiapo de carne esquecido no prato.

— Ah, que se dane! Não aguento esperar! — Ela se esticou para pegar a bolsa que havia deixado sobre a mesa e de lá retirou uma pasta marfim perolada. — Vai, abre! — Deslizou-a sobre o tampo branco da mesa.

Senti um arrepio percorrer minha coluna enquanto secava as mãos para pegar a pasta. "Allure Eventos" estava impresso em alto-relevo na capa.

Desconfiada, abri-a e encontrei um contrato. As palavras "bufê", "quarteto de cordas", "flores" e "bolo personalizado" saltavam das páginas. Endireitei os óculos para ter certeza de que não estava lendo errado.

Não, eu não estava.

— O que é isso?

— Ora, é o seu casamento!

— O quê?!

— Arrisco dizer que vai ser o casamento mais lindo de todos os tempos! — Ela bateu palmas como uma menininha, o rosto corado como eu não via fazia muito tempo. — Eu sei que devia esperar o pedido ser oficializado, mas você disse que o seu namorado pretendia te pedir em casamento quando eu melhorasse. Aí, eu fiquei pensando... Pra que esperar? Ah, Júlia, os pajens de aluguel são umas fofurinhas. Sabia que isso existe?

Esfreguei a testa.

Eu falava inglês, alemão, mandarim e me virava no espanhol. Mas, naquele instante, não entendi uma palavra do que ela disse. Nenhuma!

— Isso me preocupava muito, sabe? — ela prosseguiu. — Porque nós não temos crianças na família. Todas já cresceram. Um casamento que se preze tem pelo menos três pajens, todo mundo sabe disso. Duas meninas e um principezinho para carregar as alianças. Barato não saiu. Tive que gastar todas as minhas economias, mas, ah, vai valer a pena. Contratei o casamento mais perfeito do mundo pra você!

— A senhora fez o *quê*? — Eu me segurei no encosto da cadeira para não cair. A pasta perolada não teve tanta sorte. — A senhora gastou as suas economias nesse contrato? *Por favor, diz que não! Por favor, por favor, por favor!*

— Cada centavo. Você vai ficar encantada com tudo o que eu escolhi. — Ela levou a lasca de carne à boca e a chupou. — O aluguel de uma carruagem de verdade não é nada barato. Já falei isso? Você vai chegar na igreja em uma carruagem, igualzinho à lady Kate Middleton! Dá pra acreditar? Só falta avisar a data para a agência. O ideal seria que ele te pedisse em casamento nas próximas semanas...

Era oficial. Tia Berê havia perdido o juízo de vez.

Não, uma vozinha em minha cabeça gritou. *Ela não ficou louca. Só acreditou no que você disse.*

— A senhora não podia ter feito isso — consegui dizer. — Suas economias...

— São minhas e eu gasto como bem entender. Nem adianta fazer essa cara de quem comeu e não gostou. Vocês, jovens, acham que têm todo o tempo do mundo. — Ela ficou de pé, chegou mais perto e passou os braços por minha cintura. — Mas eu não tenho. Além disso, se eu deixasse tudo por sua conta, sua festa de casamento acabaria sendo só um almoço sem graça em um restaurante qualquer.

Eu me inclinei e peguei a pasta do chão. Tudo bem, não havia motivo para pânico só porque ela tinha ficado louca e contratado... relanceei as páginas... uma dúzia de pombas? Leques personalizados para as convidadas? Um...

— Cupido de dois metros de altura esculpido em gelo? — Meus olhos se arregalaram.

Tá bem. Sem pânico.

Contratos são cancelados todos os dias. Milhares deles. Tudo o que eu tinha que fazer era ir até a agência, pedir o cancelamento e pegar de volta o dinheiro de tia Berê.

E depois contratar uma babá para ficar com ela enquanto eu ia para o trabalho. Porque, obviamente, Magda era sua comparsa naquela loucura toda.

— Eu sei! Nem sabia que dava para fazer isso no Brasil, mas a Melissa me garantiu que consegue. Ah, Jujuba, vai ser inesquecível! Estou guardando dinheiro para isso faz anos! E agora finalmente vou ver você entrando na igreja, com um vestido feito por mim, ao som de Vivaldi. Quer conhecer a capela que eu escolhi? Você poderia fazer umas fotos e enviar para o seu futuro noivo. Vamos ver se ele gosta. Aliás, você ainda não disse o nome do meu futuro sobrinho-genro.

E com isso tia Berê fez o problema daquele contrato se tornar insignificante.

6
Marcus

Já passava das dez horas da noite e eu teria aula no dia seguinte, mas não tinha a mínima vontade de levar minha carcaça para casa. O barzinho não estava lotado, mas tinha uma ou duas garotas bonitas por ali e a cerveja estava bem gelada.

— E então, o que você anda fazendo? — meu primo perguntou.

Nicolas Cassani Filho e a mãe haviam se mudado para a cidade fazia pouco tempo. Ele ainda estava se habituando ao novo cargo: vice-diretor de uma empresa de tecnologia. Ao salário novo, porém, ele se acostumou fácil. Era obsceno, e isso que era bom. Desde a morte do tio Nicolas, a família tentava se reerguer.

— Estudando — contei a ele. — Dando aula. Procurando apartamento.

— Legal! — Ele pegou um croquete e enfiou na boca. — Estudando o quê?

— Retomei o curso de design de games. Foi uma das condições para eu morar com o Max.

Ele aquiesceu com firmeza.

— Nada de mulher?

— Fixa, não.

— Também não quero dor de cabeça agora. — Ele ergueu o copo em um brinde, tomando um gole. — Não sei o que deu no seu irmão pra se amarrar tão cedo. E duas vezes com a mesma mulher! — Balançou a cabeça, desgostoso ao pousar o copo na mesa. — Às vezes penso que o Max enlouqueceu.

Dei risada. Max havia se casado com Alicia havia pouco mais de um ano, em um casamento de fachada, conveniente para os dois. Então eles se apaixonaram e estragaram tudo. Acabaram se divorciando, mas meu irmão pediu a mão de Alicia de novo, dessa vez do jeito certo. O casamento seria em alguns meses, e só não tinha acontecido antes porque Alicia estava se adaptando à ideia de ser a herdeira do império deixado pelo avô, sempre cheia de reuniões e compromissos.

— Mas às vezes eu acho que o louco sou eu — Nick continuou, o olhar perdido na parede atrás de mim. — Porque é... é bem legal ver o jeito como ele e a Alicia se entendem. Deve ser bom não se sentir sozinho.

Eu também vinha pensando muito nisso nos últimos tempos. Em vez de confessar isso a ele, acabei rindo outra vez.

— Pelo amor de Deus, Nick. — Mandei uma azeitona para dentro. — Se você for começar a falar sobre *a pessoa certa*, eu vou vomitar. Juro que vou. E depois vou te comprar um vestido.

— Ah, mas eu estou procurando a pessoa certa, Marcus — brincou.

Duas garotas se aproximaram da nossa mesa e pararam. Gêmeas. Lindas gêmeas de peitos grandes.

— Oi. Nós vimos vocês aqui e ficamos pensando que seria legal nos apresentarmos. Somos gêmeas também. — A garota enrolava no dedo uma mecha do cabelo escuro enquanto encarava meu primo.

Era comum as pessoas pensarem que Nick e eu éramos irmãos. Nós nos parecemos um bocado. Somos morenos, olhos claros, embora os dele sejam azuis, e temos o queixo dos Cassani. Se Max pintasse o cabelo de preto, poderíamos formar um trio de mariachis e fazer uma boa grana.

— Mas nós não somos... — comecei.

Nicolas tentou me chutar por baixo da mesa, mas errou o alvo e acertou aquela geringonça. Ainda assim, o alerta para que eu calasse a boca foi entendido e obedecido.

— ... não somos muito atentos e não vimos vocês antes — ele completou, sorrindo para elas. — Um erro imperdoável.

— Gabriela e Graziela.

— Lindos nomes. Por que não se sentam? — Ele indicou as duas cadeiras vagas.

Nicolas não precisou pedir duas vezes. Uma delas se sentou ao meu lado.

— Sou a Grazi.

— Marcus.

Grazi tinha uma beleza exuberante. Bem diferente daquela menina que aparecera na fundação. Com os óculos e a timidez, aquela lá era a personificação da delicadeza. Mas bastou abrir a boca para provar que não era bem assim.

Eu tinha mentido para Alicia. A garota era muito linda. De um jeito pouco óbvio ou gritante, mas linda mesmo assim. Tinha uma beleza suave, quase clássica, não fosse pela boca atrevida. O lábio inferior era um pouco mais cheio que o superior, lhe conferindo um ar contraditório de inocência e volúpia. E aqueles olhos castanhos! Tive um momento bem esquisito quando os admirei pela primeira vez. Eu me senti como um inseto próximo de uma lâmpada. Eram inteligentes, pareciam desafiar o mundo, mas também havia uma doçura que poucas vezes vi no rosto de uma mulher.

E ela era competente. Resolvera o bug no sistema da fundação com alguns cliques. Só seria mais sexy se tivesse dito que preferia Xbox a PlayStation.

Esfreguei a testa. Por que eu estava perdendo tempo pensando nela? Não era o tipo de garota com o qual eu costumava me envolver. Deu para perceber quando ela me lançou aquele olhar zangado por me ver apreciando seu chaveiro. E toda aquela cor no rosto dela? Deus. Eu nem me lembrava da última vez em que tinha visto uma mulher corar daquele jeito.

Ok, esquece essa moça.

Grazi era mais o meu tipo de garota, então era melhor me concentrar nela.

— Quem é o mais velho? — Gabriela quis saber.

— Eu, por cinco minutos. — Nicolas piscou para ela.

Meu primo sempre foi um mentiroso de primeira, mas dessa vez se superou. Começou a inventar todo tipo de coisas sobre a "nossa infância" enquanto as garotas falavam sobre a delas. Em certo momento, aquela que estava ao meu lado cruzou as pernas e esbarrou o pé na minha cadeira.

— Ah, desculpa. — Ela tocou meu braço.

— Não foi nada.

— O que aconteceu com você? Isto é, se você não se importar que eu pergunte. — Mordeu o lábio inferior, tentando parecer inocente, mas tudo o que conseguiu foi atrair minha atenção para aquela boca carnuda pintada de vermelho. Bem diferente da tal Júlia, com seus lábios naturalmente rosados.

Que inferno.

Saia da minha cabeça!

— Foi um acidente de moto há alguns anos.

— Ah, coitadinho... — Colocou a mão em minha coxa, apertando de leve enquanto o maldito olhar de pena que eu conhecia tão bem contorcia suas feições.

Eu odiava aquele olhar. Odiava o "ah, coitadinho" ainda mais.

Peguei meu copo e tomei um bom gole.

Ela se inclinou em minha direção, até sua boca estar a centímetros do meu ouvido.

— Eu não queria te chatear. Não perguntei por mal. — Pousou uma das mãos em minhas costas, as unhas me arranhando de leve sobre a camiseta. — Me desculpa! — Pressionou os seios generosos em meu bíceps.

— Tudo bem. — Ora, pedindo daquele jeito...

Engraçada a maneira como o corpo funciona. Desde o acidente meu corpo parecia tentar compensar a deficiência, de modo que minhas costas e meu peito se tornaram altamente sensíveis. Isso, aliado àqueles seios quentes esmagados de encontro ao meu braço, fez a frente da minha calça se expandir. Grazi percebeu e pareceu surpresa.

Eu não devia me sentir ofendido. Antes do acidente, eu também pensava como ela. Que pessoas em cadeiras de rodas eram seres assexuados e doentes.

Aqui vai uma grande revelação: pessoas em cadeiras de rodas sentem tesão. Pessoas em cadeiras de rodas podem se masturbar e fazer sexo, como todo mundo.

É claro que nem sempre foi assim. O acidente aconteceu quando eu estava no auge da minha forma. Logo depois, as coisas ficaram bem ruins. Sim, foi um alívio quando tive a primeira ereção pós-lesão. Eu ainda estava no hospital na época, e aquilo me trouxe esperança. Na prática, porém, a coisa foi diferente. Minha confiança havia evaporado, de modo que acabei desistindo do sexo, entre tantas outras coisas. Passei os últimos anos sem nem ao menos tentar. Mas então Max me obrigou a voltar a estudar, e achava importante que eu retomasse todas as atividades de antes, por isso me forçou a ir a algumas festas. Sem ninguém por perto para me encher o saco, tomei um porre tão grande uma vez que por uma noite zerei meu cérebro, me esquecendo até da minha condição. E justo nessa noite uma veterana se jogou no meu colo, literalmente. Não consegui pensar muito. Terminamos em uma sala escura onde, graças a Deus, existia uma mesa. Foi nela que eu a deitei e a fiz chegar ao êxtase mais de uma vez. Aquilo me trouxe um pouco de confiança, e, conforme eu ia me arriscando mais, os medos ficavam para trás, até o dia em que me vi entre as coxas de uma garota novamente e percebi que era capaz tanto de dar quanto de sentir prazer. Naturalmente, não era como antes. Eu tinha que me concentrar mais no que estava fazendo para não perder a animação — e meu esforço era gratificado com muitos "ah, Marcus" e arranhões nas costas —, e as posições se tornaram mais limitadas.

E, é claro, querer recuperar o tempo perdido foi meio que natural.

Grazi raspou a unha no lóbulo da minha orelha.

— Humm... Acho que esta noite vai ser mais interessante do que eu tinha planejado. — E sorriu significativamente.

— Ei, Grazi, vem comigo? — Gabriela chamou. — Preciso... retocar o batom.

As irmãs se entreolharam e um entendimento se passou entre elas antes de se levantarem e seguirem para o banheiro. Acompanhei o requebrar dos quadris de Graziela, e demorei para perceber que Nicolas fazia o mesmo com Gabriela.

— Gêmeas! — ele articulou, esfregando o rosto, um sorriso abestalhado. — Cara, hoje é nosso dia de sorte!

— Pensei que você estivesse procurando a pessoa certa — cutuquei.

— E estou! Mas não tem problema em me divertir com a pessoa errada até a certa aparecer, tem?

Pois é. Esvaziei o copo. *Problema nenhum.*

7
Júlia

— Júlia, quer parar de se sacudir e ficar calma, pelo amor de Deus? — Amaya pousou a mão fina na minha perna. — Você está chacoalhando o prédio todo!

Ficar calma. Certo. Minha tia maluca gastara todas as economias num casamento que não tinha a mais remota chance de acontecer nos próximos cem anos. Claro que eu podia ficar calma.

— Eu preciso cancelar essa loucura. E interditar a tia Berê.

— Sua tia não ficou louca. — Ela deu risada. — Bom, não mais do que sempre foi.

Eu tinha que cancelar aquele contrato. Não sabia bem como contaria à tia Berenice que não haveria casamento. Eu nem tinha conseguido inventar um nome para o meu suposto namorado! Graças aos céus consegui me esquivar do pequeno interrogatório de tia Berê quando dona Inês, nossa vizinha, ligou para perguntar sobre sua saúde.

Tudo bem, eu veria isso depois. O importante agora era pegar seu dinheiro de volta.

— Essa tal de Melissa tá demorando muito. — Eu me levantei da cadeira e comecei a zanzar pela saleta da Allure Eventos. O ambiente era uma bagunça de tecidos, convites, caixas com luzes, plumas e outras coisas que eu achei melhor não saber o que eram.

Uma mulher alta e magra abriu a porta. O cabelo loiro na altura do ombro brilhou sob a luz fluorescente. Ela sorriu ao fechar a porta.

— Desculpem a demora. Acabei enrolada numa reunião. Sou a Melissa Gouvêa. Qual de vocês é a garota de sorte que vai ter o casamento do ano? — questionou, animada.

— Sou eu. Quer dizer, eu sou a sobrinha da Berenice. Mas não vai ter casamento. Vim aqui cancelar o contrato.

O sorriso de Melissa tremeu.

— Como?

— Não vai ter casamento.

Levou um minuto inteiro para que ela desse a volta na mesa e se acomodasse lentamente, um sorriso compreensivo no rosto repleto de sardas.

— Escuta... É Júlia, certo? — perguntou. Depois que eu anuí uma vez, ela prosseguiu: — Se você não gostou de alguma coisa, eu posso refazer o projeto, tornar real o que você imaginou. *Qualquer coisa* que quiser. Eu transformo seus sonhos em realidade em um estalar de dedos. Ou então...

— Agradeço muito — eu a interrompi, tentando não parecer desesperada. — Mas só quero cancelar tudo e pegar o dinheiro de volta.

— Olha, já vi isso acontecer antes. — Ela me mostrou aquele sorriso de quem sabe das coisas. — É normal ficar em dúvida quando a coisa se torna real. Mas você ama o seu noivo...

— Amo nada.

— Ah, entendi. — Riu de leve. — Isso *também* é normal. O estresse pode causar brigas realmente, mas vocês vão se entender. Seu noivo...

— Não existe — completei.

Ela piscou.

— Como disse?

— Não tem noivo nenhum! Eu inventei, tá legal? Minha tia estava morrendo na UTI, aí o meu amigo falou pra ela que eu tinha um namorado, e ela pareceu melhorar. Eu achei que não teria problema mentir um pouquinho. Aí ela se recuperou, graças a Deus, mas o coração ainda está meio fraco, então ainda não posso contar pra ela que eu inventei tudo — terminei meio sem ar.

Melissa abriu a boca para dizer alguma coisa, mas foi incapaz.

Aparentemente ela não tinha visto de tudo ainda.

— Entende agora? — perguntei, em voz baixa.

Ela fez que sim e soltou um suspiro.

— E eu que achava que tinha problemas...

— Pois é. Então eu só quero pegar o dinheiro de volta e cancelar o casamento. São as economias de uma vida inteira.

— Certo. — Sua expressão compreensiva se transformou em desânimo enquanto ela revirava a mesa à procura da cópia do contrato. — Muito bem. Eu consigo devolver oitenta por cento do que ainda não foi usado, como é previsto pela lei do consumidor.

— Como assim, *do que ainda não foi usado*? — perguntei, mesmo tendo QI 140. — Ela esteve aqui ontem! Você não pode ter usado a grana ainda.

— Na verdade...

Ah, não!

— Pelo amor de Deus, para com isso, Júlia. — Amaya forçou meu joelho para baixo. — Parece que está tendo um terremoto! Tem certeza que não sofre de síndrome das pernas inquietas?

— Você dizia... — encarei Melissa e tentei parar de me balançar.

— Conseguir um bom salão de festas é um pesadelo — ela começou —, e assim tão em cima da hora é quase impossível. O mesmo vale para a igreja. Sua tia não me deu uma data, mas me assegurou que seria para os próximos meses, então já demos início ao projeto. Já reservei os locais, e tive que deixar um cheque caução.

Tá. Tá bem. Oitenta por cento era melhor que nada.

— Está bem. Que sejam os oitenta por cento.

— Você só precisa pedir que ela assine este documento. — E me entregou uma folha em que se lia "Distrato".

Ai, meu Deus!

— Eu... Humm...

— Você não quer contar a ela sobre o cancelamento, não é?

— Bom... É que ela está doente. Tenho medo de... ela não aguentar.

Melissa se recostou na cadeira e me observou com algo muito parecido com pena.

— Júlia, a Berenice é a única pessoa que pode pedir o cancelamento. Foi ela quem contratou e assinou a papelada.

Eu sabia disso. Só pensei que... que um milagre pudesse acontecer.

— Mas eu tenho que pegar o dinheiro de volta! — Me segurei na beirada da mesa. — A tia Berê vai precisar dele depois do transplante, para comprar remédios, pagar uma enfermeira quando eu for para o trabalho ou...

A garota à minha frente arregalou os olhos.

— Não faz isso comigo, Júlia. Não *posso* devolver o dinheiro sem que a Berenice assine o distrato. Eu posso ir para a cadeia!

Gemi e fechei os olhos. Não tinha outro jeito. Eu ia ter que contar a verdade para a minha tia.

— Eu... humm... agradeço. — Dobrei o documento e o guardei na mochila.

— Volto assim que ela assinar.

— Boa sorte.

— Obrigada. — Sem saber o que mais poderia dizer, joguei a mochila no ombro e saí dali. Amaya veio logo atrás.

Eu tinha dificuldade para respirar quando cheguei à calçada. Minha amiga se plantou na minha frente e me segurou pelos ombros.

— Tudo bem, respira. Devagar. Vamos lá, Ju, não vai desmaiar agora. Respira fundo.

Eu tentei. Tentei mesmo, mas o ar não passava pela garganta.

— Meu Deus, o que foi que eu fiz, May?

— O que achou que era certo. Agora fica calma. A gente vai pensar em alguma coisa. Tem que ter uma saída.

— Mas não tem!

— Sempre tem! Vai, respira fundo.

Obedeci, porque naquele momento não era capaz de tomar nenhuma decisão sozinha.

— Vamos beber alguma coisa. Isso deve ajudar. — Ela me pegou pelo braço. — Vem!

∽

O barzinho que Amaya escolheu ficava perto da Allure, no último andar de um prédio comercial. O lugar tinha um aspecto rústico, com tijolos aparentes nas paredes e sob o balcão do bar. As mesas escuras contrastavam com as placas coloridas de trânsito espalhadas por todo o ambiente. O repicar de copos se misturava à música e ao falatório dos frequentadores. O aroma de alho e pão recém-saído do forno fez meu estômago choramingar. Eu não costumava frequentar lugares como aquele e nunca bebia, mas podia abrir uma exceção, porque tinha uma tia doente, um casamento pronto, uma igreja reservada e até uma dúzia de pombas. Só não tinha um noivo.

Por que tia Berê não podia ser uma pessoa normal e me dar um presente comum? Um computador, um sapato novo, uma cacatua que fosse? Por que tinha que ser um casamento com pajens de aluguel?

— Pronto. Isso vai clarear as nossas ideias. — Amaya voltou do bar com dois copos grandes, cheios de um líquido transparente com um picolé roxo mergulhado.

— Muito bem — ela colocou um copo diante de mim. — Vamos relaxar. A gente precisa estar de cabeça limpa para conseguir te tirar dessa roubada.

Olhei para o copo, desconfiada.

— O que tem aí?

— Não faz pergunta. Só bebe.

Não parecia nada muito adulto, então deduzi que não devia ter muito álcool.

— Tá. — Empurrei o palito do picolé para o lado e experimentei um gole. Minha língua adormeceu instantaneamente, ao passo que minha garganta pegou fogo. Comecei a tossir. Amaya deu leves tapinhas nas minhas costas. — O que é isso? Fogo líquido?

— Você logo se acostuma.

Eu não tinha certeza disso, mas senti os efeitos do álcool quase que de imediato. Esperava que May estivesse certa, que de alguma forma ele resetasse meu sistema e eu pudesse começar a pensar direito.

— Ok, vamos ver a coisa como ela é. — Ela mordiscou seu picolé. — A sua tia pensa que você tem um namorado e está prestes a ficar noiva. Contratou o casamento dos sonhos dela para você. Então, você não pode simplesmente cancelar o casamento e pegar o dinheiro de volta porque, apesar de ser a noiva, não é a contratante.

— O jeito mais fácil é contar para ela que eu inventei um namorado, fazê-la assinar o documento e fim de papo.

— Também é o jeito mais fácil de matar a sua tia. O dr. Victor pediu para não aborrecê-la, e, pode apostar, ela vai ficar bastante aborrecida quando souber que você mentiu. E que não vai ter casamento.

— Eu sei! Eu sei! Tô pensando nisso o tempo todo! Mas o que eu posso fazer, Amaya? Colocar o distrato no meio de outros papéis e fazer ela assinar sem saber do que se trata?

Ela arqueou as sobrancelhas.

— Nos filmes funciona.

Revirei os olhos.

— Tá, desculpa. — Deu de ombros. — Acho que vamos precisar de mais gim. Ainda não estou pensando direito.

Meu Deus do céu, eu só queria que tia Berê ficasse bem. Por que uma mentirinha de nada tinha que se transformar num pesadelo?

— Como andam as coisas entre você e o Paulo? — perguntei, tentando me distrair dos problemas.

— Ótimas, Ju. Eu acho que é ele. O meu cara certo.

Paulo também trabalhava na L&L, no Comex, e eles estavam namorando fazia pouco mais de um ano.

— Ei, Amaya! — Alicia Moraes de Bragança e Lima, na entrada do bar, acenou ao lado de uma morena de cabelo cacheado e de um rapaz alto.

Amaya se levantou e cumprimentou a chefe com intimidade. Tinha se tornado mais que o braço direito de Alicia na L&L. Eram amigas.

— Oi, Júlia — Alicia cumprimentou. — Essa é a Mari e o namorado dela, o Breno. Mari, essa é a garota que eu te falei ontem, que saca tudo de computador e deixou o Marcus sem fala.

— Eu já gosto dela. — Breno me estendeu a mão. Aperto firme, sorriso carismático.

— E aí? — Mari disse, se inclinando para me cumprimentar com dois beijos estalados.

Alicia examinou meu rosto e encrespou a testa.

— Você não parece muito bem. É a sua tia? A Amaya me contou que ela não anda bem de saúde.

— O coração dela está bem estável nos últimos dias. Mas a cabeça não.

A garota franziu as sobrancelhas, e Amaya os convidou a se juntar a nós. Os recém-chegados foram pegar alguma coisa no bar, já que os garçons estavam um pouco atrapalhados com o movimento. Eles voltaram com bebidas sem picolé, e a conversa engrenou. Eu pouco falei. Fiquei brincando com meu sorvete, mordiscando-o de vez em quando. Engraçado como fogo e gelo combinam bem. Quem poderia imaginar...

— Até parece que a gente combinou de se encontrar — Amaya disse a certa altura. — Cadê o Max?

— Ele e o Marcus devem estar vindo para cá. O dia foi um saco. — Alicia balançou a cabeça. — Os Cassani vão me enlouquecer.

— O Marcus? — Amaya tentou. Por alguma razão, o nome dele atraiu minha atenção.

— De certa forma. Ele resolveu sair de casa. E os pais dele não gostaram da ideia... A coisa ficou feia. O Max acha que ele tem razão, embora fique um pouco apreensivo, mas os Cassani piraram. Eu fiquei no meio do fogo cruzado.

— É tenso — Breno comentou, virando seu copo.

— Bota tenso nisso — Mari concordou.

Eu quis perguntar o motivo daquilo, por que os pais de Marcus não queriam que ele saísse de casa, mas achei melhor não me meter em assunto de família. Era provável que conhecessem bem o filho e temessem que ele se envolvesse em problemas.

— Ainda tem o casamento, que está se aproximando. Argh! — Alicia ergueu as mãos. — Nunca pensei que uma cerimônia pudesse dar tanta dor de cabeça.

— Nem me fale — resmunguei.

Ela me fitou.

— Não sabia que você ia casar.
— Nem eu. — E me encolhi na cadeira.
— Como assim? — Mariana se inclinou para perto de mim.

Nesse momento, Max entrou no bar. Era difícil não notá-lo, com toda a sua altura. Assim como era difícil não notar o rapaz ao seu lado, por... por causa da... do... ah, eu não sei exatamente o motivo. Era como se uma aura ao redor dele piscasse em neon.

Marcus esquadrinhou o bar, um pequeno sorriso na boca. Ao menos até pousar o olhar em mim. Algo perpassou seus olhos enquanto ele me encarava, mas não consegui entender o que fez sua expressão se tornar séria, quase dura. Acho que ele não foi com a minha cara, além de não me achar bonita.

Tanto faz.

Ele disse alguma coisa para o irmão — provavelmente onde sua noiva estava, já que Max ergueu a cabeça, procurando até encontrá-la. Sorriu largamente ao vê-la e começou a se aproximar. Marcus o seguiu, mas sem toda aquela animação. Eu desconfiava de que o motivo fosse eu.

Eu quis desviar o olhar, mas não consegui. Havia algo de muito irresistível naqueles dois irmãos. Ambos eram lindos a ponto de causar desconforto. Sobretudo Marcus, com aquele cabelo meio desalinhado e escuro que deixava os olhos verdes ainda mais interessantes.

Não, esquece isso. Não havia nada de interessante naquele idiota prepotente.

Idiota, não. Cretino! O que era ainda pior.

Eles nos alcançaram e cumprimentaram o grupo. Max passou atrás da minha cadeira para se sentar ao lado de Alicia antes de segurar o rosto da garota, sussurrar alguma coisa que resultou em um suspiro e então a beijar. Alicia pareceu desmontar e eu me peguei pensando se ela era mesmo tão assustadora quanto eu imaginava.

Desviei os olhos do casal e me virei de lado, para flagrar Marcus me encarando. Parecia com raiva. E era realmente engraçado, porque eu não o havia insultado de maneira alguma. Diferentemente dele, com seu "nem tão linda assim". Ora, se havia alguém que deveria estar furioso ali, era eu!

Fiz um aceno de cabeça, mas ele continuou me observando, o cenho franzido, e só desviou o olhar quando Mariana puxou assunto. Algo sobre a gravata dele combinar com a cor do vestido dela no casamento do irmão. Pelo que entendi, eles seriam os padrinhos.

— Se tem uma coisa que eu já aprendi sobre casamentos — ele disse, com aquela voz grave —, é não me intrometer no que combina com o quê. É só me dizer a cor que eu compro a gravata.

— Eu posso fazer isso pra você — Mariana sugeriu. — Assim não vai ter como errar o tom.

— Se eu fosse você, concordaria. — Breno olhou significativamente para Marcus. — Vai por mim. Você não vai querer comprar a cor errada.

Mariana o cutucou com o cotovelo, rindo.

Marcus acabou concordando e pegou o cardápio esquecido no canto da mesa para dar uma olhada.

— O que vocês pediram? — ele quis saber. — Estou morto de fome.

— Você sempre está, Marcus — Mariana rebateu. — Não pedimos nada ainda. O que você vai querer?

— Qualquer coisa frita.

— Ah, não. — Ela cruzou os braços. — Assim eu não vou conseguir entrar no vestido de madrinha. Que tal uma salada?

O rosto de Marcus se contorceu em uma careta engraçada.

— Quem vai a um bar pra comer salada? — reclamou. — Quem vai a *qualquer lugar* pra comer salada?

— Eu gosto de salada — me ouvi dizendo, ofendida. Afinal, ela havia sido minha companheira nos últimos meses e ajudava o corpo de tia Berenice a trabalhar melhor enquanto o coração novo não aparecia.

— É claro que você gosta. — Ele revirou os olhos. — Alicia, para de se agarrar com o meu irmão e me ajuda aqui. Coisa frita ou salada?

Alicia não estava se agarrando com Max. Bom, não exatamente. De todo modo, Max parou de sussurrar no ouvido dela e se recostou na cadeira, um braço sobre os ombros da noiva, agora corada.

— Ah... humm... Coisa frita, acho — ela respondeu.

— Tudo bem pra mim — Amaya concordou, o celular na mão.

— Pra mim também — Max disse.

Mariana lançou um olhar mortal para a amiga.

— Se eu não couber no vestido e tiver que ir pelada no seu casamento, a culpa vai ser toda sua!

— Tudo bem. O que vai ser, então? — Amaya também examinou o cardápio. — Batata, polenta, calabresa, mandioca, croquete... Ai, tem queijo empanado!

Eles começaram uma discussão sobre o pedido que seria feito, mas eu fiquei na minha e tentei ignorar a presença de Marcus o melhor que pude, mordiscando o picolé — que podia ser de amora, mas por causa do álcool não dava para ter certeza. Comecei a refletir sobre como diabos eu iria resolver a confusão do casamento. Havia conseguido pensar em algumas alternativas:

a) me casar com um manequim de loja. (Se uma maluca pôde se casar com o totem do Robert Pattinson em Las Vegas, eu podia muito bem casar com um manequim.)
b) contar que eu menti. (Mas não era de fato uma alternativa. Não se eu quisesse manter tia Berenice viva.)
c)

Tá, eu não tinha mais nada.
Era isso. O manequim ia ter que servir.
— Então, Júlia, me explica direito esse negócio do seu casamento surpresa. — A voz de Mariana penetrou meus ouvidos, me arrancando do devaneio maluco.
— Você vai casar? — Marcus arqueou as sobrancelhas, parecendo surpreso.
É isso aí! Nem todo mundo acha que eu não sou "tão linda assim", tá?
O manequim não achava, eu tinha quase certeza.
— Não vou — respondi com toda a dignidade que consegui reunir.
— Mas você disse que ia — Alicia rebateu, sem entender.
— É uma confusão mesmo! — Amaya se intrometeu. — Escuta só o que a tia dela fez... Ai! — reclamou quando eu a chutei por baixo da mesa. E pareceu magoada ao perguntar: — O quê?
— Não quero falar sobre isso *aqui*! — Ou em qualquer outro lugar. Sobretudo com o Marcus por perto.
— Por que não? Todo mundo aqui é de confiança. Além disso, sete cabeças pensam melhor que duas!
Amaya não me deu tempo de argumentar e começou a narrar a história. Eu gostaria que ela não tivesse feito isso. Especialmente porque Marcus não parava de rir.
Como eu disse, ele era um cretino.
Quem mais teria rido tão abertamente de uma garota patética que inventa um namorado para tentar salvar a tia doente? Meu rosto pegou fogo enquanto May terminava a história.
— Então, deixa eu ver se entendi. — Mariana girava seu copo vazio como um pião. — Você não pode contar pra sua tia que inventou esse cara perfeito porque ela pode bater as botas.
— Mari! — Alicia a repreendeu.
— É só jeito de falar. É isso mesmo?
— É por aí. — Circundei a boca do copo com o indicador. — O médico pediu para não a perturbar, e eu tenho certeza que ter mentido para ela, além de destruir suas ilusões românticas, pode deixá-la muito agitada.

Breno praguejou. Mariana o cutucou nas costelas de novo.

— Nossa, que situação complicada. — As sobrancelhas dela se ergueram. — O que você pretende fazer, Júlia?

— Não sei ainda. Estou tentando pensar em alguma coisa.

— Você podia colocar um anúncio no jornal — Alicia sugeriu. — Alugar um noivo.

— Nem pensar — Max se adiantou, negando com a cabeça. — Muito arriscado.

Alicia o encarou com uma expressão divertida e atrevida.

— Ah, é, é? Isso vindo de você é meio irônico, não acha, camarada?

— Foi diferente. Você sabe disso. — Ele abriu um meio-sorriso.

— Pode ser diferente com ela também. E ela precisa ganhar tempo. Ah! — Alicia estalou os dedos. — Você podia contratar um modelo pra fingir que é seu namorado! Caramba, eu devia ter contratado um modelo pra fingir que era o meu.

Max lançou a ela um olhar enviesado.

— Eu só estava brincando! — Ela deu risada.

— Mas pode funcionar. — Amaya ergueu a sobrancelha, surpresa.

— Nada de modelos — falei. — Eles devem cobrar uma grana alta, coisa que eu não tenho. Mas talvez um amigo que aceite fingir que é meu namorado, até eu pensar em algo melhor, possa ser a solução! — Como eu não pensei nisso antes?

— Mas tem que ser alguém que a dona Berê ainda não conheça — Amaya lembrou.

E isso reduzia os possíveis candidatos a... zero. Tia Berenice jamais acreditaria que eu e Dênis estávamos apaixonados, mesmo que não soubesse que ele é gay.

A menos que o Ivan... Não, não, não. Eu não seria capaz de suportar aquele cara fora da L&L. Ele me mataria de tédio. Fingir estar apaixonada por ele na frente de quem quer que fosse seria um esforço hercúleo.

Quem sabe um conhecido da faculdade topasse me ajudar. Se eu fosse muito boa em convencê-lo... e oferecesse uma graninha. A maioria dos meus ex-colegas não tinha se acertado na vida, e quase todos ainda pagavam o financiamento do curso. Isso podia funcionar!

Isto é, se eu descobrisse um jeito de fazer dinheiro aparecer magicamente na minha conta.

— Ideia genial, Alicia! — Amaya ergueu o copo em um brinde.

— *Ideia genial* é o meu nome do meio. — Alicia piscou.

— Assim como confusão, problemas, dor de cabeça... — Max começou a enumerar, achando graça.

Pelo canto do olho, vi Marcus inclinar a cabeça para o lado. Ele me olhava fixamente, fazendo meu rosto e pescoço esquentarem. Abriu a boca, mas mudou de ideia no último instante. Pegou seu copo, virando-o num gole só.

— Por que eu tenho a impressão de que já vi esse filme antes? — Mariana também ergueu sua bebida, em um brinde que eu não compreendi.

8
Júlia

Quando a comida chegou, avisei que precisava ir ao banheiro e aproveitei para ligar para casa. Tia Berê estava bem.

— Mais do que bem, meu amor — ela disse. — Magda e eu estamos na companhia de Marlon Brando!

— Qual? — Tia Berenice era obcecada por filmes antigos. Sobretudo aqueles com Marlon Brando, Paul Newman e Sidney Poitier.

— *Uma rua chamada pecado*. Oh! Oh! A Stella está descendo a escada e vai perdoar o Stanley. Eu tenho que desligar! Não posso perder esse beijo! — Ela encerrou a chamada antes que eu pudesse me despedir.

Fui para o bar e peguei uma água. Não estava acostumada a beber — ou tomar sorvete encharcado de álcool — e me sentia um pouco zonza.

Marcus também parecia estar tendo uma noite ruim. Ele se manteve calado, e, pelo número de vezes que seu irmão perguntou se ele estava bem, suspeitei de que aquele não fosse seu estado normal. Eu dava uma espiada nele de vez em quando, e juro que era capaz de sentir quando aqueles olhos estavam em mim.

Isso me deixou quente por dentro e por fora. Por que ele me encarava daquele jeito?

Desviei o olhar, me ajeitando melhor na cadeira, quando reparei que logo atrás de mim estava sentada uma moça tipo capa de revista, acompanhada de outras duas garotas. Ela dava risada e jogava o cabelo para o lado com as longas unhas pintadas de vermelho. E olhava para Marcus descaradamente.

Ah. Claro. Não era a mim que ele observava daquele jeito. Que bom. Me poupava o tempo de tentar decifrar o significado daquele olhar.

Max, Breno e Alicia resolveram jogar sinuca. Amaya e Mari tagarelavam sobre o casamento de Alicia, que estava se aproximando. Como Marcus continuava a encarar a loira, resolvi não atrapalhar mais e perambular pelo bar. Acabei em frente a uma antiga jukebox que, infelizmente, era apenas decorativa. Bem ao lado havia uma porta de madeira envidraçada que dava para um terraço, e decidi me aventurar por ela. Não havia muita gente ali, apenas dois casais e um grupo de estudantes, por isso mesmo achei que seria um bom lugar para esperar Amaya decidir que já era hora de irmos para casa.

Driblando as mesas e seus ombrelones, fui para um canto mais sossegado e me debrucei no parapeito. Minha cidade era linda de todos os ângulos, mas daquele em particular era espetacular. Os pontos luminosos se interligavam em uma gigantesca rede.

O barulho de vidro chacoalhando me fez virar a cabeça. Marcus tentava passar por entre as mesas. Apesar de espaçoso, o terraço estava uma bagunça naquele fim de noite e as rodas da cadeira dele se prendiam nos pés dos móveis.

— Foi mal — ele disse a um dos estudantes depois de bater com a cadeira em seu pé.

— Sem problema, camarada. Precisa de ajuda?

— Não. Tô legal. Pode deixar.

Ele precisou manobrar algumas vezes para conseguir passar. Eu quis ir até ele e ajudá-lo, mas, pela forma como sua boca estava pressionada, o queixo erguido, desconfiei de que queria resolver aquilo sozinho.

Ele me alcançou, enfim.

— Sempre dizem para não beber e dirigir, mas no meu caso é meio impossível. — Abriu um meio-sorriso. — O que você veio fazer aqui fora?

— Admirar a vista. É tão bonita.

Ele chegou mais perto — mas não muito — do parapeito e esticou o pescoço.

— É...

— O que aconteceu com a loira? — Tomei um gole da minha água.

Ele me encarou por um momento, a testa encrespada.

— Que loira?

— A que estava atrás de mim. Eu até saí de lá para não atrapalhar vocês.

— Não sei de quem você está falando.

Rá! Até parece!

Ele coçou a nuca, como se estivesse organizando os pensamentos, antes de mirar aquelas duas turmalinas em mim.

— Júlia, eu queria falar com você sem ninguém por perto.

— Por quê? — Eu me virei para ele, apoiando os cotovelos na mureta.

— Porque... Você pode não fazer isso?

— Isso o quê?
— Se debruçar desse jeito. É meio alto aqui.
— Você tem medo de altura?
— Fico desconfortável, só isso. — Ele deu de ombros. — Sai daí, Júlia.
Revirando os olhos, endireitei a coluna e dei um passo para o lado.
— Melhor?
Ele fez que sim, mas não disse nada, só ficou ali me observando. Fui ficando cada vez mais desconfortável.
— O que você quer? — Minha intenção não era ter soado tão rude. — Quer dizer, você queria falar comigo?
Ele assentiu ao mesmo tempo em que esfregava a nuca de novo, como se não soubesse de que maneira começar.
— Humm... Qual... qual é a primeira coisa em que você pensa quando me vê? Qual a primeira palavra que te passa pela cabeça, Júlia? — Era impressão minha ou ele parecia mortificado? — Não pense muito.
— Cretino — respondi de pronto.
— É uma boa palavra, eu acho. — Ele fez uma careta engraçada. Tenho quase certeza de que eu não teria achado graça se estivesse sóbria, ainda que não estivesse exatamente bêbada. — E o que mais? Consegue pensar em um adjetivo melhor? Bonito, talvez?
Era só o que faltava.
— Escuta, Marcus, eu não sou a melhor pessoa para esse tipo de coisa. Se você veio em busca de massagem para o ego, errou a pessoa. Mas boa sorte com a loira.
Um lampejo de irritação faiscou em seu semblante.
— Eu não estou atrás de elogios. Eu quero é resolver um problema. Dois, na verdade. Tenho uma proposta para você.
Tá. Meu cérebro parecia solto dentro do crânio.
— Acho que eu bebi demais, porque não entendi o que você disse.
— Você me acha atraente?
Continuei olhando para ele, sem acreditar. Ele estava brincando comigo? Se estava, ia aprender uma lição.
Dei uma olhada nele. Cabelo negro ligeiramente ondulado, olhos indecentes de tão verdes, maxilar quadrado e forte. Pescoço largo, ombros ainda mais. Braços definidos. E tinha as mãos — grandes e rústicas, aquele tipo de mãos que faz uma garota imaginar como seria ter a cintura envolvida por elas, sentir sua força ao ser suspendida por elas e então ser encaixada em seu colo...

Detive o pensamento bem ali.

Maldito álcool. Me fazendo pensar em coisas que, lúcida, eu jamais pensaria. Sobretudo a respeito daquela barba rala, que contra a pele do pescoço devia ser o céu...

Para com isso!

— Não tão atraente assim... — Não sei ao certo se tentei convencer Marcus disso, ou meu cérebro embriagado.

— Ah. A cadeira. Eu entendo. — Ele anuiu uma vez. Sua expressão se tornou dura, sombria.

— A cadeira não tem nada a ver com isso. — Ela não era exatamente atraente, mas também não havia nada de errado com ela. Era algo de que ele precisava, assim como eu precisava dos óculos para poder enxergar o mundo com nitidez.

E então, por causa do meu cérebro agora disperso devido ao álcool, me flagrei pensando se ele precisava da cadeira desde que nascera ou se um acidente ou doença o colocara nela. Não que fizesse diferença, eu só queria saber mais sobre ele...

Não! Não queria nada!

— Não? — perguntou, como se tivesse lido meus pensamentos.

— Não! — respondi a ele e a meu cérebro bêbado.

— Então... você sairia comigo?

O quê?

— Você está me convidando para sair? Pensei que eu não fosse tão bonita assim pra te interessar.

Seus olhos se estreitaram.

— Não sabia que você ouvia atrás da porta.

— Eu não faço isso! — Meu rosto pegou fogo. — Ouvi por acidente. Então, seja lá qual foi o motivo que te trouxe aqui, pode dar meia-volta. Não estou a fim de ser seu novo brinquedinho. Você é o tipo de cara que eu evito. Mulherengo, gozador, leva tudo na brincadeira...

— Mas eu nunca disse que queria brincar com você. — Ele abriu um sorriso que era puro atrevimento. — E você não acha que é um pouco precipitado julgar meu caráter quando nos vimos apenas duas vezes e mal trocamos meia dúzia de palavras?

— Meia dúzia de palavras que reforçaram a minha tese. Já deu pra sacar que tipo de homem você é.

Bufando, ele esfregou o queixo quadrado e forte.

— Ok, isso não está indo como eu tinha planejado. Vou colocar de outra maneira. A sua tia iria estranhar se você me namorasse?

— O que a minha tia tem a ver com isso?

— Tudo. — Ele chegou mais perto, ficando a pouco mais de meio metro de mim. Pela primeira vez percebi quanto ele era grande. Mesmo sentado, sua cabeça ficava na altura da minha boca. — Você tem um problema. Eu também estou precisando de ajuda. A gente podia resolver isso juntos.

— Hã?

— Eu posso ser seu namorado... noivo, o que seja. E, em troca, preciso que você finja ser a minha enfermeira.

Comecei a cogitar a hipótese de Marcus não bater bem da cabeça, mas então o que ele havia dito penetrou meu cérebro. Ah, meu Deus. Ele estava doente?!

Toda a antipatia que eu sentia por ele evaporou.

— Eu... não sabia que você estava doente. É alguma coisa grave? — Ele parecia bastante saudável para mim, com aqueles ombros largos e tudo o mais, mas eu sabia muito bem que nem sempre uma aparência saudável significa ter saúde.

Ele piscou uma vez, então começou a rir, balançando a cabeça.

— Não sei se você está completamente bêbada ou se é a pessoa mais tapada que eu já conheci.

— Meu QI é 140. — Endireitei a coluna, ofendida.

— Às vezes as pessoas mais inteligentes são as mais tapadas. Por que você acha que eu preciso de uma enfermeira, Júlia?

— Se eu soubesse, não teria perguntado. O que você tem, afinal?

— Uma lesão em duas vértebras e pais que acham que eu não posso viver sozinho porque minhas pernas se tornaram inúteis depois do acidente.

— Ah. Aaaaah... — Eu devia ter pensado nisso. Foi um acidente, então.

— O Max e a Alicia são legais — continuou —, mas já está na hora de eu começar minha vida. Só que a minha mãe tá me atazanando por causa disso. Ela acha que eu vou acabar me machucando se não tiver alguém por perto, que vou tacar fogo na casa ou cair no banho, sem ninguém pra socorrer.

— Isso é meio ridículo. Pode acontecer com qualquer pessoa. Cadeirante ou... ou andante — falei, por falta de uma palavra melhor.

— É, mas ela acha que eu tenho mais chances. — Ele desviou a atenção para uma mesa vazia atrás de mim. — Eu sei que ela não faz por mal, mas ela me faz sentir tão... tão...

Incapaz, pensei quando ele não prosseguiu.

— Enfim — ele soltou o ar com força e voltou a me encarar. — Eu sei que posso me virar. Além disso, é uma situação provisória. Eu estou a meio caminho de voltar a andar e... Isso não é relevante agora. — Sacudiu a cabeça. — Meu pai impôs essa condição para me deixar em paz. Ou tão em paz quanto a minha família é capaz de deixar. Preciso de um acompanhante. Você não teria que fazer nada. Só aparecer quando a minha família estiver na cidade. Meus pais moram numa chácara não muito longe daqui. Em troca, eu vou ser o namorado que a sua tia sempre sonhou.

— Humm... Acho que você tem razão. Estou muito bêbada. Preciso me sentar.

Tateei até encontrar uma cadeira e me largar sobre ela.

— Eu pensei em tudo. — Ele chegou mais perto. — Você ganharia um pouco mais de tempo. Pelo que eu entendi, a agência não vai devolver toda a grana mesmo. Cancelar agora ou em algumas semanas não vai fazer diferença. Só que o coração da sua tia pode aparecer nesse meio-tempo. Assim, você vai poder fazer a sua tia cancelar o contrato de casamento sem matá-la ou ter que confessar que mentiu. A gente pode se mostrar mais distante aos poucos, ir preparando o terreno para ela não ficar tão abalada.

Arqueei as sobrancelhas.

c) Apresentar um namorado a tia Berê, ir me desligando dele aos poucos até romper o namoro de vez, conseguindo assim que ela assine o distrato sem ter um ataque fulminante.

Aquela era, sem sombra de dúvida, a melhor alternativa. O que Marcus dizia fazia todo o sentido. Mais tempo era tudo o que eu precisava.

Ainda assim, eu titubeei. Ele percebeu.

— Escuta, Júlia. Não estou feliz com isso também. Você acha que pra mim é fácil vir aqui te propor isso? Acha que eu estou feliz em me expor assim para uma garota que eu acabei de conhecer? — Ele parecia tão franco, tão sincero e bonito. Sobretudo bonito. — Eu não estou te pedindo em casamento, só propondo um acordo. Você resolve o seu problema, e eu, o meu. Eu sei que posso ser o tipo de cara que você gosta.

— Você não sabe de qual tipo de cara eu gosto.

Ele me mostrou uma coleção de dentes brancos perfeitamente alinhados.

— Eu sei, sim. E posso ser esse cara quando estiver perto de você. Se você me ajudar — acrescentou, com a voz ligeiramente rouca.

Um arrepio inesperado percorreu minha coluna. Talvez o tempo fosse virar...

— Vamos fazer o seguinte — propôs. — Eu te levo para jantar amanhã. Só você e eu. Vai ser um teste. E aí você decide se consegue me suportar por algumas semanas. O que acha?

— Por que você está tão decidido a morar sozinho? — Aquele homem parecia disposto a tudo para conseguir o que queria.

Uma faísca de obstinação lhe cruzou o rosto.

— Meu irmão nunca ia dizer uma coisa dessas, mas eu sei que estou atrapalhando o romance dele com a Alicia. E a minha única alternativa seria voltar a viver na chácara com os meus pais. Por mais que eu os ame de todo o coração, não quero isso. Além do mais, eu descobri que poucas coisas na vida estão sob o meu controle, Júlia. E as poucas que posso controlar, mesmo as menores e que pareçam insignificantes para outras pessoas, eu quero sob o meu domínio.

Eu compreendi. Também sentia que não podia controlar mais porcaria nenhuma.

— Então estamos combinados? — ele questionou, com uma doçura inesperada. — Você vai se encontrar comigo amanhã?

Não. Claro que não! De jeito nenhum!

Mas minha cabeça se rebelou e sacudiu afirmativamente.

— Ótimo! — Ele soltou uma pesada expiração, como se estivesse prendendo o fôlego. — Que tal aqui mesmo, às sete?

— Tá.

— Até amanhã, Júlia. — Ele sorriu. Foi um sorriso diferente de todos os outros que eu já tinha visto, livre de ironia ou escárnio, que o deixou ainda mais bonito.

Outro arrepio — um violento, dessa vez — percorreu minha espinha enquanto eu o observava abrir a porta e desaparecer dentro do bar.

Porcaria. Eu devia ter trazido um casaco.

Quando fiquei sozinha, comecei a pensar com mais clareza. Então a realidade me atingiu feito um raio.

Meu Deus! Eu estava realmente cogitando aceitar aquela proposta maluca?

9
Marcus

Eu já não estava tão furioso com Max na manhã seguinte. Na verdade, estava tão ansioso que mal conseguia me concentrar em qualquer coisa por mais de dez segundos. E ele percebeu.

— Qual é o problema? — perguntou quando entramos na academia. Nadávamos juntos três vezes por semana. Era muito melhor que a fisioterapia, embora eu me dedicasse a ela com a mesma determinação que usara para convencer Júlia a aceitar minha proposta.

— Vou dar uma olhada num apê amanhã — acabei dizendo. — Quer vir comigo?

Ele franziu o cenho.

— Tão depressa, Marcus?

— Eu já tinha separado algumas possibilidades Esse nem fica longe da sua casa e o preço é bem razoável. Se eu gostar, vou ter que fazer umas adaptações, mas a moça da imobiliária disse que isso não é problema. O proprietário é bem aberto.

— E quanto ao cuidador?

— Estou vendo isso. — Eu estava certo de que Max não aprovaria meus métodos, então por que criar mais atrito? Além do mais, existia uma grande possibilidade de Júlia não aceitar. Nada em mim a agradava. Nada!

Cacete.

— Tudo bem. Que horas? — Max questionou.

— Vou pra lá assim que sair da fundação. Não posso perder aula.

— Vou tentar sair mais cedo e ver se consigo te acompanhar.

— Bom dia, rapazes! — disse Sandrinha, ao passarmos pela recepção. — Já vão cair na água, é? Vou pegar umas toalhas extras para vocês. — Ela saiu de trás do balcão e nos acompanhou, rebolando, até a piscina.

Max não deu muita atenção. Ele nunca dava. Às vezes eu me perguntava se Alicia havia feito uma castração emocional nele ou algo assim. Já meus olhos foram capturados pelo molejo daquela protuberância redonda envolta em lycra estampada.

Ao chegarmos ao complexo, ela puxou um carrinho metálico para perto da borda, empinando descaradamente a bunda em minha direção.

— Precisam de mais alguma coisa?

— Não, tudo em ordem — falei.

— Talvez mais tarde? — E piscou o olho maquiado para mim.

— Claro. — Era por isso que eu gostava daquela menina. Sem complicações. Sem expectativas. Só diversão.

Ela voltou requebrando para a recepção, brincando com uma mecha do cabelo.

— Você não tem jeito. — Max começou a se livrar das roupas. — Quantas vezes já se enroscou com essa moça?

— Sei lá, mas nem precisa me passar sermão. Ela está atrás do mesmo que eu, então funciona.

— Isso e o fato de você não conseguir dizer não a uma mulher bonita.

— Nossa mãe vive dizendo que essa é a melhor maneira de não deixar uma mulher irritada.

Meu irmão deu risada.

— É por isso que você e a Alicia se dão bem. Nunca vi duas pessoas tão boas em distorcer o que os outros dizem.

Depois de tirar a roupa, me aproximei da borda, travei as rodas da cadeira e mergulhei. Eu amava aquele lugar. Na água eu conseguia manter o pesadelo do lado de fora, à margem. Podia ser eu mesmo outra vez.

Dei algumas braçadas até alcançar a raia. Max emergiu logo em seguida.

— Cinquenta metros? — ele propôs, já se posicionando.

Eu concordei e ao sinal dele partimos numa disputa não tão fraternal assim. Apesar da desvantagem das minhas pernas inúteis, eu ainda tinha uma boa arrancada. Max era muito rápido, porém, mesmo estando um pouco enferrujado. Sempre achei que ele teria sido um ótimo nadador, mas ele vivia dizendo que isso não sustentaria uma família.

Fiquei feliz ao bater a mão no azulejo apenas alguns segundos depois dele.

— Mais um pouco e você me supera. — Ele passou as mãos no cabelo.

— Sem essa.

— Sério, você está melhorando a cada dia. Nunca imaginei que pudesse ser tão dedicado. E não falo apenas dos treinos. Além disso, está mais forte que eu. Você cresceu desde que voltou a nadar. — Indicou meus ombros com a cabeça. Minhas camisetas também haviam registrado isso, se agarrando ao meu corpo de um jeito desconfortável. — Até a Mari reparou.

— Reparou, é? — Arqueei as sobrancelhas.

Ele fechou a cara.

— Ela tem namorado, e você sabe que está proibido de se aproximar de qualquer amiga da Alicia.

— Já sei, já sei. A Mari é legal, mas não faz muito o meu tipo.

Ele se apoiou na borda, o olhar especulativo.

— Falando em não fazer o seu tipo, te vi ontem falando com a Júlia no terraço do bar.

— Foi *só* o que eu fiz, Max. Conversei.

Dobrando os braços, ele os apoiou na borda, as sobrancelhas contraídas.

— Marcus, a menina está passando por problemas. Uma tia doente, acho, além da pressão do setor de TI por conta do site. Ela é uma das responsáveis. Não brinca com ela.

— Meu interesse nessa menina é menos um, Max. E essa conversa toda já deu no saco. Melhor de três?

Ele me estudou por mais um instante antes de assentir e darmos início a uma nova rodada.

Esse era o problema do meu irmão: Max era todo certinho. Somente a Alicia conseguira tirá-lo dos eixos, mas ele ainda era um homem correto em todas as suas atitudes. Eu não podia me dar a esse luxo. E definitivamente Max não precisava saber do meu acordo com Júlia.

Ou ao menos eu esperava que houvesse um acordo. Aquela noite seria crucial. Eu tinha que causar boa impressão e fazê-la aceitar fingir ser a minha cuidadora. O problema era sua resistência. Desde que pus os olhos nela, senti que seria teimosa, e meus instintos nunca me deixaram na mão. Eu precisaria usar todo o meu poder de convencimento se quisesse fazê-la *considerar* minha proposta.

Desde que ouvi Amaya contando sobre a confusão que a tia dela havia causado, comecei a pensar no assunto. Claro que fiquei espantado. Júlia parecia tão perfeita que eu jamais teria imaginado que seria capaz de mentir. Passei parte da noite olhando para ela, observando, tentando montar aquele quebra-cabeça que era sua personalidade. Por fim, acho que entendi. Júlia é uma daquelas raras pessoas que colocam a felicidade de alguém na frente da própria.

Sua reação quando eu dissera que precisava de um cuidador fora impagável, como se toda a antipatia que sentia por mim tivesse desaparecido, dando lugar à preocupação. Ela realmente não me via como alguém que precisava de ajuda. E o irônico era que eu precisava especificamente da ajuda dela.

Quer dizer, podia ser outra pessoa. Um cara da faculdade, um colega dos tempos de colégio, qualquer um poderia se passar por meu cuidador, mas isso implicava colocar alguém dentro de casa, e eu não queria isso. Tinha falado sério. Eu estava me preparando para retomar minha antiga vida tão logo conseguisse me sustentar sobre minhas pernas. Ter uma babá até isso acontecer só faria minha confiança e autoestima irem para o ralo. E, é claro, eu queria provar para minha família — e para mim mesmo — que era capaz de me virar, com ou sem limitações.

Por isso Júlia era a escolha perfeita. Ela estava com a vida toda enrolada também, não teria tempo para ficar me atazanando. Cumpriria seu papel e me deixaria em paz. Fim da história.

Não entendi por que pensar nisso fez minha cabeça doer.

Max venceu outra vez, com uma vantagem maior dessa vez.

É isso que acontece quando se perde o foco: você fica para trás.

— O que foi isso? — ele perguntou. Um barulho alto fez a estrutura metálica da janela sacudir. O céu escuro anunciava uma baita tempestade. — Ah, cacete! Temos que ir logo.

— Vou ficar um pouco mais. Pode ir, Max. Pego um táxi depois.

Ele pensou em discutir, mas outro estrondo chacoalhou a estrutura de alumínio. Em questão de quatro segundos, Max estava fora da piscina, esfregando a toalha pelo corpo enquanto procurava o celular no bolso do short. Quando o encontrou, apertou a tela algumas vezes e o levou à orelha.

— Alicia? Oi. Eu preciso falar com você. Sobre... hã... — Ele vestiu o short de qualquer jeito, jogando a camiseta sobre o ombro. — ... o seu carro. Acho que você precisa levá-lo ao mecânico. Anda fazendo um barulho estranho. É, eu estou indo agora para casa resolver isso. Pode me esperar? Melhor ainda: não desliga. Vou te explicar a ideia que tive para a nossa lua de mel.

Max acenou uma vez, a chave do carro já na mão, e desapareceu em questão de minutos. Eu me peguei rindo. Toda vez que uma tempestade se aproximava, ele parava o que estivesse fazendo para acudir Alicia. Ela sofria de astrofobia, embora negasse veementemente ter um medo paralisante de tempo ruim. Sempre que um temporal se aproximava, meu irmão tentava distraí-la com os assuntos mais absurdos. Mandar o Porsche dela para a oficina, que piada.

Dei mais algumas braçadas, tentando esvaziar a mente. E teria conseguido, não fosse o belo rosto delicado, com os olhos castanhos inteligentes e a boca atrevida que parecia implorar para ser beijada, que teimou em se infiltrar em meus pensamentos. Diabos!

— Cadê seu irmão? — Sandrinha estava de volta, me observando da beirada da piscina.

— Ele teve que ir embora.

— Ah. Eu preciso de uma mãozinha com uma das portas do armário de suprimentos. Será que você poderia me ajudar? — Levou o indicador à boca, mordiscando a unha pintada de azul. — É lá na saleta dos fundos. Ninguém nunca vai lá, só eu. E você, quando eu preciso de uma ajudinha. — Lançou uma piscada.

Ah, eu e a saleta dos fundos éramos grandes camaradas àquela altura, mesmo que eu não soubesse dizer de que cor eram as paredes.

A dor de cabeça ainda me incomodava, e Sandrinha era uma bela distração. Quem sabe assim eu conseguia tirar Júlia, seus lábios convidativos e o nosso acordo da cabeça.

A boca carnuda de Sandrinha se curvou em um sorriso sensual enquanto eu tomava impulso e saía da piscina.

10
Júlia

Não se deve levar em consideração as coisas que uma garota semibêbada diz. Marcus não esperava de verdade que eu fosse aparecer naquela noite, esperava? Porque não havia a *menor* chance de eu levar aquilo adiante. Minha cabeça estivera confusa por conta de todo aquele álcool, e só por isso eu tinha concordado em encontrá-lo. Acho.

Eu gostaria de ter seu telefone para poder dizer isso a ele, mas não tinha, e quando liguei na Fundação Narciso só deu ocupado. Tudo bem. Ele iria sobreviver se eu não aparecesse. Na verdade, eu podia apostar que ele já sabia que eu não ia aparecer.

Então, tive que voltar a pensar no meu problema. Cheguei à conclusão de que a ideia de Marcus era realmente boa; eu só precisava fazer uns ajustes. Fiz uma pequena lista dos homens que eu conhecia na faixa dos vinte aos trinta anos, depois fui eliminando os comprometidos, em seguida os que tia Berê conhecia. Sobrara apenas um nome.

Saco.

Olhei por cima da divisória de madeira branca, observando Ivan com atenção. Ele não era feio, e, tá, eu não ia namorar o cara de verdade, mas eu inventara um homem interessante, e Ivan teria que nascer de novo para se encaixar nessa categoria.

Ele ergueu a cabeça de repente, me flagrando.

— Quer alguma coisa, Júlia?

— Ah, não. Só estava... perdida em pensamentos.

— Isso é perigoso, garota. Você pode ficar presa no mundo dos sonhos e nunca mais voltar. Que nem naquele filme do Leonardo DiCaprio. — Deu risada, ou algo semelhante. Era parte ronco, parte engasgo, a coisa mais assustadora que eu já tinha ouvido.

Peguei a caneta e risquei o nome de Ivan.

Certo. Não sobrara ninguém. Como é que eu podia conhecer tão pouca gente? Meu celular tocou. Olhei para o relógio. Quase meio-dia.

— Juju, é a tia Berê.

Reprimi o riso. Ela sempre fazia isso, mesmo que eu já tivesse explicado mil vezes que o celular tinha identificador de chamada.

— Oi, tia.

— Liguei na Allure hoje. Aconteceu alguma coisa? A Melissa disse que você ainda não entregou a lista de convidados. Não precisa ser a real, só uma estimativa.

— Hã... eu... — Fechei os olhos e deixei a cabeça cair para a frente, batendo a testa na mesa. Eu não tinha mais nada. Nenhum plano. Um plano decente, quero dizer.

Não acredito que vou fazer isso.

— Tia, estive atrás de uns novos documentos que o seu advogado pediu para tentar conseguir a sua aposentadoria. Você vai ter que assinar uma papelada.

— Ah, meu amor. Obrigada por estar sempre cuidando de tudo — ela disse, e eu quis morrer. — Então, já que você vai estar ocupada com a minha aposentadoria, eu poderia fazer a lista para você. Nossa família é fácil, mas vou precisar falar com o seu noivo para pegar a lista dele. Me dá o número dele. — Não foi um pedido.

— Tia, ele nem me pediu ainda! A senhora não pode ligar para ele e perguntar sobre a lista de convidados. Ele iria fugir!

— Minha nossa, Juju! Não tinha pensado nisso! Deus me livre assustar o... o... como é mesmo o nome do seu namorado, querida?

Se havia algo que ninguém jamais poderia dizer contra Berenice Muniz é que ela não era astuta. Pressionar sem ser direta sempre foi seu *modus operandi*.

— Humm... ih, tia, aconteceu um problemão aqui. Preciso desligar. Até mais tarde. Beijos! — Finalizei a chamada e joguei o celular na mesa, encarando-o como se ele fosse ganhar vida e pular no meu pescoço.

Teria que ser o Ivan mesmo.

Abri a boca para convidá-lo para um café, mas ele começou a rir de novo.

— Já viu esse vídeo? — perguntou. — O pior cantor de karaokê do mundo! Nem vai fazer quarenta pontos! — E mais daquele riso, ronco, grunhido.

Tá. Não ia ser o Ivan.

Samantha, a única outra garota de TI, parou em frente à minha mesa. Ela era linda, constantemente confundida com a Shakira. Mais de uma vez fingiu ser a cantora e até deu autógrafo. Também era o gênio do banco de dados desde o ano passado, quando foi contratada. Ivan estava louco por ela e sempre dava um jeito de se colocar em seu caminho, sem jamais se deixar intimidar pelos tocos.

— Aqui. Você está com cara de quem precisa de cafeína. — Colocou um copo plástico ao lado da minha mão. — Forte e sem açúcar, como você gosta.

— Obrigada, Samantha. — Não sei de onde ela tirou aquilo. Eu nunca disse a ela como gostava do café. Na verdade, eu nem gostava de café. Mas ela era sempre gentil, então eu agradecia e fingia que bebia. Apenas muito raramente regava com ele o cacto que Ivan mantinha sobre sua mesa.

— Como está indo? — ela quis saber.

— Quase no fim do projeto. Nem acredito nisso. Acho que vai dar tempo!

— Eu nunca tive dúvidas. Aquele saco de banha — ela relanceou a porta da sala de Américo — sabe escolher os profissionais a dedo. Você é a melhor coisa que já aconteceu neste TI.

— E eu? — Ivan perguntou, ofendido.

Ela se sentou no canto da minha mesa, olhando para ele por entre as pestanas empinadas com rímel.

— Mas é claro, Ivanzinho! Eu quis dizer vocês dois.

Eu juro que o vi inflar o peito, como fazem os pombos.

— Ah, não — Samantha exclamou, fazendo beicinho. — Esqueci um documento na sala de reuniões! Poxa vida, estou tão cansada... Mas vou ter que voltar lá, né? Quando a cabeça não pensa, os pés pagam a conta.

Claro que Ivan já havia se levantado.

— Fique aí, gatinha. Eu pego pra você.

— Jura, Ivanzinho? Você faria isso por mim?

— Não há nada que eu não faça por você. — As bochechas dele ficaram rosadas.

— Obrigadinha. — Ela bateu de leve o indicador no nariz dele. O cor-de-rosa se intensificou. — Aproveita e me traz um refrigerante. Esqueci também. — E piscou para ele.

Revirei os olhos enquanto Ivan saía tropeçando nos próprios pés em direção ao elevador.

— Você não devia brincar com ele assim. — Eu ri.

— O que eu posso fazer? Já disse que não estou interessada, mas ele não quer acreditar e continua no meu pé. Quem sabe se eu brincar um pouquinho ele acaba se cansando. Como ele está se saindo?

— É o melhor parceiro que eu já tive. — Uma coisa era apontar os erros de Ivan para ele. Dizer isso à gerente de banco de dados era outra, completamente diferente. E ele era mesmo bom. Apenas um pouco desatento.

— Ótimo. — Mas eu percebi que ouvir a palavra "parceiro" a desagradou. Me peguei pensando se Ivan não tinha razão, no fim das contas, em continuar insistindo com Samantha. — É ótimo para a empresa quando a equipe se entende. Nossa, Júlia, que horror! — Ela pegou minha mão e a aproximou do rosto. — Quando foi a última vez que você fez a unha?

— Hã... Foi para... humm... a formatura, eu acho. — Tá, eu não era muito boa com aquela coisa de ser "menina". Não sabia fazer as unhas e na última tentativa tinha acabado com esmalte no cotovelo e na colcha de tia Berenice. E era melhor nem começar a falar sobre maquiagem. Eu usava apenas os itens que sabia para que serviam: batom e rímel — o que já era complexo o bastante, uma vez que sem os óculos eu não via nada e borrava a cara toda; com eles, borrava as lentes.

— Credo! Isso já deve ter uns três anos! — Ela pegou o celular e digitou um número, ainda segurando minha mão. Tentei puxá-la, mas ela não permitiu. E ainda me olhou feio! — Você vai comigo ao salão na hora do almoço, e não adian... Alô! Ana, querida, é a Sam. Tenho uma emergência aqui que só a Neidinha pode resolver. Sim, preciso de um horário para hoje...

Desligou depois de marcar uma hora, toda alegre.

— Mas, Samantha, eu não posso sair...

— Pode parar! Você vai fazer a unha e está acabado. Uma mulher que se sente mais bonita rende muito mais no trabalho. Você vai se sentir muito melhor quando se livrar de toda essa cutícula. Credo! — Estremeceu de leve. — Saímos à uma hora.

Ela me deu as costas, sem me dar a chance de dizer que eu não achava que tirar pedaços de meu corpo me faria sentir melhor.

※

Adiantei o serviço, e logo que o relógio marcou uma hora Samantha veio me pegar. O salão ficava bem em frente ao prédio da L&L. Enquanto eu me contorcia na cadeira e assistia a Neidinha, a manicure favorita de Samantha, arrancar pedaços do meu corpo e depois pincelar minhas unhas com um lilás apático — mas que minha gerente insistiu que combinava com meu tom de pele —, Samantha folheava uma revista.

— Essa cor ficou uma graça em você. — Ela acariciou meu braço.

— Humm... Obrigada.

— Isso é tão divertido. Devíamos fazer mais vezes. Já que você está com estas unhas de arrasar, podíamos sair hoje ou amanhã. Tem alguma coisa marcada?

— Não, mas vou tentar dar uma adiantada no site. Faltei muitos dias. Tem umas páginas que eu quero testar. — O site já tomara forma, faltavam pequenos ajustes e a incansável busca por falhas não terminaria tão cedo.

— Precisa de ajuda com isso? — Ela deixou a revista de lado. — Eu não me importo em ficar até mais tarde hoje.

— Obrigada, Samantha. Eu e o Ivan damos conta.

Ela desviou o olhar, parecendo decepcionada.

— Certo. E que tal amanhã?

Balancei a cabeça.

— Minha tia ainda precisa de cuidados, e eu prefiro ficar com ela. Não posso pedir para a Magda ficar com ela só para que eu dê uma escapada. Além disso, eu não ia conseguir me divertir, de qualquer forma.

— Você é uma mulher muito incrível, Júlia. — Tocou meu braço de leve, tomando cuidado para não borrar suas longas unhas recém-pintadas de vermelho. — É tão bonito ver a maneira como se dedica à sua tia. E ela nem é a sua mãe!

Mas ela era, sim! Tia Berenice era a única mãe que eu conhecia, e eu só não a chamava assim porque toda vez que eu deixava a palavra escapar ela chorava, e eu não queria entristecê-la.

Uma hora depois, voltamos para o escritório. Samantha, feliz da vida, embevecida com o maravilhoso aroma de tinta. Eu, equilibrando meu almoço — uma barra de cereais — entre os dentes, tomando cuidado para não borrar o trabalho de Neidinha. O que infelizmente aconteceu, assim que me acomodei na minha cadeira e esbarrei o dedo sem querer na ponta do teclado, deixando um risco cheio de grumos na unha do dedo anular. Tudo bem. Era só esconder aquela mão caso Samantha estivesse por perto.

❧

Quando o relógio marcou seis horas, todos foram para casa. Ivan, vendo que eu ficaria até mais tarde, decidiu ficar também.

— Você sabe que isso não é uma competição, né? — perguntei assim que o andar ficou vazio.

— Claro que eu sei. Mesmo porque, se fosse uma competição, nós já sabemos quem teria ganhado. Eu, é claro. — Suas sobrancelhas subiram e desceram rapidamente. — E eu não tinha nada urgente para fazer. Pretendia lavar roupa, porque estou sem cueca limpa, mas posso me virar por um dia.

Estremeci de leve, voltando a atenção para a tela e bloqueando qualquer imagem de Ivan sem cueca que surgisse em minha mente. Eu não precisava daquilo para ter pesadelos. Sua risada já dava conta disso.

Inesperadamente, imagens de Marcus, deitado na minha cama, preencheram minha cabeça. E ele *não estava* usando cueca. E aquela mão imensa estava sobre o peito largo, escorregando para a barriga sequinha e indo em direção...

— Júlia!

— AHHH! — Dei um pulo da cadeira quando algo atingiu minha cabeça. Um crucifixo de madeira preso a um cordão grosso e preto. Eu o peguei do chão. — Que droga, Ivan! Por que você jogou seu crucifixo em mim?

— Você não está sentindo nada queimar? Sua mão, por exemplo?

— Não! Por que você fez isso? — Lancei o cordão para ele, que o pegou no ar.

— Você ficou toda estranha, com o olhar vidrado, e começou a gemer, fazendo uns "hummmm". Achei que tivesse se transformado em zumbi. Só estava testando. — Passou o cordão pela cabeça.

— Pelo amor de Deus, Ivan! Segundo a literatura, crucifixo funciona contra vampiros, não zumbis — cuspi, irritada.

— Você tá bem informada sobre esse assunto, hein? — Ele me olhou desconfiado.

Achei melhor me sentar e começar a trabalhar, ignorando descaradamente meu colega. Era isso ou pegar o cacto para bater na cabeça dele.

Eu me concentrei o melhor que pude no que estava fazendo, inserindo as imagens de alguns produtos para testar o funcionamento da página. Simulei diversos tipos de acesso, sempre à procura de bugs.

— Eu soube que você virou office girl ontem. — Ivan me lançou um olhar afiado.

— Não enche, Ivan.

— Só fiquei pensando que não é justo você ficar puxando o saco da chefia.

— Não estou puxando o saco de ninguém. Só fiz um favor para uma amiga. Olhei para o relógio; já eram sete e quarenta e cinco.

Tamborilei os dedos no tampo da mesa.

Claro que eu não ia me encontrar com Marcus. Nem dava mais tempo. Não fazia a menor ideia de por que eu havia pensado nele na minha cama. E não sei por que me flagrei imaginando até que ponto ele estava paralisado.

Esquece isso. Não é da sua conta.

Não, eu não ia me encontrar com ele. Ia resolver as coisas do meu jeito! Já havia imprimido os supostos documentos que tia Berenice deveria assinar. Amanhã de manhã isso estaria acabado. E, quanto ao meu namorado, ele podia viajar indefinidamente. Dar um nome a ele era tudo o que eu precisava fazer.

Peguei a papelada e inseri o distrato no meio. Folheei uma vez para ver se destoaria muito dos demais. Ela nem perceberia. Confiava em mim cegamente e nem desconfiaria de que eu a estava traindo.

Senti os olhos pinicarem e a bile subir pela garganta, abafando um soluço. Quando dei por mim, estava rasgando todos os papéis furiosamente.

Eu não podia. Não podia fazer isso com ela. Jamais!

Mas, então, o quê? O que eu faria agora?

Com um suspiro derrotado, desliguei o computador, dei uma ajeitada rápida na mesa e peguei a mochila no chão.

— Já vai? — Ivan perguntou quando eu me levantei. — Pensei que a gente fosse atravessar a madrugada.

Era o que eu deveria fazer.

— Lembrei que tenho um compromisso. — *Não acredito que eu vou levar isso adiante.*

— Você tem um encontro? — Ele me olhou dos pés à cabeça. — E vai vestida assim?

Olhei para baixo. Tá legal, a blusa cinza de manga comprida e o jeans não eram lá muito atraentes ou elegantes, mas eu não estava tentando impressionar ninguém. Sobretudo o Ivan.

— Vai pro inferno, Ivan.

Eu ainda podia ouvir sua gargalhada quando entrei no elevador.

11
Júlia

Pegar um ônibus sentido centro não foi difícil, e o comentário de Ivan me fez ligar a câmera frontal do celular e dar uma conferida na minha aparência. Tá legal, eu não queria impressionar ninguém, mas também não queria assustar. Então, passei uma camada de batom, borrando um pouco a cada sacudidela que o ônibus dava, e corri os dedos no cabelo, ajeitando os fios depois de soltar do rabo de cavalo.

Cheguei dez minutos atrasada ao prédio onde ficava o bar. Me dirigi ao elevador, mas me detive ao avistar Marcus perto dos sofás de couro negro, ali no hall.

Ah, droga. Ele era ainda mais bonito do que eu me lembrava.

— Pensei que você não fosse aparecer. — Ele abriu um sorriso ao me ver chegar.

A imagem dele em minha cama, nu em pelo, preencheu minha mente.

Não posso fazer isso!

— Na verdade, eu não vou. Só vim pra dizer que não posso aceitar sua oferta.

— Sério? Por quê?

Porque imaginei você pelado na minha cama e não estou conseguindo lidar com isso.

— Eu não sei mentir, Marcus. Ia dar errado. Vou pensar em outra coisa, mas obrigada pela oferta. Foi muito... bacana da sua parte. Acho que ontem eu não deixei isso claro.

Ele soltou uma pesada lufada de ar e correu a mão pelo queixo quadrado.

— Tudo bem, eu entendo. Obrigado por não me deixar esperando.

Um silêncio muito constrangedor pairou entre nós enquanto nos encarávamos. Fui ficando cada vez mais sem jeito. Sobretudo porque seu olhar continha uma intensidade desconcertante, como se penetrasse meu corpo para dar uma espiada no que tinha ali dentro.

— Bom... Acho que é isso. — Coloquei as mãos nos bolsos da calça. — Espero que dê tudo certo com a sua família.

— Valeu.

— Então tá. — Mas fiquei onde estava. Por quê? Por que eu não conseguia me obrigar a ir embora?

Marcus me observou hesitar. Sua testa se encrespou, enquanto o canto de sua boca se esticava lentamente.

— Já que você está aqui, por que não janta comigo? — sugeriu. — Eu não queria ter que comer sozinho. É muito chato e eu nem trouxe um livro. — Exibiu as mãos vazias. Imediatamente, a cena daquela mão percorrendo o peito largo me veio à mente.

É nisso que dá beber quando não se tem o hábito, ponderei. Você fica delirando por dias em vez de horas.

— Não vai te custar nada, Júlia — ele insistiu. — Prometo que não vou arrancar nenhum pedaço.

— Humm... tá. — Jantar sozinho é mesmo um saco.

Ele sorriu como na outra noite, livre de ironia ou escárnio, e o meu estômago ainda de ressaca fez algo parecido com o loop de uma montanha-russa. Talvez eu devesse tomar um antiácido para aquilo passar.

— Você está muito bonita — elogiou, com a voz macia.

Fechei os olhos e balancei a cabeça.

— Eu sabia que não devia ter vindo. — Comecei a andar, mas ele girou a cadeira com uma das mãos, e com a outra agarrou meu pulso, me detendo.

Seu olhar buscou o meu.

— Eu não devia ter dito o que disse para a Alicia. Eu não estava falando sério.

— Por favor, não faz isso. Não seja cretino a esse ponto.

— Estou sendo sincero, Júlia. Eu não sou o tipo de cara que comenta com a cunhada assuntos como esse. Só queria que a Alicia me deixasse em paz. Você é muito bonita. Mesmo assim, toda tensa.

Estudei o ponto em que ele me tocava, franzindo a testa. Havia alguma coisa errada. Minha pele começou a formigar, depois a arder.

— Me desculpa por ter dito aquilo. — Algo reluziu naqueles lindos olhos de turmalina.

Outro loop.

— Marcus, acho que eu me precipitei. Isso é um grande erro. — Eu me desvencilhei de seu toque.

— Comer nunca é um erro, Júlia. Ainda mais se a comida for boa, e eu espero que seja, porque estou faminto. Prometo ser bonzinho.

Ele parecia tão diferente agora. Não me olhava com raiva, como na outra noite, mas havia algo selvagem que ele mantinha sob controle. Também havia vulnerabilidade, e isso me desarmou totalmente.

— Tá. Vamos lá.

Ele assentiu, reprimindo um sorriso antes de começar a se mover. Reparei pela primeira vez em suas roupas. Jeans, sapato preto e camisa da mesma cor, enrolada até os cotovelos. Os dois primeiros botões estavam entreabertos, revelando o V em sua garganta e alguns fios de aparência extremamente sedosa um pouco mais abaixo. Os mesmos pelos que eu o vira acariciar na minha...

Agitei a cabeça. Por que diabos eu continuava pensando nisso?

Voltando a prestar atenção ao meu redor, percebi que ele tinha tomado a direção errada.

— Marcus, o bar fica pra lá. — Apontei para o elevador.

— Não vou te levar para jantar naquele bar. — Ele me olhou por sobre o ombro, ofendido. — Você odiou o lugar.

— Não odiei coisa nenhuma. — Sim, eu odiara tudo, exceto a varanda.

— Você tem razão. É uma péssima mentirosa. — Deu risada, parando em frente à porta dourada com vidros brancos do restaurante francês que ficava no térreo.

Olhei para Marcus, em pânico.

— Eu não estou vestida para um lugar chique desses.

Aquele par de olhos absurdamente verdes me estudou dos pés à cabeça.

— Eu acho que está, sim. De todo jeito, ninguém vai implicar com as suas roupas, desde que a gente pague a conta. Bom, talvez eu implique. Seria interessante te ver em algo com renda, decote ou fenda.

— Essa é a sua ideia de ser bonzinho?

Dando risada, ele colocou a mão no vão das minhas costas, me empurrando delicadamente para a entrada do restaurante.

— Não. Essa é a minha ideia de fazer você ficar brava comigo e parar de pensar tanto.

Ele abriu a porta para mim. Demorou um pouco: a porta era bem larga e ele teve que manobrar a cadeira, mas acabou conseguindo. Até fez uma mesura galante.

Respirei fundo e dei um passo à frente. O lugar era repleto de mármore, luzes, flores e gente cara. Algumas cabeças se viraram em nossa direção. Muitos rostos franziram o cenho. Passei a mão no cabelo, olhando para os meus tênis. Eu devia ter pelo menos usado um sapato.

— Marcus, sério. Eu não estou com a roupa certa. As pessoas estão olhando.

Ele abanou a cabeça, como se eu tivesse dito algo muito estúpido.

A hostess nos viu chegar e se apressou em nos recepcionar, indicando o caminho logo depois que Marcus disse seu nome. Ele tinha feito uma reserva?

— Vem, Júlia — Marcus chamou.

Hesitei por um momento, mas acabei indo atrás dele. Era melhor que continuar ali parada, com todas aquelas pessoas olhando para mim. Só que...

Como Marcus ia na frente, percebi que não era para mim que os clientes olhavam. Estranho. Marcus estava bem mais adequado àquele ambiente do que eu, exceto pela... ah.

A cadeira de rodas.

Não gostei daquilo. E me perguntei se as pessoas sempre olhavam para ele daquele jeito curioso. Também me perguntei como aquilo o afetava. Se é que afetava. Ele parecia não ligar.

A hostess parou ao lado de uma mesa, se apressando em retirar uma das cadeiras.

— O garçom já vai vir atendê-los. Fiquem à vontade.

Marcus me surpreendeu ao contornar a mesa e afastar a cadeira para mim. Ninguém nunca tinha feito isso antes, e confesso que fiquei um pouco apreensiva, temendo que ele a puxasse quando eu me sentasse. Mas é claro que ele não fez nada disso. Aliás, em vez de ficar de frente para mim, ele preferiu ocupar o espaço a meu lado.

O garçom apareceu e nos entregou os cardápios. Passei os olhos rapidamente, sem coragem de olhar a coluna dos preços. Pedi pato com laranja e um suco. Marcus pediu tanta coisa que não consegui registrar tudo, e isso era algo inédito para mim.

Quando ficamos sozinhos, ele cruzou os braços sobre o tampo da mesa, meio que se inclinando para mim. Seus ombros pareceram dobrar de tamanho.

— Como está a sua tia?

— Estável. Louca como sempre...

Ele riu.

— Eu gosto de pessoas loucas.

— Isso não me surpreende — resmunguei. — Dizem que um louco sempre reconhece outro.

Ele me observou por um instante. Algo o divertia.

— Você é sempre tão séria?

— Não. Só com quem eu não conheço. — Eu me encostei no espaldar da cadeira. O perfume dele começou a me envolver, e eu não gostei da sensação nebulosa que começou a se instalar em meu cérebro. Não gostei nem um pouco.

— Mais tensa do que eu imaginava. — Ele coçou a nuca, um meio-sorriso nos lábios.

— Não estou tensa. Estou super-relaxada! — Esbarrei no vaso sobre a mesa, e por pouco ele não tombou. Uma das pequenas margaridas acabou se desprendendo, caindo sobre a toalha branca.

— Ah, sim — ele zombou. — Você é a imagem da paz interior.

Peguei a florzinha e comecei a brincar com ela, estudando-o.

— Você acha que tudo é uma grande brincadeira, né?

A diversão se foi. Ele endireitou as costas e, sentado no mesmo nível, ficou uma cabeça e meia mais alto que eu. Seus ombros tinham duas vezes a largura dos meus, e os bíceps repuxando a camisa tinham quase o diâmetro da minha coxa. Não faço ideia de por que meu cérebro continuava registrando essas informações.

— Não, Júlia. Eu não acho que tudo seja uma grande brincadeira. Aprendi faz tempo que a vida pode ser uma grande merda.

Ah. O acidente. Droga!

— Eu... não quis... — comecei.

— Eu sei — ele me cortou com delicadeza.

Graças aos céus o garçom chegou com as bebidas. Tomei um gole de suco e esperei que ele levasse o assunto para outro rumo. Mas me deixar desconfortável parecia ser a intenção de Marcus.

— Fale sobre você — ele pediu.

— Por quê?

— Para que eu pare de fazer suposições e não te deixe tão irritada comigo.

Franzi a testa. Não sabia se queria contar alguma coisa a ele. Tinha quase certeza de que não.

— Vai, Júlia. Você aceitou jantar comigo. Não estrague tudo agora. — Bebericou sua água, me observando, esperando.

— O que você quer saber? — questionei, vencida.

— Qualquer coisa. Onde você cresceu?

— Na mesma casa onde eu moro hoje. A tia Berenice não sairia de lá por nada. Ela ama aquele bairro.

— E os seus pais?

— Não sei quem é o meu pai. E a mulher que me deu à luz morreu tem algum tempo.

Ele fez o melhor que pôde para esconder a surpresa, mas não foi capaz.

— Eu sinto muito — murmurou, solene.

— Eu não.

Marcus me observou por um instante, tentando entender. Mas, se esperava por algo mais, iria se decepcionar. Eu jamais falava sobre *ela*. Com ninguém. Nem com tia Berê.

Por alguma razão, ele pareceu entender isso e mudou o rumo da conversa.

— E como você entrou na L&L?

— Comecei como estagiária e acabei sendo efetivada.

— Última vez que saiu para jantar com um cara?

— Eu não saí para jantar com você — esclareci, na defensiva. — Eu só estou... jantando com você. E por que só você pode fazer perguntas?

Ele inclinou a cabeça de leve para o lado, achando graça.

— Pergunte o que quiser. Mas primeiro responda minha pergunta.

— Semana passada. — Porque Dênis era um cara. — E você?

— Nunca saí pra jantar com um cara.

Por muito pouco não joguei o arranjo de mesa nele.

Ele sorriu de leve, dando de ombros.

— Foi antes do acidente. Você é minha reestreia, por assim dizer. Última ida ao cinema?

O quê? O que diabos ele queria dizer? Porque aquilo não era um encontro. Eram só... duas pessoas que decidiram dividir a mesma mesa em um restaurante podre de chique que tinha castiçais com velas acesas e delicados arranjos de minimargaridas por toda parte. Apenas isso!

Ainda assim, fiquei curiosa. Marcus não era exatamente um homem tímido.

— Você não teve nenhum encontro desde que se acidentou? — perguntei, sem acreditar.

— Pensei que estivéssemos falando sobre sair pra jantar. — A diversão retornou. — Agora, se vamos falar de encontros casuais ou sexo anôni...

— Tá, tá. Não quero saber. — Ergui as mãos espalmadas, a flor entre o dedo médio e o indicador, o rosto quente.

— Que pena. — Ele pegou seu copo e o levou à boca. — Seria interessante ver você ficar vermelha de novo e... lá vem mais uma vez.

Droga de sangue idiota que resolveu seguir todo de uma vez para o meu rosto.

— Ida ao cinema...? — ele lembrou.

— Ah, foi na semana retrasada, com a Amaya. Vimos uma comédia ótima. E você?

— Quatro dias atrás, com meu irmão e a Alicia. Um suspense que eu não achei lá essas coisas. O que você mais gosta de comer? E não diga que é salada, porque eu não caio nessa.

— A lasanha da Magda. Ela é nossa vizinha e uma cozinheira de mão cheia. É a melhor coisa que já comi na vida.

— Agora quero conhecer a sua vizinha. Sou fã de massa, mas como o que tiver na mesa. Última vez que riu até a barriga doer?

Suprimi um suspiro, deixando a margarida ao lado dos talheres.

— Hoje, indo para o trabalho. Vi um cara tropeçar e cair. Queria ter perguntado se ele se machucou, se eu podia ajudar, mas não consegui parar de rir. É uma maldição.

— Isso acontece muito comigo em velórios — ele comentou, solidário.

Acabei rindo.

A comida chegou. O meu prato e os três de Marcus. Eu o observei enroscar o guardanapo na gola da camisa e tomar fôlego antes de se lançar ao primeiro deles. Tive que morder o lábio para não rir de novo.

— Namorado? — perguntou, entre uma garfada e outra.

— Por que você está me fazendo tantas perguntas? — Só percebi que estava faminta quando o aroma do pato com laranja aguçou meus sentidos. Experimentei um pouco. Ah, aquilo era o céu!

— Se vou fingir que sou seu noivo, eu preciso saber.

Repousei os talheres no prato e olhei para ele.

— Marcus, eu já disse. Não vou aceitar a sua proposta. Só estou aqui agora para não te deixar jantar sozinho. Só isso.

— Então só mate a minha curiosidade. — Deu de ombros, sem hesitar por uma única garfada.

— Foram poucos.

— E o último namoro terminou porque...

— Por causa do wi-fi, e eu não quero mais falar sobre isso.

Ele me surpreendeu ao concordar com a cabeça, mas continuou a me fazer perguntas bobas enquanto mastigava. Prestava atenção em tudo o que eu dizia, mesmo que seu olhar estivesse no prato. Acabou sua comida antes que eu terminasse a minha.

— Você sempre come tanto assim, ou só está tentando me impressionar? — perguntei.

— Eu *nunca* brinco com comida, Júlia.

Eu o observei partir um pãozinho e mergulhar um naco no molho em seu prato, levando-o à boca sem hesitação ou pausa. Marcus era um homem determinado até mesmo à mesa.

— Você realmente pretende enganar os seus pais para poder se mudar? — perguntei.

— Se você pode enganar a sua tia, por que eu não posso fazer o mesmo com os meus pais?

— Isso é sério pra mim.

Ele se ajeitou na cadeira, adotando uma postura absurdamente sexy. Séria! Uma postura absurdamente *séria*! Foi isso que eu quis dizer.

— Pra mim também, Júlia. Estou disposto a tudo, inclusive mentir, se for preciso.

— Por quê?

Ele soltou uma longa respiração, abandonando os talheres e tomando um gole de água antes de lançar a força daquele olhar em minha direção.

— Sabe como é a minha vida desde o acidente, Júlia? Hospital, fisioterapia, hospital, clínica, minha mãe chorando escondida, exames, mais hospital. Desde que eu arranjei um emprego e me mudei para a casa do meu irmão, as coisas... melhoraram um pouco. Eu nado com o Max três vezes por semana, saio de vez em quando, ir para o médico já não é uma comoção que exige tantos preparativos.

Olhei bem para ele.

— Quantos anos você tem?

— Vinte e três. Por quê?

— Me diz que toda essa determinação para sair de casa não é só para ter um abatedouro.

Ele deu risada.

— Agora você me pegou — zombou, mas logo retornou à postura grave. — Eu só quero, pela primeira vez na vida, me virar e não ter alguém perguntando se pode ajudar. Quero xingar porque deixei alguma coisa cair e ter que fazer malabarismos para pegar sem cair da cadeira. Quero ter uma vida normal, como todo mundo... Isso está muito perto de acontecer. — Uma fina bruma enevoou seu olhar, e por um momento tive a impressão de que ele não estava mais ali.

A sobremesa chegou, trazendo Marcus de volta de onde quer que ele estivesse.

Quando ele pediu a conta e eu me ofereci para pagar minha parte, ele me lançou um olhar tão ofendido que me encolhi na cadeira.

— Não escutou que essa é a minha primeira saída em três anos? Não estrague tudo. Aqui. — Ele entregou o cartão ao garçom.

Ele estava *mesmo* pensando que aquilo era um... aquilo tinha sido um... Marcus gemeu baixo e sacudiu a cabeça.

— Isso não é um encontro *romântico* — justificou, como se tivesse lido meus pensamentos. — Foi só um jantar. Só duas pessoas que dividiram o jantar. Assim está melhor?

Fiz que sim com a cabeça. Depois de pagar a conta, ele se afastou da mesa e eu fiquei de pé, colocando a margarida no bolso da mochila. Andamos lado a lado para fora do prédio, descendo a rampa até pararmos na calçada, um de frente para o outro.

— Então é aqui que o nosso destino se separa. — Havia algo em sua expressão, uma intensidade que eu não soube decifrar, mas que fez minhas faces enrubescerem.

— Parece que sim.

Ele anuiu com a cabeça, solene.

— Onde deixou o seu carro, Júlia?

— Eu não dirijo.

Ele deliberou por um instante antes de dizer:

— Então eu levo você para casa. Meu carro está nc fim da rua. Tudo bem?

Não, não estava. Uma carona implicaria ficar sozinha com ele dentro do veículo, sem ter ideia do que dizer ou onde colocar as mãos. Era óbvio que eu deveria recusar a oferta. Era a coisa certa a fazer.

Porém, entre formular as palavras em minha cabeça e verbalizá-las, algo deu errado. O que saiu foi:

— Claro. Seria ótimo, Marcus. Obrigada.

12
Júlia

Andei a seu lado na calçada, acompanhando o ritmo dele. A certa altura tive que ir na frente por causa de uma árvore plantada bem no meio da via, o que dificultou tudo para Marcus. Eu nunca tinha parado para pensar que aquilo não era apenas irritante, por estar em desalinho com as outras árvores da rua, mas que podia complicar a vida de pessoas com alguma dificuldade de locomoção.

Marcus parou ao lado de um carro prata e abriu a porta. Acionando uma trava na cadeira, pulou de um assento para o outro com uma agilidade impressionante. Colocou a chave no contato e então se inclinou para tirar as rodas da cadeira, colocando-as atrás do banco do passageiro. Depois foi a vez do assento móvel, e, por fim, fechou a base em uma espécie de X, dando a ela o mesmo destino das rodas e do assento. Eu não devia ter achado aquilo tão fascinante, mas achei. Ver aquelas mãos trabalhando com tanta habilidade me hipnotizou a ponto de eu me esquecer de perguntar se ele precisava de alguma ajuda.

— Não vai entrar? — perguntou, apoiando um braço no volante.

Pisquei uma vez e corri para o outro lado, abrindo a porta e me acomodando a seu lado.

— Para onde eu te levo, Júlia?

Dei o endereço a ele. Marcus ligou o rádio antes de manobrar para sair da vaga, e eu aproveitei para dar uma espiada no que ele fazia. Havia uma espécie de pomo preso ao volante, que ele segurava com familiaridade, além de alavancas extras do lado direito, que ele pressionava ora para a frente, ora para trás. Freio e acelerador, presumi.

— Quando aconteceu? — Eu não queria perguntar. Não era da minha conta. Mas eu estava curiosa e queria saber mais sobre... bom... ele.

— Quando aconteceu o q... Ah, o acidente. Faz três anos, dez meses e dezoito dias. Moto. Estava indo para a casa de uma garota, mas nunca cheguei lá. Um pneu estourou, perdi o controle, caí e colidi com o meio-fio. Minha moto zerada ficou destruída.

— Eu...

— Tudo bem — ele me cortou secamente, como se soubesse o que eu pretendia dizer e aquilo o irritasse.

— Eu só ia dizer que acho que a garota deve ter ficado bastante aborrecida por você nunca ter aparecido.

Girando a cabeça, ele me olhou como se eu fosse a coisa mais esquisita do mundo. Não foi a primeira vez que recebi aquele tipo de olhar.

— É, ela ficou. — Aquela sombra em seu semblante se dissipou, dando lugar ao divertimento. — O mais irônico é que eu estava indo terminar com ela. Como eu não apareci, ela pensou que eu tinha dado o cano e me mandou um milhão de mensagens em caps lock. A mais educada me mandava ir à merda. — Ele me mostrou de novo sua coleção de dentes perfeitamente alinhados e brancos.

— E depois, quando ela soube do acidente?

— Ela não soube. Ou, se soube, não se importou. Não era grande coisa, de todo jeito. Estávamos saindo fazia pouco tempo. — Deu de ombros. — É engraçado como a vida muda em um segundo. Todo mundo diz isso, mas ninguém leva a sério de verdade. Não até que aconteça com você.

— Eu sei o que você quer dizer. — Recostei a cabeça no apoio do banco, maravilhada que outro ser humano pudesse compreender exatamente como eu me sentia. — Foi assim com a tia Berê também. Num dia ela estava bem, feliz, saudável. No outro passou mal e o médico disse que ela precisava de um coração novo. Já nem sei quantas vezes achei que eu fosse perdê-la. A última aconteceu faz uma semana. — Esfreguei a testa para me livrar das memórias, que mais pareciam pertencer a um filme de terror. — Mas ela ganhou uma nova chance, e agora está por aí, fazendo todo tipo de maluquice. E, mesmo que eu esteja toda enrolada tentando consertar uma delas, entendo o que ela está fazendo e fico contente, de certa maneira. Ela está aproveitando o presente que recebeu, e eu não posso condená-la por isso. Se você ganha uma nova chance, não deve desperdiçar e... O que foi?

Metade do seu rosto estava perdido nas sombras, mas a outra estava iluminada pela claridade do painel. Pude ver a maneira como ele apertava o queixo enquanto me encarava com tanta intensidade que me vi prendendo a respiração.

— Por que tá me olhando assim? — murmurei.

— Por nada.

— Bom... Então eu acho que você devia olhar para a frente.

Ele se demorou um pouco mais, mas acabou mudando o foco para a rua. Aquele clima esquisito persistiu durante todo o trajeto, e eu, que nunca fui muito boa em manter uma conversação, me mantive quieta observando a paisagem mudar, as casas passarem pela janela, até reconhecer a vizinhança.

— Pare aqui, por favor.

Ele encostou o carro a quatro casas da minha, bem em frente ao portão da dona Marlucy.

— Qual delas é a sua? — Examinou os arredores.

— Aquele sobrado verde ali na frente. Mas, se a minha tia te vir, vai pensar que você é o meu namorado e vai sair de casa feito uma louca, pronta pra te encher de comida. E depois de perguntas.

— O que você vai fazer? — ele perguntou, parecendo realmente preocupado. — Como vai contar que mentiu sem mandar a sua tia pro hospital?

Suspirei, me sentindo tão velha quanto o mundo.

— Eu não sei, Marcus. De verdade, eu não sei. E você? O que vai fazer com relação aos seus pais?

— Também não sei. — Ele deixou a cabeça pender no encosto, o rosto virado em minha direção, um sorriso triste lhe curvando a boca. — Que bela dupla nós formamos, hein?

Abri a porta do carro, e já estava saindo quando mudei de ideia e voltei para dentro. Ele me estudou, especulando.

— Eu queria pedir desculpa — expliquei, sem graça.

— Pelo quê? — Suas sobrancelhas se arquearam.

— Você foi muito legal hoje, Marcus. E... eu só dificultei as coisas. A tia Berê vive dizendo que eu sou meio arisca. Acho... acho que ela tem razão.

Ele riu. E tinha aquele tipo de risada gostosa, rica, grave, quente, que aquece o peito e te faz sorrir.

— No momento em que pus os olhos em você, eu soube que você não era uma mulher fácil de lidar. Fica tranquila. Eu estava preparado. Você foi bem menos arisca do que eu tinha imaginado.

— E mesmo assim você me fez aquela proposta — me ouvi dizer.

— Ah, o que eu posso fazer? Acho que eu gosto de um desafio. — Então a diversão se foi e ele me olhou tão sério que senti como se estivesse me vendo por dentro. — Eu não estava olhando pra loira nenhuma ontem, no bar. Eu estava observando você. E percebi que você está sofrendo, Júlia. *Muito*.

Eu me senti comovida e bastante surpresa por ele ter se dado o trabalho de prestar atenção em mim. E ter sacado tudo tão facilmente, mesmo que mal nos conhecêssemos. Nem Dênis nem Amaya haviam conseguido enxergar quanto eu estava sofrendo.

— Eu... não...

— Tudo bem. Não precisa. Não pra mim — falou baixinho, mirando o teto.

— E foi por isso que eu tive aquela ideia maluca. Eu sei exatamente como é não ter controle sobre porra nenhuma. Como é desesperador não poder fazer nada além de tentar manter a maldita fé. E a cada dia isso se tornar mais e mais difícil.

De início, pensei que eu estivera certa antes, que ele tinha me visto por dentro porque era exatamente daquela forma que eu me sentia. Mas depois, ao notar como seu maxilar se contraía, os nós dos dedos esbranquiçados, tamanha a força com que ele apertava o volante, percebi meu equívoco. Ele descrevera a si mesmo.

Eu não queria que ele se sentisse como eu me sentia, à mercê de um destino caprichoso, com a sensação da lâmina fria da guilhotina a um suspiro do pescoço. Queria que ninguém jamais precisasse se sentir assim.

— Tá — me ouvi dizer, o coração batendo muito rápido.

— Tá o quê? — Marcus olhou para mim, sem entender.

— Tá, vamos fazer isso — expliquei. — Eu mudei de ideia. Aceito a sua proposta. Se você é capaz de me compreender desse jeito, então acho que a gente pode fazer esse plano funcionar. E já faz dias que eu estou enrolando a minha tia. Ela quer saber o nome do meu namorado e eu me esquivo. Que mal haveria em dizer um nome, não é? Só que... Marcus, eu não sei agir como uma cuidadora. Sua família vai sacar na hora que eu sou uma fraude.

— Não vai ser muito diferente do que você fez hoje.

— Mas eu não fiz nada.

— Exatamente. — Abriu um sorriso cheio de dentes.

— Ah. — *Isso* eu podia fazer. — Tá, tudo bem.

— Temos um acordo? — ele quis saber.

Tomei fôlego.

— Não tenho alternativa.

— Ótimo! — Ele levou a mão à boca e... cuspiu! E ainda por cima me ofereceu.

— Eca, Marcus!

— Deixa de frescura. Vai! Cospe e aperta.

— Quantos anos você tem mesmo?

Suas sobrancelhas se arquearam.

— Não me diz que você é uma daquelas garotas frescas que têm nojo de um pouco de saliva...

Revirei os olhos e cuspi em minha mão antes de apertar a dele.

— Aprenda uma coisa, Marcus. Nunca me desafie. Eu sempre vou aceitar. — Não tenho ideia do porquê. Desde pequena, sempre fui muito competitiva. Às vezes até apostava comigo mesma. Coisas bobas, por exemplo: quando estava andando na rua e ouvia um carro se aproximando, dizia: "Aposto que consigo chegar naquele poste antes dele". E então saía correndo, até os óculos estarem pulando na minha cara.

— É bom saber disso. — Algo reluziu em seu olhar.

Soltei sua mão e a limpei na calça. Ele apenas segurou o volante.

— Que tal um cineminha amanhã? — sugeriu. — Pra gente continuar se conhecendo melhor e bolar mentiras infalíveis.

Eu gemi, deixando a cabeça cair no encosto do banco, mirando o teto recoberto de tecido cinza. Aquilo não ia dar certo. Não ia!

— Não pense muito a respeito, Júlia — ele disse, como se soubesse o que eu estava pensando. — Você está fazendo duas coisas boas. Deixando sua tia contente e me ajudando a me libertar do meu cativeiro. Devia ficar feliz.

— Eu devia era ter mantido a boca fechada, isso sim — reclamei, carrancuda.

Ele deu risada.

— Te pego às oito?

Voltei os olhos para ele, cansada.

— Pode ser. E você precisa saber que eu inventei um homem perfeito para a tia Berê. Ele é quase um príncipe de conto de fadas.

— Isso pode ser um problema. — Ele se remexeu, desconfortável.

— Por isso achei melhor avisar. Será que daria para você ler alguns livros? Eu disse que o meu namorado adorava os mesmos livros que ela.

Ele me olhou desconfiado.

— Quais?

— Você sabe... Jane Austen. Shakespeare. As irmãs Brontë... — Dei de ombros. — Tem um que é o preferido dela. *Jane Eyre*. Já ouviu falar?

— Claro que não! Deus do céu, Júlia. — Ele bateu a cabeça no banco e gemeu. — Você não facilita!

Encolhi os ombros.

— Eu descrevi o cara mais perfeito segundo a cabeça dela! Não pensei que teria que encontrar um de verdade. E você não precisa ler o livro. Tem filmes. Deve servir. — Ajeitei a mochila no ombro e segurei a maçaneta do carro. — Obrigada pelo jantar. Foi... foi bem legal.

Abri a porta, mas ele segurou meu braço. Levantei a cabeça a tempo de vê-lo se inclinar em minha direção.

Ele ia me beijar. Meu Deus, ele pretendia me beijar! Pensei na possibilidade de abrir a porta e sair correndo, ou então acertar o nariz dele com a mochila, mas seus olhos encontraram os meus e algo em meu cérebro se desconectou. Ele estava tão próximo que pude ver os pontinhos de barba recém-aparada em seu queixo, tão perto que aqueles olhos me pareceram o mundo todo. Daquela distância, notei que as íris verdes tão pálidas eram contornadas por um círculo azul-escuro. Minha respiração disparou.

Por que eu não me sentia ultrajada? Por que fechei os olhos e inclinei a cabeça?

Espera! Isso é errado. Ele não é seu namorado de verdade, só vai fingir que é.

— Nada de beijos, Marcus. — Abri os olhos e o segurei pelos ombros.

Eu não devia ter feito isso. Ao tocar aqueles músculos duros e torneados, a imagem dele na minha cama retornou com força. Saco! Eu já sabia que ele era bonito. Meu cérebro não precisava ficar recriando aquelas cenas indecentes para que eu entendesse isso.

— Não estou tentando te beijar. — Seu rosto continuava a centímetros do meu, a ponto de sua respiração quente acariciar meus lábios.

— Pois para mim parece que está.

— Mas não estou.

— E por que não? — Minha voz não devia ter soado tão ofendida.

— Porque não é disso que eu preciso. Agora fica quietinha. — Ele se inclinou, me segurando pelo braço. Uma dormência se espalhou rapidamente pela minha pele. Sobretudo onde ele estava me tocando.

— O que você pensa que tá fazendo? — Eu o empurrei.

Marcus se endireitou e soltou um longo suspiro, as mãos agora no volante.

— Júlia, eu estou tentando criar memórias falsas. Preciso imaginar a cena toda pra ficar guardada aqui dentro pelo tempo que for necessário. Só quero sentir o seu cheiro. Vai tornar a memória mais real se eu tiver algo concreto, entende?

— Isso não faz o *menor* sentido!

— Faz para mim. Toda vez que sinto cheiro de giz de cera, eu lembro da turma da pré-escola. Asfalto molhado tem cheiro de férias, porque era no verão que vínhamos visitar o tio Nicolas, aqui na cidade. E pólvora me lembra o próprio tio Nicolas. Ele me ensinou a fazer estalinhos quando eu tinha uns nove anos.

Para mim, memórias e aromas andam juntos. Cada lembrança minha vem acompanhada de um aroma.

Tá legal, era impossível sentir cheiro de permanente e não pensar em tia Berê.

— Então é isso que eu estou tentando fazer — ele prosseguiu. — Juntando o seu cheiro às mentiras que estou criando.

Eu o encarei por um longo tempo antes de dizer, ainda desconfiada:

— Tá, pode... me cheirar. Mas seja rápido.

Ele aquiesceu, assumindo uma postura grave.

— Me conte o que você disse para a sua tia, sobre você e o seu namorado.

— Eu disse que a gente se conheceu no ponto de ônibus, e que eu acertei ele com a mochila. Aí eu pedi desculpas e ele me convidou para sair.

— Parece plausível. — Ele voltou a se dobrar sobre mim. Deitando a cabeça, continuou se aproximando até sua boca ficar tão perto da minha que sua respiração acariciou meus lábios. Então ele mudou a rota, a ponta de seu nariz resvalando em meu pescoço. Fechei os olhos quando ele inspirou fundo. Meu coração começou a bater ensandecido, ao passo que o carro ficou todo quente. — O que mais? — perguntou baixinho, uma de suas mãos envolvendo minha cintura, a outra se enterrando em meu cabelo.

— Humm... acho que foi... humm... só isso. — Engoli em seco, a cabeça pendendo para trás por vontade própria.

Seu perfume — fresco e único, de sabonete e homem — me envolveu e me deixou completamente zonza. Muito mais que todo aquele álcool da noite passada. Ele aproveitou a abertura para deslizar a ponta do nariz na linha do meu maxilar. Minha pele começou a pinicar no mesmo instante.

— Nosso primeiro beijo aconteceu debaixo de chuva. — Sua voz grave reverberou em minha pele e enviou arrepios para o centro dos meus ossos, me fazendo estremecer de leve.

Eu *sempre* quis ser beijada debaixo de chuva! Quer dizer, nunca parei para pensar nisso antes, mas, agora que ele havia mencionado...

— Nós saímos de um restaurante, chovia muito — ele disse pertinho da minha garganta. Aquela dormência se intensificou. — Corremos até o carro, mas deixei a chave cair antes de conseguir abrir as portas. Você ria tanto que acabou perdendo o equilíbrio. Eu a segurei como pude, e você terminou sentada no meu colo. Nossos olhares se encontraram...

Sim! Ah, sim! Meus óculos ficariam embaçados e ele os tiraria com delicadeza. Seu olhar desceria para minha boca. Seu rosto ganharia um tom mais escuro e quente, que nem as gotas de chuva que escorriam por ele conseguiriam esfriar. Ele enroscaria os dedos nos meus cabelos, sussurraria meu nome, inclinaria a cabeça e então...

— Ok, já deve ser o suficiente. — Ele me soltou de súbito e se afastou.

O quê?!

Consternada e um pouco desorientada, abri os olhos. Cadê o homem quente que eu estava abraçando cinco segundos antes? Por que minhas roupas estavam secas? Por que estávamos dentro daquele carro, e não na calçada? E onde estava minha chuva?

Sentado atrás do volante, Marcus olhava para a frente. Meu Deus, nada daquilo tinha acontecido?

Claro que não. E isso era bom, porque eu não queria que acontecesse. Não mesmo. De jeito nenhum.

Tudo havia sido plantado na minha cabeça, e ele estava certo sobre associar o perfume de alguém a uma memória inventada. De fato, tornava a coisa real. Perigosamente real, devo acrescentar.

E ele devia ter feito mais alguma coisa também. Algo perverso, pois eu não estava conseguindo pensar com clareza e meu corpo não respondia ao simples comando de fechar a boca. E eu tinha aquele formigamento na pele que não passava nunca.

— Boa noite, Júlia. — Sua voz rouca ressoou pelo carro e por minha coluna.

Atordoada, demorei um minuto a mais para entender que devia ir embora. Saltei do carro sem dizer nada, tropeçando num buraco da calçada, e quase caí de cara no chão. As cortinas da janela da sala da dona Marlucy sacudiram de leve.

Passei a mão no cabelo e um suspiro trêmulo escapou de minha boca. Comecei a andar ao mesmo tempo em que Marcus arrancava com o carro. Ele estava sério ao passar por mim, acenando com a cabeça uma vez. Tropecei de novo ao pegar o rumo de casa, meu corpo envolto em um tipo de letargia, a pele ainda sapecando.

Que diabos era aquilo?

Entrei em casa sem ver muita coisa. Tia Berenice estava ao telefone, e bastou uma olhada em sua expressão para saber que eu estava com problemas. Sérios problemas.

— Não, eu não sabia. Mas obrigada por me contar... — ela me fuzilou.

Ah, meu Deus, ela tinha descoberto! Não sei bem como, mas ela *sabia*.

Magda saiu do banheiro. A mulher da mesma idade de minha tia — e a mesma cabeça oca — ajeitava os cachos.

— Ah, Julinha. Você chegou! Fazendo hora extra de novo?

Concordei com a cabeça uma vez.

— A tia Berê passou bem hoje? — questionei.

— Sim, sim! Tudo certo. O dr. Victor até ligou para saber como ela estava. Cá entre nós, eu acho que ele está caidinho pela Berenice.

— Ora, Magda, pare com isso! — tia Berenice objetou, desligando o telefone. — Um homem que viu os exames de fezes de uma mulher dificilmente se sente atraído por ela. Mas eu gosto dele. Sempre tão carrancudo. Gosto de desconcertá-lo. E você, Júlia... — Muito zangada, constatei. Tia Berê quase nunca me chamava pelo nome. Era sempre Juju, Julinha ou o embaraçoso Jujuba. — Tem alguma notícia do seu noivo?

— Como é mesmo o nome dele? — Magda perguntou, seguindo à risca seu papel de comparsa de tia Berenice.

Não acredito que vou mesmo fazer isso.

— Marcus — suspirei, vencida. — O nome dele é Marcus.

— Ah, agora estamos chegando a algum lugar — comentou minha tia, com amargura. — Quando vai me apresentar a ele?

— Assim que ele voltar de viagem.

— Ah, é? E quando isso vai acontecer? — Ela estreitou os olhos.

Ah, merda. Era *isso*. Ela não sabia nada sobre eu ter inventado um namorado. Mas de alguma maneira já sabia sobre o Marcus. Como? Como ela podia saber se eu só me decidi havia cinco...

— A dona Marlucy! — Droga. Ela provavelmente tinha nos visto. Devia ser ela no telefone ainda agora.

— Imagine a minha surpresa quando ela ligou dizendo que você estava se agarrando com um desconhecido na porta da casa dela. Agora me diz, Júlia, por que você não podia se agarrar com um desconhecido na frente da sua própria casa? Jamais esperei essa atitude vinda de você. As vizinhas já conhecem o seu noivo e eu só soube o nome dele há um minuto! — Ela empinou o nariz, o olhar repleto de mágoa.

— Isso é verdade — Magda pegou a mão de tia Berenice e deu leves palmadas nela. — Está sendo um pouco cruel, Júlia.

— Ele ainda não é meu noivo! E... acabou de chegar do aeroporto! — improvisei. — Estava todo... descabelado e amarrotado. Não queria passar uma impressão ruim porque... ele quer te impressionar, tia. Além disso, ele me queria só para ele por uns minutos. — Em qual dos filmes dela a mocinha tinha dito isso mesmo? Eu esperava que ela também não lembrasse.

E acho que não lembrou, já que sua expressão se abrandou.

— Verdade, Jujuba?

Balancei a cabeça firmemente, cruzando as mãos nas costas, obrigando-as a ficar bem longe do meu nariz para não me delatar.

— Ele só fala em conhecer a senhora. Até antecipou a volta, porque eu liguei contando que a senhora tinha passado mal. Ele sabe quanto a senhora significa pra mim e quer a sua aprovação a todo custo. Está com medo de que não o aprove.

— Ah, que homem mais atencioso! — Ela levou as mãos ao coração e suspirou. — Mas ele não precisa se preocupar. Eu já o amo!

— Eu disse isso a ele. Mas sabe como é... Ele não acreditou. Então chegou de viagem e me pegou saindo do trabalho. Fui eu que pedi para ele me deixar longe de casa, porque eu não sabia se a senhora tinha se arrumado. E sabia que a senhora não ia me perdoar se eu a apresentasse a ele sem ter passado laquê.

— Ah, meu amorzinho... — E abriu os braços para mim. Sentindo-me miseravelmente culpada, corri até ela, me encolhendo para enterrar a cabeça em seu peito e ouvir o *tum-tum-tum*, não tão forte nem tão firme como costumava ser. — Agora eu entendi. E você tem razão. Precisamos de um pouco de pompa e circunstância. A ocasião merece. Um belo jantar... Quem sabe ele se anima e faz o pedido? Magda, você vai ter que me ajudar com a comida.

— Vamos fazer o melhor jantar da vida dele! O que ele gosta de comer?

Titubeei, sem saber o que responder, mas então me lembrei da conversa de poucas horas antes.

— Fritura. Qualquer coisa gordurosa. E massa. Mas ele come de tudo. E a senhora não pode nem olhar para nada disso — lembrei a ela.

— Estraga-prazeres. Vou fazer uma sopa insossa para mim, mas o rapaz vai sair daqui carregado, ou eu não me chamo Berenice!

— Sua tia descreveu um deus da Grécia antiga. — Magda bateu palmas. — Mostre uma foto dele pra gente!

Merda.

— Hã... não vai dar. Minha bateria acabou. Vou colocar o celular pra carregar e amanhã eu mostro. — Ergui o aparelho rapidamente e o enfiei no fundo do bolso da calça. — Vou tomar um banho.

Saí da sala antes que elas pudessem protestar. Droga, eu devia ter pensado nisso. Que garota não tem pelo menos uma foto do namorado?

Entrei no meu quarto e fechei a porta. Esperei um minuto até ouvir a risada das duas no andar de baixo. Peguei o celular e liguei para Amaya. Ela atendeu no segundo toque.

— Amaya, sou eu! Você tem o telefone do Marcus? — sussurrei, por precaução.

— Não. Por quê?

— Não posso falar agora, mas amanhã eu explico tudo. Só preciso falar com ele. O mais depressa possível.

— Posso perguntar pra Alicia ou pro Max...

Max!

— Eu tive uma ideia melhor. Você sabe onde o Max treina?

— Sim, é numa academia perto da casa dele. O Paulo também frequenta. — Ela me passou o endereço do local onde seu namorado costumava treinar. — Ju, você parece aflita. Quer que eu vá até aí ou...

— Não precisa, May. Minha tia iria desconfiar. Eu te explico amanhã. Prometo.

Ela insistiu um pouco mais, mas eu tinha medo de que os ouvidos afiados de tia Berenice captassem algo que não deviam, de modo que, depois de me fazer jurar que almoçaria com ela, minha amiga desligou.

Ajustei o despertador para uma hora mais cedo que o habitual e fui para o chuveiro. Precisava de um banho antes de descer para adiantar o almoço do dia seguinte e assim garantir que tia Berenice não acabaria comendo besteiras.

Entrei no boxe montando uma lista mental de tudo que teria que perguntar a Marcus assim que o visse, enquanto a água morna me envolvia. Por alguma estranha razão, os pontos em que ele havia me tocado ainda formigavam.

13
Marcus

— Marcus, é a sua vez — Alicia disse.
— Ah, certo. — Peguei a bola na canaleta e, equilibrando-a no colo, me aproximei da pista.

Meu irmão me ligara pouco depois de eu ter deixado Júlia em casa, perguntando se eu queria ir ao boliche. Alicia estava uma pilha. Descobriram um rombo enorme numa das empresas do Conglomerado Lima, e ela estava a ponto de matar alguém. Meu irmão achou que jogar uma bola que pesava mais de três quilos contra pinos de madeira inocentes podia ajudá-la a se acalmar. Eu amava jogar boliche. Era um dos meus passatempos preferidos, eu me saía bem, então é claro que fui me encontrar com eles.

O problema é que eu não estava conseguindo me concentrar, e até mesmo Max tinha uma pontuação maior que a minha. Meu irmão era imbatível na piscina, mas era ruim demais em tentar derrubar os pinos.

— Anda logo, Marcus — Max resmungou. — É só jogar a bola.

Olhei para ele por sobre o ombro.

— É por isso que eu estou tão constrangido pelo fato de o seu nome estar em cima do meu naquela tela! — Apontei para a TV em que o nosso placar era exibido.

Ele revirou os olhos, rindo.

Segurei a bola e mirei os pinos. Inclinando um pouquinho para a direita, soltei a bola, que saiu espiralando pelo assoalho de madeira polido, fez uma curva leve e acertou apenas um pino.

Saco.

— Não tô acreditando nisso. — Alicia ria ao se inclinar para pegar uma bola roxa na máquina. — Eu sou a líder! Max, pode fotografar o placar? Eu tenho que mostrar isso pra Mari.

Xingando baixinho, saí da frente e fui para o canto, injuriado. Eu nunca derrubava menos que sete pinos. Nunca.

— Você parece distraído — Max disse, observando a noiva, que ensaiava os movimentos com a bola.

— Devo estar. Fim de semestre chegando, todo mundo com a cabeça zoada. Isso e o fato de ter uma garota na cabeça, quase deixei escapar.

Era culpa dos óculos, ponderei. Davam a Júlia um ar de ingenuidade e astúcia a que era difícil resistir. E tinha aquele maldito cérebro com core de última geração. Não existe nada mais sexy do que uma mulher inteligente e que sabe muito bem disso.

Apesar de um pouco magrinha demais, ela era linda. Tinha aquele tipo de beleza suave, que não se destaca em uma multidão, mas a partir do instante em que você realmente a nota é impossível afastar os olhos dela, quase como um encantamento.

Ela não me saía da cabeça. Claro, eu tinha me divertido com Sandrinha e com a gêmea no banheiro daquele bar, mas era diferente. Júlia não estava atrás de sexo casual. Ela não estava atrás de coisa nenhuma que não fosse manter a saúde da tia.

Por isso eu estava me perguntando que porra eu estava fazendo. Eu havia prometido a mim mesmo que não me aproveitaria da situação caso ela aceitasse o acordo, que apenas conseguiria o que precisava para poder me mudar sem causar um derrame em minha mãe e nada mais.

Só que estar perto de Júlia, conhecê-la melhor, era o mesmo que parar diante da vitrine de uma padaria quando não se come há uma semana. E ela não havia ajudado em nada com aquele papo de não deixar a segunda chance passar. De repente, vi todas as minhas barreiras ruindo. E eu não podia baixar a guarda. De maneira alguma. Não agora. Percebi meu erro ao tentar criar memórias nossas. Uma péssima ideia, aliás. Eu não havia mentido quando dissera que queria sentir seu cheiro para criar lembranças falsas. Não totalmente. Já havia percebido sua resistência a estar perto de mim, e irritá-la era algo quase irresistível. Mas usar seu delicioso aroma como plataforma funcionou melhor do que eu havia previsto, e eu fui capaz de imaginar vívidas cenas de nós dois. A fantasia e a realidade começaram a se confundir na minha cabeça. Isso tinha me assustado.

A reação dela também me surpreendeu. Por um momento, ali no carro, tive a impressão de que ela teria me deixado beijá-la. E eu quis beijá-la. Diabos, fiquei tão desesperado para provar o sabor daquela boca que meus dedos ainda estavam doloridos, tamanha a força que tive de fazer para mantê-los longe daquela pele aveludada.

— Marcus — a voz do meu irmão penetrou meus pensamentos, me arrancando deles. Ele me olhava fixamente. — Eu queria que você soubesse que eu confio em você. Eu *sei* que você é capaz de se cuidar.

Aquilo me pegou de surpresa. Significava tanto para mim. Por isso apenas sacudi a cabeça, incapaz de formular uma frase naquele instante.

— Também sei que você é capaz de ser realmente estúpido quando quer. Não faça com que eu me arrependa de confiar em você.

— Não vou fazer nada estúpido, Max. Juro. Pode confiar.

Ele anuiu com a cabeça e voltou a olhar para Alicia, que jogou a bola. Ela rolou por um metro antes de terminar na canaleta. Como era possível que ela estivesse ganhando?

— É a sua vez. Acho melhor você parar de pensar nessa garota e virar o jogo, ou a Alicia vai te atormentar pelos próximos dez anos.

Olhei para ele, surpreso.

— Quem disse que eu estou com uma garota na cabeça?

Ele revirou os olhos, como se eu tivesse dito alguma coisa realmente ridícula.

— Duas coisas deixam um homem assim, perdido em pensamentos. Problemas e mulher. Como eu sei que você já se resolveu sobre a mudança, não é difícil imaginar o que pode estar te distraindo tanto a ponto de deixar a Alicia te vencer no boliche.

— Ok, acho que aquela bola estava com defeito. — Alicia se aproximou da máquina para pegar outra. Observei ela ir até a pista, se inclinar e jogar a bola sem qualquer técnica ou mira. Também assisti a bola colidir contra os pinos em um strike perfeito.

— Você viu isso? — Ela saiu correndo e pulou sobre o Max. — Você viu o que eu fiz? Eu arrasei com aqueles pinos!

— Detonou. — Ele passou os braços ao redor da cintura dela.

— E vou fazer igual com aqueles filhos da mãe que saquearam a empresa do meu avô, Max. Na verdade eu vou fazer pior. Bem pior!

Max tocou o queixo dela.

— É claro que vai. Estou muito orgulhoso de você. — Beijou a ponta do nariz dela.

Fui pegar uma bola para dar um pouco de privacidade para aqueles dois, pensando que Max estava certo. Eu tinha que raciocinar. Se permitisse que Júlia se aproximasse demais, estaria perdido. Não dava para baixar a guarda perto dela. Nada mais de sentir seu perfume. Nada de fantasias envolvendo beijos molhados e outras coisas interessantes. Tínhamos um trato, apenas isso. Assim que eu me mudasse e meus pais percebessem que não havia perigo em viver por conta própria, o problema estaria resolvido e eu me afastaria dela.

14
Júlia

Quando deixei tia Berenice sob os cuidados de Magda, na manhã seguinte, ainda estava escuro. Mesmo assim, dona Marlucy já estava na rua, varrendo a calçada. Apressei o passo, evitando contato visual. Não adiantou muito.

— Júlia! Saindo mais cedo, é? Aconteceu alguma coisa?

— Não, nada.

Não é que eu não gostasse dela... Tá, eu não gostava, e não era por conta da noite passada. A mulher magra de cabelo claro e rosto comprido — que sempre me fazia pensar numa raposa — era a maior fofoqueira do bairro, e fazia comentários maldosos sobre todo mundo, especialmente sobre Dênis. Como se quem ele amasse fosse de suma importância para a vida dela...

— Vi você ontem com aquele rapaz. Parecia bem feliz, hein? — Ela piscou um dos olhos de raposa.

— Dona Marlucy, eu realmente tenho...

— É sempre bom ver alguém feliz — ela me interrompeu. — Sobretudo quando se está no fundo do poço. Minha vida está tão difícil. — Os olhos dela marejaram. Ah, Senhor, de novo não! — Você sabe que pessoas como nós, as mentes evoluídas, são as que mais sofrem, não sabe?

Toda vez que ela vinha com aquele papo de "mentes evoluídas", eu desejava ter algo para acertar minha cabeça.

Avistei Dênis saindo de casa, do outro lado da calçada.

Me salva, sibilei para ele.

Ele apertou os lábios para não rir, sem se deter um segundo sequer. Filho da mãe!

— Fiz até um poema sobre isso — disse dona Marlucy. — "A rosa azul, que sorri ao alvorecer, murcha e chora ao cair do crepúsculo. Chega a dar pena ver tão bela flor se tornar um molusco." Tão profundo, não acha? — Ela soluçou alto e enxugou uma lágrima.

— Nossa. Profundo. Estou atrasada. Preciso ir agora.

— Mas você nem me contou quem era o homem no carro ontem à noite!

Mas eu já corria. Alcancei Dênis pouco antes de chegar ao ponto de ônibus.

— Seu traidor! — acusei.

— Tenho reunião com uns representantes logo cedo. — Meu amigo trabalhava em uma das joalherias mais chiques da cidade. — Estava espiando na janela já fazia dez minutos, esperando que aquela cobra encontrasse uma vítima. Uma pena que foi você, florzinha. E você, por que está saindo tão cedo?

— Porque eu arranjei um noivo.

— Elabore. — Ele estendeu o braço e deslizou o polegar na linha do meu lábio inferior, limpando o batom que eu provavelmente havia borrado na pressa de sair de casa.

Nosso ônibus chegou, e milagrosamente conseguimos nos sentar. Aproveitei e contei a ele o que havia acontecido, sobre o contrato com a agência, a proposta de Marcus, o jantar e as perguntas de tia Berenice a respeito dele. Dênis lutava para não rir e por duas vezes não foi capaz de segurar a gargalhada. Eu quis bater nele.

— Então, estou indo para a academia agora — ajeitei a mochila no colo —, porque, se eu não mostrar uma foto do Marcus ainda hoje para a tia Berenice, ela vai sacar que tem alguma coisa errada.

— E se ele não estiver lá? — ele perguntou, com a testa encrespada.

— Ele disse que sempre malha com o irmão.

— *Sempre* não significa todos os dias.

— Quer parar com isso? Era para você estar me animando. "Vai dar tudo certo, Júlia. Claro que vão devolver o dinheiro da sua tia, Júlia. Não, você não vai matá-la quando contar que mentiu para ela, Júlia."

— Desculpa, florzinha. Eu só estava pensando no que pode dar errado e no que fazer no caso de ele não estar lá. Conheço um cara que é advogado. Vou falar com ele a respeito desse contrato. Se puder me dar uma cópia, vai ser melhor ainda.

— Ah, Dênis, não sei se vai adiantar muito não. Foi a tia Berê quem contratou. A menos que eu a interdite, não vejo como conseguir o cancelamento sem que ela saiba.

— Não custa tentar.

Meu ponto chegou. Eu me despedi de Dênis e desci apressada, procurando o prédio da academia. Não foi difícil encontrar. A fachada era toda de vidro, exibindo a fileira de esteiras.

Uma garota vestida de lycra da cabeça aos pés me dirigiu um sorriso amistoso assim que passei pela porta. Apesar de pequena, ela tinha mais músculos nas pernas do que eu no corpo todo.

— Posso te ajudar, linda? — perguntou, toda amável.

— Oi, eu estou procurando uma pessoa.

O sorriso sumiu.

— Ah, eu pensei que fosse aluna nova da aula de zumba.

— Não. Eu estou procurando meu... amigo. Marcus. Marcus Cassani.

— Ah, sim. O Marcus! — O sorriso dela retornou, assim como um pouco de cor nas bochechas. Então ela me avaliou dos pés à cabeça e seus olhos se estreitaram. — Mas eu não sabia que o Marcus tinha namorada. Ele nunca mencionou.

Minha paciência estava se esgotando, mas ser mal-educada não me ajudaria a encontrar meu "namorado".

— Pode me mostrar onde ele está, por favor?

— Mas é claro. — Ela girou sobre os calcanhares e seu cabelo escuro e longo se balançou nas costas, chegando quase à altura dos quadris, de onde uma montanha de músculos saltava. Aquilo não podia ser de verdade. Quer dizer, era anatômica e fisicamente impossível. A gravidade não suportaria tudo aquilo. Eu podia apostar que Marcus vivia arrumando desculpas para seguir aquela moça para lá e para cá.

Cretino.

Não que eu ligasse para o tipo de garota que o atraía.

Acompanhei a garota até entrar no complexo das piscinas.

— Ele e o irmão estão na olímpica. — Ela segurou a porta de vidro para que eu passasse.

— Obrigada.

Poucos se arriscavam a encarar a água àquela hora da manhã, então não foi difícil encontrar os dois pares de braços. Eu me aproximei da piscina, mas parei.

— Uau. — Era muito braço, muito ombro, muita pele para assimilar. Os dois irmãos pareciam perdidos em uma disputa quase coreografada, vigorosa e... hum... muito molhada.

Meu olhar foi atraído para Marcus, para os desenhos que os movimentos dos seus braços produziam na água, para o cabelo negro que reluzia como veludo agora, para o bailar dos músculos em suas costas. Eu nem sabia que se podia movimentar tantos músculos em uma única área, de uma só vez. Era lindo. Realmente lindo.

Ele e o irmão tocaram a borda quase ao mesmo tempo.

— Acho que estou ficando velho — Max riu, se segurando na beirada da piscina. — Já não consigo ganhar de você.

— Você não estava dando tudo, que eu sei. — Marcus usou um braço para se segurar na beirada e afastou o cabelo da testa com a mão livre.

— Eu estava sim, Marcus — Max falou firme, os lábios apertados num meio-sorriso, algo parecido com orgulho reluzindo nos olhos claros.

Marcus hesitou por um instante, por fim deu um soco no braço do irmão.

Então ele se debruçou na beira da piscina e me viu. Dizer que ele ficou surpreso seria um eufemismo.

— Oi — comecei sem graça, enquanto ele me analisava boquiaberto. — Eu preciso falar com você. Oi, Max.

— Júlia. — Max pretendia dizer mais alguma coisa, mas mudou de ideia. Encarou o irmão e algo se passou entre eles.

Marcus inclinou a cabeça para o lado, ao me olhar de cima a baixo.

— Algo importante?

— É. Bem importante.

Ele se virou para o irmão.

— Vou precisar de um minuto.

— Tranquilo — respondeu Max. — Eu já ia sair mesmo. Vou tomar uma chuveirada. Te encontro mais tarde. Até depois, Júlia. — Ele empurrou a borda e saiu nadando em direção ao outro lado da piscina.

Marcus tomou impulso e se ergueu sobre os braços, girando o tronco para se sentar na beirada. Gotas minúsculas escorriam por todo o corpo dele, e eu não consegui desviar os olhos daquela dança úmida. Especialmente o trajeto daquelas que pingavam de seu cabelo e percorriam toda a extensão das costas, os ombros de musculatura firme e maciça.

Algo dentro de mim se sacudiu, um calor repentino surgiu em minhas bochechas e eu achei que alguém devia abrir uma janela. Só eu percebia como aquele lugar estava abafado, caramba?

— Não sei se fico preocupado com seu talento investigativo — Marcus comentou — ou lisonjeado.

— Você mencionou que vinha aqui com o seu irmão e eu resolvi tentar a sorte. Eu... hã... é... — Eu já havia deduzido que ele tinha braços fortes, mas não esperava por aquilo. Os bíceps de Marcus eram generosos, quase da grossura de minhas coxas. Tudo bem, eu tinha pernas finas, mas mesmo assim. Ele tinha aquele tipo de braço em que uma garota desejaria se pendurar e ficar ali por um dia inteiro.

Não que eu estivesse pensando em fazer aquilo.

Não que eu desejasse aquilo.

— É o quê? — Marcus perguntou.

— É o que, o quê? — Pisquei uma vez e me obriguei a encará-lo.

Um sorriso esplêndido curvou seus lábios e chegou a seus olhos.

Minha nossa. Havia algo errado comigo. Muito, muito errado mesmo, porque o meu estômago parecia um elevador. Não, um bungee jump! Subindo e descendo, subindo e descendo...

— Você é sempre tão avoada pela manhã, ou devo supor que esse efeito é causado pela minha falta de roupa? — ironizou.

Meu rosto esquentou ainda mais, assim como todo o resto de mim.

— Eu nem *notei* que você estava sem roupa! — Fiquei feliz por minha voz ter soado tão normal. Peguei uma toalha na pilha sobre uma mesinha ali perto e joguei nele.

Marcus pegou a toalha no ar e a passou pelo peito nu, em uma cena muito semelhante àquela que meu cérebro criara. Deve ter sido por isso que eu não pude desgrudar os olhos daquela mão. Apenas para me certificar de que o tinha imaginado de um jeito muito melhor do que na realidade era.

O problema é que eu nunca fui muito boa em imaginar coisas. O Marcus da minha imaginação era medíocre comparado ao que eu admirava agora.

O barulho da cadeira sendo puxada para perto me despertou e eu vi Marcus abaixar uma alavanca na roda, se posicionar, plantar as mãos nas ferragens e começar a se erguer.

— Espera, eu te ajudo. — Segurei o encosto baixo da cadeira.

— Já travei os freios.

— Não custa garantir. Tem poças de água aqui, vai que a roda escorrega.

Marcus deu risada e sacudiu a cabeça, se acomodando.

— Que foi? — perguntei.

— É ridículo você ter ficado preocupada se vai conseguir enganar meus pais. Você é uma cuidadora nata, Júlia.

Eu não soube o que responder, em parte porque não sabia como, em parte porque seu ombro direito entrou no meu campo de visão. A pele agora seca deixou evidente uma coleção de marcas que iam do ombro ao cotovelo. Havia mais algumas na lateral das costelas, coxas e panturrilhas. E mais uma ainda, no pulso, mas essa não parecia ser fruto do acidente.

Sem perceber o que estava fazendo, ergui a mão e toquei uma das cicatrizes no ombro. Marcus estremeceu de leve.

Recuei imediatamente.

— Ainda dói?

— Não. — Seu queixo se apertou, os lábios espremidos em uma linha firme e dura, os olhos encobertos por uma sombra. Ele não gostava de ser tocado ali.

— Desculpa.

Ele jogou a toalha por cima dos ombros, assumindo uma postura grave.

— Por que você precisava falar comigo, Júlia?

Ah, sim.

— Uma vizinha nos viu ontem. E contou pra minha tia que a gente estava.. se pegando.

— A gente não estava se pegando.

Eu me recostei no carrinho de toalhas.

— Tenta explicar isso pra dona Marlucy.

Aquela aspereza em seu semblante se suavizou um pouco.

— Então — prossegui —, a história de o meu namorado estar viajando foi por água abaixo. A gente vai ter que apressar as coisas.

Ele assentiu uma vez.

— Como você pretende fazer isso?

— Ela quer oferecer um jantar. Está na esperança de que eu seja pedida em casamento... — Revirei os olhos. — E é certo que ela vai te encher de perguntas, então, no fim das contas, a sua ideia de a gente se conhecer melhor veio a calhar.

— Ok. Podemos começar hoje à noite no cinema, como estava combinado.

— Tudo bem. Se importa se eu tirar uma foto sua? Ela me pediu para ver ontem e eu dei uma enrolada, mas se ela perguntar de novo vai acabar percebendo que tem coisa errada.

— Tranquilo, Júlia. Não me importo.

— Obrigada.

Imaginei que ele fosse para o vestiário colocar umas roupas, mas tudo o que fez foi ficar me encarando e perguntar, como se não estivesse nu:

— Não vai fazer a foto?

— Você... não prefere se vestir antes?

— Não.

— Humm... Tá. — Saquei o celular e abri a câmera. Enquadrei o rosto de Marcus e esperei que ele sorrisse. Ele não sorriu. Em vez disso, cruzou os braços sobre o peito, as sobrancelhas abaixadas. Apertei o botão e capturei a imagem.

— Essa deve servir.

— Não, não serve. O cara do wi-fi devia ser um asno, se esse é o tipo de foto que você *acha* que namorados fazem.

— Eu não fazia fotos do idiota do wi-fi.

— Não me surpreende. Vem cá, Júlia. — Retirando a toalha dos ombros, ele a colocou sobre o calção e estendeu a mão para puxar minha blusa. Sem esperar por aquilo, acabei sentada em seu colo.

— O que você está fazendo? — Tentei me levantar.

— Você precisa parar de me perguntar isso. — Pegou o celular da minha mão, mudou a abertura da câmera e esticou o braço para cima. — Vamos lá. Sorria, Júlia — ordenou. Eu ainda lutava para sair dali quando ouvi o clique da câmera. — Essa não ficou muito boa. Mais uma. E dessa vez tenta fazer uma cara mais feliz.

Vencida, consciente de que teria de fazer as malditas fotos de todo jeito, decidi acabar logo com aquilo e, um pouco hesitante, aproximei a cabeça da dele. Tentei sorrir.

— Ficou melhor. — Examinou o resultado. — Mas muito formal. Coloca o braço nos meus ombros.

— Tá. — Com cuidado, fiz o que ele sugeriu, evitando tocar as cicatrizes.

Marcus clicou mais uma. E outra ainda. Continuei olhando para a câmera e me concentrei em respirar, porque, francamente, a temperatura devia ter subido uns dez graus nos últimos minutos. E que raios era aquele formigamento no meu corpo todo?

— Júlia?

— Hã? — Virei a cabeça. O rosto dele estava perigosamente perto do meu. Tão perto que minha respiração se misturou à dele. Perto o suficiente para que meu coração se assustasse, se sentisse ameaçado e começasse a bater feito louco. E isso foi antes de ele abrir aquele sorriso inteiro que lhe chegava aos olhos e o deixava tão lindo.

Clique.

— Acabamos. — Sua voz estava levemente rouca. Aqueles incríveis olhos verdes ainda estavam nos meus, e eu senti como se eles me sugassem, me absorvessem. Enrosquei os dedos em seu cabelo, tentando me manter no lugar, porque eu tinha a sensação de que estava flutuando naquelas águas cristalinas.

Seu olhar desceu para minha boca, e o meu coração já acelerado começou a martelar minhas costelas. Eu queria que ele...

Um estrondo ressoou pelo recinto, me fazendo despertar daquele transe. Alguém tinha esbarrado no carrinho de toalhas. A moça bonita da recepção.

Foi então que me dei conta de que estava no colo de Marcus — seminu! —, agarrada a ele como se eu fosse... como se nós fôssemos...

Pulei sobre meus próprios pés. Por culpa daquele formigamento, minhas pernas não se firmaram e eu cambaleei um pouco. Marcus desviou o olhar para o chão, remexendo a toalha até ela se tornar um amontoado sobre seu quadril.

Respirei fundo.

— Preciso ir. Estou atrasada. — Dei uma ajeitada nas roupas. Estavam úmidas. — Ah, droga, você me deixou toda molhada, Marcus.

— Pelo amor de Deus, Júlia — Marcus gemeu, soltando o ar com força.

Meus olhos se arregalaram enquanto eu me dava conta do que havia dito. Meu rosto pegou fogo. Envergonhada até a medula, girei sobre os calcanhares, querendo sair dali o mais depressa possível, e dei um encontrão numa pilastra.

Uma pilastra que também atendia pelo nome de Max. Ele me segurou pelos ombros para que eu não caísse.

— Desculpa — falei, atordoada.

— Tudo bem. — Ele me ajudou a recuperar o equilíbrio, me observando com evidente curiosidade.

Havia quanto tempo ele estava ali?, eu me perguntei. Será que tinha me visto sentada no colo do irmão dele? Será que tinha me visto agarrando Marcus pelos cabelos? Será que tinha me ouvido dizer que...

Argh!

Sem olhar para nenhum dos dois, praticamente corri em direção à saída, implorando para que um raio caísse e me acertasse na cabeça.

15
Marcus

— ... batentes bem largos, então você não vai ter problemas de locomoção — dizia a corretora imobiliária.
— Certo. — Tentei prestar atenção no que ela dizia.
Diabos, eu estava tendo dificuldade para me concentrar. De novo.
Júlia dominava todos os meus pensamentos. Por mais que eu tentasse pensar em outra coisa, ela se infiltrava sem que eu percebesse, como uma comichão, e quando dava por mim eu estava me coçando. Não parava de pensar no que acontecera naquela manhã.
Júlia me confundia. Eu teria apostado minha bola esquerda que ela era do tipo quietinha, mas seu corpo me disse o contrário. Sim, ela era uma daquelas garotas que provavelmente nunca transam logo de cara, por isso mesmo eu não esperava ver toda aquela paixão inflamar seu olhar. E, por consequência, meu corpo todo.
— ... vantagens de um prédio antigo. Até a altura da pia é um pouco menor que as medidas usadas atualmente. Se bem que você é um homem grande e não teria problema de todo jeito.
— Claro.
Aquela menina estava me deixando maluco. Ela tornara inesquecível um momento quase ingênuo na piscina, apenas com um olhar. Como isso podia ser remotamente possível?
Eu devia estar louco.
— ... cômodos espaçosos e bem iluminados.
— Ãrrã.
Naquela manhã, quando estava em meu colo, ela me olhou como... como... se realmente me visse. Ah, puta que pariu, naquele instante eu não me senti um

maldito aleijado. Quando ela suspirou em meus braços, eu me senti um homem capaz de desbravar o mundo, de lutar e sair vencedor de uma guerra. Seria tão mais fácil tirá-la da cabeça se ela não me olhasse daquele jeito.

— Sr. Cassani, o senhor está me ouvindo?

Encarei a corretora e pisquei uma vez.

— Claro.

— Então, o que você acha? — ela me observou com apreensão.

Examinei a sala relativamente ampla. A luz do sol entrava em abundância pela janela, o teto era alto e o corredor que levava para os quartos e banheiros era largo o suficiente para que eu pudesse manobrar a maldita cadeira sem qualquer problema.

— Eu gosto.

— Marcus? — chamou a voz do meu irmão.

— Aqui, Max.

Ele entrou segurando uma pasta, o paletó aberto, parecendo um homem muito importante e ocupado. E, no caso, era mesmo.

Eu o apresentei à corretora, e meu irmão não perdeu tempo, entrando e saindo dos cômodos, examinando os armários embutidos, os interruptores, o deslizar das janelas. Como eu disse, Max sempre foi muito metódico.

— O que acha? — perguntei a ele.

— Não tem barras no banheiro.

— Mas não vai ser problema — a corretora se apressou. — Já falei com o dono do imóvel e ele não se importa.

Max aquiesceu, contemplando o apê.

— Vai ficar com ele? — ela quis saber.

Dei uma olhada na sala mais uma vez. Não havia nada ali que se assemelhasse a um lar, mas mesmo assim eu meio que já me sentia em casa.

— É, vou ficar com ele.

— Excelente escolha — apressou-se a corretora. — Vou ligar para a imobiliária e agilizar a papelada.

Ela foi para a cozinha fazer a ligação enquanto Max e eu estudávamos as paredes.

— A TV ficaria boa aqui — ele disse.

— E o sofá ali. Posso colocar uma mesa de trabalho naquele canto. E os games ficam... por toda parte, eu acho.

Ele sorriu de leve, mas havia um vislumbre de preocupação em seu semblante.

— Vai mesmo fazer isso, Marcus?

— Vou, Max. Uma vez você me disse que todo mundo sabe quando chega a hora de sair do ninho. Está na minha hora. Já devia ter acontecido, mas não deu, por razões óbvias. E eu pensei que você confiasse em mim.

— Eu confio, Marcus. É que admitir que você cresceu é a parte mais difícil. É muito estranho olhar para o meu irmãozinho e perceber que ele se tornou um homem. Imagino que vai levar um tempo para eu me acostumar ao fato de que você não precisa mais de mim.

A surpresa e o nó que apertou meu peito me deixaram mudo. Max também parecia ter dificuldade para engolir, pois pigarreou antes de se afastar e olhar fixamente para alguma coisa na parede. Eu me virei para o outro lado da sala vazia e fiz o mesmo.

✧

Deixamos minha futura casa e fomos direto para a imobiliária, onde assinei o contrato de locação. Poderia me mudar no dia seguinte, se quisesse. Meu irmão se prontificou a me ajudar a escolher a mobília, o que me surpreendeu. Eu havia imaginado que ele tentaria me causar problemas, mas nada disso. Ele falara sério. Tinha entendido que eu não era mais um garoto.

Quando tudo estava acertado, paramos em um boteco para comemorar meu primeiro apê.

— À liberdade! — falei, erguendo o copo de chope.

— Que você crie juízo! — brindou ele.

Conversamos sobre tudo o que precisava ser feito antes que eu pudesse me mudar, sobre nossa mãe ligar de hora em hora para saber se eu havia desistido da ideia, e a melhor maneira de contar a ela que eu já estava de malas prontas. Chegamos à conclusão de que seria melhor dizer a eles depois que eu já estivesse instalado. Apenas para ter certeza de que nossa mãe não ia ter nenhuma ideia maluca. Também falamos sobre o casamento dele com Alicia.

— Só quero que isso acabe logo. Não aguento mais ouvir sobre bem-casados, lembrancinhas e kit toalete, seja lá o que isso signifique. Eu devia ter fugido com a Alicia e casado com ela em Las Vegas.

— Isso. Exclua sua família do seu segundo casamento também. — Da primeira vez, nós só ficamos sabendo que ele e Alicia tinham se casado dias antes de se divorciarem.

— Por que você acha que eu estou aguentando toda essa aporrinhação? — Ele me olhou feio, antes de tomar um belo gole de cerveja. Então se sentou de lado, apoiando as costas nos azulejos da parede, os dedos tamborilando na madeira da mesa, enquanto me observava com atenção. — Por que a Júlia foi te procurar na academia hoje?

— Não era nada importante — tentei desconversar.

— Vocês parecem bastante íntimos, ela sabe até onde você treina. — Sua testa se franziu. — Entre outras coisas, pelo que eu pude ver.

Inferno.

— Há quanto tempo você está querendo me fazer essa pergunta, Max?

— Você prometeu que não ia brincar com ela, Marcus.

Soltei um longo suspiro.

— E não vou. Tá legal, eu a convidei pra sair. Não sei o que deu em mim. Deve ter sido o hábito. Mas fica tranquilo, ela foi lá pra me dizer não.

Max não entenderia se eu dissesse a verdade. E provavelmente perderia a confiança em mim.

Eu tinha que bolar um jeito de apresentar Júlia aos meus pais sem ele e Alicia por perto. Num fim de semana, quando eles saíssem para jantar, talvez.

— Ela foi até a academia, sentou no seu colo e fez algumas fotos só pra te dizer que não queria sair com você? — Sua expressão irônica me fez querer dar um soco nele.

— Até parece, Max. Aquilo era eu tentando convencê-la a mudar de ideia. Ela ficou puta da vida comigo. — Pelo menos era o que deveria ter acontecido.

— Marcus... — ele esfregou a testa —, essa menina não é como as mulheres com quem você costuma sair. Ela está com a vida toda enrolada. Não está atrás de uma aventura.

— Já saquei que nós somos incompatíveis. — *Apesar de ela ser muito linda, inteligente e brava feito o diabo...*

Meu irmão bufou, resignado.

— A Alicia já disse que não quer que você brinque com nenhuma amiga dela. Se ela souber que você magoou essa garota, vai torcer o seu pescoço. E depois vai arrancar as minhas bolas e servir com molho madeira, por eu ter permitido que isso acontecesse.

Dei risada.

— Esquece isso. Já disse que ela não aceitou sair comigo. Você viu ela indo embora. Acha mesmo que eu tenho alguma chance com ela?

A verdade era que eu nunca tive nenhuma chance de *ter uma chance* com ela. E isso me deixava... não sei bem o quê. Irritado, com certeza. Frustrado também. E... triste.

Tomei o chope em um trago só.

Apesar de todo o cuidado para não revelar ao meu irmão o que realmente estava rolando entre mim e Júlia, devo ter deixado alguma coisa escapar, pois Max me estudou por um momento, então pegou seu copo, sacudindo a cabeça com desânimo.

— Que Deus tenha piedade das nossas almas.

16
Júlia

Quase não vi o dia passar. Toda vez que me lembrava do papel ridículo que protagonizara na frente de Marcus — e de Max! —, eu queria gritar. Por isso mergulhei no trabalho como se não houvesse amanhã. Isso sempre me acalmava.

Estava tão concentrada na montagem do site que não notei que já passava das três da tarde. Até que Amaya se debruçou na beirada do meu cubículo.

— Já chega, Júlia. Eu aguentei o máximo que podia.

Ah, certo. Amaya não iria me deixar em paz enquanto eu não contasse o que andou acontecendo. Mesmo assim, tentei adiar.

— Será que a gente não pode fazer isso outra hora? É que eu estou...

— Matando sua melhor amiga lentamente? — Ela arqueou uma sobrancelha. — Andei pensando e cheguei a umas conclusões bem malucas. Isso é tortura, Júlia. Levanta daí. Você almoçou hoje?

Soltei um suspiro ruidoso.

— Não. — Salvei o arquivo e me levantei. — Ivan, você pode dar andamento de onde eu parei? E se tiver tempo dá uma limpada na pasta de arquivos. Está uma bagunça.

— Não entendo por que você acha que pode me dar ordens. Você é tão desenvolvedora júnior quanto eu.

Revirei os olhos. Ivan às vezes era tão infantil.

Amaya e eu descemos de escada, pois os elevadores enlouqueciam naquele horário, e só por isso ela não começou o interrogatório ali mesmo. Peguei um sanduíche e um suco na lanchonete e nós nos sentamos numa mesa perto da porta do refeitório. Ela nem esperou eu tomar um gole antes de começar a falar.

— Vamos lá. Passei a noite pensando no que o Marcus tem a ver com o seu problema e cheguei à conclusão de que ele vai ser o seu noivo para todos os efeitos.

— É basicamente isso.

Mesmo tendo deduzido tudo, sua boca se escancarou de surpresa.

— Como isso aconteceu? Como foi que ele acabou metido nessa história?

— Bom, lembra que a Alicia sugeriu arrumar um noivo de aluguel lá no bar? Quando você e a Mariana ficaram de papo, eu saí para tomar um pouco de ar e o Marcus me seguiu. Aí...

Fui narrando tudo o que acontecera, sem ocultar nenhum detalhe. Bom, quase nenhum. Eu não precisava que mais alguém soubesse da cena vergonhosa que eu protagonizara na academia.

— Você teve um encontro com o Marcus?! — perguntou, perplexa.

— Não do jeito que você está pensando...

— Júlia, você acabou de dizer que ele te pediu em *namoro*!

— Não! Ele me fez uma proposta quase razoável e eu aceitei, mesmo não tendo certeza se vamos conseguir enganar minha tia e a família dele. Fiz umas fotos dele hoje cedo. Vamos nos encontrar mais tarde para aprender um pouquinho mais um sobre o outro... — Ou iríamos, me dei conta. Ele não disse onde deveríamos nos ver. E eu não tinha o telefone dele para perguntar. Será que ele se esquecera ou mudara de ideia no último minuto? Deus, só faltava essa.

— Humm... — Ela tamborilou as unhas pintadas de bege clarinho na lata do seu refrigerante, uma expressão preocupada no rosto delicado.

— O quê?

— Tem certeza que é boa ideia, Ju?

— E por que não seria? — Mordi o sanduíche. — Ele é... é bem legal.

— Esse é o problema. Quando o Marcus banca o folgado, é fácil gostar dele. Quando ele fala sério, é *impossível* resistir a ele.

— Eu não vou ter problemas com isso. Não sinto a menor atração por ele. A menor! — Levei o canudinho à boca, mas ele esbarrou em meu queixo. Um pouco de suco escorreu em minha pele.

Da mesma maneira que as gotas de água escorreram no peito forte e rígido de Marcus. E nos ombros. Nossa, aqueles ombros eram do tipo e do formato que fariam uma mulher esquecer o que estava dizendo. Ou ouvindo.

— ... se é assim, fico mais tranquila.

Pisquei e encarei Amaya. O que ela tinha dito mesmo?

— Se você não se sente atraída por ele, eu fico mais sossegada. Tenho medo que você se apaixone. O Marcus não é o cara certo pra você.

— Por que não? — perguntei. Ela ergueu as sobrancelhas. — O quê? Só quero saber por que você acha que eu não sirvo pra ele.

— Não é você, Ju! É ele! O Marcus está passando por um período instável. A Alicia disse que desde que ele comprou o carro não para mais em casa. Ele só quer saber de sexo descompromissado, e você...

— Só quero um homem de carne e osso para apresentar para a minha tia e mais nada — completei, doida para que aquele assunto morresse. — Relaxa, May. Eu sei lidar com tipos como o Marcus. — Se ele parasse de enfiar o nariz no meu pescoço. E de me puxar para o colo dele. E de se grudar em mim quando estivesse quase pelado.

Sobretudo esta última. Por causa da reação alérgica que eu tinha desenvolvido. Porque só podia ser isso todas aquelas coisas que eu sentia quando ele me tocava. Eu devia ser sensível a algum produto que ele usava. Prova disso é que ainda sentia uma leve comichão onde a pele dele encostara na minha.

— Se você diz... — Amaya tomou um gole de refri. — Mas agora me conta. E o site? Quando vai estar pronto?

— Acho que em umas duas semanas. Eu e o Ivan estamos nos matando para aprontar tudo a tempo. Ainda tem algumas coisas para resolver, mas estou confiante.

— A gente podia sair para comemorar quando você terminar. — Ela se levantou, pegando sua bandeja. Eu também. — E você podia levar o Marcus. Ele sempre anima e deixa qualquer ambiente mais bonito.

Fiz uma careta ao esvaziar minha bandeja na lixeira. Isso se eu ainda conseguisse falar com ele.

※

Quando cheguei ao quarto andar, havia algo estranho no ar. Não que eu fosse sensitiva nem nada, mas, quando o chefe do seu setor está debruçado sobre o seu computador, você sabe que está lascada, mesmo que desconheça os motivos.

— Algum problema, Américo? — perguntei.

— Não. — Ele manteve o olhar na tela. — Eu só queria dar uma olhada no que já foi feito.

— Tá bem.

Encarei Ivan. Ele estava pálido. Gotas de suor escorriam de sua testa. Merda.

— Está um pouco mais atrasado do que eu imaginei. — Américo se afastou para que eu me sentasse. Hesitante, acabei me acomodando. Ele continuou. — Pensei que estivesse quase pronto.

— E está. — Mas ao rolar a tela percebi que havia algo errado. Imediatamente olhei para Ivan. Ele apenas balançou a cabeça de leve.

— Não é o que parece. — Américo estalou a língua. — Lamento informar que a diretoria decidiu antecipar as coisas. Anunciaram na imprensa que o site vai estar no ar na segunda-feira.

Minha boca se abriu. Meu colega de trabalho parecia a ponto de desmaiar.

Aguenta firme, Ivan.

— Mas isso é daqui a quatro dias, Américo — me ouvi dizer. E alguém havia desfeito o trabalho dos últimos dois dias.

Meu chefe me observou, a boca pressionada em uma linha tão fina que ele parecia não ter lábios.

— É melhor nenhum de vocês ter feito planos para o fim de semana. — Ele começou a se afastar, pisando duro, e quase colidiu com Samantha, que saía da sua sala.

Quatro dias! Tínhamos quatro dias para fazer um trabalho que levaria catorze. Como diabos a diretoria resolvera anunciar uma data sem averiguar a quantas andava o projeto?

— O que vamos fazer? — Ivan perguntou baixinho.

— O que foi que aconteceu enquanto eu estive fora?

— Nada! Eu juro! Estava tudo certo quando parei para ir ao banheiro. Quando voltei, as últimas alterações e inclusões tinham sido deletadas! Pensei que tivesse sido você!

— Como, se eu nem estava aqui, Ivan?

— Eu não sei!

— O que está acontecendo? — Samantha estava em frente à minha mesa, nos olhando com preocupação.

— Todo o trabalho dos últimos dois dias desapareceu — expliquei, apoiando a cabeça entre as mãos. — E o site vai ao ar na segunda!

— O Américo acabou de me contar! E agora?

— Eu não sei, Samantha!

— Como é que a gente vai resolver isso? — Ivan quis saber. — Alguma ideia brilhante?

Ergui a cabeça e o fuzilei com os olhos.

— Ah, agora você quer a minha opinião, né? Eu pensei que fosse você quem mandava em tudo aqui. Por que não me perguntou antes de deletar todo o serviço das últimas trinta e seis horas?

— Não fui eu, porra! Já falei. Sumiu sozinho.

— Ah, é. Porque os arquivos se autodeletam o tempo todo.

— Quem me garante que não foi você? — ele acusou.

— Eu nem estava *aqui*, Ivan!

— Olha só — Samantha se intrometeu. — Ficar discutindo não vai ajudar em nada. Vocês não têm tempo a perder.

Inspirei fundo algumas vezes, tentando manter o controle.

— Ela tem razão — cedi. — Não temos alternativa além de refazer todo o serviço.

— Eu posso ajudar — ela ofereceu. — Não tenho compromisso hoje à noite. Posso ficar até mais tarde.

Ivan abriu a boca, feliz da vida, mas eu não permiti que ele falasse.

— Obrigada, Samantha, mas temos que fazer isso sozinhos. É a nossa função. Além do mais, só essas duas máquinas e o computador do Américo têm acesso ao servidor, e duvido que ele te autorize a usar a máquina dele.

— É, acho difícil. — Ela pareceu decepcionada. Eu podia apostar que ela também curtia um desafio. — Bom trabalho, então.

Enquanto ela retornava para seu cubículo, peguei algumas anotações e joguei por cima da divisória. A papelada caiu sobre o teclado de Ivan.

— Essas são as de ontem. Vou trabalhar nas de terça, tá?

— Ok.

Tínhamos que estar com tudo pronto em setenta e duas horas. Não ia dar tempo, mesmo que não dormíssemos nos próximos dias. Pela primeira vez em três anos e meio de L&L, fiquei com medo de não conseguir cumprir o que me foi designado.

Endireitei os ombros e estalei os dedos. Eu não era de correr de uma boa briga. Não seria agora que iria entregar os pontos.

⚜

A noite havia caído tinha certo tempo, e eu e Ivan erámos os únicos seres vivos no terceiro andar. Meu pescoço doía, meus pulsos estavam dormentes e eu tinha que tirar os óculos de vez em quando para esfregar os olhos, pois os números e letras começavam a embaralhar.

Salvei as últimas alterações que havia feito e fiz um backup. Meu celular tocou enquanto eu corria os olhos pelo registro.

— Oi, Juju! É a tia Berenice.

— Oi, tia. — Equilibrei o telefone no queixo e continuei teclando. — Está tudo bem?

— Tudo ótimo, querida. Estava aqui me perguntando se você ainda vai demorar muito.

Relanceei o relógio em cima da porta da sala de Américo. Já passava das dez.

— Caramba, não notei que já era tão tarde. Mas acho que ainda vou demorar. E vou ter que trabalhar no fim de semana. Anteciparam o lançamento do site.

— Ah, meu amorzinho. Não é justo te colocarem nessa pressão toda. Isso não vai fazer bem para a sua saúde. Uma vez vi no jornal que um rapaz morreu depois de passar sei lá quantas horas trabalhando direto. Você tem que se preocupar um pouquinho mais com a sua saúde e menos com a minha. O Marcus concorda comigo. Pelo menos comeu alguma coisa?

Parei de teclar.

Não. Eu devia ter entendido errado. Todas aquelas horas em frente ao computador deviam ter afetado meu cérebro.

— O Marcus...?! — foi tudo o que consegui dizer.

— Ah, sim, ele veio te buscar para ir ao cinema. — Ela diminuiu a voz para um sussurro. — Você não estava brincando quando disse que ele era lindo. Meu Deus, que pedaço de mau caminho. Você ainda vai demorar muito? Porque, se for, eu vou servir alguma coisa para ele. O pobrezinho parece faminto.

O telefone caiu em meu colo e eu me atrapalhei para pegá-lo. Meu coração estava disparado quando o levei à orelha de novo.

— Ele *ainda* está aí?

— Claro que sim! Está esperando você, meu amor. Mas, pelo adiantado da hora, acho que o cineminha de vocês não vai acontecer, né?

Respirei fundo para não gritar. Ou chutar alguma coisa.

— Posso falar com ele?

— Claro. — Eu podia imaginar o sorriso imenso colorindo sua face. — Marcus, a Juju quer falar com você, querido.

Alguns segundos depois, a voz grave e sarcástica de Marcus penetrou meus ouvidos.

— Juju, meu amor, cadê você? — ele foi dizendo.

— Que diabos você está fazendo na minha casa? — exigi saber. — E não me chama de Juju!

— Isso não teria acontecido se você tivesse cumprido com a sua palavra e estivesse aqui no horário que combinamos. Eu só bati e perguntei por você. Ia voltar mais tarde, mas a sua tia me obrigou a entrar. Não deu pra recusar.

Abri a boca para cuspir um punhado de impropérios, mas me detive. Eu tinha que tirá-lo de lá o mais rápido possível.

— Eu quero que você saia daí agora, Marcus.

— Eu teria mais sorte se tentasse me transformar em um Autobot.

— Estou falando sério. Você vai estragar tudo! Vai acabar falando alguma besteira. — Ou alguma gracinha que vai causar um ataque do coração em tia Berenice!

Ele riu.

— Seria bem possível, mas relaxa. Está tudo bem.

— Marcus, eu não estou brincando. Minha tia está doente.

— Eu sei, Júlia. — Aquela ironia tão característica em sua voz foi desaparecendo. — Eu jamais faria qualquer coisa para magoá-la.

Inclinei a cabeça para o lado, confusa com sua escolha de palavras. Ele não magoaria a minha tia ou a mim?

Balancei a cabeça. Não importava.

— Que horas você chega em casa? — perguntou.

— Não tenho ideia.

— Tudo bem, vou dar mais um tempo aqui. Sua tia me convidou para jogar buraco mais tarde. E agora eu e ela vamos assistir a algo chamado *Tarde demais para esquecer*. Só pelo título já saquei que se trata de um terror sanguinolento, cheio de zumbis comedores de cérebros. Te vejo mais tarde, Juju.

— Não me chama de Juju! — Mas ele já havia desligado. — Droga!

— Que foi? — Ivan se jogou para trás na cadeira, massageando o pescoço. Suas costas estalaram.

— Nada. Só alguém que não consegue entender o que eu digo. Os homens devem ter um delay no sistema ou algo assim.

— Você finalmente arrumou um namorado, é?

— Ele não é meu namorado. É só um amigo que resolveu ir na minha casa sem avisar, para assistir a um filme com a minha tia!

Ele fez uma careta.

— O que eles vão assistir?

— *Tarde demais para esquecer*.

— Nunca ouvi falar. Sobre o que é? Amnésia?

Neguei com a cabeça.

— Duas pessoas que se conhecem num navio e acabam se envolvendo, mas os dois já são comprometidos, então combinam de resolver tudo e se encontrar no topo do Empire State em uns meses, só que a garota não aparece, porque ela... ela...

Ah, merda.

Merda. Merda. Merda.

Saltei da cadeira, já pegando a bolsa no encosto.

— Tenho que ir. Ivan!

17
Júlia

Uma hora e três ônibus depois, finalmente cheguei ao meu bairro. A mochila pulava em minhas costas conforme eu corria pela pracinha malcuidada.

— Ei, Júlia! Aonde vai com tanta pressa, menina? — dona Inês gritou.

Forcei meus pés a se acalmarem e, um pouco impaciente, esperei por ela. A mulher de cabelos e olhos castanhos era vizinha de tia Berenice e trabalhava na L&L desde a fundação. Tinha sido secretária do seu Narciso, e agora auxiliava o seu Hector e a Alicia. Foi ela quem me alertou sobre uma vaga na área de TI quando chegou a minha época de estagiar. Inês e tia Berê jogavam cartas às quintas-feiras desde 1980.

— Estou indo pra casa. Acabei de sair da L&L. — E não devia ter feito isso, eu quis acrescentar. Teria que entrar ainda mais cedo no dia seguinte, para compensar o tempo perdido. Mas valeria a pena acordar às quatro da manhã, só pelo prazer de esganar Marcus.

— Ô, minha querida, sei que essa coisa do site está deixando todo mundo meio nervoso, mas você não pode trabalhar até tão tarde assim. Uma mente esgotada não funciona direito. Seu Narciso sempre dizia isso.

Ah, eu adoraria seguir os conselhos do seu Narciso...

— Mas espero que tudo corra bem. — Ela sorriu, o que acentuou as rugas ao redor dos olhos. — Boa noite, querida. — Parou em frente ao seu portão e eu corri a curta distância até a minha casa.

A voz de tia Berê chegou aos meus ouvidos assim que passei ventando pela porta, jogando a mochila num canto com pouco cuidado.

— ... eu sempre quis conhecer a Grécia. Foi minha primeira e única viagem internacional. Tive momentos maravilhosos por lá, embora eu não tenha encontrado um Cary Grant.

— Mas quem iria querer encontrar um cara feito esse aí? Ele tem uma bunda na cara — Marcus respondeu, fazendo-a gargalhar.

Ele estava ao lado do sofá, com tia Berê bem perto dele, tocando seu antebraço. Os dois se viraram quando entrei na sala. Os olhos dela se iluminaram. O rosto de Marcus não revelava nada.

— Juju! Pensei que fosse demorar mais, meu amor. — Ela apontou o controle remoto para a TV e pausou o filme.

— Decidi parar por hoje.

— Que maravilha! Mal começamos o filme. Senta aqui e assiste com a gente. Está com fome?

— Não, obrigada. Então vocês já se conheceram. — Olhei para Marcus, tentando controlar minha expressão e não dar bandeira. Por dentro eu estava em ebulição. Definitivamente, apertar o pescoço dele até seus olhos saltarem das órbitas me ajudaria a encontrar o equilíbrio interior.

— O universo conspirou para que acontecesse. — Ele me olhou de cima a baixo. Dos tênis pretos ao cardigã cinza. — Você está linda, *Juju*.

— Vem dar um oi direito para o seu noivo, menina — demandou tia Berê.

Eu apenas olhei para ela. Ela não podia estar pensando que eu... não podia estar sugerindo que nós... não podia realmente imaginar que eu fosse...

Marcus riu, um pouco constrangido, quando não me movi. Girou a cabeça para minha tia.

— Sempre tão tímida. É uma das coisas que eu mais adoro nela.

— Desde pequena ela é assim. — Ela deu dois tapinhas no antebraço dele. — Mas, Juju, não precisa ter vergonha de mim, meu amor. Sou a tia mais liberal do mundo. Vocês dois têm minha bênção.

— Ouviu isso? — Marcus cruzou a sala até parar bem na minha frente. — A tia Berenice nos deu sua bênção, *meu amor* — enfatizou, então alcançou minha mão e me puxou até ficarmos cara a cara.

— O que você pensa que está fazendo? — fiz com os lábios.

— O que a gente combinou, só que meio improvisado. Agora para de frescura e me beija.

— Não!

— Você devia pensar melhor nas mentiras que conta para a sua tia. — Ele me soltou.

Por sobre a cabeça dele, vi tia Berê franzir a testa, nos observando de canto de olho.

Inferno. Inspirei fundo e aproximei o rosto do dele.

— Se você colocar a língua na minha boca, vai acabar sem ela — sussurrei.
Ele abriu aquele meio-sorriso sedutor.
— Não acho que um espetáculo com língua seja o que a sua tia quer.
Apoiei as mãos nas rodas e dizimei a distância entre nossas bocas.

Os lábios dele eram muito quentes. Suas mãos se encaixaram em meu rosto e, bem... aquele formigamento estranho começou a se espalhar a partir dos pontos em que ele me tocava. Eu não sabia no que aquela sensação ia dar, mas, confusa como estava, de repente me vi querendo descobrir. Era parecido com assistir a um filme de terror: apesar de saber que aquilo vai te perseguir por semanas quando for para a cama, não consegue desgrudar os olhos da tela. Senti o mesmo pavor crescer em meu íntimo, mas ele logo se transformou em outra coisa. Algo ardente, como se a temperatura do meu sangue tivesse se elevado quase ao ponto de ebulição. Ao mesmo tempo, pedrinhas de gelo brotaram misteriosamente dentro da minha barriga.

Então Marcus me soltou, uma expressão indecifrável no rosto. Não faço ideia do que o meu revelava. Cabelo bagunçado depois de um dia de trabalho? Óculos tortos, bochechas afogueadas sem razão aparente, olhar desfocado (também sem motivo), lábios ligeiramente separados... por causa de uma possível crise de asma ainda não detectada?

A porta se abriu. Magda entrou na sala.

— Berê, você tem um pouco de açúcar para me... — Ela se deteve. O olhar foi de Marcus para minha tia, para mim e de volta para ele. Para a cadeira. Um suave cor-de-rosa surgiu em suas faces antes de ela desviar o olhar e perguntar para a amiga, em um sussurro, como se eu e Marcus não pudéssemos ouvi-la:
— É ele?

Tia Berenice concordou com a cabeça uma vez, mordendo o lábio de euforia.
— Não é lindo, Magda?
Ela voltou a examiná-lo. E pareceu gostar do que viu.
— Nossa Senhora, Berê, é um pecado de tão lindo.
— Vocês sabem que nós estamos ouvindo tudo, né? — Olhei de uma para a outra, minhas faces pegando fogo.

Marcus deu risada, sacudindo a cabeça, e notei um leve rubor colorindo suas bochechas enquanto ele mantinha o olhar nos próprios pés. Ah, meu Deus, ele estava corando! E por que raios calçava um tênis de cada cor?

— Que prazer te conhecer finalmente, Marcus. — Magda estendeu a mão para ele. — A Berenice não fala de outra coisa nos últimos tempos. Sou a Magda.

Ele se livrou do constrangimento e voltou a seu estado normal — aquele jeito sedutor que me entediava até a morte.

— Marcus Cassani. A seu dispor, senhora.
— O que estão fazendo? — ela quis saber ao se sentar ao lado da minha tia.
— Assistindo a *Tarde demais para esquecer*. Nem chegamos na metade ainda.
— Infelizmente — Marcus murmurou, para que só eu ouvisse.

Tentei não rir. Eu deveria deixar que minha tia o torturasse um pouco mais. Deveria mesmo. Mas havia muita coisa em jogo, por isso eu precisava tirá-lo dali o mais rápido possível. Especialmente com Magda por perto. Marcus acabaria metendo os pés pelas mãos se aquelas duas dessem início a uma sabatina. Além do mais, por alguma razão que não me fazia sentido, eu não queria que ele assistisse àquele filme idiota.

— Tia, a senhora se importaria se eu e o Marcus saíssemos um pouco?
— Ah, meu amor, claro que não me importo. Ele acabou de voltar e eu sei que você está querendo matar a saudade. Podem ir. Marcus, você precisa me prometer que vem jantar aqui em casa amanhã.
— Não precisa convidar duas vezes. A Júlia fala muito bem da comida da senhora.

Ah, merda.

— Ora, é mesmo? — ela perguntou, surpresa. — Sempre achei que ela detestasse minha comida. Eu mesma não gosto muito. Nunca tive habilidade na cozinha.

Forcei uma risada. Ia matar Marcus assim que tivesse a chance. Bem devagarinho.

— Até parece que eu ia falar mal da sua comida por aí. — Segurei o apoio da cadeira, empurrando Marcus em direção à porta. Ele tentou me deter, girando o tronco e afastando minhas mãos. Dei um beliscão nele.

— Ai! — gemeu.
— Vai doer muito mais se não ficar quieto. — Olhei por sobre o ombro. — A gente tá indo nessa, tia. Qualquer coisa me liga.
— Espera, Júlia. Deixa eu me despedir direito do seu namorado.

Reprimi um palavrão enquanto ela se levantava. Minha tia era tão baixinha e Marcus tão alto que, mesmo sentado, ficaram na mesma altura.

— Venha me ver sempre que quiser. — Ela ergueu o braço e tocou a lateral do rosto dele. — Tenho uma bela coleção de filmes antigos.
— Nada me faria mais feliz. Foi um prazer conhecê-la, dona Berenice.
— Berenice. Ou me chame de tia. Podemos pular as formalidades. — Ela se inclinou e o beijou no rosto. As bochechas de Marcus ganharam um tom rosado outra vez.

Abri a porta meio impaciente e esperei que ele se mexesse. Deslizando para fora com facilidade, ele transpôs o pequeno degrau da varanda com um empinar ágil da cadeira.

Andei ao lado dele sem dizer nada até chegarmos ao carro.

— Que foi? — ele perguntou enquanto entrava.

Balancei a cabeça, esperando que ele desmontasse seu equipamento logo e pudéssemos nos mandar dali. Duas cabeças se espremiam no vão da cortina na janela da sala.

Marcus, por fim, deu partida, engatou a marcha e saiu da vaga.

— Para onde estamos indo? — ele quis saber.

— Só dirige.

— Ok.

Alguns quilômetros depois, quando adentramos outro bairro e eu achei seguro, pedi que ele estacionasse. Esperei que ele desligasse o motor para começar a gritar.

— Que merda passou pela sua cabeça para ir na minha casa assim, sem avisar?

— Mas eu avisei — ele respondeu calmamente. — A gente combinou de se encontrar hoje.

— Você não disse onde! Na verdade, até pensei que tivesse feito de propósito, que tivesse mudado de ideia.

Ele me encarou com a testa franzida.

— Isso passou pela sua cabeça?

— Algumas vezes, mas não é esse o ponto. Você quase estragou tudo elogiando a comida da tia Berenice! Ela não sabe nem fritar um ovo sem queimar!

— Eu percebi que dei mancada. — Estalou a língua. — Mas você se saiu muito bem. Não acho que ela tenha percebido nada. Ela foi ótima comigo.

— É claro que foi. A tia Berê é ótima até com os vira-latas da rua.

Ele teve a cara de pau de se mostrar ofendido.

— Você está insinuando que eu sou um vira-lata?

— Não. Estou aqui me perguntando por que diabos você entrou naquela casa sem me avisar!

Ele soltou o ar com força, deixando as mãos caírem no volante.

— Eu já disse. Fui te buscar. A sua tia atendeu a porta e perguntou quem eu era. Aí eu disse que era o Marcus. Só isso. Você deve ter dito meu nome pra ela, porque na mesma hora ela pirou geral.

— O que ela disse?

— Me obrigou a entrar. Começou a falar sem parar sobre como estava feliz por me conhecer. E não pareceu se importar com o fato de eu ser cadeirante. Falou até que eu sou muito melhor do que ela imaginava. Bonito e inteligente.

— A tia Berê nunca soube julgar as pessoas.

Ele estreitou os olhos.

— Por que você está tão brava? Deu tudo certo, no fim das contas. Eu me apresentei para a sua tia, fui encantador com ela, e você tem um futuro noivo, para todos os efeitos. Caso encerrado.

— Marcus, você vai jantar com a gente! Como pode estar encerrado?

— Só precisamos trocar umas informações para não cair em contradição. Me conta alguma coisa que só o seu namorado poderia saber. Você tem alguma tatuagem?

— Tenho, mas...

— Sério? — Pareceu surpreso. — Num lugarzinho oculto que só dá pra ver sem roupa?

Eu o fuzilei com os olhos.

— Marcus, agora não é hora de brincadeira.

— Não estou brincando.

Esfreguei a testa, afastando o cabelo para trás.

— Olha, isso pode ser piada para você, mas é da saúde da minha tia que eu estou falando. E temos que conversar sobre contato físico. Quero deixar claro que eu não queria ter beijado você. — Achei melhor dizer de uma vez, para o caso de ele ter interpretado de maneira equivocada o meu... a minha reação ao contato com aqueles lábios macios e quentes.

— Temos que fazer coisas desagradáveis às vezes. — Encolheu os ombros.

— E vai ter mais. Não dá pra fingir que estamos juntos sem ter algum contato físico.

Senti as bochechas esquentarem.

— Vamos limitar ao mínimo possível.

Um meio-sorriso lhe curvou a boca.

— Defina *mínimo possível*.

— Acho que dá pra ficarmos só... sabe, de mãos dadas ou um carinho no cabelo de vez em quando.

Ele riu.

— Beijos vão ser inevitáveis, Júlia. Não tem como fugir disso. Não estou dizendo que precisam ser frequentes, mas vão ser necessários.

Droga.

— Tá. Mas sem língua.
— Eu já tinha entendido o recado quando você ameaçou decepar a minha. E por acaso acha que eu vou me aproveitar de você?
— Acho.
Ele deliberou por um momento.
— Até poderia, mas não precisa ficar preocupada. Eu sei que você vai me beijar por obrigação. Não vou ficar imaginando coisas. Seria bom que você pensasse o mesmo a meu respeito.
— Como se eu fosse perder o meu tempo pensando nesse tipo de bobagem romântica. — Porque eu jamais voltaria a pensar nas sensações que aquele beijo havia despertado em mim. Nunca perderia meu tempo relembrando aquele calor todo ou a maciez de seus lábios ou percebendo que o toque de suas mãos deixou uma marca escaldante na minha pele. Não, eu nunca perderia meu tempo pensando nisso outra vez. Na verdade, já tinha até esquecido.
— No fim das contas — ele começou, tamborilando os dedos no volante —, os beijos devem ser cada vez menos frequentes, já que a gente quer que ela acredite que estamos nos distanciando, certo?
— Tudo bem, mas, da próxima vez que decidir mudar os planos, eu quero ser avisada. E pra isso eu preciso ter o seu número. — Entreguei meu celular a ele. Marcus começou a digitar nele depois de me entregar o seu. Assim que terminei de adicionar meu telefone à agenda dele, flagrei-o fazendo uma careta engraçada para a câmera do meu celular.
— Vem cá. — Ele me puxou até nossas cabeças se chocarem de leve e fez mais algumas imagens. Na última, segurou meu queixo e lambeu minha bochecha.
— Isso foi... nojento! — Bom, não exatamente, mas...
— Sua tia vai adorar essa. — Ele teclou mais algumas vezes antes de me devolver o aparelho e pegar o seu. Então, vários flashes foram disparados em meu rosto.
— Para com isso — reclamei, tentando impedi-lo.
— Preciso ter fotos suas também. Sua tia é muito curiosa.
Quando, por fim, ele se deu por satisfeito e parou de me fotografar, correu o dedo pela tela, examinando as fotos enquanto sorria.
— Você fica linda quando está constrangida, sabia? — comentou, divertido.
— Pode parar com isso?
Ele ergueu os olhos para mim.
— Só estou dizendo a verdade.
Um silêncio esquisito recaiu dentro daquele carro enquanto nos encarávamos. Seus olhos continham uma intensidade e uma franqueza que fizeram aquele

formigamento ressurgir com força. Com algum esforço, quebrei o contato visual e relanceei o relógio no painel.

— Preciso ir. É tarde. Levanto bem cedo amanhã.

— Tudo bem. — Sua voz estava rouca, e seu vibrar repercutiu em minha coluna.

Marcus ligou o carro e manobrou. Nenhum de nós disse coisa alguma durante todo o percurso. Ele estacionou algumas casas antes sem que eu precisasse pedir dessa vez. Então se inclinou na minha direção. Eu me sobressaltei.

— Calma. Eu só ia te dar um beijo no rosto — falou, despreocupado.

— Não, melhor não. O que você usa?

— Uso onde? — Sua testa encrespou.

— Na pele. Tem alguma coisa errada, Marcus. Você usa algum produto que anda me causando alergia. Fica meio dormente onde você encosta.

Ele me observou por um instante, parecendo não entender. Então, algo deve ter lhe ocorrido, já que abriu um sorriso inteiro — um daqueles raros, que lhe chegava aos olhos. Sem me dar chance de reagir, ele apoiou uma mão em minha cintura, a outra se prendeu em minha nuca. Arrepios subiram e desceram por minha espinha enquanto ele depositava um beijo casto em minha testa.

— Algum formigamento? — Aqueles olhos absurdamente verdes escrutinaram meu rosto.

Algo chacoalhou em meu íntimo.

Fiz que sim com a cabeça.

— Isso pode ser grave — ele falou com severidade, mas havia uma pitada de diversão no canto de sua boca. Ele me soltou e deu partida. — Vou trocar a marca do sabonete. Quem sabe resolve. Até amanhã, Júlia.

Desci do carro meio cambaleando, pois minhas pernas agiam de modo estranho. Eu o observei dobrar a esquina e desaparecer, me perguntando se ele fizera aquilo de propósito. Provavelmente sim.

Quando entrei em casa, encontrei minha tia ainda no sofá, com os olhos inchados e vermelhos. Eu teria me preocupado se a TV estivesse desligada.

— Voltei.

— Shhhhh! — ela fez para mim. — Está na melhor parte.

Na tela, Cary Grant abraçava Deborah Kerr com força, como se quisesse colocá-la sob sua pele, logo depois de descobrir que a amada havia se acidentado e estava em uma cadeira de rodas.

Tia Berê suspirou ao meu lado. Seus lábios se moveram em sincronia com os de Deborah.

— *I was looking up. It was the nearest thing to heaven. You were there.* Oh! — ela soluçou alto.

O casal finalmente resolveu dar uns amassos e a tela ficou escura. Peguei o controle e desliguei a TV.

— Não sei por que a senhora gosta tanto desses filmes.

— Nem eu, Juju. — Ela levou seu lenço de tecido aos olhos. — Às vezes são tão tristes.

— Eu sei. Foi por isso que eu saí correndo do trabalho. Para impedir que a senhora fizesse o Marcus assistir esse aí.

— Mas por quê... Ah, meu Deus, Júlia! — Ela cobriu a boca com a mão fina. — Eu não pensei nisso! Desculpa, meu amor. Ele ficou chateado?

— Ele não conhece a história, eu acho. E nem sei se ele se chatearia, mas... — Dei de ombros.

— Você não quer arriscar. Quer protegê-lo. — Seus olhos reluziram.

Não, eu não queria! Era só... eu só pensei... Não sei ao certo o que eu pensei.

— Ah, Júlia, que homem maravilhoso você arrumou. O melhor de todos.

Desviei os olhos.

— Pois é.

— Eu tomei um susto quando o vi ali na porta. Não esperava vê-lo, e justo hoje eu não enrolei o cabelo. O que ele achou de mim? — Pegou minha mão, a ansiedade contorcendo seu semblante.

— Ele achou a senhora o máximo! — garanti.

— Que bom. — Ela suspirou de alivio. — Gostei muito dele. Será um marido espetacular. Dá para sentir só de olhar para ele. O que houve com ele, querida?

— Um acidente de moto. — Eu me levantei. Coloquei a mão em seu braço e a ajudei a ficar de pé. — Vem, tia. Está tarde. Precisamos dormir. Vou sair mais cedo amanhã. Acha que a Magda pode vir ficar com a senhora tão cedo?

Ela apoiou as mãos nos quadris.

— Não sou uma criança que precisa de babá. — *Nos últimos tempos, precisa sim.* — Mas a Magda vai vir. Fique descansada. Seu problema é que você se preocupa demais com os outros, Juju. Sempre se esquece de se preocupar com você mesma. Ainda bem que estou aqui para te ajudar com isso. — Começamos a subir as escadas de braços dados. — Andei pensando no seu vestido, sabe? Você tem algum modelo em mente?

— Não. Vamos ver isso com calma — respondi vagamente. — Ele primeiro precisa me pedir em casamento.

Chegamos ao segundo andar. Eu a acompanhei até a cama.

— Claro, claro. E temos que pensar no sapato também — continuou, como se eu não tivesse dito nada. — Precisa ser lindo e confortável. Ou seja, não existe!

— Sempre posso usar tênis.

Ela deu risada.

— Seria bem a sua cara fazer uma coisa dessas para arruinar a festa perfeita que eu planejei para você.

Eu a fiz sentar e ajudei a trocar de roupa. O sorriso que insistia em não deixar seu rosto fez valer a pena todo o tormento que aquela situação me causara.

— Ah, que menino adorável ele é, Juju. Se encantou com as minhas begônias. Disse que nunca viu nada tão colorido. Elas estão mesmo bonitas, não é? Muito viçosas. Toda a vizinhança tem elogiado.

— É que a senhora tem mãos de fada para jardinagem.

— Eu tinha que ser boa em alguma coisa, já que não sirvo para nada na cozinha. Boa noite, Juju. — Ela colocou a mão na minha cabeça e beijou minha bochecha.

— Boa noite, tia.

Apaguei a luz antes de sair do quarto e fui para o banheiro. Suspeitei de que ela demoraria a pegar no sono, tamanha a sua excitação. Marcus a havia feito se apaixonar por ele com meia dúzia de palavras. Talvez eu devesse levar a sério o alerta de Amaya.

Não, claro que não. Eu era totalmente imune a ele.

Depois de me despir, entrei no chuveiro... e xinguei quando as lentes dos óculos embaçaram. Eu os tirei e deixei sobre a tampa da privada. A água morna ajudou a desfazer os nós de tensão em minhas costas, trazendo um pouco de alívio, mas fez muito pouco quanto àquela alergia esquisita, por isso não me demorei.

Limpa e seca, coloquei uma camiseta velha dos tempos de escola, dei uma arrumada no banheiro e fui para a cama. Conferi se o celular tinha bateria e se o despertador estava ativado e aproveitei para abrir a galeria de fotos. Eu ainda não tinha dado uma olhada nos cliques que Marcus fizera na beira da piscina. Tinha ficado constrangida demais para isso.

Observando os retratos agora, percebi que ele parecia bastante à vontade. Já eu, nem tanto assim. Exceto por uma. Aquela tirada ainda há pouco no carro, onde ele lambia meu rosto. Por alguma razão que eu não compreendia, um minúsculo sorriso curvava meus lábios naquela imagem.

O mesmo sorriso que surgiu naquele instante, enquanto eu deitava a cabeça no travesseiro e admirava a nossa foto.

18
Marcus

Estava chovendo para cacete. Meus pés guinchavam dentro dos tênis encharcados, mesmo assim eu andava pelas ruas, sem ter ideia de aonde estava indo. Tudo o que eu sabia era que tinha que continuar movendo os pés. Era importante que eu fizesse isso.

Avistei minha moto do outro lado da via. Coloquei um pé no asfalto, mas me detive, e o mesmo ocorreu com minha respiração. Meu coração, porém, começou a bater feito louco, parecendo um bumbo em meus ouvidos. A razão? A garota do outro lado da rua, o cabelo empapado, os óculos pendendo em uma das mãos, os olhos fixos em mim, os lábios ligeiramente fartos separados.

Eu estava correndo em direção a ela antes que me desse conta, as poças encharcando minhas meias até os tornozelos. Parei a meio passo dela, o peito subindo e descendo, uma felicidade inexplicável brotando ali dentro. Ela não era muito alta. Sua cabeça mal chegava à altura dos meus ombros, por isso teve que erguer o queixo para me encarar. Sua expressão destoou do meu sorriso bobo.

— Você chegou tarde — murmurou, com tristeza.

— Cheguei?

Ela fez que sim, desolada. Acompanhei com o olhar uma lágrima escorrer por sua bochecha, contornar a boca, se pendurar em seu queixo antes de pingar, caprichosa, nos meus tênis ensopados. Quando levantei os olhos outra vez, ela se afastava, atravessando a rua.

— Não! Espera! — Fui atrás dela. Ela não podia ir embora. Não quando meu peito se retorcia daquele jeito por causa dela.

Um guincho agudo me fez olhar para a esquerda, e tudo o que vi foram os faróis do ônibus a meio metro de distância. Levantei os braços para proteger a cabeça...

— Não!

Acordei de súbito, arfando na penumbra. Estiquei o braço e acendi o abajur. Eu estava no quarto, em segurança. Nenhum ônibus por perto. Estava tudo bem, tinha sido só um maldito pesadelo.

A sensação de medo e perda, já tão familiar àquela altura, me invadiu. Era comum eu sonhar que andava com minhas próprias pernas. Na verdade, eu nunca sonhara que estava na maldita cadeira. Não se sonha com aquilo que se tem, mas com o que se deseja. Talvez por isso eu tivesse sonhado com Júlia.

Um gemido baixo vindo do quarto em frente atravessou o corredor, passou por baixo da porta e chegou aos meus ouvidos. Peguei os fones e os pluguei no celular, ligando Led Zeppelin no último volume. Era toda a privacidade que eu podia dar a Alicia e Max agora.

Enquanto Robert Plant gritava em minhas orelhas, tentei esquecer aquele pesadelo e não pensar em seus significados. Era fruto daquela noite insana, só isso. Nada havia saído como eu esperava. E eu havia adorado.

Dona Berenice era louca de pedra e um amor de pessoa. Quando bati na porta da casa dela, esperava que Júlia a abrisse, e não sua tia. Eu tentara ir embora sem causar danos, mas, quando eu disse quem era, a mulher pequenina pareceu maravilhada. Então, seus olhos desceram mais um pouco, e a pobre não pôde esconder a surpresa.

— Não sou exatamente o príncipe encantado que a senhora esperava, sou?

— Ao contrário, meu querido. — Ela ergueu os olhos e sorriu. — Você é ainda mais charmoso do que eu tinha imaginado. Me desculpe, Marcus. É que a Júlia não disse nada a respeito de você gostar de usar um tênis de cada cor.

Olhei para os meus pés. Cacete. Em minha afobação, calçara um All Star preto e outro verde.

— Ah... — Dei risada e o clima ficou mais leve.

— Eu estava ansiosa para conhecê-lo, meu querido. Nem ando dormindo direito por causa disso. Vamos, entre! Venha beber alguma coisa.

— Eu adoraria, mas a Júlia pode não gostar disso, senhora.

— Me chame de Berenice. E a Júlia não vai ficar brava coisa nenhuma. Como poderia? Eu é quem deveria estar chateada. Vocês dois não deviam ter escondido o namoro de mim. Mas está tudo bem. A Juju é assim mesmo. Sempre pensando nos outros. Entre, entre! Vou passar um cafezinho.

Sem saber como dizer não sem magoar a mulher, acabei entrando. Ela tentou me empanturrar com todo tipo de coisa que encontrou no armário, me fez algumas perguntas banais, coisas que não precisei inventar. Então ela começou a tagarelar sem parar, e seu bom humor era contagiante.

Eu devia ter me sentido mal ao ver Júlia atravessar a porta, mas, furiosa daquele jeito, tudo o que senti foi uma vontade louca de beijar aquela boca atrevida retorcida pela fúria.

E acabei beijando mais tarde. Certo, aquilo mal poderia ser considerado um *beijo*. Mesmo assim, o efeito que teve sobre mim foi eletrizante. Ela tinha gosto de inocência e pecado, como um bombom com recheio de pimenta. Eu queria mais.

Cacete, eu queria muito mais.

Não importava quantas vezes eu dissesse a mim mesmo que aquilo não voltaria a se repetir. Porque voltaria. Agora que aquela fome havia despertado? Nada poderia me impedir de tentar beijá-la outra vez.

Meu celular vibrou. Relanceei a tela. Sandrinha.

Soltando o ar com força, pausei a música e atendi.

— Marcus, oi!

— E aí?

— Eu estou com problemas no... humm... encanamento da pia do banheiro e pensei se você poderia me ajudar.

Ela já tinha feito aquilo antes. Quando eu chegava à sua casa, descobria que não havia problema algum, exceto sua falta de roupa ao abrir a porta para mim. Que no fim das contas não era um problema. Nunca tinha sido.

Até hoje.

— Eu acho que não vou poder te ajudar dessa vez — me ouvi dizer.

— Ah... é que eu estou aqui... nua... e pensei que você poderia... sabe...

Engoli um palavrão. Não acreditava no que estava prestes a fazer.

— Eu sinto muito, Sandrinha. Não vai dar dessa vez.

Fez-se silêncio do outro lado da linha.

— Você entendeu que eu estou nua? — ela perguntou, por fim.

Eu já tinha sacado isso antes mesmo de atender a chamada. Diabos, o que é que eu estava fazendo?

— Sandrinha, eu acho... acho que esse lance entre a gente não vai mais funcionar.

— Por quê?

— As coisas... se complicaram. — E eu não sabia o que pensar disso. — Desculpa, linda.

— Ah. Poxa, que saco, Marcus. Eu gostava tanto do jeito que a gente se entendia. Esse jeito descomplicado.

— Eu também gostava muito, Sandrinha. Funcionou bem esse tempo todo, mas agora... eu estou confuso.

— É realmente uma pena. — Ela suspirou. — Você foi o melhor amante que eu encontrei em muito tempo. Achar um cara como você é tão complicado! A gente fica uma ou duas vezes e o cara logo vem com aquele papinho de namoro — comentou, com horror, quase me fazendo rir.

Sandrinha era uma mulher maravilhosa, ciente de seu corpo e seus desejos, e deixara claro mais de uma vez que não estava a fim de compromisso tão cedo. E era por isso que agora o meu cérebro estava berrando um *Que porra você está fazendo?!*

— Foi aquela menina de óculos, né? — ela perguntou. — Que complicou tudo pra você? Eu vi vocês dois juntos na piscina e achei que tinha alguma coisa rolando. Uma coisa *forte*.

— Não sei... Está tudo muito confuso dentro da minha cabeça.

— Bom, se por acaso as coisas se descomplicarem de novo, você sabe onde me encontrar. Boa noite, Marcus.

— Boa noite, Sandrinha.

Ela encerrou a chamada e eu me peguei pensando se havia perdido o juízo. Porque eu teria que estar completamente pirado para dispensar uma mulher como a Sandrinha. Ela era gostosa pra cacete, aventureira, segura, não tinha problema em admitir que gostava de se divertir. O que eu estava pensando, caralho?

Joguei o celular para o lado, irritado por ser incapaz de ligar para ela, dizer que havia perdido o juízo temporariamente e que ignorasse tudo o que eu havia dito nos últimos minutos. O movimento brusco arrancou os fones de ouvido. O quarto de Alicia e Max estava em silêncio agora. Peguei o aparelho para desligar o aplicativo de música e acidentalmente bati o dedo no de fotos. O rosto delicado de Júlia preencheu a tela toda.

Ela não sorria naquele retrato. Estava irritada comigo, mas havia algo naqueles olhos tão inteligentes. Uma surpresa ou coisa semelhante, como se o fato de alguém querer fotografá-la fosse inusitado e a divertisse.

Júlia estava me deixando completamente obcecado, essa era a verdade. E confuso feito o diabo. Uma hora ela parecia inocente feito uma garotinha de seis anos, sem saber como interpretar seu corpo, supondo que as reações causadas pelo meu toque fossem alergia. Deus do céu, eu quase a beijara quando ela me disse isso. Faltou muito pouco para que eu grudasse minha boca na sua e mandasse tudo à merda. Em outros momentos, como na piscina, sentada em meu colo e com os olhos castanhos em brasa... ah, cara, ela mais parecia uma stripper tentando extorquir todo o meu dinheiro. E eu teria dado tudo o que tinha se ela me pedisse.

Patético.

Passei o dedo na tela, indo para a próxima foto. Até fazendo careta Júlia era linda.

Foi aquela menina de óculos, né?, perguntara Sandrinha. *Que complicou tudo pra você?*

Eu sabia a resposta. Claro que sabia. O que eu não sabia era o que faria agora.

19
Júlia

Às cinco da manhã eu já estava em minha mesa. Era estranho andar pelos corredores ouvindo apenas o som dos meus tênis contra o piso de linóleo. Abrindo o programa no servidor, constatei que Ivan não havia feito muito progresso depois que eu fui embora, apesar de ter ficado até a meia-noite, segundo os registros de atividades.

Trabalhei com afinco até as oito, quando o pessoal começou a chegar. Ivan apareceu meio que de ressaca, despenteado e desalinhado como eu nunca tinha visto antes.

— Como estamos? — ele quis saber ao se largar em sua cadeira.

— Longe de terminar. Vou dar seguimento ao sistema de compra. Você fica com o estoque?

— Não vamos conseguir! — Ele apoiou os cotovelos na mesa, a cabeça entre as mãos. — Simplesmente não vamos. Temos que encarar os fatos.

— Se você ficar aí, só reclamando, não vamos mesmo.

Américo não perguntou como estávamos nos saindo ao passar por nossos cubículos, mas eu sabia que ele acabaria ficando impaciente se não disséssemos alguma coisa logo.

Mergulhei no trabalho pelo resto do dia, e até Samantha, sempre a primeira a querer me distrair, entendeu que eu não tinha tempo para nada e pegou leve, atormentando Inácio, seu parceiro no banco de dados.

Eu estava tão absorta no que estava fazendo que perdi o almoço, e só saí do meu transe no fim da tarde, quando o burburinho no terceiro andar se tornou alto o bastante.

— O que tá pegando? — sussurrei para Ivan, que mantinha o rosto virado para seu computador, embora seus olhos tentassem acompanhar a conversa de Américo e Samantha a poucos passos dali.

— Não entendi muito bem, mas parece que é sobre aquele rolo do ano passado. Do seu Clóvis. Descobriram alguma falcatrua nova. Em Munique dessa vez.

— Ah. Pensei que já tivessem resolvido tudo isso.

Clóvis, o advogado e homem de confiança de seu Narciso, dera um golpe milionário apresentando um testamento ilegítimo. Tudo foi descoberto e ele acabou preso depois de ter tentado matar Alicia, mas seu advogado alegou demência e agora ele estava em uma clínica para doentes mentais.

— Pelo jeito ainda tem muita sujeira para desenterrar. — Ivan deu de ombros.

Minha vista começou a embaralhar. Tirei os óculos e esfreguei os olhos.

— Preciso dar uma parada. Quer que eu traga alguma coisa? — ofereci.

— Café seria ótimo.

— Tá. Volto já.

Estava distraída ao entrar no elevador, e só reparei que Max estava ali dentro quando já era tarde demais.

— Ah. Oi, M-Max — cumprimentei, as bochechas esquentando.

— Oi, Júlia — respondeu.

Fiz menção de apertar o botão do térreo, mas ele já estava aceso. Fixei os olhos no painel metálico, desconfortável. Olhar para Max era constrangedor, pois me lembrava, com muito mais detalhes do que eu gostaria, da cena na beira da piscina.

E que eu havia beijado o irmão dele na sala da minha casa.

E que tinha uma boa chance de isso acontecer de novo, graças à minha incapacidade de manter a boca fechada.

Por que eu menti para tia Berê? Por que eu sempre achava que podia resolver tudo, quando era óbvio que não conseguia nem mesmo colocar a porcaria de um site no ar a tempo? Por que eu aceitei que Marcus fosse meu namorado de mentira?

Refletindo agora, Ivan teria sido perfeito para o papel. Ele nem teria cogitado a hipótese de me beijar. Marcus devia fazer aquilo de caso pensado, apenas pelo prazer de me irritar, já que obviamente eu havia detestado beijá-lo. Ficou muito claro que não mexeu comigo. Nem um pouco. Qualquer um podia perceber isso. Sentir aqueles lábios macios e quentes sobre os meus não despertara a mais remota faísca em mim. E aquelas mãos ridiculamente fortes tocando minha pele? Não senti absolutamente nada. Nothing. Nichts!

— Você está se sentindo bem? — Max perguntou.

— T-tô ótima. Por quê?

— Você está meio corada. Parece febril. Talvez deva dar uma passada na enfermaria. Está rolando um surto de gripe.

Todo o meu fluxo sanguíneo se concentrou nas bochechas.

— Ah... tá. — Não consegui pensar em outra resposta.

— Como está sua tia?

— Bem.

— Fico feliz com isso.

Ele permaneceu olhando para a frente, e eu achei que a interação havia terminado. Estava errada.

— Não sabia que você e o Marcus eram amigos — ele comentou.

— Humm... Pois é.

Pelo canto do olho, vi surgir um meio-sorriso muito parecido com o de Marcus.

As portas se abriram. Max se afastou, todo cavalheiro, para que eu passasse. Eu me mandei o mais rápido que pude e ele tomou a direção oposta à do refeitório, graças aos céus.

Fui direto para a máquina de refrigerante, depois pegar o café de Ivan. Joyce, a secretária do sétimo andar, e Janine, a coordenadora do RH, estavam ali. Sorri educadamente para elas e esperei que pegassem suas bebidas.

Janine tinha um jornal nas mãos.

— Nossa, estou começando a ficar preocupada com esse maníaco do cinema. É a quarta mulher que ele ataca e ninguém consegue pegar o cara.

— Outro estupro?

— É, e dessa vez ele bateu tanto na vítima que a pobrezinha entrou em coma. E olha o retrato falado dele. Não parece um cara normal?

Joyce deu uma olhada.

— Pois é. A gente se deixa enganar pelas aparências. Olha só o seu Clóvis. Não dá para acreditar que aquele homem de aparência tão bondosa pudesse ser tão vil. — Joyce adicionou um sachê de adoçante ao seu café.

— Inacreditável mesmo. Parece que, quanto mais procuram, mais sujeira encontram.

— Meu coração fica apertado. Sabe, Janine, o seu Narciso não merecia uma traição dessas. Não mesmo.

— O que vão fazer agora, com essas novas informações?

— Não sei. Ouvi por alto que o seu Hector convocou uma reunião com os diretores de todas as empresas do conglomerado. Deve acontecer nos próximos dias. As auditorias vão recomeçar, e eu aposto que muita gente vai rodar. A Alicia está uma fera, mas, até aí, quando aquela menina não está?

Elas se viraram. Eu cheguei para o lado, saindo do caminho.

— Pobrezinha, Joyce. Ela tem se esforçado tanto...

— Eu sei. Nem parece a mesma maluquinha que eu treinei no ano passado.

Apertei o botão do café preto e aguardei. Amaya entrou no refeitório com os braços cheios de pastas, o cabelo negro balançando nas costas.

— Ei, por que não retornou minha mensagem? — foi dizendo.

— Desculpa, May. Alteraram a data de lançamento do site. Acabei não vendo.

— Ah, eu soube disso! Por isso queria saber como você está se virando.

— Na maior correria. Nem lembrei de almoçar hoje. Acho que vai ser assim até segunda. Mas o que anda rolando aqui na empresa? O TI inteiro estava de cochichos. Acabei de ouvir a Joyce e a Janine conversando sobre auditorias. — Apontei para as duas, sentadas a uma das mesas.

Minha amiga fez uma careta.

— O seu Clóvis não só deu um desfalque ainda maior do que se imaginava como descobriram que ele tinha alguns comparsas nas empresas internacionais. Especialmente na filial da Alemanha. A Alicia está soltando fogo pelas ventas. E perdida. Nem o seu Hector sabe em quem pode confiar. Estão falando em reestruturação.

— Mas só lá fora, né?

— Por enquanto. — Ela deu de ombros. — Vamos torcer pra ser.

Meu celular vibrou enquanto esperávamos o elevador. Equilibrei meu refrigerante e o café para poder dar uma espiada na tela.

Por que Marcus estava me mandando mensagem em pleno expediente? Decidi averiguar.

Ao abrir a mensagem, uma foto dele, descabelado e com o tórax nu, preencheu a tela. Engasguei e quase me queimei com o café.

> Oi, namorada! Q hrs te pego?

— Que foi? — Amaya perguntou, dando tapinhas nas minhas costas.

— Nada. — Pedi que ela segurasse a bebida de Ivan enquanto digitava uma resposta.

> Não sei. E não me chame de namorada nem me mande fotos suas pelado!

> E o jantar da sua tia? (Tô de short, só ñ dá pra ver.)

> Eu tô atolada hoje. Vou ligar pra ela e cancelar. (Ñ faça mais isso.)

> Ok, então vou esperar uma msg sua p/ ir te pegar. (O q? Devo tirar o short na próxima?)

> Não preciso de carona. (E vc é um idiota!)

Ele simplesmente ignorou minha última mensagem.

> Vc prefere q eu use camiseta azul ou branca?

> Qualquer cor serve, desde q vc não esteja pelado!

Outra foto chegou. Dessa vez apenas do rosto de Marcus exibindo o sorriso mais malicioso do mundo.

> Vc precisa parar de pensar em mim pelado. E eu me referia a hj à noite.

Ele só podia estar brincando, ou tentando me enlouquecer. E só estávamos "namorando" havia dois dias!

O celular voltou a vibrar.

> Sua resposta elaborada disse muita coisa. Branca então.

> Eu ñ tenho tempo p/ te ajudar a escolher roupa. O site tem que estar pronto na segunda e ainda falta tudo! E eu NÃO estava pensando em vc de jeito NENHUM.

> Fica calma. Vc vai conseguir terminar o site. Se ñ conseguir, ngm + consegue. Até + tarde.

Fiquei olhando para o telefone por um instante, piscando sem entender.

— Que foi? Por que você está sorrindo assim? — Amaya quis saber, desconfiada.

— Eu não tenho a menor ideia, Amaya. A menor!

20
Marcus

Naquela tarde, Max e eu saímos pela cidade em busca de móveis para o meu apê. Não foi uma tarefa fácil, sobretudo porque meu irmão queria ir a uma dessas lojas de móveis planejados, mas levaria muito tempo para que ficassem prontos e eu estava com pressa para me mudar. Além de móveis planejados custarem uma pequena fortuna, é claro. Naturalmente, Max se ofereceu para pagar, emprestar a grana, qualquer coisa que me convencesse.

— De jeito nenhum, Max. Minha casa, meus móveis, meu dinheiro.

— Mas seria o ideal, Marcus — insistiu, me lançando um daqueles olhares persuasivos de executivo de comércio exterior.

— Seria, se meu salário fosse a metade do seu. Quero me bancar. Sozinho. É por isso que eu estou saindo da sua casa, para viver por conta própria. E nem tenta — falei, quando ele abriu a boca para retrucar. — Você ficou louco da vida quando a mamãe quis te comprar uma TV logo que saiu de casa. Disse que daquele momento em diante teria apenas aquilo que pudesse pagar, e você ainda estava na faculdade e era um duro do cacete.

Ele grunhiu, derrotado, colocando as mãos nos bolsos.

— Tudo bem. O que quer ver primeiro?

Não foi difícil encontrar a cama perfeita, o sofá ideal com uma chaise onde eu pudesse esticar as pernas, as barras para serem fixadas no banheiro, panelas e pratos, roupas de cama, uma estante. Em pouco mais de quatro horas, já havíamos comprado tudo, e o que não dava para levar seria entregue naquele fim de semana.

— Você ainda não me disse quem escolheu para ser seu cuidador — meu irmão comentou ao sair da última loja, carregando duas sacolas enquanto eu equilibrava mais três no colo. A maioria delas já tínhamos levado para o carro.

— Você não conhece ela.

Max me encarou sem acreditar.

— *Ela?* Uma mulher?

— Por que não? A Alicia tinha sugerido a Mazé e você não achou má ideia.

— E essa mulher tem a aparência da Mazé? — perguntou, debochado. Como não respondi, ele continuou me olhando fixamente. — Marcus, me diz que ela não é atraente.

— Se eu vou ter uma babá, então acho justo que ela seja bonita.

— E eu acho que você devia voltar a fazer terapia. — Ele esfregou a nuca, meio rindo, meio grunhindo.

Começamos a ir em direção ao estacionamento do shopping. No meio do caminho, porém, passamos em frente a uma joalheria.

— Eu preciso entrar aqui um minuto.

Max me olhou desconfiado, mas assentiu. Mal passamos pelas portas automáticas e fomos abordados por um cara alto que sorria largamente.

— Olá. Posso ajudar?

— Eu queria dar uma olhada nos anéis — eu disse.

— Anéis? — perguntou Max, surpreso. — Pensei que você fosse comprar um relógio novo.

— Não. Preciso de um anel.

Eu devia comprar um anel para a Júlia, certo? Homens sempre dão um anel para a noiva. Porque era para isso que eu entrara na vida dela, para fingir ser seu noivo. Era o que Berenice estava esperando. Eu não podia deixar uma mulher doente tão ansiosa.

— Procura algo em especial? — o vendedor quis saber. — Nós temos uma coleção incrível de anéis masculinos. Você vai...

— Não é para mim. É para uma garota. Alguma coisa discreta e delicada.

— Ah, claro! — Ele me lançou uma piscadela. — Vou pegar os modelos para você dar uma olhada. Me acompanhem. — Ele nos levou até a mesa de vidro redonda, retirou uma das cadeiras para que eu pudesse me encaixar antes de correr para o balcão e começou a empilhar bandejas de veludo negro.

— Então você vai comprar um anel para uma garota. — Meu irmão tamborilou os dedos no vidro e eu evitei olhar para ele ao aquiescer. — Quem é ela, Marcus? Há quanto tempo estão juntos?

— Não é ninguém que você conheça. E não estamos juntos. É só uma amiga que faz aniversário por esses dias. — Dei de ombros, os olhos no fundo da loja, mas, mesmo sem olhar para o meu irmão, mesmo que ele não tenha dito uma palavra, pude sentir seu ceticismo.

O vendedor retornou com as bandejas e muito tranquilamente me mostrou cada um dos anéis. Só que nada parecia certo.

— Precisa ser mais discreto. — Cocei a sobrancelha.

— Me fale um pouco dela — sugeriu o rapaz.

— Isso, Marcus. Fale um pouco da sua amiga. — Max ainda me encarava, diversão e curiosidade estampadas no rosto.

— Bom, ela não gosta de chamar muita atenção, é delicada e tão teimosa que chega a me dar dor de cabeça. Não ia gostar de nada grande, que enroscasse na roupa ou pesasse no dedo. Ela é, antes de mais nada, uma mulher prática. E acho que não ia gostar dessas paradas de coração, borboletas e estrelas, não. — Apontei para a bandeja que ele começava a levantar.

— Conheço uma garota exatamente assim. E tenho o anel perfeito. — O vendedor vasculhou as bandejas. — Aqui. O que acha desse?

O anel de ouro branco tinha o aro partido ao meio, as pontas se alongando um pouco para sustentar um pequeno brilhante. Era delicado, discreto e muito bonito. Exatamente como a Júlia.

— O que acha? — Mostrei a Max.

No entanto, era a mim que ele examinava, com desconfiança.

— Tem certeza que é só uma amiga?

— Deus do céu, Max. É claro que sim. Você sabe que eu não tenho ninguém.

— Você está mentindo. — Max me avaliou por um longo momento, tentando adivinhar o que eu estava fazendo. E parecia magoado por eu não lhe contar. Inferno.

— Humm... Alguém quer um cafezinho? — O vendedor se levantou antes de obter uma resposta.

— Me diz que essa garota não é a Júlia — exigiu meu irmão assim que ficamos a sós.

— Não, não é ela. Esquece essa menina. E escuta, Max, essa garota é... Eu não sei, ok? Minha cabeça está meio bagunçada, e eu não ando me entendendo muito, ou o que estou fazendo. Só quero comprar um anel para ela. Só isso.

Ele continuou me observando por um longo tempo antes de, por fim, suspirar.

— Tudo bem. Só me prometa que não está se metendo em nenhuma confusão.

— Não estou. O que acha do anel?

Ele relanceou a peça.

— É bonito. Mas não sou a pessoa mais indicada pra te ajudar com isso. Pedi a Alicia em casamento com um anel de garrafa de água.

Acabei rindo. E comprando o anel, para alegria do vendedor. Aquela joia tornaria tudo mais crível.

E confuso, presumi. Porque eu queria Júlia. Claro que queria. Aquele sonho na outra noite não deixara claro o bastante? No entanto, ele também servira de alerta: eu havia chegado tarde demais. Então, a pergunta era: que diabos eu estava fazendo?

❧

Com o carro estacionado quase em frente à L&L, relanceei o relógio no painel pela sétima vez. Quase onze da noite e nada da Júlia.

Eu dividia a atenção entre a porta do prédio e a saída do estacionamento, e tinha quase certeza de que ela não passara por nenhuma das duas ainda. Seria mais fácil se ela não fosse tão teimosa e me ligasse, como eu tinha pedido. Mas é claro que não ligaria, então ali estava eu, bancando o maldito perseguidor.

Corri a mão pelo rosto. Talvez Max estivesse certo e eu devesse voltar para a terapia.

Olhei para o relógio no painel outra vez. Onze e cinco. Onde ela estava?

A porta de vidro automática se abriu e — finalmente! — Júlia passou por ela. A mochila pendia de seu ombro, escorregando a cada passo. Ela a ajeitou melhor, depois levou a mão no pescoço e começou a movimentar a cabeça, parecendo esgotada ao seguir para o ponto de ônibus.

Bom, pelo menos eu poderia fazê-la chegar em casa mais depressa.

Dei partida e engatei a marcha. A avenida estava tranquila àquela hora da noite, de modo que foi fácil emparelhar com ela, bem perto do meio-fio.

— Eu sabia que você não ia me ligar — reclamei, carrancudo, baixando o vidro.

Ela se sobressaltou, mas assim que me reconheceu seus ombros relaxaram.

— Eu disse que cancelaria o jantar. Ficou para o domingo, tudo bem?

Concordei com a cabeça e destravei as portas.

— Entra aí.

Ela hesitou por um momento, e eu me preparei para a discussão, mas por alguma razão Júlia deu a volta no veículo, jogou a mochila no banco de trás e entrou.

— Pensei que você tivesse dito que usaria camiseta branca. — Analisou minha camiseta azul enquanto passava o cinto de segurança pelo tronco.

— Gosto de surpreender você. Como está indo o site?

— Longe de estar pronto. — Ela fechou os olhos, deixando a cabeça pender no encosto do assento. — Queria que o dia tivesse mais horas.

— Então, deduzo que você não almoçou hoje.

— Comi uma barra de cereais. — Deu de ombros, me encarando.

— Isso não é comida, Júlia. Vou te levar pra comer alguma coisa de verdade.

— Não precisa, Marcus. Eu estou bem.

Não, ela não estava. O cansaço transparecia em cada linha de seu rosto delicado.

— Até parece que eu vou deixar você viver à base daquela ração nojenta.

Ela virou a cabeça e suspirou. Um pequeno, quase imperceptível sorriso curvou sua boca enquanto ela fitava o nada.

— Sabe o que eu queria agora? — perguntou.

— Descobrir a cura do câncer? — arrisquei.

Ela riu.

— Seria bom, mas não é isso.

— Encontrar um sistema totalmente imune a hackers? Saber se existe vida inteligente fora da Terra?

— Não! — Riu outra vez. Eu gostava daquele som. — Eu queria alguma coisa com muita proteína. Não como nada assim há meses, por causa da tia Berenice.

Um sorriso lento se abriu em meu rosto.

Eu sabia que ela não era uma garota de salada!

Além disso, Júlia era uma daquelas pessoas que raramente se distraem. Se havia um problema a ser resolvido, tudo ficava em suspenso até que fosse solucionado, inclusive suas necessidades fisiológicas. Eu podia apostar que ela não iria almoçar no dia seguinte também. Era melhor entupi-la de comida de verdade e deixar alguma reserva.

— Seu desejo é uma ordem — falei, já fazendo a conversão.

21
Júlia

Liguei para casa, para me certificar de que estava tudo bem com tia Berê e avisar que eu iria chegar ainda mais tarde. No entanto, ela atendeu o telefone aos prantos. Meu coração começou a trovejar no peito, mas ela então falou:

— Ah, Juju, Sidney Poitier está acabando comigo. A Magda nem consegue falar de tanto que chora.

Soltei um longo suspiro aliviado, colocando a mão sobre o coração para que ele se aquietasse.

— *Quando só o coração vê?* — arrisquei.

— Sim! Ele está tão maravilhoso neste. Você ainda está na empresa, meu amor?

— Acabei de sair. Estou indo jantar com o Marcus, tá bem?

— Claro. Só vou terminar de assistir ao filme e vou para a cama. Aproveitem!

Desliguei e guardei o aparelho no bolso do jeans.

— Tudo bem com ela? — Marcus quis saber.

— Sim, mas ela está chorando por causa de um filme. Quase me matou de susto.

— Sua tia é uma figura. — Ele riu.

Chegamos a uma rua bastante movimentada, repleta de restaurantes e bares. Era noite de sexta-feira, então demorou um pouco para que encontrássemos onde estacionar. Havia apenas duas vagas destinadas a deficientes e ambas estavam ocupadas. Procurei naqueles carros o adesivo azul que havia na traseira e no para-brisa de Marcus, mas não encontrei. Aquilo me irritou um pouco. Não era justo que Marcus tivesse que fazer malabarismos para sair do carro porque algum preguiçoso não quis ter o trabalho de fazer o que ele estava fazendo agora: procurar uma vaga.

Depois de encontrar um espaço para o seu Honda, Marcus abriu a porta e começou a montar a cadeira. Observei o entorno, as calçadas movimentadas, as luzes dos letreiros, o falatório misturado a músicas de todos os estilos.

— Você não costuma sair muito, acertei? — Ele encaixou uma das rodas na cadeira, mas sua atenção estava em mim. Uma mecha negra lhe caiu sobre os olhos, e tive que apertar os dedos para conter o desejo de afastá-la.

— Não nesse tipo de lugar.

Quando ele terminou, eu o acompanhei de perto, a ponto de minha mão esbarrar em seu braço uma vez. Mesmo o breve contato fez aqueles arrepios subirem por minha coluna. Eu realmente precisava ir ao médico para cuidar daquela alergia.

O restaurante que ele escolheu não ficava tão longe, e mesas haviam sido colocadas do lado de fora do prédio de dois andares. Marcus, porém, preferiu entrar. E eu entendi por que ao sondar o pequeno salão. Era mais intimista, o som baixo e agradável e a luz na medida certa. Havia retratos em branco e preto de famosos pugilistas e lutadores em ação, luvas vermelhas penduradas aqui e ali, a réplica de um cinturão sobre a imensa TV, ligada em um canal esportivo.

Um garçom passou por mim com uma bandeja repleta de fritas. Meu estômago roncou alto, se retorcendo dolorosamente. Acho que Marcus ouviu, pois abriu um daqueles meios-sorrisos.

Havia um longo sofá fixo na parede e mesas quadradas em frente a ele, mas Marcus preferiu as mesas redondas mais ao centro.

— O que vai querer? — perguntou depois que eu me sentei e o garçom trouxe o cardápio.

— Humm... — Dei uma olhada rápida, ajeitando os óculos. Os sanduíches tinham nomes como Duplo Maguila, X-Foreman, Popó Bacon, Holyfield Super Cheddar, Anderson Silva-Tudo, Muhammad Ali Veggie. — Sei lá. O mesmo que você.

— Tem *certeza*? Você já sabe que eu não brinco com comida. — Ele arqueou uma sobrancelha, num desafio descarado.

Fechei o cardápio e o deixei sobre a mesa.

— É, mas eu tô azul de fome. Não tinha percebido que estava tão faminta assim.

Aquele sorriso de canto de boca deu as caras.

— Tudo bem. — Ele chamou o garçom e pediu dois sucos de laranja. — Vamos querer também dois Master Tyson com batatas Uppercut. Capricha no bacon!

Depois de anotar o pedido, o garçom se retirou. Então aquele silêncio esquisito pairou sobre a nossa mesa.

— Então... — comecei.

— O que você... — ele disse ao mesmo tempo.

Acabamos rindo. As bebidas chegaram, para meu alívio. Nunca fui muito boa em manter uma conversa, então agora tinha algo para fazer, em vez de tentar puxar assunto.

— O que você ia perguntar? — ele quis saber.

— Nada de mais. Só o que você faz na Fundação Narciso.

— Sou professor de informática daquela molecada. E técnico nas horas em que a coisa dá pau. Claro que não sou nenhum ph.D., como você.

Lancei a ele um olhar mordaz.

— Não sou técnica de informática. Sou *programadora*.

— Ah, eu sei disso. — A diversão lhe chegava aos olhos. — Você me disse que faz programas logo na primeira vez em que falou comigo.

— Rá-rá. Essa foi engraçada. Muito mesmo. Ninguém nunca usou essa piada comigo antes.

— Não deu pra resistir. — Ele encolheu aqueles ombros largos, chamando minha atenção para eles e a camiseta básica azul, que não devia parecer grande coisa em qualquer outra pessoa, mas nele ficou espetacular. Que droga! — A proposta da Alicia é que aquelas crianças tenham o suporte que as famílias não podem dar. De curso de computação e línguas a culinária. Elas escolhem o que vão querer. Só precisam apresentar o boletim da escola com notas azuis e sem faltas.

— É um projeto muito bacana.

— É, sim. Pretendo introduzir algo mais complexo, mas ainda não estou pronto. Preciso terminar meu curso primeiro.

— O que você está fazendo? — Peguei um guardanapo de papel e comecei a dobrá-lo, deixando o logo da lanchonete no centro.

— Retomei o curso de design de games.

Uau!

— Isso é... legal. — Era mais que legal. Era incrível! — Nossa! Legal mesmo!

— Sua surpresa chega a ser uma ofensa, moça. — Ele levou a mão ao peito. Largo e rígido, como eu agora bem sabia.

— Desculpa, não era a minha intenção. — Senti o rosto esquentar, então me concentrei em desdobrar o guardanapo. — É que você não parece ser do tipo que...

— Vai para a faculdade?

— ... leva alguma coisa a sério.

Ele apoiou os cotovelos na mesa, cruzando os braços, e se inclinou para mim. Meus olhos imediatamente foram atraídos para aqueles ombros de novo.

Para com isso!

Para com isso agora!

Peguei meu suco e tomei um gole. Daquele momento em diante, ele seria o único lugar onde eu poria os olhos. Pronto.

— Quando você me conhecer melhor — ele disse —, vai perceber que faz uma ideia muito errada sobre mim.

— Não quero te conhecer melhor.

— Por quê? Do que você tem medo, Júlia?

Por quê? Meu corpo andava enlouquecendo toda vez que eu chegava perto dele e eu odiava a sensação de não estar no comando de mim mesma. Mas eu jamais diria isso a ele. Por sorte, o garçom apareceu com nossos hambúrgueres e a atenção de Marcus se voltou para a comida.

Soltei um longo suspiro ao contemplar meu prato.

— É claro que você pediria alguma coisa do tamanho de uma casa...

— Eu te disse que nunca brinco com comida. — Abriu um guardanapo e o enfiou na gola da camiseta.

— Eu devia ter imaginado... Então você pretende atuar em qual área quando terminar o curso? — Tentei pegar o sanduíche, mas era realmente enorme e ameaçou desmoronar. Fiz mais algumas tentativas.

— Deixa eu te ajudar com isso. — Puxou meu prato. Cravou o garfo no centro daquele monstro e o cortou ao meio antes de empurrá-lo de volta para mim.

— Obrigada.

— Disponha. Respondendo a sua pergunta, pretendo montar minha própria Ubisoft.

— Ah! — Consegui segurar um pedaço do sanduíche, um pouco atrapalhada. — Você sonha se tornar o maior nome na indústria de games.

— Na verdade eu sonho um dia entrar na Wikipédia e ler: Marcus Cassani, designer de games, empresário, magnata. — Ele pegou seu sanduíche inteiro. Para aquelas mãos imensas não era um grande desafio. — Já comecei um projeto de game. Qualquer dia te mostro. E você, o que sonha? — Deu uma bela mordida.

— Ah, ser o próximo Américo estaria de bom tamanho. — Belisquei o pão e levei um teco à boca. Estava quentinho, macio a ponto de derreter em minha língua.

— Quem é Américo? — Marcus quis saber, abocanhando mais um pedaço.

— Diretor do meu setor na L&L. Duvido que isso vá acontecer tão cedo. Em primeiro lugar, porque o Américo é bom, apesar de um pouco conservador; em segundo, porque tem pelo menos oito profissionais tão bons quanto ele no andar de TI. A Samantha, por exemplo. Ela é muito fera.

— Talvez apareça alguma coisa no futuro.

— Talvez. — Levei o sanduíche à boca e... Minha Nossa Senhora! Uma explosão de sabores me fez fechar os olhos e gemer contente. — Ah, meu Deus, Marcus!

Ouvi-o grunhir baixinho. Abri os olhos e encontrei os seus fixos em meu rosto, o maxilar trincado.

— Que foi? Tá sujo? — Esfreguei o guardanapo na bochecha.

Ele balançou a cabeça, meio rindo, meio gemendo.

— Júlia, vamos estabelecer algumas regras. Você não pode ficar gemendo desse jeito e esperar que eu pense em hambúrguer.

Joguei o guardanapo nele.

— Idiota. — Mas tive que conter o riso.

— Só estou falando. Do mesmo jeito que, se você diz para um cara que está toda molhada, não importa o contexto, o cérebro dele frita e ele não pensa em nada além de...

— Tá! Tá bem! — Meu rosto pegou fogo. — Você não pode esquecer que eu disse isso?

Aquele sorriso inteiro, que lhe chegava aos olhos, deu as caras.

— De que jeito, se foi a coisa mais sexy que você já me falou? — Ele pensou por um instante e acrescentou: — Depois de "alguma coisa com muita proteína", é claro.

Acabei rindo, o embaraço cedendo aos poucos.

— É impossível manter uma conversa séria com você.

— Você estava muito tensa. Só estou querendo te distrair. Estou conseguindo? — Ele esticou o braço e tocou minha mão. Estremeci com o contato, e juro que vi algo perpassar seus olhos. Será que ele também tinha sentido aquele arrepio?

— Sim. — Suavemente, puxei o braço para junto do peito, esfregando de leve o ponto em que ele havia me tocado e que agora formigava.

Uma emoção cruzou seu rosto, mas não pude decifrar qual era, já que ele voltou a atenção para o prato. Eu fiz o mesmo.

— Esqueci de contar — ele disse um tempo depois. — Consegui um apê. Até comprei móveis e aquelas coisas todas de que uma casa precisa. Vou me mudar neste fim de semana.

— Legal! Precisa de ajuda com a mudança?

— Júlia. — Aquela emoção retornou. Gostaria de ser melhor em ler as pessoas para entender o que ela significava. — Você não conseguiu tempo nem para almoçar hoje!

— Ajudar a levar algumas caixas não vai me deixar menos atolada. — Dei de ombros e mordi o sanduíche. Deus do céu, aquilo era o próprio pecado em forma de comida.

Marcus sustentou o olhar, e senti um formigamento esquisito perpassando minha pele, como se ele estivesse me tocando. Ele desviou o olhar para o prato, a testa franzida, então pigarreou de leve.

— Agradeço a oferta, mas eu me viro. Não tem muito o que levar mesmo. A maior parte da mobília é nova e vai ser entregue lá. — Ele se remexeu na cadeira. — Mas, se estiver tudo bem para você, eu pretendo contar para os meus pais que estou por conta própria na semana que vem. Surgiu um jantar na casa de um dos diretores, e o Max e a Alicia vão ficar fora a noite toda. Assim vocês não se cruzam. Não quero que o Max saiba sobre nós. Aliás, eu tenho que pensar em outro nome para você. O Max ficou meio desconfiado depois que te viu na academia. Se a minha mãe disser que a cuidadora se chama Júlia, ele vai juntar tudo num instante. Qual é o seu nome do meio?

— Não tenho. É só Júlia Muniz mesmo. Marcus... — Abandonei o sanduíche no prato. — Não sei se vou conseguir convencê-los. Não sou boa em enganar as pessoas.

— Mas eu sou ótimo nisso. Deixa tudo comigo. Você só precisa aparecer. — Ele inclinou a cabeça para o lado, me estudando. — Acho que você devia ir até o meu apartamento antes disso.

— Seu apartamento? — Minhas sobrancelhas se arquearam, os óculos escorregaram para a ponta do nariz. — Por quê?

— Se você vai se passar por minha cuidadora, precisa saber pelo menos onde fica o banheiro, ou meus pais jamais vão acreditar na nossa história.

— Sim, mas... — Ficar sozinha com ele em seu apartamento? Não parecia uma boa ideia.

— Mas o quê, Júlia? Você tem medo que eu possa te atacar com a vassoura? — zombou. — Se for isso, pode ficar tranquila. Você está a salvo. Ainda não comprei uma vassoura.

— Isso é um alento, Marcus. — Tentei conter o riso. Bem que eu tentei.

Apesar da expressão divertida, detectei certa apreensão naqueles olhos ridiculamente verdes. Ele estava preocupado que eu não fosse cumprir minha parte no nosso acordo. E seria muita cretinice, já que tudo o que ele estava fazendo era ser meu namorado de mentira, me pegando no trabalho e me levando para jantar em lanchonetes maneiras e tal.

— Tá, vou ver se consigo dar uma passada — falei. — Assim que eu aprontar o site, vai sobrar mais tempo.

— Obrigado. — Ele soltou uma longa expiração. — Sei que você anda cansada, mas é importante.

— Eu sei. — Tirei os óculos e esfreguei os olhos. — Não acredito que a diretoria fez isso, Marcus. Não vai dar tempo!

— Se não der, eles vão saber que você fez o seu melhor. Vai ficar tudo bem. *Até parece.*

— E a moça da agência? Deu notícias? — Ele voltou a comer.

— Sem o distrato ela não pode fazer nada. Mas o Dênis ficou de falar com um advogado.

Ele levava o sanduíche à boca, mas se deteve no meio do caminho.

— Quem é Dênis?

— É o meu melhor amigo.

Por alguma razão, tive a impressão de que ele não gostou de ouvir aquilo. Estranho.

Terminamos com os sandubas — eu comi apenas a metade do meu — e pedimos a conta. Ele não deixou que eu pagasse a minha parte, como da outra vez.

Enquanto voltávamos para o carro, percebi que Marcus ia mais devagar, quase parando, então acompanhei seu ritmo, as mãos na alça da mochila para evitar esbarrar nele sem querer e aquela alergia se intensificar. A noite estava fresca. Uma brisa suave agitava meu rabo de cavalo. Olhei para o céu estrelado, sem nem uma única nuvem. É, não iria chover naquela noite.

Não sei por que me senti triste ao constatar isso.

Entrei no carro e esperei que Marcus desmontasse seu equipamento, acompanhando com os olhos o trabalho dos músculos de seu braço. Ele era tão bonito, tão gracioso apesar de todos aqueles músculos, que fazia uma coisa simples, como desmontar uma cadeira, parecer um espetáculo muito, muito interessante.

Quando terminou, levou a mão à ignição, mas não deu partida. Uma bela mão, aliás. Tinha que ser, para fazer conjunto com aquele braço forte e todos os seus contornos. E os ombros também, mesmo aquele com as cicatrizes, eram belos. E tinha o peito, reparei, correndo os olhos por ele. Largo e maciço. E que agora subia e descia mais rápido que o normal.

Ergui a cabeça para entender o que causava aquela súbita mudança e encontrei seus olhos cravados em mim. E reluziam com tanta intensidade que algo dentro de mim deu um salto mortal.

Eu quis perguntar por que ele me encarava daquele jeito, mas como faria isso, se agora era o meu peito que subia e descia depressa e eu não era capaz de encontrar minha voz? Meus batimentos cardíacos agora erráticos retumbavam alto em meu ouvido, e aquele frio na boca do estômago inexplicavelmente fez um calor repentino inflamar todo o restante de mim. E piorou quando ele estendeu a mão e amparou meu rosto. Foi nesse instante que eu percebi que a distância entre nós era menor do que deveria ser, que eu havia me aproximado dele sem me dar conta, e mesmo assim não consegui me obrigar a retroceder. Não podia. Seu toque amplificou as sensações, e tudo o que eu pude fazer foi me deixar hipnotizar por aquele olhar cristalino agora revolto, como se o mar dentro deles estivesse de ressaca ou em meio a uma tormenta.

Observei, totalmente confusa, minha mão se elevar e tocar seu queixo, a aspereza da barba curtinha pinicando a ponta dos meus dedos.

Ele fechou os olhos.

— Júlia...

Prendi a respiração ao ouvi-lo sussurrar meu nome. E ainda não respirava quando ele se inclinou para mim e seu nariz resvalou em minha bochecha. O calor de seu corpo, tão próximo do meu, me envolveu e me deixou tão tonta que tudo o que eu pude fazer foi levar as mãos a seu cabelo macio e me agarrar a ele, como tinha feito naquele dia na piscina.

Só que dessa vez seus lábios quentes e suaves se apertaram contra minha bochecha, o canto da minha boca e por fim meus lábios. A explosão de sensações me pegou de guarda baixa — eu nem sabia que aquele tipo de coisa existia, para começo de conversa! Deve ter sido por isso, pela curiosidade, que entreabri os lábios e levei a língua de encontro à dele. Marcus usou o braço livre para rodear minha cintura, afundando os dedos na carne de minhas costas, ao passo que eu agarrava seu cabelo com mais vigor, querendo trazê-lo para ainda mais perto. Ele deixou escapar um gemido rouco que me arrepiou dos pés à cabeça.

Sim, eu também achei aquilo certo.

Muito certo!

E era tão melhor do que eu havia imaginado. Tão mais quente e vivo e molhado e maravilhoso.

Ele continuou me beijando até eu perder o fôlego, até eu perder a consciência de onde estava, até não restar um único pensamento coerente. Então libertou meus lábios, mas pressionou a boca contra a minha mais uma vez. E outra ainda. E novamente.

Tomada por todas aquelas sensações, minha cabeça pendeu para a frente, se alojando em seu pescoço. Seus dedos acariciaram minha nuca enquanto eu tentava recuperar o fôlego e a consciência.

Foi como despertar de um sonho bom.

Marcus deve ter sentido o mesmo, pois seu corpo se retesou, a carícia em minha nuca cessando.

— Acredito que você quer ir para casa agora. — Sua voz estava rouca

Concordei com a cabeça, e precisei de um minuto para conseguir me aprumar e soltá-lo. Estava envergonhada demais por ter perdido o controle, confusa ao extremo sobre todos aqueles sentimentos, meu corpo ainda nadando em um tipo de adrenalina que não reconheci.

Por isso não fui capaz de olhar para ele quando deu partida e o carro arrancou. Nem durante o percurso até em casa. Nem mesmo quando ele estacionou em frente ao sobradinho e disse:

— Boa noite, Júlia.

Apenas fiz um meneio de cabeça, sem jamais olhar em sua direção, e disparei para dentro de casa.

Que diabos tinha acabado de acontecer?

22
Marcus

Alicia e Mariana arrumavam o armário do quarto do meu apê naquela tarde de sábado. Max apertava os parafusos do varão da cortina do banheiro enquanto eu terminava de instalar as barras de apoio dentro do boxe. Quando terminei, apoiei o cotovelo nelas, testando a resistência. Firmes como pedra.

— Certo, terminei aqui. — Meu irmão sacudiu a barra, que também se manteve estável. — O que falta ainda?

As barras no vaso sanitário e na pia já estavam prontas, minha mobília chegara e cada coisa havia sido colocada no devido lugar.

— Acho que falta guardar toda aquela tralha de cozinha nos armários e acabamos. — Esfreguei o punho na testa, me livrando do suor.

Fomos para a cozinha, e levou menos de meia hora para que tudo estivesse no lugar. Quando terminamos, fomos para a sala. Mari e Alicia se jogaram no meu novo sofá.

— Deus, estou quebrada.

— Eu ofereceria uma cerveja agora, mas ainda não deu tempo de gelar. — A geladeira havia sido uma das últimas coisas a serem entregues.

— E você pretende passar a noite aqui mesmo assim? — Mari suspendeu a cabeleira e a prendeu com um elástico no topo da cabeça.

— Claro. Já está tudo em ordem. O que acham de pedirmos alguma coisa pra comer?

— E quanto a sua cuidadora? — Max quis saber, de cara amarrada.

— Eu não sabia se ia conseguir colocar tudo em ordem hoje, então ela começa amanhã — improvisei.

— É alguém que a gente conheça? — Mari perguntou.

— Não. Vocês não conhecem. Alguém tá a fim de uma pizza? Porque a gente precisa comemorar meu primeiro apê. Vou aproveitar e pedir umas geladas.

Comida sempre era um assunto que causava debate, de modo que minha cuidadora foi esquecida por eles. Mas não por mim.

Júlia não me saía da cabeça, e eu ainda sentia aquele nó na boca do estômago ao pensar naquele beijo. Não era algo que se pudesse ignorar.

Diabos, eu havia jurado que seria um perfeito cavalheiro, que faria Júlia mudar de opinião a meu respeito, para não ficar sempre tão desconfiada quando eu estivesse por perto. E, claro, beijá-la cumpriria esse objetivo, hein?

Idiota! Tremendo idiota!

É óbvio que desejei poder beijá-la mais de uma vez naquele jantar. Ao vê-la toda atrapalhada, as mãos delicadas tentando equilibrar o sanduíche, foi uma delas. E depois que ela o abocanhou e gemeu, *lenta e profundamente*? Ora, todo tipo de coisa surgiu em minha cabeça. Todas elas envolviam Júlia nua. Quando o canto de sua boca ficou sujo de mostarda, eu desejei poder lambê-lo e continuar vivo. E, claro, ela ter se oferecido para me ajudar com a mudança, mesmo estando sem tempo nem para almoçar, e dar de ombros como se não fosse nada de mais, me fez pensar: *É oficial. Estou ferrado.* E eu não queria — não podia — sentir aquelas coisas. Não ainda.

Aquela garota iria me matar um dia desses. Eu não tinha dúvidas.

Lá no restaurante foi fácil manter os desejos e minhas mãos sob controle, com toda aquela gente em volta e uma mesa entre nós dois. Ao ficarmos a sós no carro, porém, sem nada no caminho, eu a flagrei olhando para mim daquele jeito, como se eu fosse...

Como se eu fosse alguém atraente de verdade. E foi aí que perdi a cabeça. De repente eu a tocava. De repente eu a beijava. E, meu Deus, ela era tão doce, sua entrega tão comovente.

Juro que não tinha a intenção de me demorar. Queria apenas prová-la, conhecer seu gosto, mas então a língua dela se insinuou por entre meus lábios, e perdi o controle de vez.

Qual é? Se uma garota enfia a língua na minha boca, desperta o homem das cavernas que existe dentro de mim. Simples assim.

Só percebi meu erro quando nossas bocas se separaram, e seu corpo todo ficou tenso. Ela estava assustada; se com a própria resposta àquele beijo ou com a minha, eu não sabia. Talvez as duas coisas.

Eu tinha estragado tudo.

— Que foi? Por que está bufando? — A voz do meu irmão penetrou meus ouvidos e me trouxe de volta para o presente.

— Só lembrei de uma coisa que eu não devia ter feito. Agora já era. Mais uma? — Apontei para a latinha em sua mão.

❧

Eles ficaram até bem tarde, em parte porque Max parecia relutante em ir embora. Foi como no meu primeiro dia no jardim da infância.

— Pode me ligar a qualquer hora — ele disse, depois que Alicia insistiu pela terceira vez que queria ir para casa dormir.

— Eu sei. Vou ficar bem. Você sabe que eu nunca tive medo do bicho-papão.

— Estou falando sério. Eu chego aqui em cinco minutos, Marcus.

— Valeu. Pode ir tranquilo, Max. Não vou fazer nada tão perigoso quanto a Alicia tentando cozinhar. Só vou tomar um banho e cair na cama.

Ele ficou me encarando por um minuto inteiro, como se doesse me deixar para trás. Esfregando a nuca, soltou o ar com força.

— Ok, boa noite. E me...

— Liga se precisar de qualquer coisa. Já sei.

Eles tomaram o elevador, e eu esperei que as portas se fechassem para então entrar em casa.

A minha casa.

Andei pelos cômodos, me familiarizando com a disposição dos móveis, o espaço, os sons. Eu tinha conseguido. Estava por conta própria a partir de agora. Enchi o peito, olhando para a mobília que eu ainda não reconhecia como minha, me sentindo orgulhoso e assustado ao mesmo tempo. Acredito que seja assim que as pessoas se sentem quando se veem pela primeira vez no comando da própria vida. Era bom.

Recolhi algumas latinhas que Alicia e Mari haviam deixado sobre a mesa e as levei para a cozinha. Tentei lavar os pratos que havíamos usado, mas a cadeira ficava longe demais e eu acabei todo molhado. Eu tinha que dar um jeito naquilo o mais rápido possível.

Então, depois de cuidar da louça, fui tomar banho, estranhando um pouco o jeito como a luz refletia nos azulejos brancos estampados de azul, o tempo que a água demorava para aquecer, o som que o puxar das cortinas produzia.

Assim que fiquei limpo, fui para o quarto. A mudança havia acabado comigo, e tudo o que eu queria era cama. Dei uma olhada no celular, na esperança de que houvesse algum recado de Júlia. Eu tinha lhe enviado uma mensagem com meu novo endereço no dia anterior, mas tudo que ouvi dela foi silêncio. Eu estava louco para contar que estava deitado em uma cama paga com o meu dinheiro, com lençóis ainda cheirando a goma, e que o encanamento da cozinha fazia um barulho engraçado. Mas não fiz isso. Eu a tinha assustado, e pressioná-la só serviria para afastá-la ainda mais.

Suspirando, deixei o telefone na mesa de cabeceira e apaguei a luz. A quietude se abateu sobre o quarto. Tudo calmo.

Calmo demais.

23
Júlia

No fim da tarde de domingo consegui pegar um ônibus vazio e até achei um assento livre depois de deixar a L&L. Estava mentalmente perturbada, fisicamente exausta, mas a sensação de dever cumprido era quase inebriante.

Ivan e eu tínhamos conseguido. Contra todas as probabilidades, tínhamos terminado o site a tempo. Eu chegara à L&L pouco antes das seis da manhã e não parei nem para um café. No dia anterior fora ainda pior: saí de lá quase à uma da manhã. Mas agora podia relaxar um pouco.

Olhei para o prédio cinza de doze andares e conferi o endereço que Marcus havia me enviado. Eu estava no lugar certo.

Marcus. Suspirei. Aquele homem ia me mandar direto para um hospício, com certeza. Porque, quando eu estava perto dele, não agia como eu mesma. Prova disso havia sido aquele beijo.

Mesmo agora, dois dias depois, eu ainda tentava entender por que havia retribuído. A única conclusão a que eu consegui chegar foi que estava tensa demais e não conseguira pensar no que estava fazendo. Mas o que mais me intrigava desde a noite de sexta era o que o levara a me beijar. Carência?

Eu duvidava.

Tédio numa noite de sexta?

Provavelmente.

Tirar uma com a minha cara?

Com toda a certeza.

Eu tinha mandado uma mensagem a ele o lembrando do jantar e perguntando se eu podia aparecer, já que eu tinha que me familiarizar com sua casa nova antes de conhecer seus pais. Estranhei aquele curto "ok". Depois do que tinha acontecido no carro, aquele ok podia ter mil significados, como também podia não ter significado nenhum! Era tudo muito confuso.

Eu estava descendo do ônibus quando meu celular começou a tocar.

— Oi, florzinha. O que está fazendo de bom? — Dênis perguntou.

— Estou indo para a casa do Marcus. E você?

— Espera. Você resolveu mesmo ir em frente com isso?

— Não encontrei outro jeito, Dênis. É isso ou eu mato a tia Berê de desgosto.

— Saí do caminho, para dar passagem a uma senhora e seu poodle.

— Certo. E como você está se sentindo com tudo isso?

Soprei alguns fios de cabelo que me caíam no rosto.

— Péssima, né? Além disso, desenvolvi uma estranha alergia ao Marcus. Vai ser um pesadelo ainda pior do que eu tinha imaginado.

— Como assim? Ele aparece e você começa a espirrar?

— Não, é bem pior. Fico toda dormente quando ele encosta em mim.

Dênis ficou calado por um instante.

— Dormente, é? — perguntou, e eu podia jurar que estava sorrindo. — Tipo uma comichão que começa na barriga e se espalha pelo corpo todo?

— É! — Ah, graças a Deus alguém sabia o que era aquilo. Já estava começando a ficar preocupada, pois dei uma pesquisada rápida na internet e não encontrei nenhuma informação a respeito de alergia a determinada pessoa. — Você já teve isso?

— Ah, eu tive, Júlia. Um monte de vezes!

— E o que você fez para acabar com isso?

— Eu transei com a pessoa que me causava essas sensações. É tiro e queda.

Revirei os olhos.

— Estou falando sério, Dênis!

— Eu também! Sei que você não é muito boa pra identificar essas coisas, mas confie em mim, florzinha. Isso que você está sentindo se chama atração física. Essa alergia na verdade atende por outro nome. Tesão.

Era só o que faltava.

— Dênis, eu sei o que é tesão! — esbravejei. Um rapaz que passava por mim me olhou com a sobrancelha arqueada, curioso e interessado. Eu me virei para o outro lado e obriguei minha voz a se manter baixa. — Eu sei o que é... isso aí, e *não é* o caso.

— Eu estou falando de *tesão*, Júlia. Daquela coisa louca que faz a gente perder a cabeça e muitas vezes se arrepender do que está fazendo, mas não muda nada porque a força daquilo é tão poderosa que não se é capaz de escapar. E isso, minha flor, nós dois sabemos que nunca aconteceu com você.

— Às vezes é inútil falar com você. — Chutei uma pedrinha solta na calçada.

— Sim, porque você odeia estar errada. Me liga mais tarde. Vou torcer para tudo correr bem no jantar. — Desligou.

Até parece que eu sentia atração por Marcus. Até parece que aquela alergia era tesão. Eu saberia se fosse. E não era.

Deixei aquela bobagem de lado e entrei no prédio dele, me dirigindo ao porteiro e esperando que me liberasse. O hall de entrada tinha piso de mármore e janelas altas que iam do chão ao teto. Um conjunto de cadeiras no canto formava uma sala de espera convidativa, mas não tive tempo de me sentar, já que o porteiro pediu que eu subisse. Tomei o único elevador do lugar, apertando o botão com o número dois. Assim que ele se abriu, deparei com um corredor pequeno e duas portas. Uma delas estava aberta.

Conferi o número e bati de leve.

— Marcus?

— Opa! Vai entrando. Estou na cozinha.

Um pouco hesitante, respirei fundo e passei pelo batente, fechando a porta em seguida. Alisei a blusa, ajeitei os óculos, conferi se meu cabelo ainda estava decente, tentando ganhar tempo. Estava mais do que constrangida pelo que tinha acontecido na noite de sexta e não sabia como agir agora. Ou como *ele* agiria agora.

Espiei o pequeno átrio que dava para a cozinha. Marcus estava sentado no chão. Uma infinidade de ferramentas, placas e pedaços de madeira esparramados ao redor. Ele lixava vigorosamente algo embaixo da pia.

— Oi — articulei, sem graça. — Você fica sozinho por cinco minutos e já começa a destruir a mobília? — tentei brincar.

Ele girou a cabeça e exibiu um sorriso torto. Meus receios recuaram um pouco.

— Chegou cedo. Pensei que ficaria até tarde. — Seu cabelo negro suado estava grudado na testa. A camiseta branca, por mais que eu tenha tentado não prestar atenção, tinha grandes manchas de suor ao redor do pescoço, no peitoral e no abdome. E se prendia aos braços e ao tórax como se fosse uma segunda pele.

— Está com sede? Tem refrigerante na geladeira.

— Valeu. — Joguei a mochila sobre a mesa de madeira. Só havia três cadeiras. Peguei duas latas e entreguei uma para ele. — O que você está tentando fazer aí?

— Não me molhar inteiro toda vez que for lavar louça.

Ele havia arrancado as duas portas do armário embaixo da cuba e serrado o assoalho.

— Certo. Quer alguma ajuda?

— E você entende alguma coisa de marcenaria? — perguntou, com humor na voz. Conforme ele se enfiou ali embaixo, a camiseta se esticou toda em seus ombros, até quase romper as costuras, e eu me flagrei prendendo o fôlego. — Júlia?

— Oi? — Pisquei, desviando os olhos das linhas esticadas, tentando decidir se estava feliz ou frustrada pelo fato de a camiseta ainda estar inteira.

— Você entende alguma coisa de marcenaria? — repetiu.

— Não.

— Então só senta aí e me ajuda com as ferramentas. Conseguiram mesmo terminar o site?

Fiz que sim e abri meu refrigerante.

— Ficou lindo e parece que está tudo em ordem. Vamos ver quando for ao ar, se vai aparecer algum bug, mas por enquanto acho que posso respirar.

— Eu disse que você ia conseguir. Me passa aquilo ali. — Apontou para uma ferramenta.

— Eu sei o que é um martelo, Marcus — respondi de cara amarrada. — Pode dar nome às coisas.

— Tudo bem. — Ele lutou contra o riso. — Me passa o martelo e meia dúzia de pregos Ardox. — Puxou a placa de madeira e a encaixou no vão sob a pia, formando uma espécie de rampa invertida.

Examinei as caixas de pregos. Nenhuma tinha nome. Estiquei a mão em direção a uma delas. Marcus pigarreou. Tentei outro, que parecia ter uma cabeça remontada sobre outra. Já ia pegar um punhado desses quando ele tossiu suavemente.

— Por que raios você precisa de tantos modelos de pregos? — resmunguei, azeda.

— Cada um tem uma função. São aqueles ali, com a ponta espiralada.

— Mas são parafusos.

— Não. São pregos Ardox. Essa madeira é muito dura, e eles vão mantê-la firme.

Entreguei a ele um punhado. Marcus encaixou alguns entre os lábios, apoiou um deles na madeira, encostou o tronco no balcão e começou a martelar. Era preciso, firme, os bíceps estufando as mangas da camiseta além do limite.

Pelo amor de Deus, por que ela não se rompia de uma vez e acabava com aquele suspense?

— Onde aprendeu tanto sobre marcenaria? — perguntei, para tentar me distrair da súbita urgência de rasgar as roupas dele. É por isso que não se pode beijar alguém assim, do nada. Você começa a confundir as coisas.

— Com o meu pai. Ele adora construir casas de passarinhos, bancos, mesinhas, caixas para as flores da minha mãe. Peguei gosto pela coisa. — Continuou a martelar.

— Ele é carpinteiro?

Ele sacudiu a cabeça, fazendo alguma coisa com a ferramenta cujo nome e uso eu desconhecia.

— Meu pai é contador aposentado. A marcenaria sempre foi só um hobby.

— E a sua mãe?

— Sempre foi dona de casa. Você vai adorar ela. Mais Ardox, por favor?

— Você acha que eles vão acreditar que sou sua... cuidadora? — Eu lhe entreguei mais pregos.

— Não tem por que não acreditar. O Max é quem me preocupa. Foi uma sorte vocês não terem se cruzado agora há pouco. Ele acabou de sair daqui.

— Ele me fez umas perguntas outro dia, quando o encontrei no elevador da L&L. Esqueci de contar. — Não que a culpa fosse minha. Se ele não tivesse me beijado, eu teria lembrado antes.

Marcus se deteve, me estudando com ansiedade.

— O que ele quis saber?

— Nada específico, mas parecia muito interessado no tipo de relacionamento que nós temos.

— Saco! — grunhiu.

— Por que esconder isso dele? Vocês parecem bem próximos.

Ele deu um tempo para a ferramenta e tomou um bom gole de refrigerante, se ajeitando melhor até suas costas estarem totalmente coladas ao gabinete.

— Porque ele está preocupado, Júlia. Se souber que eu não tenho uma cuidadora de verdade, vai acabar ficando ainda mais. E ele já se preocupa comigo o bastante. É melhor assim. — Ele deixou a lata de lado e voltou ao trabalho.

— Como foi sua primeira noite sozinho? — eu quis saber.

— Legal. — Mas sua voz não soou tão animada assim.

— Não imagino como possa ser isso. — Abracei os joelhos. — Nunca fiquei por conta própria.

Marcus pegou o prego entre os dentes e o colocou no ponto onde o queria.

— A ideia te apavora, não é?

— Não... Sim! — acabei confessando. — Eu não sei se seria feliz acordando e não tendo ninguém a quem desejar bom-dia.

Ele balançou a cabeça.

— Minha vida seria tão mais tranquila se eu pudesse pensar assim.

— Talvez você queira tanto ficar sozinho porque alguém deve ter dito que não podia. Psicologia reversa.

Ele deliberou por um momento.

— É possível. Odeio que me digam o que eu posso ou não fazer.

E provavelmente foi por isso que ele me beijou na sexta, me dei conta. Porque eu tinha dito que ele não podia. Não sei ao certo como me senti ao fazer essa constatação.

— O que você costuma fazer nos fins de semana, quando não tem que salvar o mundo? — Ele me olhou por sobre o ombro. — Como é que você se diverte?

— Não sou muito de sair, ainda mais com a saúde da tia Berê tão instável. Às vezes zapeio pela net, vejo documentários...

— Meu Deus do céu. — Ele balançou a cabeça, rindo.

— ... às vezes jogo.

— Cartas ou PlayStation? — Ele arqueou a sobrancelha, desconfiado.

— PlayStation é legal, tem um hardware muito bom, mas eu gosto mais dos gráficos do Xbox.

A boca de Marcus se abriu, mas nenhum som saiu dali conforme ele me estudava como se me visse pela primeira vez.

— O que foi? — perguntei.

Ele desviou o olhar de imediato.

— Nada. Eu... — ele pigarreou. — Acho melhor eu ir tomar um banho, ou vamos nos atrasar. Fique à vontade para andar por aí.

Esticando o braço, ele puxou sua cadeira. Em quinze segundos já estava sobre ela e deixava a cozinha. Esperei até ouvir uma porta bater. Queria dar uma arrumada na bagunça que ele havia feito no chão da cozinha, mas o trabalho não tinha terminado ainda.

Seguindo o conselho de Marcus, perambulei pelo apartamento de cômodos amplos e bem iluminados. A sala contava com um sofá grande com chaise disposto em frente a uma estante, onde uma TV gigante dividia espaço com três caixas empilhadas com a inscrição GAMES. Uma mesa e dois computadores ficavam num canto. Belas máquinas, aliás.

O barulho de água correndo chegou a meus ouvidos, então imaginei que não teria problema dar uma espiada no resto. O quarto menor tinha apenas uma cama de casal e uma cômoda. Inúmeras caixas de papelão haviam sido empilhadas sobre o colchão, e deduzi que aquele não era o quarto dele. Abrindo a porta logo em frente, entrei no cômodo espaçoso, a cama de madeira escura fazendo par com os criados-mudos. Um guarda-roupa embutido ocupava toda a parede. Não havia tapetes nem cortinas. Os lençóis estavam uma bagunça, e por um momento cogitei esticá-los, mas não queria que Marcus soubesse que eu me enfiei em seu quarto, de modo que voltei para a sala.

Dez minutos depois, ele saía do banheiro com o cabelo ainda úmido, um jeans escuro e uma camisa azul-clara com as mangas enroladas até os cotovelos, que deixou o bronzeado de sua pele ainda mais evidente. Meus pensamentos imediatamente se voltaram para o que acontecera no carro.

Por que eu ainda continuava pensando naquilo?

— Qual o problema agora? — Marcus soltou o ar com força. — Não estou decente o bastante? Quer que eu coloque um paletó?

Abri a boca para responder, mas precisei de algumas tentativas para fazer minha voz sair.

Maravilha. Meu cérebro tinha bugado e eu não fazia a menor ideia de como corrigir o problema.

— Não... — Clareei a garganta. — Você está ótimo. Podemos ir.

Ao deixarmos o apartamento, Marcus teve um pouco de dificuldade para alcançar a maçaneta e fechar a porta.

— Quer que eu... — comecei.

— Não, já consegui — ele respondeu, se esticando até o limite da cadeira e agarrando o puxador.

Marcus chamou o elevador, e assim que as portas se abriram fez um gesto com a cabeça para que eu entrasse primeiro. Aquele silêncio incômodo preencheu a cabine e não se dissipou quando saímos nem quando entramos no carro. Se é que era possível, pareceu ficar ainda pior.

— Quer que eu ligue o ar? — ele puxou conversa.

Olhei para ele na intenção de sorrir educadamente, mas, assim que nossos olhos se encontraram, uma força invisível e muito poderosa dominou a atmosfera, e eu me dei conta da presença de Marcus como nunca havia me dado antes.

Tentei desviar os olhos dos dele, mas não consegui mover um único músculo. Aquelas íris enlouquecedoramente verdes se incendiaram. Um arrepio subiu por minha coluna e um calor insuportável viajou por todo o meu corpo, se concentrando em meu baixo-ventre.

Ah, não!

— Você não devia ter me beijado. — Tá, não saiu como eu tinha planejado. — Na sexta.

— Eu sei. — Ele fechou os olhos, quebrando o encanto. Virando-se no assento, apertou o botão que baixava os vidros e agarrou o volante, ficando assim por um minuto inteiro, como se buscasse algum controle. Então deu partida.

Logo que passou a marcha e começamos a nos mover, tive esperanças de que aquela coisa fosse embora, mas ela não foi. Pareceu ficar ainda mais forte.

O celular de Marcus começou a tocar. Ele esticou o braço e o pegou no painel, mas seus dedos pareciam instáveis. O aparelho caiu no assoalho do carro.

— Cacete! — Ele tentou manter o carro estável usando o cotovelo enquanto se inclinava e tateava.

— Deixa que eu pego.

Eu me abaixei para alcançar o aparelho, mas o cinto não permitiu. Soltei a trava e me curvei em direção a Marcus, evitando tanto quanto possível esbarrar nas alavancas de freio e acelerador. Não foi uma tarefa fácil, já que o telefone estava próximo aos pedais.

Apoiei uma das mãos na coxa dele, buscando, mas, assim que meus dedos esbarraram no aparelho, ele escorregou para baixo do acelerador.

— Droga!

— Júlia...

— Peraí. — Eu me ajoelhei no banco e me contorci entre os braços dele e o volante do jeito que deu. Minha cabeça encontrou apoio em algum lugar, facilitando um pouco as coisas. Gemendo baixo enquanto minhas costelas se comprimiam de um jeito doloroso em alguma alavanca, vasculhei o assoalho com os dedos. — Estou quase lá. Quase lá!

— Se você continuar a fazer isso, eu também.

— O quê? — Virei a cabeça, estranhando o tom rouco e urgente em sua voz, e me deparei com a frente de sua calça e uma baita... — Ai! — Eu me levantei tão depressa que bati a parte de trás da cabeça no cotovelo de Marcus. Não sei ao certo como consegui me acomodar no banco do carona, mas me vi encostada na porta, arfando e me agarrando ao painel, porque havia alguma coisa errada comigo.

— Você está bem? Eu te machuquei? — ele quis saber.

Apenas balancei a cabeça, negando.

Ah, meus Deus. Ah, meu Deus! Ah, meu Deus!

— Eu não tive intenção — ele disse, olhando fixamente para a frente. — Mas você não pode enfiar a cabeça no meu colo desse jeito e...

— Eu sei! — interrompi depressa.

— ... esperar que eu não...

— Eu sei! Eu sei! Desculpa! Não percebi o que estava fazendo.

Tudo bem, não havia como entender de outra forma o que tinha acontecido no... na... abaixo da cintura de Marcus. Não tinha como interpretar de outra maneira aquela enorme... aquele imenso... *aquilo*.

Claro que me passou pela cabeça se ele era capaz de... por causa do acidente e tudo o mais. Eu sei que não devia, mas pesquisara a respeito da vida de um cadeirante quando dera uma parada no serviço, apenas para me distrair um pouco. Eu encontrara muita coisa boa num blog chamado *Cantinho do cadeirante*, e havia uma página inteira dedicada à sexualidade. Fiquei surpresa com tudo o que li. Ao contrário do que eu pensava, apenas uma pequena parcela tinha problemas nessa área, e mesmo assim havia remédios que ajudavam a ter uma vida sexual saudável. Se eu tinha alguma dúvida com relação a Marcus pertencer a essa pequena parcela, ela terminara ali.

Deus do céu, nunca em toda minha vida me senti tão envergonhada. Nem tão quente! Coloquei o rosto para fora da janela, esperando que a brisa suavizasse um pouco aquele ardor. Não funcionou muito, sobretudo porque Marcus ligou o som em uma rádio qualquer e a voz sensual de Marvin Gaye implorava que eu deixasse rolar.

Eu não quero deixar nada rolar, muito obrigada.

Só que uma parte minha, uma que eu não tinha entendido a princípio, e que parecia ganhar força a cada segundo que eu passava ao lado daquele homem, tinha uma opinião muito semelhante à do sr. Gaye.

♫ *Don't you know how sweet and wonderful life can be*
I'm asking you, baby, to get it on with me. ♪

Meu corpo todo começou a pinicar, e Marcus nem havia me tocado. Aquela reação era causada por sua presença. Não era uma alergia.

♫ *I know you know what I've been dreamin' of, don't you, baby?*
My whole body is in love. ♪

Meus olhos quase saltaram das órbitas enquanto as palavras de Marvin — e de Dênis! — se infiltravam em meu cérebro.

My whole body is in love.

Ah, meu Deus! Eles estavam certos. Meu corpo inteiro estava apaixonado por Marcus!

24
Júlia

Eu olhava para o meu prato e remexia a comida, sentindo o olhar de tia Berenice fixo em mim e Marcus. Ele estava a meu lado e, ao contrário de mim, comia sem nenhum problema.

Claro. Ele não tinha acabado de descobrir que se sentia atraído por alguém que não devia.

Tá, ele era muito bonito. Bonito até demais, daquele jeito que me deixava desconfortável. Mas até aí o Max também era e eu não estava tendo fantasias com ele. O mesmo valia para o Dênis, fosse ele gay ou não.

Eu tinha que me afastar de Marcus e pôr um fim naquilo, mas como, se eu não conseguira manter a boca fechada e inventara um namorado para minha tia doente? Como eu podia ficar longe dele até aquilo passar, se tia Berenice já o tinha conhecido?

Só podia ser castigo divino. Não dá para enganar alguém em seu leito de quase morte e sair impune.

— Então, quando vamos conhecer seus pais, Marcus? — tia Berenice quis saber, se servindo de um pouco mais de sopa.

Ele olhou para mim por um breve momento, antes de limpar a boca no guardanapo e sorrir para ela.

— Eu espero que em breve. Mas a senhora me enganou direitinho com aquela conversa de não saber cozinhar. O que tem nessa carne? Não consigo parar de comer.

Ela corou de leve.

— Apenas um pouquinho de alecrim. Mas eu fiz muito pouco. A Jujuba preparou tudo na madrugada antes de ir para o trabalho e a Magda fez o resto.

De imediato, seu olhar se fixou em meu rosto.

— Você nunca me disse que sabia cozinhar.

— Achei que não fosse importante.

— Tá curtindo com a minha cara? — Ele espetou mais um pedaço de carne e levou à boca. — Alguém que sabe preparar uma carne dessas tem meu coração na mão.

Peguei meu copo e tomei um gole de suco apenas para poder desviar o olhar. Já estava tendo problemas com aquela proximidade toda, agora que sabia que me sentia atraída por ele. Marcus me fazendo elogios — a meus talentos culinários, que fosse — era ainda mais constrangedor.

Ele engoliu a comida e tomou um bom gole de sua bebida.

— Bem — clareou a garganta, me obrigando a olhar para ele. — Acho que este é o momento. — Levou a mão ao bolso da camisa.

— Para quê? — Estiquei o braço para pegar a travessa de carne e servi-lo de mais um pouco. Se ele tivesse comida no prato, manteria a boca cheia e não poderia me fazer elogios com os quais eu não sabia lidar.

Porém, ao trazer a tigela para mais perto, acabei esbarrando no braço que Marcus estendia para mim. Algo que ele tinha na mão voou por uns três segundos antes de mergulhar na travessa. Molho madeira espirrou em meu rosto, no de Marcus, em sua camisa.

Merda.

— Desculpa. — Soltei a tigela e me apressei em pegar um guardanapo para ajudá-lo. — Não percebi que você tinha chegado mais perto. — Consegui limpar os respingos em seu rosto com rapidez, contudo hesitei um pouco quanto à camisa. Eu queria tocá-lo, mas também não queria. Eu estava confusa.

— Tudo bem, Júlia. Eu me viro. — Ele pegou o guardanapo da minha mão e terminou o serviço. Soltei um suspiro, em parte alívio, em parte frustração.

— O que fez essa lambança toda? — perguntou tia Berenice.

Certo! Ele tinha algo na mão!

— Espero que não seja seu celular — falei, pegando a colher para pescar o objeto dentro da tigela.

— Não é.

Não. Era ainda pior.

Ah, meu Deus do céu!

Soltei a colher, desesperada para esconder a caixinha preta, agora coberta de gosma marrom. No entanto, os olhos ágeis de minha tia não haviam perdido nada e estavam fixos — e marejados — na tigela de molho.

— Ah, Marcus, meu querido! — ela arfou, levando a mão ao rosto.

— Bem, não é exatamente como eu havia planejado, mas...

Pegando a colher, ele retirou a caixinha de dentro da tigela e a colocou na beirada do prato.

Pânico absoluto tomou conta de mim.

— Alguém quer sobremesa? — Eu me levantei de pronto.

— Não temos sobremesa. *Senta!* — ordenou tia Berenice.

— Júlia... — Marcus pegou minha mão.

Tentei puxá-la, mas ele intensificou a pressão em meus dedos. Cacete! Ele não podia fazer aquilo. Nós não tínhamos combinado nada disso! Ele devia parar. Devia parar agora mesmo!

Mas ele não parou.

— Eu pensei na melhor maneira de lhe dizer isso e descobri que não há uma, por isso vou tomar emprestadas as palavras de um certo sr. Rochester. — Marcus fixou aqueles olhos agora intensos nos meus. — "Uma paixão fervorosa e solene surgiu em meu coração. Ela se inclina para você, traz você para o centro e para a fonte da vida, envolve minha existência em torno de você e, através de uma chama pura e poderosa, nos funde, a você e a mim, num só ser."

Tia Berenice arfou. Ela amava aquele livro. Sabia todas as falas de cor. Ah, meu Deus...

— Marcus... — Engoli em seco, caindo na cadeira. Para. *Para!*, metade do meu cérebro berrava, enquanto a outra metade estava totalmente abobalhada. Nunca achei *Jane Eyre* lá essas coisas, mas também nunca tinha ouvido Marcus recitar o texto de Brontë. Não era para soar assim tão profundo. Não era para soar assim tão verdadeiro. E de maneira alguma deveria soar tão sexy!

— É por isso que eu agora me coloco à sua frente... — ele continuou, os olhos nos meus — ... e estaria sobre um joelho se pudesse, para fazer a pergunta mais importante de toda a minha vida. Júlia Muniz, você aceita se casar comigo?

Como eu poderia responder, se minha voz havia sumido? Se meu cérebro estava em curto, se meus dedos tremiam tanto? Ele me olhava como se a coisa toda fosse real!

— É claro que ela aceita! — Tia Berenice bateu palmas. — Claro que sim! Né, Juju?

Olhei para ela, para o rosto sorridente que de imediato parecia dez anos mais jovem. Voltei a atenção para Marcus, que fez um discreto aceno com a cabeça, me encorajando.

Meu Deus, estava tudo errado! Tão, tão errado!

— Eu... sim. — O que mais eu poderia dizer com a minha tia ali, a meio metro de distância, quase voando sobre a mesa para espiar o que havia dentro da caixinha de joias?

Marcus soltou o ar com força, seus ombros relaxaram visivelmente, assim como o maxilar, e um meio-sorriso tímido lhe esticou o canto da boca. Beliscou a caixinha toda suja e a abriu, revelando... algo muito melecado. Marcus o desalojou de seu ninho e o levou à boca, sugando-o, os olhos nos meus. Um *urf!* incompreensível e muito constrangedor me escapou.

Retirando o anel da boca, Marcus o ofereceu para mim. Relutante, olhei para a joia, para o delicado aro prateado entreaberto que segurava a pedra mais brilhante em que eu já pusera os olhos.

Por favor, que não seja um diamante de verdade!

— Ah, espera, Marcus! Preciso registrar este momento. — Minha tia se levantou e foi até a estante da sala, abrindo as gavetas.

— Por que você está fazendo isso? — sibilei. — Por que não me contou que pretendia me dar o anel?

— Porque eu queria que você ficasse surpresa. Você tem razão: não é muito boa em esconder a verdade. Além disso, você disse que ela melhorou muito depois que soube do seu noivado iminente. Eu só quis garantir que ela continue bem.

— Tá, mas agora ela vai querer apressar o casamento, Marcus! Você não conhece a tia B...

— Pronto, agora sim! — Ela já tinha a câmera a postos.

Marcus pegou minha mão esquerda e, com um claro olhar de desculpa e muita cautela, encaixou o anel em meu dedo.

Flashes foram disparados.

— Agora olhem para cá! — demandou minha tia.

Voltei o rosto para a câmera e forcei um sorriso. O flash disparou de novo. Marcus passou o braço em meus ombros e me puxou para mais perto. Eu queria ficar brava com ele, bem que eu queria, mas não pude. Olhando para tia Berenice agora, ninguém jamais diria que esteve doente por nem um dia sequer.

Marcus insistiu que ela se juntasse a nós dois para uma foto. Em seguida, minha tia fez questão de um brinde, e tivemos que usar suco de laranja por causa do coração dela. Ela continuou a fazer fotos de nós dois, mesmo depois que pedi para parar.

— Berenice, eu... — Marcus começou.

— Tia Berê — ela corrigiu, amável. — Você agora é da família. É o noivo da Juju!

— Está certo. Tia Berê — concordou, lançando um pouco de charme para ela. — Eu gostaria de falar com a senhora sobre a Júlia passar a noite fora.

— Ah... Ah! Bem... — ela começou, ao mesmo tempo em que eu soltava:

— Quê?

Ele alisou meu antebraço. Lutei para mantê-lo no lugar, já que tia Berenice estava atenta, mas não pude fazer nada quanto àquela sensação de formigamento. Como não percebi antes que aquele calor insuportável era atração? Tudo bem, o Dênis estava certo. Eu nunca tinha me sentido assim antes, mas mesmo assim. Como podia ter pensado que se tratava de uma alergia?

Deus do céu, e eu havia contado a ele como me sentia! Que idiota!

E, droga, saber disso fazia Marcus estar certo também. Eu era a pessoa inteligente mais burra do mundo.

— Não faz essa cara, Juju — Marcus falou, numa voz doce e sedutora. — Estamos noivos agora. Sua tia sabe que precisamos de algum tempo juntos e não verá mal algum caso você fique comigo no fim de semana, não é mesmo, tia Berenice?

— Bem, é claro...

— Eu não preciso pedir autorização — sibilei para ele, porque todo o resto do que ele disse se perdera em algum canto da minha mente. Passar o fim de semana com ele? Agora que eu sabia o que aquelas sensações significavam?

De. Jeito. Nenhum.

— É claro que não precisa — ele prosseguiu —, mas nós avisaremos a sua tia quando for acontecer. Não quero deixá-la preocupada. Além disso, vamos ter que providenciar uma companhia para a senhora.

Minha tia piscou, atordoada.

— Quanta gentileza. É muita consideração sua pensar em mim, meu querido. E me perdoe por parecer tão atabalhoada. A Júlia nunca dormiu fora antes, e não me ocorreu que... — ela corou. E eu também. Sabia exatamente no que ela estava pensando: Marcus e eu fazendo sexo.

Eu queria morrer.

— Sim, ela deve ficar com você quando quiser. — Ela se recuperou muito antes de mim. — Vocês estão noivos, afinal. — Então algo cintilou em suas íris escuras. Oh-oh. — Já pensaram em uma data?

Olhei feio para Marcus, acusando-o.

— Vamos ver isso logo, logo. — Ele encolheu os ombros, se desculpando.

— Todo mundo terminou? — perguntei, querendo mudar o rumo da conversa, antes que ela se levantasse, calçasse seu sapato de sair e fosse em busca do vestido de noiva perfeito. Ou, o que era pior e muito mais provável, fosse para seu quartinho de costura e começasse a pedalar em sua máquina velha e pesada, com a saúde tão debilitada.

— Estou quase lá — Marcus brincou, piscando para mim.

Cretino! Como se atrevia a tocar naquele assunto? Com a minha tia bem ali!

— Opa, cuidado, minha pinguinzinha. — Marcus afastou o braço e com cuidado forçou meus dedos a se abrirem, libertando a faca que eu empunhava. Eu estava a um passo de cometer um noivicídio!

— Deixa eu pegar um pouco mais de suco pra gente — tia Berê disse, já de pé.

Assim que ela sumiu na cozinha, eu me virei para Marcus, fuzilando-o.

— *Pinguinzinha?* Tenha dó, Marcus.

— Não posso te chamar de namorada, Juju nem Jujuba. Tive que inventar alguma coisa romântica. Sua blusa é preta e branca; foi o que me ocorreu.

— Ah, certo. Porque aves são... — eu me detive ao ouvir a voz de tia Berê, na cozinha.

— Sim, Magda. E usou um trecho de *Jane Eyre*! Foi o pedido mais romântico de toda a história do universo.

Não acreditei que ela não pôde esperar Marcus ir embora para ligar para as amigas contando as "boas-novas".

Se bem que eu podia acreditar, sim. Ela esperava por isso desde que eu tinha completado vinte e um anos.

— Aves são realmente muito românticas — completei, olhando feio para Marcus.

— Na verdade, são sim. O pinguim tem apenas um parceiro durante a vida toda. Mesmo que o parceiro morra, ele não escolhe outro. Fica sozinho para sempre. Era isso ou "minha zebrinha", mas achei que seria forçar demais a barra. — Fez uma careta engraçada. — Agora, francamente, Júlia, não me surpreende que o cara do wi-fi tenha rodado. Você *nunca* dormiu na casa dele?

Eu quis gritar.

— Isso não é da sua conta. Só posso ter perdido a cabeça para aceitar que você...

— Júlia... — Ele olhou por cima da minha cabeça.

— Nada de "Júlia". Você não devia ter...

Ele me interrompeu, segurando meu rosto abruptamente.

— Desculpa — murmurou.

— Não se atrev... — Mas seus lábios já estavam sobre os meus.

25
Júlia

Eu tentei empurrá-lo... Tá legal, não tentei. Mas também não o encorajei!

Quer dizer, não acho que enroscar os dedos em seu cabelo tenha sido um encorajamento.

Como das outras vezes, aquele torpor dominou meu corpo instantaneamente. Ainda era estranho, mas de um jeito diferente agora que eu sabia o que ele significava. O beijo foi mais longo que o primeiro que ele me dera ali, naquela mesma sala. E mais úmido também. No começo fiquei imóvel, surpresa demais para reagir, mas, quando não o repeli, ele começou a mover a boca contra a minha de maneira sutil. Seus lábios se encaixaram e sugaram os meus, e no mesmo instante uma corrente elétrica chispou dentro de mim, me chacoalhando de leve.

Sei que eu devia ter impedido aquilo, mas aquela vozinha dentro de mim começou a berrar: *Mais, mais, mais!*

Tão inesperadamente quanto me agarrou, ele se afastou. Suas mãos, no entanto, permaneceram em meu rosto, os olhos atrelados aos meus, e eram tão intensos, tão profundos, que senti como se imergisse naquele oceano. E o mais confuso é que eu podia jurar que ele também se sentia daquela maneira, mergulhando no desconhecido.

— Que belo par vocês formam! — tia Berenice se derreteu, logo atrás de mim.

Marcus libertou meu rosto no mesmo instante, parecendo tão atordoado quanto eu. Minhas bochechas ficaram tão quentes que achei que a pele pudesse se desprender dos músculos.

— Bem, acho que está na hora de eu me retirar — ela brincou, alegre. — Vou apenas dar um jeito na cozinha e já deixo vocês dois em paz.

— Nada disso, tia — atalhei. — Eu arrumo tudo.

— Meu amorzinho, você trabalhou durante todo o fim de semana! E eu fiquei aqui vendo a Magda fazer tudo sozinha. Você não pode exigir tanto de si. Nem pode trabalhar tantas horas assim. Vai fazer mal. Escute o que eu digo, Juju: o mundo vai continuar o mesmo na segunda-feira, ainda que você não consiga cumprir o que foi proposto.

Ela dizia aquilo porque não conhecia Américo.

— Esse seu coração já teve emoções demais por uma noite — insisti. — Além disso, um pouco de louça suja não vai me matar

— Isso aí — Marcus interferiu. — Vou ajudar a Júlia. Limpamos tudo rapidinho. Pode ir descansar, dona Berê.

Ela soltou um pesado suspiro.

— Está bem. Então vou deixar vocês dois mais à vontade. Aposto que estão desejando um pouquinho de privacidade — e me deu uma piscada tão discreta que até a dona Inês, três casas distante, devia ter visto.

Assim que ouvi o ruído da porta do quarto dela se fechar no andar de cima, comecei a retirar a mesa. Marcus me ajudou, acomodando um grande número de pratos e talheres em seu colo e os levando para a cozinha.

— Desculpa por ter te beijado daquele jeito. Eu... — ele começou.

— Tudo bem. Você precisava me fazer calar a boca. — Amarrei o avental na cintura. — Eu entendi. E... humm... — Rodei o anel em meu dedo, um pouco nervosa. Relanceei a porta da cozinha e baixei a voz. — Marcus, me diz que isso não é uma joia de verdade.

— Não é.

Ainda bem!, pensei, ao retirar o anel e o colocá-lo na mesa. Não era porque se tratava de uma bijuteria que eu iria estragá-lo.

— Júlia, desculpa por ter feito o pedido sem te avisar. Achei que assim tornaria a coisa mais natural, já que você não sabe fingir. Eu realmente não fiz por mal.

Sacudi a cabeça.

— Tá certo, Marcus. Não muda muita coisa. O casamento já está contratado. A tia Berê só tem um novo sonho para sonhar agora. Eu... — Limpei a garganta. — ... agradeço pelo que você fez.

Ele me olhou desconfiado.

— Você não está brava comigo?

— Ah, eu estou. Tão furiosa que quero arrancar sua cabeça e jogar futebol com ela. Mas eu não via minha tia tão corada assim desde... desde o ano passado, eu acho. Você a fez muito feliz esta noite.

— E você faria qualquer coisa para vê-la assim de novo, não é? — Marcus perguntou suavemente.

— Ela é tudo pra mim. — Abri a torneira e comecei a lavar a louça — Então eu vou dormir na sua casa no fim de semana?

— Mas não precisa fazer essa cara. Meus pais também vão estar lá. Você nem precisa ficar durante todo o fim de semana. Apenas uma noite deve bastar para que eles vejam que você é real. Relaxa.

Me limitei a olhar para ele.

Ele soltou um suspiro aborrecido.

— Esqueci que você não sabe fazer isso.

— Claro que eu sei! — falei, ofendida, encaixando o prato no escorredor de louças. — Eu relaxo o tempo todo!

— Claro... — ironizou, pegando o prato para secá-lo.

Ficamos em silêncio por alguns minutos. Apenas o barulho da água e o repicar da porcelana que às vezes se chocava eram ouvidos.

— Júlia, eu estava aqui pensando... — Ele me analisava com atenção agora. — Por que você não tem carro? Vocês moram meio fora de mão.

— Não deu certo ainda conseguir minha carteira de habilitação.

— Por que não? Se quiser, eu posso te ajudar com a papelada.

Sacudi a cabeça.

— Agora não dá. Preciso economizar. Não sei como vai ser o futuro, os gastos que podem surgir. Preciso garantir que a tia Berenice tenha todo o suporte necessário.

Ele se manteve calado, deliberando. E pareceu um pouco sem jeito ao indagar:

— Posso fazer uma pergunta bastante pessoal?

Eu me virei para ele.

— Hummm... Pode, já que eu posso escolher não responder.

— É justo. — Terminou de secar a tigela e deixou sobre a mesa. — Pelo que eu entendi, sua tia criou você.

Fiz que sim com a cabeça, um pouco receosa de onde aquilo iria dar.

— Por que você não a chama de mãe, Júlia?

Não era a pergunta que eu esperava.

— Bom... eu acho que... que é porque... — Suspirei. Estava tão cansada de me esquivar daquele assunto. — Quando se convive com um fantasma, você tem medo.

— De quê? — ele perguntou, sem entender.

— De que ela voltasse para me assombrar. Minha tia tinha esperança de que um dia a mulher que me pariu pudesse voltar... que seria boa — me ouvi dizer — Era irmã dela, né? A tia Berê teve fé até o fim.

— E ela não voltou — ele concluiu, com delicadeza.

— Claro que voltou. Mais de uma vez até. Batia na porta querendo dinheiro para comprar aquelas porcarias. Quando a tia Berê se recusava, ela ameaçava me levar embora. Eu vivia com medo. Foi... foi um alívio quando descobri que ela tinha tido uma overdose. Achei que o pesadelo acabaria, mas ela continuou me perseguindo em sonhos. Não consigo dormir com todas as luzes apagadas.
— Terminei com a louça, fechei a torneira e girei, apoiando o quadril e as mãos na pia. — Bem idiota, né?
— Não é. Eu sinto muito. — Muita coisa cintilou naquelas íris verdes cristalinas. Pena e compaixão eu consegui reconhecer. Outras, porém, não soube decifrar. E foram essas que fizeram meu coração martelar contra as costelas.
— Eu... — comecei ao mesmo tempo em que Marcus dizia:
— Acabei de lembrar que...
Acabamos rindo, constrangidos.
— É melhor eu ir. Já está tarde. — Marcus pendurou o pano de prato no encosto de uma das cadeiras.
— Eu te acompanho até o carro.
Andei ao lado dele até chegarmos ao seu Honda. Dessa vez ele guardou a cadeira no banco do carona.
— Então, a que horas eu devo chegar no sábado? — questionei.
— Quando puder. Meus pais devem aparecer no fim da tarde.
— E o que eu devo vestir?
Ele refletiu por um instante.
— Minissaia branca e camisa justa, com os primeiros botões abertos, seria o ideal.
Revirei os olhos.
— Nem nos seus sonhos.
— Nos meus sonhos você não usaria nada, Pin. — Abriu um sorriso cafajeste. Eu já estava pronta para mandá-lo à merda, mas me detive.
— *Pin?*
— Pinguinzinha é muito longo. — Deu de ombros. — Veste o que você achar confortável. Não precisa se preocupar com a sua aparência. Não é isso que eles vão julgar.
— Vão julgar o quê, então?
Seu olhar percorreu meu rosto — cada ângulo dele — e se deteve em minha boca. Aquela dormência recomeçou, como se ele tivesse acabado de me beijar.
— Eles vão avaliar se você é capaz de me manter inteiro. — Ele estava absolutamente sério ao me encarar. — E isso, acabei descobrindo faz pouco tempo, só você pode.

Franzi a testa. Que diabos aquilo queria dizer?

— Até amanhã. — Deu partida.

— Amanhã? Achei que ia te ver de novo só no fim de semana.

O clima se tornou mais leve conforme toda aquela intensidade abandonava sua face e a diversão regressava.

— Ah, não. Ainda temos muito o que aprender um sobre o outro. Além disso, sua tia é old school. Deve estar esperando que eu venha cortejar você todo dia.

— Não temos que seguir essa linha — falei, na defensiva.

— Talvez. Mas assim vai ser mais divertido. Sonha comigo, minha Pin. — Ele engatou o carro e se afastou, me deixando ali na calçada, consternada.

— Não sou sua Pin! — resmunguei para o nada.

Já ia fechando o portão quando reparei que a luz do quarto de Dênis ainda estava acesa. Atravessei a rua e subi a escada lateral que dava no segundo andar. Ergui o braço para bater, mas a porta se abriu antes.

— Já não aguentava mais essa demora. Fiquei espiando a cada cinco minutos para tentar ver um pouquinho do Marcus, e não acredito que acabei perdendo! — Ele pegou meu braço e me puxou para dentro. — Minha mãe disse que você está noiva!

— Pois é. — Ergui a mão, exibindo o anel.

— Júlia! — Seus olhos se arregalaram, ao passo que ele pegava meus dedos e os aproximava do rosto.

— Lindo, né? Nem parece que é bijuteria.

— Hã...

Não gostei daquele *hã*. Aquele *hã* não era bom. Aquele *hã* significava que eu tinha dito alguma coisa errada. "Lindo" não devia ser, porque o anel era mesmo muito bonito, então só restava a parte da "bijuteria".

Ah, não!

— Dênis, por favor, me diz que não é o que eu estou pensando.

— Hã...

— Não pode ser um diamante de verdade!

Ele se sentou na cama, soltando minha mão, que pendeu como um sino, e de repente pareceu pesar tanto quanto.

— Mas é, Ju. Eu o reconheceria a quilômetros de distância, mesmo que não tivesse vendido um desse dois dias atrás. Como é esse Marcus?

Não. Pior que aquele anel ser uma joia de verdade, só se fosse da joalheria onde o Dênis trabalhava. Tudo ali custava mais que a minha casa!

— Moreno, olhos verdes, um queixo... humm... marcante — fui dizendo.

— Grandalhão? Cadeirante? Lindo de doer?

Fitei o anel, horrorizada. Subitamente, ele parecia me queimar. Marcus não podia ter feito isso!

— Calma, Júlia. É só um anel.

— Só um anel? Da joalheria em que você trabalha? *Só um anel?!*

— Tem toda a razão. Não é só um anel. — Tornou a pegar minha mão para admirar a peça. — É um anel maravilhoso.

— E ridiculamente caro! Meu Deus! Tenho que devolver pra ele.

— E vai dizer o que pra sua tia?

— Que eu perdi, ué. Por que raios ele me comprou um anel de diamante?

— Eu não sei, florzinha. Você vai ter que perguntar pra ele.

Ah, e eu ia. E depois o esganaria!

Ainda pensava nisso meia hora depois, quando deixei o quarto do meu amigo e atravessei a rua deserta, brincando com o anel em meu dedo.

26
Marcus

Não estava dando certo. A maldita cena estava toda errada. Do jeito que as coisas iam, meu game afundaria antes que eu chegasse à fase três. Fiquei olhando para o computador, tentando entender onde havia errado. Porque tinha um erro ali. Tão grotesco que me escapava.

Frustrado, me afastei do teclado. O silêncio também não estava ajudando nada. Não que eu estivesse reclamando. Era só mais uma coisa a que eu tinha que me adaptar. Estar por conta própria não era tão divertido assim quando a noite caía.

O telefone tocou.

— Marcus, meu amor, como você está? — minha mãe perguntou. — As crianças na fundação andam se comportando? Você comeu? E a faculdade?

— Já comi, mãe. — Doritos é comida, afinal. — E as crianças são ótimas. Nem melhor nem pior do que eu fui. E tudo vai bem na faculdade. Minhas notas estão boas.

— Claro que estão! Você e o seu irmão herdaram a inteligência da minha família.

— Eu ouvi isso! — meu pai gritou ao fundo.

— Aliás, posso falar com o Maximus?

E que comece o festival de mentiras.

— Ah, mãe, não vai dar. O Max e a Alicia já foram para o quarto. Eu é que não vou bater na porta deles a esta hora, né?

— Ah. Não, claro que não. — Eu quase podia vê-la corar. Enquanto ela se recompunha, puxei um papel e um lápis e comecei a rabiscar. — Mas avise a ele que a tia Eneida ligou. Ela não vai poder vir para o casamento. Teve que retirar a vesícula, pobrezinha. Tem que ficar de repouso por uns tempos.

— Que chato, mãe — comentei, contente. Não que eu não gostasse de tia Eneida. Eu gostava muito, embora nos víssemos pouco. É só que a vesícula dela era um assunto seguro; eu não precisaria mentir. — Como é que ela está?

— Bem. Quer dizer, não pode comer um monte de coisas e vai ter que...

Minha mãe continuou falando por cerca de vinte minutos. Assim que ela desligou, me vi no completo silêncio de novo. Olhei para minha sala. Era estranho não ouvir nada além da minha respiração e da voz de Marvin Gaye, que vinha do meu iPod. Pela primeira vez eu estava sozinho. Ao mesmo tempo que isso me causava alívio, também me angustiava. Irônico, não?

Max e Alicia tinham dado uma passada por ali um pouco mais cedo. Suspeitei de que meu irmão quisesse conhecer minha cuidadora, e também se assegurar de que eu não estava fazendo nada ilícito ou idiota. Ele ficou satisfeito por me ver em frente ao computador, trabalhando no meu game, e decidiu ir para casa cuidar da própria vida.

Mas as coisas não iam bem com meu projeto. Eu tinha tudo na cabeça, como cada cena se desenvolveria, mas colocar isso para fora estava sendo uma tortura. Havia meses que eu não conseguia avançar. O personagem principal não parecia coerente.

Eu tinha que tirar Júlia da cabeça se quisesse concluir aquele jogo. Ficar pensando em seus beijos não estava me levando a lugar nenhum.

Será que ela também tivera aquela sensação de estar em carne viva quando eu a beijei, me peguei pensando, como se todas as suas terminações nervosas estivessem expostas?

Com Júlia, eu nunca tinha certeza de nada. Bastava lembrar como ela reagira ao anel. Eu estava certo de que ela arrancaria meu pescoço a dentadas, mas tudo o que ela fez foi me agradecer por ter feito sua tia feliz. Isso era só o que importava para ela.

Eu gostaria de poder dizer o mesmo. Queria muito poder dizer que fiz tudo pensando no bem-estar de Berenice. Mas a verdade era que eu queria ver Júlia feliz, sorrindo. Pior: eu queria ser a causa do sorriso. Presumi que estar apaixonado fosse...

Não, não, não. Escolha errada de palavras. Apaga isso.

É claro que eu não quis dizer "apaixonado". Qualquer um podia ver que eu não estava loucamente apaixonado por ela.

Não podia estar.

Não queria estar.

Esfreguei o rosto. Inferno. Nem sempre o que queremos é o que estamos sentindo.

Tudo bem. Ficar pensando nisso não ia me ajudar. O melhor agora era mergulhar no trabalho e deixar isso para outra hora.

Corri o dedo pelo touchpad do notebook, fazendo a tela voltar de seu descanso. A cena problemática me encarava, como se tivesse raiva. Eu a entendia. Também me sentia assim.

Decidi voltar ao início. A tecnologia, a mecânica, a estética, a ambientação e o cenário, os power-ups. Tudo ok.

— Saco! — Onde é que eu havia errado?

Empurrei o computador e acabei derrubando o bloco onde eu havia rabiscado enquanto estivera ao telefone. Depois de algum contorcionismo, consegui pegá-lo e percebi que havia criado um desenho em 2D bastante razoável.

— Talvez...

Foi aí que encontrei o erro. O problema do meu game estava no roteiro. Coloquei o rascunho ao lado do notebook, trouxe a máquina para mais perto e comecei a reescrever o script, inserindo um personagem novo.

A inspiração não me deixou dormir, e o sol já batia na janela quando eu finalmente me dei por satisfeito. Só tive tempo de tomar uma ducha rápida antes de ir para a aula.

27
Júlia

O setor de TI estava em festa naquela manhã de segunda-feira. Uma festa bem contida, é verdade. Rolou refrigerante e algumas torradas com algo gosmento em cima, além de tapinhas nas costas. Mas o que importava era que o site estava no ar, rodando normalmente, e eu e Ivan éramos alvo de congratulações.

Até Américo se rendeu.

— Bom trabalho, equipe — ele nos disse, enfiando as mãos nos bolsos da calça e exibindo um sorriso raro.

Quem realmente estava comemorando era Samantha. Até parecia que fora ela quem fizera todo o trabalho.

— Genial. Simplesmente genial. — Ela me abraçou com força, depois foi a vez de Ivan, e juro que o vi derreter quando ela passou os braços em seu pescoço. — Layout limpo e elegante, páginas bem montadas e de fácil acesso, agilidade nos cliques. Per-fei-to! Parabéns. Pessoal, a gente precisa sair pra comemorar!

— Se o namorado da Júlia deixar... — Ivan fez um muxoxo.

— Namorado? — Samantha piscou, estupefata com a notícia de que eu pudesse ter um namorado. Francamente, eu podia muito bem arrumar um namorado. Era um insulto as pessoas se mostrarem tão surpresas.

Era irrelevante, claro, que Marcus fosse meu namorado de mentira.

— Não sabia que você tinha namorado — ela choramingou, magoada.

— É coisa recente.

— É mesmo? Eu conheço? — perguntou, com uma empolgação exagerada.

— Acho que não.

— Ei, Samantha, aquela proposta está com você ainda? — gritou Américo. Ela revirou os olhos.

— Esse homem não consegue fazer nada sem mim.
— Eu também não conseguiria, se fosse ele — Ivan arriscou.
Ela apertou a bochecha de Ivan.
— Que bonitinho! — Voltou para a sua mesa.
— Essa mulher ainda vai me matar. — Ivan a seguiu com o olhar.
O clima de festa foi se esvaindo aos poucos, e logo a área de TI voltou à rotineira seriedade.

✧

Ao chegar em casa, deparei com uma cena que muito bem poderia ter saído de um filme de terror. Tia Berenice estava no sofá, soterrada por uma montanha de cetim branco.
— Ah, Júlia, não era para você ver! — Ela começou a enrolar todo aquele tecido.
— A senhora pegou uma encomenda? — Por favor!
Ela parou de amassar o cetim, o olhar culpado — mas bem pouquinho. Quase nada.
Meu Deus do céu.
— Você acabaria vendo, de todo jeito. Este é o seu vestido de noiva! Venho trabalhando nele há alguns anos.
— *Anos?*
Ela fez um gesto com a mão, menosprezando o assunto.
— Você me conhece. É sempre bom estar prevenida. Mas ontem eu tive uma ideia simplesmente linda e estou fazendo algumas alterações. Vai ser o vestido mais romântico de toda a história dos casamentos, ou eu não me chamo Berenice!
Ah, meu Deus!
Eu tinha que fazer alguma coisa. Aquilo estava indo longe demais.
Tentei pensar na maneira apropriada de explicar os motivos de eu ter mentido, fazê-la entender sem ter um ataque fulminante. O que mais me incomodava era ter que dizer a ela que Marcus também tinha mentido. Tia Berê estava apaixonada por ele. Quebrar seu coração doente não me parecia boa ideia, então não dava para contar toda a verdade. Não sem seu cardiologista estar por perto. Ainda assim, eu *tinha* que fazer alguma coisa, ou um dia desses ia acordar casada sem saber como aconteceu!
Tomei fôlego.
— Tia, eu andei pensando... O casamento que a senhora contratou é muito lindo, mas é um exagero. Eu preferia algo mais intimista, sabe? Sem tanta frescura.

— Eu sei. Por que acha que eu fiz tudo sem que você soubesse? — Ela abriu a saia do vestido e começou a mexer na barra.

— Eu realmente acho que devíamos ir até a Allure rever o contrato — insisti. — Quem sabe cancelar...

— De jeito nenhum! Eu te prometi um casamento de sonhos. E é o que você vai ter.

Dos *seus* sonhos, eu quis acrescentar, mas achei melhor não tocar na ferida. Tia Berenice sempre sonhara com um casamento apoteótico, mas passou a vida criando vestidos para outras mulheres.

E eu sabia que parte disso era culpa minha. Ela tinha desistido de muitas coisas enquanto me criava. Os poucos namorados que teve nunca chegaram a entrar em casa; ela não queria que eu me apegasse a alguém que talvez não ficasse por muito tempo. E eles nunca ficavam. Quem ficaria, quando existia uma criança na história que nem era filha de Berenice?

Não pela primeira vez, odiei a mulher que me trouxera a este mundo. Tudo aquilo era culpa dela.

— Sei que pareço meio egoísta — ela prosseguiu —, mas, se não for te deixar infeliz, aceite o meu presente, meu amor. Me deixe viver o meu sonho em você.

Mortificada, desviei o olhar para que ela não visse a culpa em meu rosto.

— Tudo bem, tia. Foi só uma ideia que me ocorreu.

Ela pegou sua tesoura e começou a desmanchar a costura. Eu não podia mais olhar para aquela cena, então fui para a varanda. Pretendia ir falar com Dênis, mas encontrei Magda no portão.

— Ele ainda não voltou do trabalho, Júlia. O que a Berenice está fazendo?

— O meu vestido de noiva — resmunguei.

Ela arfou.

— Não acredito! Ela não me contou que já tinha começado! — Levou a mão ao peito. — Como ela se atreve?

O Honda estacionou em frente à minha casa no mesmo instante. Soltei um longo suspiro. Magda girou o corpo e acenou apressada para Marcus.

— Ela não podia ter feito isso comigo! Não podia! — Marchou para a entrada, soltando fumaça.

— Onde é o incêndio? — ele me perguntou quando me alcançou. Estava muito atraente naquela camiseta branca. O contraste com o cabelo negro aliado ao brilho das íris verde-claro era realmente interessante.

A porta se abriu num rompante, e tia Berê apareceu. Tudo nela gritava "pânico", mas tentou sorrir mesmo assim.

— Meu querido, não sabia que você viria hoje. — Ela fechou a porta e se manteve à frente dela, como se protegesse um forte.

— Não consigo ficar longe da minha pinguinzinha.

Eu me perguntei se estaria tudo bem bater na cabeça dele com um dos vasos de begônia.

— Claro, claro. Isso é ótimo! — Minha tia olhou para trás, aflita. — Mas vocês vão ter que ir para outro lugar.

— Por quê? — ele perguntou, sem entender.

— Porque... porque... — Seu olhar dardejou, em busca de inspiração. — Eu acabei de soltar um pum! Estou com uma crise de flatulência horrorosa!

Revirei os olhos enquanto Marcus lutava para não rir.

— Vamos, Marcus. Eu estava querendo sair um pouco mesmo.

— Até depois, dona Berê — ele acenou. — E melhoras para a... sua crise.

— Obrigada — ela suspirou, aliviada, e tratou de arrastar suas pantufas para dentro de casa, passando a chave na porta.

— O que foi isso? — ele perguntou ao chegarmos à calçada.

— A tia Berê está fazendo meu vestido de noiva e não quer que você veja.

Ele me encarou, em completo horror.

Pois é.

— Meu Deus, Júlia, me desculpa. Quando te dei o anel, não pensei que ela..

— Tudo bem, Marcus. Ela está trabalhando nesse vestido faz anos. Acabou de me contar — respondi, enfiando as mãos nos bolsos do jeans. — Tem uma sorveteria aqui perto. Tá a fim?

Ele concordou com a cabeça, e nós começamos a andar, devagar. Olhei para o manto fofo e escuro que obstruía a lua e soltei um longo suspiro.

— Tudo está saindo de controle, Marcus. Esse coração novo precisa aparecer. Ou então eu preciso encontrar o homem da minha vida e me casar com ele nos próximos meses. Não sei qual das alternativas é a mais improvável.

A mão de Marcus se enrolou em meu pulso, me detendo.

— Você anda pensando em cancelar o nosso acordo? — Seu toque reverberou por minhas entranhas, obrigando meu estômago a fazer aquela coisa do loop.

Então... Sim. Eu andava pensando em acabar com o nosso acordo. Desde que descobri que me sentia atraída por ele, não parava de pensar em uma maneira de me afastar sem pôr em risco a saúde de tia Berê. Só que não havia alternativa e eu não sabia mais o que fazer.

— Seria o mais lógico. — Eu me desprendi de seus dedos com delicadeza.

— Ela está caidinha por você. Vai partir o coração dela quando souber que nós mentimos. Ela não vai aguentar.

— Também me apaixonei pela sua tia. A última coisa que eu quero é magoá-la.

— Talvez vocês dois pudessem se casar — tentei fazer graça.

— Ah, seu eu fosse vinte anos mais velho... — Balançou a cabeça, o rosto desolado.

Acabei rindo. Marcus, porém, voltou à postura séria.

— Não quero que o nosso acordo acabe. — Ele manteve os olhos travados nos meus, despertando em meu íntimo muito mais que aquele formigamento. Havia perturbação, loucura, caos e uma quentura quase irresistível no peito. Meu corpo todo se arrepiou, e um estremecimento sutil agitou meu estômago. Minha boca começou a formigar conforme seu olhar baixou naquela direção.

— Por mais que eu quisesse cancelar o nosso trato, agora não seria possível, Marcus. — Desviei o olhar para minhas mãos, tentando fazer com que aquele calor no rosto se dissipasse. Tenho quase certeza de que o ouvi suspirar de alívio.

Eu ainda fitava minhas mãos, e o brilho do diamante me fez lembrar...

— Marcus, você não devia ter comprado esta joia pra mim.

— Como você sabe que é uma joia?

Dei de ombros.

— Não importa. Você não devia ter gastado tanto dinheiro comigo. — Eu o espiei pelo canto do olho.

— Não dá pra pedir uma garota em casamento com um anel de mentira. — Ele fez uma careta. — Mesmo que o pedido seja falso, o anel não pode ser.

Eu gemi.

— Você não devia ter feito isso. Quanto custou?

Ele se empertigou, ficando ainda mais alto, e me lançou um olhar enraivecido.

— Não é da sua conta.

— É claro que é, Marcus. Você teve prejuízo para poder me ajudar com esse plano ridículo. Eu quero te pagar de volta.

— De jeito nenhum! — esbravejou, indignado. — Eu comprei para você. Não me ofenda. E faça o favor de esquecer esse assunto, Pinguinzinha.

— Não me chame assim!

— Então para de me encher o saco por causa dessa porcaria de anel — falou, ofendido. — É só um pedaço de metal e uma lasca de carvão.

Respirei fundo, esfregando a testa. Mas como eu poderia aceitar se ele custava o equivalente a uns três salários meus? No entanto, ao observar o rosto de Marcus agora, percebi que era importante para ele que eu aceitasse. Ele estava sendo tão bacana comigo, pensando em detalhes como aquele e fazendo tia Berenice feliz...

Droga!

— Tá. Tudo bem. Então eu... eu agradeço. É um anel muito bonito. É perfeito. O tipo que eu teria escolhido.

Sua irritação cedeu um pouco, e ele abriu aquele sorriso de menino que fazia minhas pernas adquirirem a consistência de maria-mole.

Voltamos a andar, e Marcus teve dificuldade para atravessar a rua, já que não havia rampa na calçada. Mas ele se virou como pôde, descendo de costas e tendo que se empinar um pouco para conseguir transpor a guia.

Eu me flagrei xingando mentalmente. Como era possível que os governantes não se preocupassem com seus cidadãos? Uma rampa a cada esquina não era exatamente uma obra faraônica, que careceria de grande investimento ou planejamento.

Ainda pensava nisso quando chegamos à sorveteria. Eu tinha esquecido que havia degraus altos e nenhuma rampa. Mas que inferno!

— Desculpa, Marcus — falei, mortificada. — Não lembrei que não tinha rampa. Estou com muita coisa na cabeça.

— Não faz mal. — Deu de ombros, como se já estivesse acostumado. — O que mais tem por aqui?

— Bom, uma padaria que a essa hora deve estar fechada, o bar do seu Russo, mas a tia Berê me mataria se soubesse que eu entrei lá. Eles vivem em pé de guerra desde que ela o flagrou temperando frango em uma antiga banheira, no banheiro dos fundos. E tem um boliche caindo aos pedaços.

O sorriso de menino lhe esticou a cara toda, e eu me vi prendendo o fôlego.

— Boliche? Por que você não disse antes! Pra que lado fica?

✥

Marcus não pareceu se importar com o estado decadente do Pista 12, e estava numa euforia só enquanto pagava pela hora. O lugar nunca ficava cheio, e em plena noite de segunda estava às moscas. Marcus e eu éramos os únicos clientes, e o gerente ficou surpreso quando ele pediu uma porção de pastéis e bebidas, como se não lembrasse mais o que deveria fazer em ocasiões como essa.

Calcei os sapatos alugados com certo receio, fazendo Marcus rir.

— Ok. O que você sabe sobre boliche? — perguntou, quando a máquina cuspidora de bolas começou a funcionar e os pinos eram posicionados no fundo da pista por um braço mecânico que estalava muito.

— Que a bola deve alcançar a velocidade e o ângulo perfeito para atingir os pinos de madeira e derrubá-los com o menor número de jogadas possível. Acho que sei tudo. Na... teoria.

— Você nunca jogou boliche? — A indignação em seu semblante me causou um ataque de riso.

Pressionei os lábios, balançando a cabeça. Ele bufou como um touro bravo.

— Cada vez eu gosto menos do babaca do wi-fi.

— É idiota do wi-fi — corrigi.

— Não faz diferença. Ele é um babaca idiota de todo jeito. Ok, o que você precisa saber é que este é um jogo em que a força bruta não conta nada. Tudo é questão de mira e jeito.

Ele se aproximou da máquina que cuspia bolas e começou a discorrer sobre a diferença entre elas. Prestei bastante atenção, absorvendo tudo o que ele dizia. Em seguida, Marcus demonstrou a maneira certa de jogar a bola, o ângulo do braço.

— Quanto mais natural o seu movimento, melhor será a sua jogada. — E me entregou uma bola roxa.

— Entendi.

Fui até a linha demarcada e tentei executar todos os comandos. A primeira bola foi para a canaleta. A segunda rolou pela lateral, se equilibrando, e passou direto pelos pinos. A terceira, quarta e quinta tentativas não foram muito diferentes.

Marcus conteve o riso. Mais ou menos.

— Você ainda está usando muita força. Vem cá. — Ele estendeu o braço e o passou por minha cintura, me puxando para seu colo. Sem demonstrar nenhuma dificuldade, se aproximou da máquina, pegou uma nova bola, cor de laranja, e me passou. — Tudo depende do movimento dos ombros. Além disso, você está olhando para os pinos, e precisa se concentrar naquelas setas meio apagadas ali.

Ah, sim, claro. Me concentrar com toda aquela proximidade seria o mesmo que tentar construir um castelo de areia sobre uma escada rolante em funcionamento, mas achei melhor não dizer isso, até porque eu estava completamente zonza, respirando com dificuldade e com a boca seca.

— Você precisa lançar com firmeza, mas sem empurrar. — Ele nos levou até a marca, pegou minha mão abobalhada e enfiou os dedos nos buracos da bola em meu colo. Em seguida, passou o braço, me segurando firme pelas coxas, enquanto sua mão guiava a minha em direção às setas. — Agora para a frente e para trás, sem força e sem dobrar o cotovelo.

Sua mão áspera sobre meus dedos era quente. Sua boca estava praticamente colada no meu ouvido e enviava sensações estranhas por todo o meu corpo.

— Agora lance, Júlia.

Não foi exatamente um lançamento, mas foi melhor que todas as outras tentativas juntas. A bola fez uma curva caprichosa ao se aproximar dos pinos, mas mesmo assim conseguiu derrubar três deles.

— Parabéns, Júlia — ele sussurrou em meu ouvido. Um arrepio violento me sacudiu por dentro, e eu tive que reprimir um tremor. Virei a cabeça e meu rosto ficou a poucos centímetros do dele. — Eu entrei no site. É ágil, limpo e muito atraente. Estou orgulhoso.

— Você está?

Uma mecha de cabelo caiu nos meus olhos. Marcus a afastou com extraordinária ternura, aqueles olhos verdes como o mar prendendo os meus.

— Demais.

A atmosfera pareceu mudar, ficou quente. O *tum-tum-tum* em meus ouvidos ficou ainda mais alto. Eu não conseguia sentir o mundo, apenas Marcus. Ele era todo o universo naquele instante.

Inesperadamente, sua boca se contraiu. Juro que pensei que ele fosse dizer um palavrão. Por quê? O que havia de errado?

— Vão querer ketchup? — alguém perguntou.

Olhei para trás a tempo de ver o gerente deixar o prato de pasteizinhos sobre a mesa da nossa pista. Aquilo me trouxe de volta à realidade e eu saltei do colo de Marcus.

Meu Deus. Eu estava muito mais encrencada do que tinha imaginado.

❧

Naturalmente, Marcus me venceu no boliche. Ele era imbatível! É claro que fiquei um pouco frustrada por terminar aquela partida com apenas metade de sua pontuação. Eu odiava perder. Entretanto, mesmo sendo derrotada por ele, eu me diverti como havia muito tempo não acontecia e mal podia esperar para fazermos aquilo de novo.

Voltamos para casa depois de sermos expulsos, já que o gerente do Pista 12 queria fechar a loja. Foi gostoso caminhar com Marcus pelas ruas do bairro, conversando sobre a vizinhança e meus lugares favoritos ali. Ao chegarmos ao sobradinho verde, ele achou melhor não entrar.

— Não quero deixar sua tia tensa — explicou. — Mas avise a ela que eu vou vir amanhã.

— Tá.

— Ok, até... — ele hesitou, olhando por sobre o meu ombro. — Ah... Júlia, eu acho que tenho que beijar você agora.

— O quê?! — Um estremecimento de antecipação reverberou por minha coluna, culminando em minha nuca arrepiada.

— Estamos sendo vigiados. — Ele indicou discretamente com a cabeça. Tia Berenice estava na janela, parcialmente oculta pelas cortinas.

— Hummm... Talvez a gente possa enrolar um pouco até ela se cansar. — Porque eu precisava de tempo para entender o que aquelas emoções queriam dizer.

— Então já vamos dar andamento ao plano e começar a nos distanciar? — perguntou, seu belo rosto não revelando nada.

Era o que deveria acontecer. Mas... tia Berê andava tão contente...

Quando dei por mim, já me inclinava, colando a boca na dele. Levou menos de dois segundos. Pronto. Estava feito. Nada de mais. Havia acabado sem dano algum. Exceto pelo torpor que fez meus lábios parecerem anestesiados, como se eu tivesse acabado de sair do dentista.

Marcus ficou me olhando, aquele meio-sorriso no rosto.

— O que foi? — perguntei.

— Nada. — Aquela insinuação de sorriso se concretizou num arreganhar de dentes brancos.

— Qual é a graça?

Ele tentou ficar sério, mas acabou gargalhando alto. Sem saber direito por quê, senti o rosto ficar quente.

Apoiei as mãos nos quadris e o encarei com raiva.

— Odeio que riam de mim. Ainda mais quando eu não sei o motivo.

— Eu não estava rindo de você. — Ele se recompôs o melhor que pôde. Infelizmente não foi o bastante para me convencer. — Só achei engraçada a forma como você tentou me beijar.

— Eu não *tentei* te beijar. Eu *beijei*!

Ele revirou os olhos.

— Aquilo não foi um beijo, Júlia. Foi no máximo um... — Esfregou a nuca. — Deus do céu, nem dá pra dizer que foi um selinho. Agora começo a entender o idiota do wi-fi.

Ouvir Marcus dizer que o idiota do wi-fi estava certo me magoou, mas também me enfureceu. E de tal maneira que cheguei a pensar que acabaria explodindo feito uma granada em frente à minha casa.

Eu poderia ter feito muitas coisas: ter lhe dado um bom tapa, gritado com ele, deixá-lo falando sozinho, xingado até esgotar meu vocabulário de palavrões, que, graças a Dênis, era bem extenso. Qualquer uma dessas coisas seria melhor do que a que eu fiz.

Inclinei-me para a frente, as mãos em suas coxas, encarando-o com tanta raiva que a diversão desapareceu de seu semblante, antes de grudar a boca na sua com violência. Não sei ao certo o que eu estava fazendo. O mais provável é que estivesse tentando provar que ele estava errado. Que o idiota do wi-fi estivera errado.

Em minha fúria, acabei batendo o dente no dele, e, quando ele tentou afastar a cabeça, soltei suas coxas e o agarrei pelo pescoço. Desequilibrei-me um pouco e caí em seu colo. Ainda assim, não parei de beijá-lo. Ao menos até me dar conta de que o estava atacando.

Meu Deus.

Soltei-o de imediato, o coração batendo tão rápido que meus ouvidos zumbiam. Senti as faces afogueadas, mas não como das outras vezes. Escondi o rosto nas mãos, os óculos pulando para cima.

— Me desculpa, Marcus — murmurei, mortificada demais para conseguir olhar para ele. — Eu não tinha a intenção de te atacar desse jeito.

— Tá tudo bem, Júlia.

— Não tá, não.

Os óculos foram desencaixados de minha testa. Uma mão imensa se inseriu entre as minhas até tocar meu queixo e, com uma suave pressão, o empurrar para cima. Quando finalmente cedi e o encarei, encontrei seu olhar franco.

— Peço desculpas — ele disse, com a voz levemente rouca. — Eu não quis dizer aquilo. Não sei o que aconteceu entre você e o idiota do wi-fi, e mesmo se soubesse ainda o acharia um grande babaca.

— Não importa o que você disse, Marcus. Eu não podia ter agido como uma psicopata. Eu só...

— Ficou magoada com o que eu disse e não soube lidar com a situação? — arriscou.

Assenti devagar, me questionando como diabos ele sabia disso.

— Também não sou muito bom em lidar com determinadas situações — prosseguiu. Um braço rodeou minhas pernas, como se aquilo fosse a coisa mais natural do mundo, me lembrando de que eu ainda estava em seu colo. A outra mão subiu para se encaixar em meu rosto, o polegar acariciando meu queixo.

— Mas, em outras, eu sei exatamente o que fazer.

Presa nas profundas piscinas de seus olhos, só consegui ofegar quando ele enredou os dedos nos cabelos em minha nuca. Com um suave puxão, Marcus diminuiu a distância entre nosso rosto. Minha respiração se misturou à dele e eu senti como se tivesse bebido uma garrafa de uísque inteirinha. Inebriada e muito quente, a antecipação dentro de mim vibrava, ensandecida como um elétron.

Então a boca de Marcus encontrou a minha. Seus lábios macios se moveram sobre os meus com suavidade, os dedos em minha nuca se retraindo levemente. Ainda assim, a intensidade do beijo me pegou desprevenida, me fazendo arfar e entreabrir os lábios em busca de ar.

A língua curiosa e atrevida de Marcus penetrou minha boca, sondando, buscando, desafiando, fazendo meu cérebro bugar. Correspondi a cada toque e carícia, até que o mundo ao meu redor desapareceu, se tornando manchas indistintas, insignificantes.

E então ele interrompeu o beijo e descansou a testa na minha. De olhos fechados e ainda segurando meu rosto, Marcus balançou a cabeça e sorriu, meio gemendo.

— Eu não devia ter feito isso. — Seu polegar roçou minha boca.

Não mesmo! Não devia ter parado de me beijar!

Em vez de lhe dizer isso, saltei sobre meus pés, me recompondo como pude. Ninguém nunca havia mexido comigo do jeito que ele mexia. Mas a questão era: ele e eu tínhamos um acordo estranho, que demandava certa intimidade. Eu não sabia mais o que pensar. Se ele me beijava daquele jeito por se sentir atraído por mim, ou se estava apenas interpretando um personagem.

— Certo. — Ele alisou o cabelo, como se o gesto pudesse clarear seus pensamentos. — Eu... vou indo então. — E me entregou os óculos.

— Tá.

— Até amanhã, Júlia.

Dessa vez não esperei que ele entrasse no carro e disparei para casa. Estava constrangida e atordoada demais. Mas espiei pela janela e o vi contemplar minha casa por um minuto antes de dar partida e sair acelerando. Tia Berê não estava mais à vista.

Corri escada acima, entrando no chuveiro — e xingando por ter esquecido de tirar os óculos de novo — enquanto tentava entender. Era difícil acreditar que eu estivesse em risco de me apaixonar por Marcus. Quer dizer, ele não era quem eu havia imaginado. Sua atenção e cuidado com tia Berenice haviam me comovido, e a maneira como ele sempre parecia prestar atenção a cada palavra que eu dizia me fazia sentir... bom... importante. E tinha aquela atração que eu não conseguia explicar. Seus beijos mexiam comigo muito mais que qualquer transa anterior;

as sensações e os sentimentos à flor da pele, ameaçando extravasar. Não podia ser apenas atração física. Estava na hora de eu encarar os fatos.

Eu havia me apaixonado por Marcus.

O que aconteceria agora? Como saber se ele sentia as mesmas coisas que eu ou se tudo o que estava fazendo era uma encenação?

Vesti um pijama e fui dar boa-noite para tia Berê, mas ela já estava roncando, uma cesta com rendas ao lado da cama. Meu celular vibrou quando voltei para meu quarto.

Marcus me enviara uma mensagem.

> Ainda tá acordada?

> Sim

> Esqueci de dizer uma coisa.
> Eu gostei de hj.
> Muito!

Fiquei olhando para o celular, relendo a mensagem de novo e de novo, tentando descobrir se havia algo mais nas entrelinhas que explicasse o motivo que o levara a me beijar. Não havia nada, claro. Exceto que... ele havia gostado do que acontecera.

Fiquei na dúvida do que devia responder. Admitir a verdade, que eu também tinha gostado — demais! —, me poria em uma posição na qual eu não estava certa se queria estar. Eu nunca me arriscava desse jeito, ainda mais neste tipo de assunto.

O que fazer?

No entanto, Marcus enviou mais uma mensagem, me poupando da angústia de não saber lidar com aquela situação.

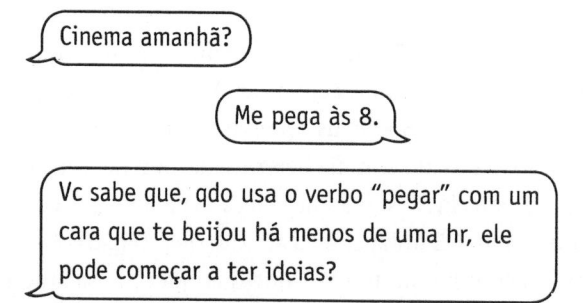

> Cinema amanhã?

> Me pega às 8.

> Vc sabe que, qdo usa o verbo "pegar" com um cara que te beijou há menos de uma hr, ele pode começar a ter ideias?

Tapei a boca com a mão para suprimir o riso. No entanto, o que respondi foi:

> Vc sabe que é um idiota?

> Claro que eu sei.
> Boa noite, Pin.
> Sonha comigo.

> Não me chama de Pin!

Chutando o piso, fui pegar um copo de água na cozinha, na tentativa de esfriar minha pele, agora febril. O celular vibrou de novo e eu gemi, antecipando a resposta irônica de Marcus.

Mas era Américo.

> Site bugado. Corre pra lá agora.

Ah, merda!

28
Júlia

Os preços de *todos* os produtos haviam sido adulterados. O último zero fora cortado, de modo que um batom que custava 28,90 estava sendo vendido por 2,89. O jeito foi derrubar o site até que eu conseguisse fazer todas as alterações outra vez. Ivan chegou perto das duas da manhã, com o cabelo amassado e a cara inchada de sono.

— Como você conseguiu fazer uma merda dessas? — ele perguntou.

— Por que você acha que eu iria ferrar tudo depois da trabalheira que nós tivemos?

— Não sei. Só sei que eu não fiz nenhuma cagada. E você?

— Você sabe que não. Nós trabalhamos nisso juntos. Caramba, Ivan!

Varamos a noite recadastrando produtos, e nem percebi que o pessoal de TI começou a chegar, perto das oito. Ivan e eu não paramos nem para um café, mesmo quando o relógio bateu meio-dia.

— Falta muito ainda? — Samantha se inclinou sobre minha cadeira para dar uma olhada no que eu estava fazendo. — Estou tranquila hoje. Posso te dar uma mãozinha.

— Obrigada, Samantha, mas não é necessário. Com mais meia hora de serviço, acho que vai estar tudo certo.

— Tudo bem. Eu trouxe café. Não leve a mal, mas você parece um zumbi. — Ela pousou a mão em meu ombro.

— Não duvido.

— E pra mim, você trouxe também? — Ivan quis saber.

Ela piscou os olhos para ele, fazendo beicinho.

— Trouxe sim, mas acabei bebendo por engano. Desculpa, Ivanzinho.

Os ombros dele arriaram.

— Tudo bem. Toma aí. — Passei o café para ele depois de experimentar só um golinho. Como a criança que era, ele rejeitou.

Quando o relógio marcou duas da tarde, o site estava no ar outra vez, mas Ivan e eu continuamos a revirar as páginas em busca de algum outro bug. Não encontramos nada; estava tudo certo. Ao menos com o site. Meu corpo todo doía, eu estava enjoada por não ter comido nada desde a noite passada, a cabeça latejava.

Um pouco mais tarde, quando dei uma parada para massagear meus ombros doloridos, aproveitei e liguei para casa, para saber se estava tudo bem. Foi Dênis quem atendeu.

— Eu soube que alguém teve uma noite ótima no boliche ontem. A vizinhança não fala de outra coisa. Quer me contar mais sobre isso?

Gemi.

— Se você soubesse a noite que eu tive... — fui falando enquanto assistia Samantha se aproximar de Américo e gesticular em direção ao meu cubículo e de Ivan.

— Nossa, florzinha — disse Dênis. — Até sua voz parece dolorida.

— Deve parecer mesmo. A tia Berenice...

— Está bem. Tomou os remédios, não saiu da dieta, não se queixou de nenhum desconforto. Tudo em paz.

— E você, como está?

— Um pouco atrasado. A joalheria vai fazer um coquetel hoje. Fui convocado. Eu mal desliguei o telefone e meu chefe estava diante de mim.

— Muito bem, você e o Ivan podem ir para casa mais cedo. Só espero que nenhuma surpresa desagradável surja nas próximas horas.

— Eu também — falei baixinho.

Estava tão esgotada que acabei cochilando no ônibus e perdi meu ponto. Tive que andar por quase uma hora para chegar em casa. Dênis já havia ido embora. Tia Berenice e Magda estavam no sofá, ambas com uma porção de renda preta nas mãos, as agulhas trabalhando como robôs enquanto seus olhos estavam na TV. *Casablanca*. Argh, aquele era o pior de todos os filmes antigos de tia Berê.

— Ah, meu amorzinho, você está um trapo — ela disse ao me ver entrar.

— Eu sei. — E me larguei na poltrona. — A senhora passou bem hoje? Lembrou de tomar o remédio?

— Sim, sim. Tudo bem comigo. E então, qual era o problema?

Expliquei tudo o que havia acontecido, de um jeito que ela pudesse entender. Tia Berenice ainda tentava desvendar o mistério que eram os e-mails, então não foi lá muito fácil. Magda largou os bordados para preparar um lanche para mim. Não me lembro de ter comido, nem mesmo de ter subido as escadas, mas devo ter feito as duas coisas, pois acordei em minha cama instantes depois — ao menos foi o que me pareceu — com tia Berenice avisando que Marcus havia chegado. Eu queria enterrar a cabeça no travesseiro e dormir até o próximo século, mas deixar Marcus sozinho com ela não me pareceu uma boa ideia, de modo que saltei da cama e fui direto para o chuveiro. Já estava enfiando uma perna num jeans confortável quando tia Berê apareceu de novo.

— Ah, não. Você precisa de uma roupa mais bonita que esse jeans para sair com o seu noivo. — Ela abriu meu armário. — Que tal este vestido?

— Tia, eu prefiro a calça.

— Mas você fica tão linda nele! Eu o fiz com tanto carinho e você quase nunca usa... — Baixou o olhar, uma expressão magoada no rosto fino.

Revirando os olhos, peguei o vestido rodado com estampas geométricas em tons de preto, cinza e amarelo e o passei pela cabeça. Ela me ajudou com o zíper.

Dando um passo para trás, ela me observou atentamente. Estreitou os olhos para o meu cabelo antes de puxar o elástico e libertar minhas mechas ainda úmidas.

— Vai marcar. E não é bom prender o cabelo quando ainda está molhado. — Ela me examinou outra vez. — Você parece uma princesa, Jujuba.

Dei risada e beijei seu rosto antes de descer.

Marcus se aproximou da escada quando me ouviu, os olhos percorrendo minha silhueta lentamente.

— Nem me olhe assim. Foi a tia Berê que me obrigou a vestir isso.

— Entendo por quê. — Um brilho que eu pensei ter visto em outras ocasiões chispou em seu rosto. Ele estava muito bonito, com uma camiseta verde-escura que acentuava o bronzeado de sua pele e deixava seus olhos ainda mais intensos.

— Desculpa o atraso. Passei a madrugada na L&L resolvendo problemas. Apaguei antes de cair na cama.

— O que aconteceu?

Contei a ele, meio por cima, sobre o problema com os preços e a correria para arrumar tudo.

— Ah, nossa. Se você quiser cancelar... — ofereceu, todo gentil.

— Não. Estou precisando de uma distração. Todos os meus pensamentos estão codificados em HTML.

Ele me mostrou aquele meio-sorriso.

— Nisso eu posso ajudar. Sou ótimo em criar distrações.

— Eu sei. Tchau, tia Berê! — gritei.

— Tchauzinho, meu amor — ela devolveu do andar de cima. — Divirta-se.

Acenei para Magda, que segurava firmemente uma colcha sobre meu vestido de noiva, e então partimos.

O shopping ficava a quarenta minutos de carro. Quando Marcus reclamou ao não encontrar uma vaga para deficientes físicos, comecei *realmente* a me irritar. As pessoas não percebiam que aquelas vagas existem para suprir as necessidades de alguém?

Tivemos que esperar uma boa meia hora antes de ele conseguir uma vaga de esquina, que permitia a abertura total da porta do carro, facilitando sua transferência para a cadeira.

Já no cinema, pegamos pipoca e refrigerante e depois acompanhei Marcus até a fileira da frente. Era a primeira vez que eu me sentava ali embaixo. Ele se encaixou no vão livre ao meu lado e, como a sala já estava bem cheia, não demorou para que algumas pessoas se sentassem por ali também.

— Sua tia me perguntou o que nós iríamos assistir. — Ele me ofereceu a pipoca. Peguei um punhadinho. — Ficou meio decepcionada quando eu disse que era ficção científica.

— Para ela só existem romances.

— Algum dia você vai me contar como acabou morando com a sua tia?

Desviei os olhos para a tela, que exibia as instruções de segurança. Eu odiava falar sobre aquilo. Odiava trazer os fantasmas de volta. Ainda assim, algo me fez abrir a boca e contar minha história nem um pouco cor-de-rosa.

— Nós morávamos num puxadinho do outro lado da cidade. A mulher que me pariu e eu. Ela era viciada em crack e tentou me vender para um casal de gringos. Os dois perambulavam pelo mundo comprando crianças e repassavam para casais estrangeiros, já com toda a documentação. A polícia apareceu e por sorte eu não fiz parte das estatísticas de crianças desaparecidas. Foi todo mundo para a cadeia, e, no fim, a tia Berê conseguiu a minha guarda.

— O *quê*? — ele perguntou, alto demais. Alguns *shhhhhhh!* ecoaram ali perto. — Ela tentou te vender?

— Eu era bem pequena. Lembro de pouca coisa. — Dei de ombros, incapaz de olhar para ele.

— E o seu pai não fez nada?

— Não sei quem é meu pai, Marcus. Ela simplesmente não sabia dizer quem ele é. Vivia tão chapada que nem sei ao certo se lembrava de ter engravidado.

— Você tentou descobrir a identidade dele? — Sua voz era suave, quase uma carícia.

— Teve um tempo em que eu até procurei, mas depois desisti. Ela vivia nas ruas, qualquer um poderia ser o sujeito. Além disso, o que mudaria?

— Júlia...

— Não, tudo bem — cortei. A última coisa que eu queria despertar nele era pena.

— Acontece nas melhores famílias.

Sua mão grande e quente envolveu a minha, apertando-a levemente. O gesto colocou um nó em minha garganta. Saco. Era por causa disso que eu nunca, jamais contava aquela história para ninguém.

No entanto, não foi tão ruim como das outras vezes. Os fantasmas não conseguiram me alcançar, e eu desconfiei que era por conta daquela mão apertando a minha. Girei a palma para cima, e seus dedos calejados se entrelaçaram nos meus. Uma cálida e confortável sensação de proteção atingiu meu peito, fazendo minha concentração voltar aos poucos, até que consegui acompanhar o que estava acontecendo na telona.

O cara sentado ao meu lado se debruçou no apoio de braço lá pela metade do filme, invadindo meu espaço. Olhei feio para ele, esperando que se ligasse. Foi quando percebi que sua atenção não estava no filme, mas em minhas pernas. E uma de suas mãos desapareceu dentro do cós da calça.

Meu estômago embrulhou. Meio trêmula, me inclinei para mais perto de Marcus. Ele sorriu para mim, o polegar brincando com a ponta dos meus dedos, mas seu sorriso esmoreceu por algo que viu em meu rosto.

— Pipoca? — ofereceu, estudando minha expressão.

Apenas sacudi a cabeça e voltei a olhar para a tela, esticando a saia do vestido até cobrir totalmente os joelhos. Um gemido rouco soou a minha esquerda. Fechei os olhos, um misto de humilhação e raiva me inundando. Eu queria bater naquele sujeito asqueroso. Queria matá-lo. Mas, de todas as sensações que me invadiram naquele instante, a vontade de vomitar era a mais imediata.

Desvencilhei minha mão da de Marcus, levando-a imediatamente à boca, e saltei da cadeira.

— O quê...? — Marcus perguntou, confuso.

Sem conseguir dizer nada, saí da sala aos tropeções, cega pelas lágrimas derivadas de tantos sentimentos diferentes, empurrando a porta com o cotovelo enquanto tentava dominar as contrações do meu estômago. Olhei para cima em busca de uma placa que indicasse o banheiro. Já estava no corredor acarpetado quando alguém me segurou pelo pulso. Quando me virei e vi que o cara havia me seguido, pensei que fosse desmaiar.

— T-tire as mãos de m-mim — gaguejei, tentando me livrar dele, mas ele me segurou com mais força. Senti o gosto da bile no fundo da garganta.

— Eu ainda nem coloquei as mãos em você.

Ele avançou sobre mim. Recuei um passo e acabei batendo as costas na parede. Eu estava encurralada.

— Me solta ou eu vou gritar.

— Eu espero mesmo que grite. — Agarrou os cabelos de minha nuca, aproximando meu rosto do dele. Seu quadril grudou no meu. Ele estava duro e começou a se esfregar em mim. Deus, eu ia vomitar. — Tudo o que eu quero ouvir de você são gritos.

— Acho mais divertido se você gritar. — Uma mão grande pousou abruptamente no ombro do sujeito e o puxou para baixo. Ele perdeu o equilíbrio e me soltou para tentar se manter em pé. Falhando, acabou praticamente sentado no colo de Marcus, que rapidamente passou um braço em seu pescoço e começou a distribuir socos em sua cabeça.

O pervertido tentou se desvencilhar, mas Marcus era muito mais forte e não permitiu que ele fosse a lugar algum, continuando a socar na lateral de seu rosto com tanta fúria que eu ouvia algo estalar a cada pancada. O homem girou o corpo. Marcus se curvou, aplicando uma gravata desajeitada, e os dois terminaram no chão. O sujeito acertou o rosto de Marcus, uma, duas, três vezes. Foi nesse momento que meu estômago desistiu da luta e eu tive que me debruçar sobre a lixeira ali perto.

Quando as contrações cessaram por não haver mais nada que eu pudesse pôr para fora, senti as pernas falharem e caí sentada ao lado do lixo. Marcus ainda estava sendo socado, mas dobrou o braço e acertou o queixo do sujeito com o cotovelo. O pervertido desabou, e Marcus rolou para cima dele, segurando-o pela gola da camisa e esmurrando sua cara repetidamente.

Avistei um rapaz e uma garota vestidos de preto vindo em nossa direção.

— Ajudem! — sussurrei.

A moça saiu correndo ao compreender o que estava acontecendo. Para buscar ajuda, eu esperava.

Meio hesitante, o funcionário do cinema se jogou na briga e tirou Marcus de cima do pervertido. Ele arfava, os olhos cuspindo fúria. O homem caído no chão respirava com dificuldade; sangue escorria do nariz e da boca. Marcus se soltou das mãos do rapaz e usou a força dos braços para se locomover até mim, se recostando na parede ao meu lado. Ergueu um braço em minha direção, mas se deteve no último instante, como se não soubesse se eu queria ou não ser tocada.

E eu não queria. Não por ele. Eu me sentia imunda.

— Você está bem? — perguntou, com a respiração curta, a voz baixa.

Tentei abrir a boca, mas tudo que saiu foi um engasgo soluçado, então concordei com a cabeça.

Ele não se deixou enganar.

— Vai ficar tudo bem. Ele não vai mais te machucar, Pin.

Concordei, meio que no automático. O que mais eu poderia ter feito?

Outro funcionário do cinema chegou, e com ele dois seguranças do shopping. Marcus rapidamente explicou a eles o que havia acontecido, se movendo até o corpo ficar na frente do meu, como se tivesse medo de que mais alguém pudesse me fazer mal. Alguém ligou para a polícia. Não sei ao certo o que foi feito do sujeito enquanto isso. Não consegui olhar para ele.

∽

Marcus cuidou de tudo quando chegamos à delegacia. O delegado, muito gentil, ao perceber meu estado de perturbação, nos levou à sala de arquivos — bem menos assustadora que a sua — para tomar nosso depoimento. Eu me espantei com a frieza com que consegui contar o que havia acontecido. Marcus, no entanto, parecia fervilhar de raiva, e eu temi que ele pudesse fazer alguma besteira.

Acabei descobrindo que o homem que havia me atacado era o maníaco do cinema, que a polícia estava procurando já fazia meses. Eu me lembrei de todas as manchetes que lera no jornal a respeito, e percebi a sorte que tive por sair ilesa.

Não que isso tenha me tranquilizado de alguma forma. Depois que fomos liberados e seguimos para o estacionamento da delegacia para pegar o carro de Marcus, eu me perguntei como diabos poderia ir para casa naquele estado sem matar minha tia de susto.

— Acho melhor eu ligar para sua tia e avisar que você vai dormir lá em casa hoje — ele disse, com aquela habilidade estranha de ler meus pensamentos. Marcus estava bastante machucado. A pele ao redor do olho esquerdo já começava a adquirir um tom arroxeado.

Assenti uma vez, surpresa e muito agradecida pela sensação de segurança que a presença dele me trazia. Com Marcus por perto, eu não me sentia tão vulnerável.

29
Júlia

Notei algumas mudanças no apartamento de Marcus logo de cara. Ele havia instalado uma espécie de puxador no lado oposto à fechadura da porta, e eu me perguntei a razão daquilo. A bagunça de caixas havia desaparecido.

— Quer comer alguma coisa? — ofereceu assim que passou a chave na porta.

— Não, mas adoraria tomar um banho, se não tiver problema.

— Por quê? — Seu rosto estava impassível, mas eu detectei um ínfimo apertar de olhos.

Desviei o olhar, sem coragem de dizer que o cheiro daquele homem parecia ter se grudado em cada centímetro de minha pele. Eu não conseguia sequer pensar em me sentar no sofá de Marcus com toda aquela imundície impregnada em mim.

No entanto, mesmo que eu não tenha dito nada, sua sintonia com meus pensamentos permitiu que ele compreendesse.

— Odeio que ele tenha tocado você. Odeio que ele te faça se sentir suja. Odeio saber que ele ainda respira. — Ele chegou mais perto, ficando a pouco mais de quinze centímetros de mim. — Júlia, olha pra mim.

— Não. — Encarei minhas sandálias.

— Por favor, Júlia. Olha pra mim.

A doçura e o desespero se misturavam em seu tom, e isso me pegou desprevenida. Ergui a cabeça, me deparando com sua expressão obscura, a mão fechada em punho, a raiva que eu testemunhara no corredor do cinema retornando como uma avalanche.

— Não foi sua culpa. *Jamais* seria sua culpa — ele falou, entredentes.

— O vestido é meio curto...

Marcus proferiu uma porção de palavrões e socou a roda da cadeira com força, me fazendo dar um pulo.

— Seu vestido não é curto! Ainda que fosse, mesmo se você estivesse *pelada*, não seria sua culpa! Aquele monte de lixo é doente! *Não. Foi. Sua. Culpa.* Repete isso, Júlia.

— Mas, Marcus...

— Agora! — ordenou.

— Não foi minha culpa — murmurei.

— Mais alto. Eu não te ouvi.

— Não foi minha culpa.

— De novo.

— Não foi minha culpa! — gritei. — A culpa não é minha. A culpa não é minha! A culpa não é minha!

As emoções que eu vinha mantendo sob rédea curta saíram de controle. Meu soluço ecoou pela sala, alto e dolorido. Enterrei o rosto nas mãos e, antes que pudesse pensar no que estava fazendo, me joguei sobre Marcus, me aninhando em seu colo e escondendo o rosto em seu pescoço.

— Não é culpa minha — solucei.

— Não, não é. — Ele hesitou, os braços imóveis enquanto eu o abraçava mais forte, como se não estivesse certo de que me tocar fosse uma boa ideia.

Mas era. Naquele momento, eu não conseguia pensar em nada de que precisasse mais.

Ele pareceu entender, e seu braços por fim me envolveram. Delicados e receosos a princípio. Fortes e firmes instantes depois, me segurando junto ao peito de maneira que meu coração se grudou ao dele, suas batidas se misturando às minhas.

— Shhhh. Está tudo bem — sussurrou, apoiando a bochecha no topo da minha cabeça. — Você está segura. Não vou deixar ninguém te fazer mal. Eu prometo, Júlia.

E eu acreditei nele, mesmo sabendo que não devia, que as pessoas viviam quebrando promessas. Acreditei porque naquele instante, com seus braços ao meu redor, nada parecia poder me atingir.

Não tinha sido minha culpa. Eu era inteligente o bastante para entender isso. Mas não pude deixar de me perguntar se, caso eu tivesse optado por um moletom velho e surrado em vez do vestido, aquele monte de lixo teria agido da mesma forma.

É claro que teria. Talvez não comigo. Provavelmente teria buscado outra vítima, e talvez ela também não soubesse nenhum golpe para se livrar do ataque nem tivesse a sorte de ter um Marcus por perto. Assim aconteceu com aquelas garotas do jornal. O problema não estava em mim ou nas minhas roupas, mas naquele doente pervertido.

— A culpa não é minha. Aquele sujeito é um monstro e deveria ser trancafiado em uma jaula. A culpa não é minha!

— Essa é a minha garota. — Ele beijou minha testa.

Sua garota.

Ele não falou sério. Estava apenas me confortando como podia. E foi isso que trouxe um pouco de lucidez a minha mente perturbada. Saltei sobre meus pés, esfregando os olhos por entre as lentes dos óculos. Marcus suspirou, parecendo muito cansado.

— Vou pegar alguma coisa pra você vestir. — Ele foi para o quarto e eu esperei na sala. Quando retornou, tinha uma pequena pilha de roupas no colo. — Isso deve dar em você.

Agradeci, mas então reparei no corte próximo a sua sobrancelha. E me aproximei dele.

— Você precisa de um curativo. — Toquei o canto de sua testa, a crosta quase negra de sangue ressecado.

— Vou sobreviver — ele brincou. — Vem.

Marcus foi na frente e eu o segui, um pouco hesitante. Entrou no banheiro, acendendo a luz e deixando a pilha de roupas sobre a bancada da pia. Empurrou a cortina do boxe para o lado e puxou uma cadeira branca dali de dentro, então se esticou para abrir o chuveiro.

— Demora um pouco pra esquentar. Prédio antigo — explicou.

Eu me recostei na pia, sem saber onde colocar as mãos ou para onde olhar. Marcus chegou mais perto, se movendo pelo banheiro espaçoso com muita agilidade.

— Me dá seu pé — ele demandou com delicadeza, parado bem a minha frente.

Fiz o que ele pediu, apoiando o pé direito em seu joelho. Marcus soltou o fecho da minha sandália em questão de segundos, jogando o calçado no canto, perto da porta.

— Agora o outro.

Obediente, repeti o gesto e ele deu o mesmo destino à sandália esquerda.

Tocando minha cintura com delicadeza, ele me fez virar até que eu ficasse de costas para ele. Empurrando meu cabelo para o lado, desceu o zíper do meu vestido. Fazia muito tempo que ninguém me tocava daquela maneira. Apesar de me sentir imunda, de não querer contaminá-lo com aquela podridão, por alguma razão que me escapava eu precisava do toque dele.

— Vou lavar — ele disse. — Amanhã você vai ter o que vestir.

Mas o amanhã parecia a anos-luz de distância. E eu não queria pensar nele. O agora era tudo o que me importava.

Olhei por sobre o ombro quando suas mãos deixaram meu corpo. Ele havia se virado, de maneira que ficasse de costas para o espelho e para mim. Sem saber ao certo o que fazer, deduzi que deveria tirar a roupa.

Joguei o vestido sobre o ombro dele, depois o sutiã e, por fim, a calcinha. Voei para dentro do boxe, cerrando a cortina, mas não havia motivo para tanto alvoroço, já que em momento algum Marcus virou a cabeça. A água estava quente e pinicou minha pele de um jeito bom e... minha visão ficou embaçada.

— Droga!

— Muito fria? — ele quis saber.

— Não. Esqueci de tirar os óculos de novo. Vivo fazendo isso.

Rindo de leve, Marcus segurou a cortina de encontro ao azulejo, para que ela não se abrisse, e serpenteou a mão por entre um vão minúsculo. Coloquei os óculos em sua palma e a mão desapareceu.

— Deve ter tudo de que você precisa aí dentro — ele disse. — Vou te esperar na sala. Qualquer coisa é só chamar.

— Marcus, espera! — A ideia de ser deixada sozinha com meus pensamentos me apavorou. A sensação era muito parecida com a que eu tinha quando, no meio da noite, despertava e percebia que havia acabado a luz. — Não... não quero ficar sozinha.

A quietude no banheiro era quebrada apenas pelo ruído da água caindo. Marcus puxou uma grande quantidade de ar antes de responder:

— Tudo bem.

Anuí com a cabeça, embora ele não pudesse me ver. Comecei a esfregar o sabonete nas partes em que aquele maldito havia me segurado.

— Isso é novo pra mim — Marcus comentou.

— O quê? Uma garota pedir para você ficar enquanto ela toma banho?

— Ter uma garota nua e molhada no meu banheiro e estar do lado de fora segurando as roupas dela... Ah, desculpa, Pin. Péssimo momento para brincadeiras.

— Não, tudo bem. — E estava mesmo. Eu precisava do seu bom humor para me ajudar a manter as sombras longe de mim.

Continuei a me ensaboar, esfregando com força. Quando desliguei o chuveiro, uma toalha foi lançada sobre a barra que segurava a cortina.

— Obrigada, Marcus.

Eu me sequei ali dentro, passando o tecido pelos cabelos de qualquer jeito, e me enrolei com ele. Quando saí, Marcus estava perto da porta, de costas. Peguei as roupas na bancada, vestindo depressa a camiseta e a cueca boxer preta. Ficaram enormes em mim.

— Tudo bem, pode se virar. — Pendurei a toalha no boxe.

Ele fez o que eu pedi, me examinando da cabeça aos pés. Seus olhos se prenderam em minhas mãos, retorcidas na altura do umbigo. Algo endureceu os traços de seu belo rosto. Com o olhar travado em meu pulso, Marcus se aproximou e correu a pontinha do indicador em minha pele, agora quase em carne viva. Soltando um pesado suspiro, ele me puxou para seu colo e me abraçou com força. Eu me encaixei nele, me encolhendo, absorvendo seu calor. Marcus era exatamente o que eu precisava naquele instante.

Ele tocou meu queixo, obrigando-me a olhar para ele, e por um momento pensei ter visto algo maravilhoso naquele verde profundo. Uma certeza, uma promessa, não sei ao certo.

— Seu cabelo está ensopado. — Estendendo o braço, puxou a toalha que eu havia pendurado e, me ajeitando melhor em seu colo, começou a friccionar minha cabeça com cuidado. Quando ficou satisfeito, jogou-a na bancada e correu os dedos pelos meus fios embaraçados. Apoiou uma mão em minha cintura e se esticou até pegar o pente dentro de uma caneca sobre a pia, para em seguida deslizá-lo pelas minhas mechas. Acabei rindo. — Faz cócegas? — ele quis saber.

— Não. É que ninguém penteia o meu cabelo desde que eu tinha uns sete anos.

Ele fechou a cara.

— Eu já disse que o idiota do wi-fi é um grande babaca? Pronto. — Jogou o pente em algum lugar. Soltei um longo suspiro quando ele deslizou a mão pelos fios agora sedosos e sem nós.

Ele me entregou os óculos, mas não os coloquei. Eu sabia que era hora de me levantar do seu colo. Sabia disso. Mas eu não queria. Estar assim perto dele era seguro.

Percebendo minha hesitação, ele me mostrou aquele meio-sorriso.

— Quer carona até a cama?

Aquiesci, lentamente.

Passando um braço em minha cintura, ele me acomodou melhor sobre suas pernas antes de girar as rodas. Deteve-se por um breve instante no corredor, parecendo deliberar sobre que direção tomar. Prendi a respiração. Não queria entrar no quarto de Marcus, mas não podia ficar longe dele.

Não sei bem o que senti quando Marcus tomou o rumo de seu quarto. Foi um misto de medo e alegria, pânico e felicidade. Ele parou ao lado da cama e eu pulei para o colchão.

— Tudo bem se eu for tomar um banho rápido? — perguntou.

Fiz que sim com a cabeça e ele não perdeu tempo, abrindo as gavetas da cômoda e tirando algumas roupas de lá. Eu me ajeitei melhor na cama quando fiquei sozinha, me recostando na cabeceira, examinando o cômodo. Marcus era bastante organizado. Não havia nada fora do lugar. O guarda-roupa era muito alto, e presumi que ele não o aproveitava até em cima. Já a cômoda contava com oito gavetas largas, um aparelho de som antigo sobre ela. Encontrei um livro na mesa de cabeceira e espremi os olhos tentando ler. Não deu, é óbvio. Coloquei os óculos.

Ah. *Jane Eyre*.

Abri o livro na página que ele tinha deixado marcada. Um parágrafo fora grifado a lápis. O trecho que ele havia citado quando me pediu em casamento.

Devolvi o livro a seu lugar e precisei piscar algumas vezes.

Ah, caramba, eu odiava aquilo. Uma vez que eu começava a chorar, não conseguia mais parar, e até comercial de margarina me emocionava. Era uma maldição.

Esfreguei a mão no rosto para me recompor, bem a tempo, já que Marcus voltou para o quarto, vestindo uma bermuda escura e uma camiseta branca que fez seus cabelos negros úmidos reluzirem reflexos em tons de azul. Tive que reprimir um suspiro. Era inconcebível alguém ser tão bonito.

Ele subiu na cama, ajeitou o corpo e se deitou de barriga para cima, os braços cruzados sobre o peito largo, os ombros se distendendo ainda mais. Foi impossível tirar os olhos dele, e eu me flagrei pensando que aquele homem mexia comigo de um jeito único: eu amava seu senso de humor, sua mente rápida, o som de sua risada. Adorava odiar suas piadas e sua implicância comigo. E desejava desesperadamente aquele corpo da maneira que ele era, uma mistura confusa de músculos rijos, cicatrizes e limitações.

— O que foi? — ele perguntou, franzindo a testa.

— Nada.

— Por que você está me encarando desse jeito? Pensei que quisesse companhia.

— Eu quero! E eu não estava encarando.

Ele mirou aquelas duas turmalinas em mim. Um fogo silencioso crepitou em minhas veias.

— Está sim, Pin.

Puxei o lençol na altura do peito e fixei o olhar no teto.

— Odeio quando você me chama de Pin.
— Eu sei. — Pude ouvir o sorriso em sua voz.

Ele apagou a luz. A escuridão recaiu sobre mim, como um manto pesado e sufocante. Os pesadelos de sempre, misturados aos horrores daquela noite, fizeram meu coração disparar, minhas mãos tremerem, a respiração ficar curta.

Marcus acendeu o abajur.

— Melhor? — Ele me encarou com preocupação e eu me perguntei como ele fazia aquilo. Como conseguia entender o que eu precisava sem que eu dissesse uma única palavra?

Fiz que sim com a cabeça e ele voltou a se deitar, ficando de frente para mim. Eu o imitei, segurando a ponta do travesseiro para não correr o risco de esticar a mão e acariciar aquele queixo teimoso. Agora limpo, percebi que seus ferimentos não eram tão graves como eu tinha imaginado.

— Boa noite, Júlia.
— Boa noite, Marcus.

Fechei os olhos e tentei mantê-los assim, mas o que eu podia fazer? Eles se abriram por vontade própria depois de um tempo. Graças à parca luz fornecida pelo abajur, pude admirar o rosto de Marcus, como se pudesse absorvê-lo e guardá-lo dentro de mim.

— Você continua me encarando — ele acusou, as pálpebras ainda cerradas.
— Não continuo!

Marcus abriu um dos olhos e deu aquele sorriso de canto de boca que fazia meu estômago dar uma cambalhota.

— Tá legal, eu quero te ensinar um truque. Posso?
— Que tipo de truque? — perguntei, desconfiada. E ridiculamente excitada com as possíveis respostas.
— Defesa pessoal. — Ele se sentou na semipenumbra, se recostando na cabeceira. — Preciso te ensinar alguns golpes, ou vou enlouquecer pensando que outro babaca pode... pode... enfim.
— Marcus, desconfio que não sou muito boa com essas coisas. Você viu como eu me saí no boliche.
— Você não sabe. Vem aqui.

A contragosto, fiz o que ele pediu, me ajoelhando no colchão.

— Me mostra como você bate — ordenou, animado.
— Mas eu não bato!
— Se tivesse que bater — resmungou, impaciente. — Aqui. — Colocou o travesseiro na frente do corpo.

Fechei o punho e acertei o travesseiro. Marcus fez uma careta.

— Isso só iria te machucar e fazer muito pouco, ou *nada*, com o seu agressor. Tenta assim. — Pegou minha mão e dispôs os dedos de um jeito diferente, mantendo o polegar sobre as falanges do indicador e do dedo médio.

Acertei o travesseiro de novo, mas não percebi muita diferença.

— Os ombros, Júlia — corrigiu. — A força deve vir da lombar e dos ombros.

Experimentei mais alguns golpes, mas Marcus parecia pouco contente.

— Eu falei que não sou boa nisso — reclamei.

— Tá legal, nova estratégia. Vamos usar o seu cotovelo. Você provavelmente vai ser menor que o agressor, então teria que usar muita força e vir de baixo para acertá-lo com um soco. O cotovelo pode ser mais fácil. Dobre o braço desta maneira.

— Assim?

— Quase. — Ele fez com que meu braço formasse um triangulo isósceles. — Agora trave e feche a mão. Perfeito, Pin. O segredo é usar a força do corpo todo, vindo lá do dedão do pé. Você precisa girar um pouco o tronco e vir com tudo. Não movimente o ombro. Deixe tudo travadinho ou você vai se machucar. Vai, tenta.

Dessa vez eu me saí melhor, mandando o travesseiro para o outro lado do quarto.

— Muito bom. De novo. — Ele pegou meu travesseiro e segurou com mais força dessa vez. — O ponto ideal é acertar o indivíduo aqui. — Indicou a área entre a orelha e os olhos. — Isso vai deixar seu agressor tonto, ou pode até derrubá-lo. De todo jeito, vai te dar tempo de correr e pedir ajuda.

Assenti e continuei a golpear. Quando Marcus achou que eu já havia surrado bastante o inocente travesseiro, eu me deixei cair no colchão, exausta.

— Molenga. — Ele deu risada, se esticando na cama por completo, numa posição ereta que parecia desconfortável. O travesseiro estava muito longe para que ele simplesmente esticasse o braço e o alcançasse.

Tomei fôlego e me levantei para pegá-lo para ele. Senti seu olhar me acompanhar pelo quarto durante todo o tempo. Quando voltei para a cama, podia jurar que seus olhos pareciam incendiar.

— Obrigado. — Ele envolveu seus dedos enormes na fronha, mas me olhava fixamente.

Não sei ao certo o que tinha de errado comigo, pois minha mão se recusou a soltar o travesseiro quando ele o puxou com delicadeza. Marcus continuou me encarando, questionando. As labaredas agora eram reais, e não fruto da minha imaginação.

Então, como se lesse meus pensamentos, ele fez exatamente o que eu queria: se arrastou sobre o colchão, me dando espaço.

Sem hesitar, eu me deitei ao lado dele e meu corpo frio se colou ao seu, quente da cabeça aos pés. Estremeci quando sua mão repousou em minhas costas. Não sei ao certo como tudo aquilo que andara represando nos últimos tempos extravasou: talvez pelo modo carinhoso como ele me segurava, ou pelo fluxo de adrenalina que o exercício injetara em meu sistema, mas o fato é que tudo explodiu. O medo de perder minha tia, a vergonha e a culpa por mentir para ela, o pânico real do que poderia ter acontecido naquela noite se Marcus não tivesse aparecido. A privação de sono, o esgotamento físico, a paixão por Marcus e a consciência de que ele logo iria embora.

Porque ele iria. Era minha maldição. Toda vez que eu entregava meu coração a alguém, essa pessoa o jogava em um triturador de papéis.

Ergui a cabeça quando ele esticou o braço para que eu deitasse em seu bíceps. Eu me recostei devagar, apoiando a testa em seu ombro, e Marcus imediatamente me envelopou com seus braços fortes enquanto meus soluços se tornavam mais audíveis, convulsivos. Ele não disse uma única palavra, apenas me deixou chorar outra vez, acariciando minhas costas, meus cabelos úmidos, beijando minha testa. A choradeira custou a passar dessa vez, mas seu cheiro era tão embriagante que aos poucos foi nublando meus pensamentos e sentidos, trazendo um pouco de alento a meu coração.

— Desculpa — falei, mortificada. — Acho que arruinei sua camiseta.

— Não seja boba. — Seus lábios tenros tocaram a lateral do meu rosto. — E não precisa se envergonhar, Júlia. Você é a mulher mais forte que eu conheço

Eu ri sem humor algum, limpando o nariz nas costas da mão.

— Bom, não é o que parece agora.

— Até os mais fortes têm seus momentos de fragilidade. Ninguém aguenta bancar o durão a vida inteira. É preciso se entregar à fraqueza de vez em quando, para poder conhecer o tamanho da sua força.

Franzi a testa, erguendo a cabeça para ele.

— Muito poético. Quem disse isso?

— Eu disse.

— Você é poeta agora? — brinquei.

— Só se for necessário, mas não espalhe por aí. — Ele sorriu. Desta vez um sorriso inteiro, que atingiu diretamente o centro do meu peito. — Tenho uma reputação a zelar.

Acabei dando risada e fungando ao mesmo tempo.

— Júlia, eu queria que você soubesse... — ele pegou uma mecha do cabelo e começou a enrolar no indicador — que pode contar comigo sempre que precisar. Posso não ser um homem inteiro, mas quem quiser te fazer mal terá que me matar primeiro.

Eu me afastei dele, magoada.

— Não gosto quando você diz esse tipo de coisa.

— Eu só disse a verdade — ele respondeu, sério.

— Não, não disse. Posso parecer obtusa, mas não sou. Suas pernas não funcionam, e eu sei que isso te incomoda um bocado. Mas, olha, os meus olhos também são quase inúteis.

— É diferente.

Ele não entendia.

— Só estou querendo dizer que, se você caminha ou empurra uma cadeira de rodas, não faz diferença pra mim. Você é o Marcus, o cara que aceitou me ajudar, que me salvou quando eu mais precisei. Duas vezes! Eu sempre me sinto segura com você. Você é... — o homem mais incrível que eu já conheci — ... uma das poucas pessoas em quem eu confiaria. E odeio que você não saiba disso. Entendo que deve ser complicado aceitar a mudança, que o mundo nem sempre facilita para você, mas você é mais inteiro do que muita gente que eu conheço, Marcus. — *Eu, por exemplo.*

— Você não sabe o que está dizendo — falou, entredentes.

Soltei um pesado suspiro e comecei a brincar com a ponta do lençol.

— Acho que não sei mesmo. Tudo o que eu sei é que, se você não estivesse na cadeira de rodas, provavelmente estaria numa cova. E isso seria muito chato, porque eu nunca teria te conhecido. E você... você..

— Eu o quê? — Tocou meu queixo, me obrigando a olhar para ele

Sob seu olhar profundo e curioso, me ouvi dizer a verdade:

— Você se tornou uma das minhas pessoas preferidas.

Um sorriso lento curvou seus lábios.

— Pode repetir essa última parte? Acho que eu não ouvi direito.

— É inútil tentar ter uma conversa séria com você... — Eu me virei de costas.

— Não, nada disso, Pin. — Ele se apoiou no cotovelo e me pegou pelos ombros, me obrigando a retomar a posição de antes. — Você não pode voltar atrás agora. Estava falando das minhas supostas qualidades.

— Você é um idiota. E o pior é que não *enxerga* isso.

Ele entendeu o que eu quis dizer, percebi pelo franzir de sua testa. Respirando fundo, se deixou cair no travesseiro na mesma posição que a minha.

— Júlia, eu... Não é algo em que eu possa simplesmente não pensar. Eu sei o que eu sou. Olha só pra mim. Sou uma confusão de membros inúteis e cicatrizes.

Aquilo me irritou e machucou mais que qualquer outra coisa que ele pudesse ter dito. Eu amava aquela "confusão de membros inúteis e cicatrizes".

— Como alguém tão brilhante pode ser tão burro? — murmurei para o universo.

Ele virou a cabeça, me olhando feio.

— Ei, essa fala é minha!

— Então é melhor agir mais como você e menos como eu. Porque, no momento, você está sendo a pessoa mais idiota do mundo.

Eu lhe dei as costas outra vez, socando o travesseiro para afofá-lo — ou tentar destruir alguma coisa que não fosse a cara de Marcus. Não podia acreditar que ele tinha uma visão tão distorcida de si mesmo. Tudo bem, eu não conseguia imaginar o tamanho de sua dor e sua frustração por ter ficado paraplégico, mas ele não percebia que aquilo não mudava nada? Que o movimento das pernas não define uma pessoa? Que para mim não fazia a menor diferença, porque o que eu realmente amava nele era... ele todo?

Era isso. Pronto. Ali estava. Eu o amava. Podia admitir isso pelo menos para mim mesma. Ele ficou calado por um tempo, então inspirou fundo.

— Essa conversa toda é desnecessária. Vou voltar a andar. Estou fazendo tudo o que posso para que isso aconteça. Tenha fé em mim.

Soltei um longo suspiro e fechei os olhos. *Ah, Marcus...*

Virei-me para poder encará-lo.

— Eu tenho, Marcus. Você nem sabe quanto. — Toquei seu rosto. Ele inclinou a cabeça em direção à minha palma e fechou os olhos. — E torço muito para que o que você quer aconteça. De verdade. Só queria que você entendesse que pra mim não mudaria nada. Você ainda seria você.

— E eu ainda seria uma das suas pessoas preferidas? — O sorriso que surgiu em sua boca era o mesmo de uma criança que acaba de ganhar sua primeira bicicleta e derreteu minha irritação.

— Ainda seria.

A diversão em seu rosto foi substituída por outra coisa. Seu olhar escureceu, como se uma tormenta estivesse a caminho. Eu sabia que não havia nada romântico em seu olhar. Era puro desejo, cru, primitivo.

Eu podia fazer aquilo? Me envolver com ele sabendo que não haveria nada além de atração física?

Não. Provavelmente não.

Por isso não entendi direito o que fez com que eu me inclinasse para a frente e o beijasse. Ele hesitou, ficou tão parado que mais parecia uma estátua, mas acabou cedendo com um gemido rouco quando minha língua penetrou sua boca, os dedos buscando sua nuca. Segurando meu rosto entre as mãos com uma delicadeza comovente, ele retribuiu o beijo.

Só que eu não queria delicadeza naquele momento. Queria que ele apagasse tudo o que acontecera naquela noite, que seu toque me fizesse esquecer o daquele monstro nojento, que ele atiçasse aquela tempestade dentro de mim até eu não ouvir nem sentir nada que não fosse ele. Eu precisava daquele caos, e foi por isso que me aconcheguei mais a seu corpo, correndo as mãos por seu tórax até encontrar a barra da camiseta. Enfiei-as ali dentro, experimentando o calor de sua pele na ponta dos dedos. As mãos de Marcus deixaram meu rosto e se agarraram a meus pulsos, me detendo.

— Não, Júlia...

Eu me afastei dele abruptamente, o peito subindo e descendo depressa.

— Não posso fazer isso com você. — Seus olhos ainda estavam fechados, a mandíbula trincada.

Desejei perguntar por quê. Desejei ainda mais ser corajosa o bastante para ouvir a resposta. Mas eu não era, e tudo o que fiz foi piscar algumas vezes, passar a mão nos cabelos e, sem olhar para ele, rolar para o lado, ficando de costas. Minha respiração ainda estava entrecortada. Lágrimas de rejeição se acumularam em meus olhos.

Eu havia entendido tudo errado. Marcus não tinha me beijado porque estava a fim, mas por pena.

Fechei os olhos com força, desejando me dissolver até virar espuma e desaparecer.

— A última coisa que eu quero agora é te magoar, Pin — ele sussurrou. — Mas não posso fazer isso. Não esta noite. Júlia...

— Boa noite, Marcus. — Fiquei feliz por minha voz não vacilar.

Eu o acusara de ser idiota, mas a burra ali era eu. Tinha passado a vida toda evitando aquele tipo de sentimento e me deixara levar justamente quando encontrara o único cara que eu sabia que não corresponderia.

— Não faz isso comigo, Júlia. Olha, deixa eu explicar. Eu só estou pensando no seu...

— Boa noite.

Ouvi um suspiro cansado seguido do ranger da cama, o ruído da cadeira. O colchão sacudiu de leve.

— Tudo bem. Vamos falar sobre isso amanhã. Vou estar na sala se precisar de alguma coisa.

Ele deixou o quarto sem fazer barulho. Esperei até ouvir a porta se fechar, para só então afundar o rosto no travesseiro, impregnado com o aroma dele, e deixar as lágrimas caírem.

30
Marcus

Os primeiros raios de sol entravam pela janela quando os soluços no quarto finalmente cessaram.

Cacete, eu causei aquilo. Eu a fiz chorar.

Bom trabalho, babaca.

Não era isso que eu queria. Nem de longe. E jamais me passou pela cabeça que fazer a coisa certa doeria tanto. A ardência no centro do peito não me deixava respirar direito, e eu certamente teria que andar inclinado — se eu ainda andasse, claro — naquele dia, com o pior caso de bolas azuis da história do mundo.

Eu queria socar alguma coisa. Minha cabeça, por exemplo. Com um pouco de sorte, eu ficaria inconsciente e esqueceria aquela merda toda.

É, certo. Como se isso fosse acontecer. Às vezes eu pensava em Júlia como uma espécie de coceira que se instalara sob minha pele. Quanto mais eu coçava, mais fundo ela se embrenhava.

Deus, aquele olhar, quando eu lhe pedi que parasse, me perseguiria até o fim dos meus dias. Eu já recebera todo tipo de olhar: pena, raiva, medo, repulsa, curiosidade. Mas nunca aquele, tão carregado de mágoa.

Era uma sorte Júlia ser tão cega em alguns aspectos. Ela não percebera que eu estava tão desesperado para estar com ela que nem consegui raciocinar. Se alguém perguntasse meu nome naquele instante, tenho certeza de que eu teria dito João Euclides. Mas o que eu queria e o que eu *devia* fazer eram coisas diferentes. Dentre todas as noites, dentre todos os momentos em que estivemos juntos, por que diabos ela tinha escolhido justo aquele para deixar as coisas rolarem?

É, eu sabia por quê. Foi por isso que eu tive de impedi-la de ir adiante. Júlia não agia como ela mesma. A situação do falso noivado, o problema na L&L, a privação de sono e a agressão a tinham feito atingir o limite.

Bufei, me remexendo no sofá. Só de pensar naquele monte de lixo outra vez, senti os músculos dos ombros enrijecendo. Cara, eu queria muito esmurrar aquele filho da puta até ele se transformar numa massa sangrenta e disforme.

Eu devia parar de desejar coisas que não podia ter. E isso se aplicava a Júlia. Não era por isso que eu estava ali naquele sofá duro enquanto ela chorava toda encolhida na minha cama?

Decidi me levantar. Ficar deitado não ia resolver nada, e eu ainda iria me atrasar para a primeira aula. Então, me apressei a fazer o alongamento que ajudava a evitar os espasmos musculares que às vezes faziam minhas pernas chacoalharem sem controle.

Puxei a geringonça para mais perto e me acomodei nela. Vinte minutos depois, fui para a cozinha preparar um café bem forte, na esperança de que ele espantasse a maldita dor de cabeça que me fazia ver tudo dobrado. Eu tinha acabado de ligar a cafeteira e botado as roupas ainda úmidas da Júlia para secar no micro-ondas quando ouvi a campainha tocar. Relanceei o relógio. Seis e meia.

Max. Cacete.

Se meu irmão visse Júlia, o inferno iria parecer a porcaria da Disneylândia.

A campainha tocou outra vez, e eu atendi antes que todo aquele barulho a acordasse.

— Fala aí... — Abri a porta, mas mantive no meio do caminho o trambolho no qual eu estava sentado.

— Um bom-dia ia te matar? — Max reclamou. Então, franziu o cenho enquanto me examinava. — Por que você ainda não está pronto?

— Tenho uns trabalhos atrasados pra entregar na faculdade. Ia aproveitar e dar uma adiantada.

Max estalou a língua.

— Eu sabia que você ia fazer isso. Quantas vezes eu disse para não ficar acumulando trabalhos? — Ele tentou passar pela esquerda, mas eu o bloqueei. — Cuidado aí! — exclamou, mudando de curso e passando por mim.

— Opa! Peraí. Isso aqui não é a casa da mãe Joana pra ir entrando assim, não. — Fui atrás dele.

Max ria ao pisar na cozinha, uma sacola de mercado na mão.

— Vai se arrumar. Eu te ajudo com os trabalhos hoje à noite. — Ele pegou uma caneca e se serviu de um pouco de café. — E, só por curiosidade: desde quando eu preciso de convite pra entrar na casa do meu irmão?

— Bom, desde hoje. E eu agradeço se você colocar essa bunda pra fora daqui.

— Por quê?

— Porque eu estou pedindo. — Dei de ombros.

O micro-ondas finalizou o processo com um *bip-bip-biiiiip*.

Ele levava a caneca aos lábios, mas parou no meio do caminho.

— O que está acontecendo, Marcus? — perguntou, desconfiado.

— Nada. Só não estou a fim de ir para a academia hoje. E, se você ficar aqui, vai me distrair, e eu realmente tenho muita coisa pra fazer se quiser passar neste semestre.

Ele me estudou por um momento. Seus olhos se estreitaram.

— Você está escondendo alguma coisa. Estou sentindo isso.

Irmãos mais velhos são um saco.

Bip. Bip. Bip.

— Pelo amor de Deus, Max, será que eu não posso viver a minha vida sem ter que pedir autorização para ninguém a cada passo que eu dou? Ou a cada passo que eu *não* dou, no caso?

— Só estou preocupado com você.

— Eu estou vivo, estou respirando. É tudo o que importa, certo? — Deus, eu estava tão cansado daquilo tudo.

— Não, Marcus. Não é tudo o que importa. Você anda agindo de uma maneira que nem eu consigo entender.

Bip. Bip. Bip.

— Só ando muito cansado.

— De quê? — Em duas passadas largas ele se aproximou de mim e apoiou as mãos nas rodas, trazendo o rosto para junto do meu. Seus olhos faiscavam. — Se você está tendo alguma ideia estúpida, é melhor...

— Não é nada disso, Max — atalhei, antes que ele começasse com o sermão de novo. — Eu só ando meio confuso com algumas coisas que não têm *nada a ver* com isso que você está pensando.

— Então jure que não vai fazer nenhuma merda. — *Bip. Bip. Bip.* Ele abriu a porta do micro-ondas e enfiou a mão lá dentro. — Prometa que não está pensando em se... — Ele jogou as roupas quentes na bancada. Uma das peças escorregou, mas ele foi rápido e a pegou antes que caísse. Max já ia colocá-la de volta na pilha, mas parou no meio do caminho para examinar, com a testa enrugada, a pequena calcinha de algodão branco. — Isto... isto não é seu, é?

— É claro que é. Usei num show de pole dance ontem à noite.

Ele jogou a calcinha na bancada e cruzou os braços, a diversão e a curiosidade aplacando a irritação.

— Foi pra ela que você comprou o anel.

Ah, inferno. Eu tinha me esquecido disso.

— Esquece esse assunto. Não é ninguém que você conheça.

— É coisa séria ou...

— Está mais pra *ou*... no momento — resmunguei. — Olha, sem querer ser rude nem nada, será que você poderia desencostar a bunda da minha bancada e cair fora?

Os olhos dele se alargaram. Sua voz mal passava de um sussurro ao perguntar:

— Ela ainda está *aqui*?

— Por que você acha que eu quero você fora da minha casa?

— Puta que pariu, Marcus! Por que não falou antes? — Endireitando-se, ele me deu um soco no braço, um minúsculo sorriso no canto da boca. — Que tipo de mulher ela é?

— Inteligente, linda, teimosa, forte e frágil ao mesmo tempo.

— Gostosa?

Revirei os olhos.

— A Alicia vai adorar saber que você me perguntou isso.

— Você me perguntou a mesma coisa quando te contei sobre ela. Só estou devolvendo o favor.

— Ela é uma delícia de tão gostosa, Max. Agora cai fora. — Comecei a empurrá-lo para a porta, um pouco desajeitado.

Max se virou antes que eu a fechasse.

— Você gosta dela pra valer?

Relutante, fiz que sim com a cabeça.

— E ela? — ele quis saber.

— Neste momento desconfio que não muito. — *Ou nem um pouco*.

— Saco. — Passou a mão nos cabelos. — Bom... Boa sorte. — Ele estendeu o braço, a mão em um gancho. Aceitei a oferta e a apertei. Ele aquiesceu brevemente. Uma faísca de esperança reluziu em seus olhos.

Aquele cara esteve ao meu lado em todos os momentos importantes da minha vida. Nos melhores, nos ruins e nos ainda piores. Meu irmão faria qualquer coisa por mim. Eu podia jurar que, se fosse possível, ele me daria suas pernas.

Alguma coisa me fez piscar e clarear a garganta, e devolvi o aceno sem dizer nada.

— A gente se vê depois. — Ele bateu de leve no puxador que eu instalara na porta do lado oposto ao da maçaneta, o que facilitava o fechamento para mim.

— Isso é genial.

Assim que ele entrou no elevador, bati a porta e soltei uma lufada de ar. Fui para a cozinha, peguei as roupas de Júlia e as dobrei.

Meu celular tocou quando eu terminava com a pilha. Era do consultório da dra. Olenka, confirmando o horário da consulta, na próxima semana. Acertei o horário com a secretária e me despedi no momento exato em que Júlia saiu do quarto, os cabelos alvoroçados, os olhos inchados pelo choro e pela noite maldormida. Tudo o que eu queria naquele momento era pegá-la no colo e abraçá-la, mas não fiz nada disso. Só continuei olhando, esperando que ela desse o primeiro passo.

— Eu preciso das minhas roupas — ela disse, ríspida.

— Estão aqui. Lavadas e passadas no micro-ondas.

Ela franziu a testa enquanto pegava a pilha que eu segurava.

— Acho melhor eu não perguntar nada. Vou me arrumar.

— Tudo bem. Leve o tempo que precisar.

Trancando-se no banheiro, ela demorou menos de cinco minutos para se aprontar. Quando saiu, manteve os olhos longe dos meus ao pegar a mochila. A frieza que emanava de Júlia teria feito a Groenlândia parecer quente e hospitaleira.

Tudo bem. Aquele era o momento certo para que eu explicasse o porquê de tê-la afastado na noite passada. Eu buscava as palavras certas para fazê-la compreender que eu só havia pensado nela, que não tinha nada a ver com não querê-la, com não desejá-la. Que fazer a coisa certa tinha doído pra cacete em meu corpo e em meu peito. Mas não tive tempo.

— Eu preciso ir — ela disse, antes que eu pudesse organizar os pensamentos, jogando a mochila no ombro.

— Espera, por favor. Eu preciso falar com você.

— Não acho que seja uma boa ideia — falou, os olhos fixos na direção da saída. — Na verdade... eu andei pensando e acho melhor a gente não se ver mais.

— Júlia... — Soltei o ar com força, embora aquilo não me deixasse surpreso. Eu já esperava algo assim, e não só por conta da noite passada.

— Isso não está funcionando, Marcus — ela prosseguiu. — Só estou me enrolando cada vez mais. Não sou boa em mentir, e uma hora dessas a tia Berê vai acabar descobrindo a verdade do pior jeito. Vou contar para ela, assim vai doer menos. É a coisa certa a fazer.

— Você não pode fazer isso. — Porque, se isso acontecesse, eu estaria fora de sua vida para sempre. — Ela pode não aguentar. Olha, deixa eu explicar o que aconteceu ontem.

Ela virou a cabeça e finalmente me encarou. A força da mágoa naqueles olhos me deixou completamente mudo.

— Tudo bem, Marcus. — Ela tentou sorrir. — Eu me odiaria agora se nós tivéssemos ido longe demais ontem. Eu estava cansada, e tudo o que aconteceu na noite passada me deixou confusa. Eu só busquei em você algo de que eu precisava naquele instante. Um pouco de calor em outro ser humano.

E eu neguei isso a ela. Cacete.

— Foi estúpido, me desculpa — ela prosseguiu. — Mas eu não estava pensando direito. Não quero que fique imaginando que eu me apaixonei por você. Porque eu não me apaixonei. — Esfregou o nariz. — Foi apenas um momento de fraqueza, como você disse.

— Eu sei disso. — Claro que ela não se apaixonara por mim. Eu não tinha ilusões quanto a isso.

— Eu só quero fazer a coisa certa, para variar. E não quero mais ter que fingir. Se alguma coisa acontecer com a tia Berê antes que eu possa contar a verdade, vou me odiar pelo resto da vida.

Eu estava a um passo de implorar que ela reconsiderasse, mas algo me impediu. Talvez orgulho. Mais provável que fosse minha consciência.

— Não vou te deixar na mão. — Júlia ajeitou a mochila, que escorregava de seu ombro. — Vou pedir para o Dênis vir aqui no sábado e fingir que é o seu cuidador.

— Não precisa. Eu me viro.

— Você é quem sabe. — Lentamente, ela retirou o anel que eu lhe dera.

— Não — me apressei. — Quero que fique com ele, Júlia. Eu comprei pra você.

Ela negou com a cabeça, me oferecendo a joia.

— Toda vez que eu olhar para ele, vou me lembrar do que fiz. E eu só quero esquecer isso tudo.

Um soco na boca do estômago teria doído menos.

Devagar, ergui a mão para pegar o pequeno aro prateado em sua palma macia.

Assisti, com o coração retumbando, ela caminhar até o elevador e apertar o botão. As portas se abriram e Júlia se enfiou lá dentro sem olhar para mim. A ardência no centro do peito me fez questionar se eu não estava tendo um ataque cardíaco enquanto os painéis metálicos se encontravam e ela desaparecia.

Mas não era isso. Quem dera eu tivesse tanta sorte.

Júlia estava indo embora para sempre e eu teria que descobrir como iria viver sem ela pelo resto da vida quando eu já não era capaz de sobreviver a um dia inteiro.

31
Júlia

Entrei em casa procurando não fazer barulho, porém tia Berenice, Magda e Dênis estavam tomando café na cozinha.

— Meu amor, você chegou! — tia Berenice me recebeu. Ainda que eu não tivesse chorado no caminho para casa, ela percebeu que eu não estava bem. Então se levantou e correu para me abraçar. — O que aconteceu?

— Nada, tia. Tá tudo bem.

— Ora, não tente mentir para mim, Juju. O que houve? Foi o Marcus?

Bom, eu ainda não tinha decidido como contaria a verdade a ela, mas sabia que era preciso. E talvez eu não tivesse que dizer *toda* a verdade. Podia seguir com o plano original.

— Hã... É. A gente brigou.

— Ah, meu amor... — Ela me sufocou em um abraço. — É só uma briguinha boba. Todos os casais têm. Vai ficar tudo bem.

— Eu sei. — Mas não da maneira que ela sugeria.

Eu esperava que Marcus estivesse certo em um ponto. Que às vezes você precisa se deixar cair no fundo do poço para, durante a escalada rumo ao topo, vislumbrar a força que tem nos braços. Eu estava lá embaixo agora, e não fazia ideia de como começar a subir.

Era assim que as pessoas se sentiam quando se apaixonavam por alguém que não correspondia aos seus sentimentos? Porque eu daria tudo para fazer aquela agonia ir embora.

Eu não devia ter deixado que isso acontecesse. Não devia ter permitido que ele chegasse tão perto. Então, só me restara uma alternativa: abandoná-lo antes que ele me abandonasse. Era melhor assim. Se pensar em nunca mais vê-lo já doía daquele jeito, como seria se eu continuasse com a farsa, convivendo com ele e descobrindo mais motivos para amá-lo, confundindo a farsa com o real? Minha única alternativa era seguir em frente e deixá-lo para trás. E eu faria isso. Era muito boa em arquivar sentimentos.

Apertei tia Berê de encontro ao peito, porque, ainda que ela não soubesse que não haveria futuro para Marcus e eu, meu coração estava partido e eu precisava dela mais do que nunca.

— Vocês estão apaixonados — ela murmurou. — Tudo vai se acertar. Essa rusga vai passar. Não quer me contar o que aconteceu? Talvez eu possa ajudar.

— Nós não estamos na mesma página. — Foi toda a verdade que consegui manejar.

— É natural. E essa não vai ser a última vez que vocês vão entrar em conflito. Essa é a graça da vida a dois. Imagine que chatice deve ser conviver com alguém que concorda com você em tudo. Credo!

Eu a soltei e a analisei com atenção.

— A senhora está bem? Teve algum mal-estar? — *Tipo, agora mesmo?*

— Estou bem, Jujuba. Estou até meio desconfiada. Fazia muito tempo que eu não tinha dias tão bons assim. Tem certeza de que não quer conversar sobre o que está acontecendo?

— Tenho, tia. E não se preocupa, tá bem? Deve ser como a senhora disse, uma briga à toa. — Se ela acreditasse nisso e eu pudesse ir levando, então havia uma chance de que eu não fosse matá-la no fim das contas. — Vou me trocar e ir para o trabalho.

— Não prefere ficar em casa hoje? — questionou, preocupada. — Podemos fazer alguma coisa divertida. Já sei! Podemos jogar cinco-marias. Ainda tenho os saquinhos. Você sempre adorou!

— Seria um sonho, mas não posso. Já andei faltando muito.

Ela beijou minha testa.

— Mais tarde, então?

Fiz que sim com a cabeça e subi para o quarto. Dênis, que se mantivera calado, apenas me observando com a testa encrespada, se levantou e veio atrás. Entrou no meu quarto antes que eu pudesse impedir, fechando a porta com cuidado.

— O que aconteceu?

— Acabou o trato. — Comecei a desabotoar o vestido.

— E por quê?

— Porque eu sou burra, Dênis! — Joguei os óculos em cima da cama e passei o vestido pela cabeça. — Porque eu sou uma grandessíssima idiota que permitiu que ele chegasse perto demais.

— Aquele cretino passou dos limites? Eu quebro a cara dele se ele..

— Não, Dênis. Não foi ele. Fui eu quem estragou tudo. Eu..

Ele arfou, levando a mão à boca.

— Ah, meu Deus, florzinha. Você está apaixonada!

Concordei, chutando as sandálias para longe com raiva.

— E ele não está interessado. — Abri o guarda-roupa e puxei uma calça jeans. Virei-me para o meu melhor amigo, que me encarava com um sorriso no rosto. Por que ele estava sorrindo? — Sabe o que é pior?

— O fato de esse lance ter acabado antes de começar?

— Não, Dênis! O pior é que eu sabia que ia acabar assim. E mesmo assim deixei acontecer.

— Ju, a gente não decide essas coisas. Por quem vai se apaixonar, quem vai amar. Infelizmente.

— Não, eu sabia. — Enfiei uma perna na calça, depois a outra. — Desde que você mencionou que o que eu sentia era atração, eu soube. Já senti atração, Dênis, e o que eu estava sentindo pelo Marcus era diferente. Eu devia ter me afastado antes. Que bom que não deixei ir mais além, ou ele teria me machucado de verdade. — Lutei para fechar os botões da calça. Um deles simplesmente se desprendeu e caiu. — Droga!

Dênis se aproximou por trás, sem fazer barulho, e me envolveu com os braços.

— Eu lamento muito, florzinha — falou em meus cabelos.

— Tá tudo bem. Eu estou bem.

— Não, não está. Você está sofrendo.

— Não estou.

— Está sim. Não tem problema sentir dor, Júlia.

É, certo.

— Não tenho tempo para essas coisas, Dênis. Tem muita coisa acontecendo. A tia Berê doente, meu trabalho e e-essa p-porcaria de b-botão! — Os soluços me fizeram gaguejar. As lágrimas vieram a seguir.

Inferno. Pensei que, depois de passar toda a madrugada chorando, meu estoque de lágrimas tivesse secado. Mas, pela velocidade e quantidade com que me desciam pelo rosto, eu ainda tinha um reservatório inteiro a ser utilizado.

Está tudo bem, Júlia. Não tem problema chorar.

— Eu n-não estou ch-chorando!

— Claro que não. — Ele me pegou no colo e me levou para a cama, onde começou a me embalar como se eu fosse um bebê. Eu odiava quando ele fazia aquilo. Mais ou menos. — A tia Berenice não vai te abandonar, Júlia. Ela luta todos os dias para poder ficar, e é por sua causa. Eu também, florzinha. Estou aqui desde que tínhamos seis anos e nunca vou embora. Sempre vou estar aqui por você.

— P-promete?

— Prometo, florzinha. E acho que o Marcus talvez ficasse também. Se você tivesse deixado.

— Mas não teria, Dênis! Ele não teria ficado. Eu me joguei em cima dele. Não podia ser mais clara, e ele...

— Te rejeitou — meu amigo completou, uma névoa obscura lhe embotando o olhar. — Acho que agora posso ir atrás dele e matá-lo sem que isso pese na minha consciência mais tarde.

Sacudi a cabeça.

— Ele não fez nada errado. Só não está a fim. Além disso, é melhor desse jeito. Ele teria ido embora de qualquer maneira.

— Júlia, nenhum de nós é ela — falou baixinho.

— Isso não tem nada a ver com ela! — Não tinha!

Ele riu sem humor algum.

— Tudo sempre tem a ver com ela, Júlia. A começar pela maneira como você se coloca aqui, na sua casa. Sempre arrumando tudo, fazendo a comida, como se tivesse que compensar a sua tia por alguma coisa..

Eu me soltei dele, saindo de seu colo.

— Eu cuido da casa para que a tia Berê não tenha que cuidar. Só isso.

— Não, florzinha. Você age assim desde sempre, muito antes de a sua tia adoecer. Você faz tudo para ser uma boa menina e ela não te mandar embora. Assim como sempre foi a melhor aluna da classe na escola, na faculdade, no curso de inglês, no de alemão e no de mandarim. Assim como se esforça para ser a melhor do TI. E não bebe porque tem medo de que o vício seja uma fraqueza do seu DNA. Você faz tudo isso porque quer a aceitação que não teve da sua...

— Eu estou atrasada. É melhor você ir agora. — Abri a porta do quarto.

Ele ficou de pé devagar, esfregando as mãos no jeans enquanto saía. No entanto, ao passar por mim, se deteve e colocou a mão sob o meu queixo.

— Eu vou, mas só porque tenho que trabalhar também. Não pense que me mandar embora vai fazer com que eu me afaste de você. Nada poderia, florzinha.

— Ele beijou a ponta do meu nariz e se foi.

Encostei a porta, enterrando o rosto nas mãos. A raiva e a dor me deixaram sem ar. Dênis sempre vira tudo em mim. Eu o odiava por causa disso. Eu o amava por causa disso.

Mas dessa vez ele estava errado. Aquela mulher já não tinha tanto poder sobre mim. Eu é que tinha sido burra o bastante para quebrar minhas próprias regras, e agora teria que lidar com as consequências.

❦

Meu dia transcorreu normalmente. Eu era muito boa em fingir que estava tudo bem, e ninguém do trabalho percebeu que meu mundo estava de cabeça para baixo. Nem mesmo Amaya, com quem almocei. Até ri de suas piadas.

Tia Berenice estava um pouco cansada quando cheguei, então trocamos o torneio de cinco-marias por uma sessão de DVDs antigos depois do jantar. Ela escolheu *Sabrina*, seu filme favorito em todo o mundo.

— Você se parece tanto com ela! — disse enquanto Audrey Hepburn rodopiava na quadra de tênis em seu vestido branco com bordados pretos. — Se cortar o cabelo, vai ficar igualzinha.

Revirei os olhos.

— A senhora sempre diz que eu me pareço com as heroínas dos seus filmes favoritos.

— E é verdade. Você tem um tipo de beleza clássica. Mas definitivamente você é muito Audrey. E foi por isso que... Ah, não aguento mais, Juju! Você *tem* que ver!

— Ver o quê? — perguntei, desconfiada. Aquele brilho excessivo em seu olhar significava problemas.

— Espere só um minuto.

Ela se levantou do sofá e foi para a cozinha. Ouvi a porta do quartinho de costura se abrir. Logo depois, apareceu com uma caixa branca imensa.

Eu imediatamente me contraí. Ali dentro podia ter qualquer coisa que a imaginação da minha tia maluca pudesse criar, mas eu sabia que era um vestido de noiva.

Também sabia que ela não estava levando a sério o fim do meu suposto noivado.

— Tia, eu e o Marcus...

— Ora, não seja boba. — Ela colocou a caixa ao meu lado, no sofá. — Vocês vão se acertar logo. E eu tenho que estar com tudo preparado. Vai, menina, abre!

Com um suspiro agastado, abri a tampa, vislumbrando um amontoado de cetim branco. Pegando o tecido com cuidado, o suspendi. O vestido foi se desenrolando aos poucos, até estar completamente aberto. O tomara que caia tinha uma fita de cetim negra arrematada por ramas de renda na mesma cor na lateral direita. A saia era mais curta na frente, permitindo entrever outra do mais fino tule branco. A barra, decorada pela mesma renda escura, formava delicados ramalhetes em toda a circunferência, até na longa cauda. Era pouco convencional e absolutamente deslumbrante, como tudo o que tia Berenice criava. Seria o vestido perfeito para quando eu me casasse. O que não ia acontecer na próxima década.

Engoli em seco.

— Tia, eu... nem sei o que dizer.

— Então não diga nada. Vamos experimentar e ver se precisa de ajustes.

A última coisa que eu queria era entrar naquele vestido, pois nunca o usaria de verdade. E foi por isso mesmo que acabei concordando. Minha tia sonhava havia anos com o momento em que me veria em uma de suas criações.

Amparei tia Berenice nas escadas, e fomos para o meu quarto. Ela esperou pacientemente que eu me despisse e me ajudou a entrar no vestido, lidando com os botões nas costas. Seus olhos brilhavam, e um pequeno sorriso surgiu no canto de sua boca ao me contemplar.

— Um vestido desses precisa de luvas. — Ela as tirou da caixa e tomou minha mão direita. Franziu a testa ao notar a ausência do anel de noivado. — Ah, bem...

Soltando um suspiro tristonho, me auxiliou com as luvas e, então, fez uma espécie de penteado em mim, usando alguns grampos que estavam em seus próprios cabelos.

Tia Berê se afastou um pouco para me examinar por inteiro. Seus olhos lacrimejaram.

— Ah, minha Julinha...

Eu me virei para poder me olhar no espelho.

Ai, meu Deus! Eu era a própria Sabrina. Mais moderna, claro, mas ainda assim era impossível não notar de onde viera a inspiração para a criação daquele vestido.

E eu estava bonita. Realmente bonita. Isso foi uma surpresa.

— Você está tão perfeita. — Ela parou atrás de mim, as mãos em meus ombros. Nós duas admiramos meu reflexo. — Acho que vou chorar.

— Não quero que a senhora chore. — Virei o rosto para ela. — Eu adorei, tia. É o vestido mais lindo do mundo. Ainda mais que o da Sabrina.

— O que aquele Givenchy entende de moda? — ela brincou, abanando a mão. — Mas acho que precisa de um pequeno ajuste na cintura. — Beliscou o tecido, fazendo uma pequena dobra na lateral. — Está um pouquinho folgado.

— Não acha melhor levarmos pra alguém ajustar? — Como uma expressão de horror lhe obscureceu o rosto, tratei logo de emendar: — Só porque não quero que a senhora se esforce mais. Lembre-se do que o dr. Victor disse. O pedal da sua máquina de costura é pesado demais.

— Ora, se eu não puder costurar o seu vestido, então de que me adianta estar viva? E não vou me esforçar, de toda forma. Posso fazer o ajuste a mão. Não sou criança, Júlia. Sei dos meus limites.

Nem sempre, tia.

— Agora, imagine só — ela prosseguiu, dançando pelo quarto. — Você, com toda essa beleza, entrando na igreja decorada com arranjos brancos. O Marcus lá na frente, te esperando em um belo terno. — Ela suspirou. — Vou pegar as agulhas. Não se mova.

— Eu pego para a senhora.

— De jeito nenhum! Nada de ficar passeando com o vestido. A barra só está alinhavada. Vai soltar tudo. Pior ainda, vai sujar! Fica quietinha aí. Tenho um estojo no quarto.

Abri a boca para lembrá-la de que não era necessário ter tanta pressa, que eu não tinha mais um noivo, mas ela saiu do quarto, cantarolando.

Voltei o olhar para o espelho. Tirei os óculos, mas a imagem ficou meio borrada, de modo que o recoloquei. Corri o dedo pela saia ligeiramente ampla. Era apenas um vestido bonito, mas me peguei desejando que Marcus pudesse...

Bloqueei o pensamento no mesmo instante. Se eu pretendia tirá-lo da cabeça, a primeira coisa a ser feita era não ficar pensando nele a cada dois minutos.

Ouvi os passos de tia Berê no corredor. Estavam mais lentos. Fui até a porta, preocupada.

— Tia, tá tudo b...

Ela estava recostada na parede, a mão indo direto ao centro do peito, os olhos se revirando nas órbitas, a cor do rosto desaparecendo. A caixa de agulhas despencou no chão de tacos.

Eu já estava correndo antes que me desse conta.

— Mãe!

32
Marcus

Alguém bateu na minha cabeça. Alicia, e não foi por acidente. Eu tinha ido até a casa deles para tentar ocupar a cabeça, ou acabaria enlouquecendo. Não que estivesse funcionando, claro.

— Você ouviu uma palavra do que eu disse? — minha cunhada perguntou, irritada.

Claro que não.

— Claro que sim. Você estava falando sobre o casamento.

Ela me olhou desconfiada, mas deixou por isso mesmo.

— Aquela maluca da Melissa — falou Alicia — sugeriu colocar umas pombas na hora da troca de alianças. Consegue imaginar uma coisa dessas? Eu não ia parar de rir!

— Se você não gosta das ideias dela, por que a contratou?

— Porque a Mari me obrigou! Ela disse que era a melhor, mas, sei lá, Marcus, a garota só dá ideias que não têm nada a ver comigo e... tudo a ver com a Mari.

— Bom, a culpa não é dela, é? Você deixou a Mari no comando de tudo. Essa Melissa só está tentando fazer você feliz.

— É, pode ser, mas mesmo assim eu não quero pombas voando em cima dos convidados. Imagina se uma delas resolve... — ela recomeçou a falar e eu me desliguei da conversa outra vez.

Não fiz de propósito, juro que não. Mas minha mente começava a vagar para os acontecimentos da noite passada — aqueles em meu quarto, antes de eu ter agido feito um grande babaca e tido a péssima ideia de fazer a coisa certa, para variar. É claro que Júlia não tinha entendido nada. Como poderia, se nem eu mesmo entendia?

— Marcus! — Alicia chamou.

— O quê?

— Você continua não me ouvindo!

— A costelinha está pronta. — Max apareceu na sala com um pano de prato sobre o ombro, equilibrando três latas de cerveja. Deus seja louvado!

— Ainda bem! — Ela se levantou. — Estou quase passando mal de fome. Vem, Marcus.

— Comam vocês.

Alicia se deteve, virando a cabeça para me encarar, boquiaberta.

— Como é? — meu irmão perguntou, sem saber se deveria rir ou se preocupar.

— Tô sem fome — resmunguei. — Mais tarde eu como alguma coisa.

— Você tá legal? — Alicia pousou a mão em minha testa.

— Claro. Por que não estaria?

Mas foi Max quem respondeu:

— Você *não* nega comida. — Ele chegou mais perto. Aproveitei para pegar uma lata. — Nunca!

— Meu estômago não está lá essas coisas hoje. — Assim como minha cabeça e o centro do meu peito. Eu já tinha me conformado que não estava tendo um infarto. Mas devia ter outra coisa, porque estava doendo pra caralho.

— Marcus... — Meu irmão se sentou na mesa de centro, de frente para mim, colocando as duas latinhas de lado. — Isso tem alguma coisa a ver com... hoje de manhã?

— Você quer dizer a briga com a namorada? — Alicia quis saber.

— Você tem a língua muito comprida, Max. — Olhei feio para ele. — E eu não estou namorando ninguém.

— Ah. — Max apoiou os cotovelos nos joelhos e uniu as mãos entre eles. — Vocês não se entenderam.

— Algo assim. — Abri a cerveja, apreciando o sussurro agudo, o aroma do malte pairando no ar. Era disso que eu precisava.

— Por que não me conta o que aconteceu? Quem sabe eu consiga ajudar.

— Eu fiz o que devia fazer, Max. E por causa disso ela não quer mais me ver. Porque eu fiz a coisa certa.

— Isso *nunca* dá certo — Alicia gemeu.

— Pois é. — Fixei os olhos na latinha em minha mão. — E eu não quero mais falar sobre isso.

Levei a cerveja à boca, mas, antes que eu pudesse tomar um gole, meu celular vibrou no bolso da calça. Eu o peguei e senti um espasmo no peito ao ver a foto da garota tímida de olhar profundo me encarando por trás dos óculos.

Eu não sabia ao certo o que ela queria, se havia mudado de ideia ou não, mas ela havia feito a coisa certa quando foi embora. Ela merecia mais. Eu podia entender isso agora. Então, por que diabos ela estava me ligando?

Tomei fôlego e apertei o botão para atender.

— Alô — falei, o mais distante que pude.

— Marcus... — Sua voz estava trêmula. A resolução de me manter indiferente se esfarelou. — Por favor, me ajude. Por favor! Eu preciso... — mais soluços — ... de você.

— O que aconteceu?

— Eu não sei! A tia Berenice não está... ela não está conseguindo...

Cacete!

— Chego aí em dez minutos. — Desliguei, colocando a lata intocada na mesa de centro e já pegando a chave do carro. — Preciso ir — disse a Alicia e Max.

— Por quê? O que está acontecendo? — Meu irmão ficou de pé.

— Eu não sei. — Bati a cadeira em um canto do sofá ao manobrá-la. — Uma amiga precisa de mim, Max. A gente se fala depois.

— Era ela? — Ele vinha logo atrás quando alcancei a porta.

Fiz que sim uma vez.

Ele se recostou no batente e enfiou as mãos nos bolsos da calça.

— Certo. Se precisar de mim, você sabe que pode contar comigo. Para qualquer coisa.

— Eu sei, Max. Mas é ela quem precisa de ajuda agora. — *Deus, não permita que eu chegue tarde demais. Não permita que eu falhe com ela outra vez.*

Entrei no elevador e em poucos minutos estava no carro, acomodando o trambolho no banco do carona. Devo ter tomado algumas multas por excesso de velocidade no caminho, mas o que importa é que consegui chegar até a casa de Júlia em onze minutos.

Mal tive tempo de desligar o motor e a porta do sobradinho verde se abriu. Júlia, com a tia pendurada no ombro, passou pela varanda em um vestido longo branco de festa. Ela estava tão linda que tive de piscar algumas vezes para me assegurar de que eu não estava fantasiando. Ela era real. Mas aonde ia, vestida daquele jeito?

Abandonei as conjecturas ao ver sua dificuldade para amparar Berenice, seu esforço extremo para que seu corpo delicado e pequeno suportasse o peso das duas.

Trinquei os dentes, socando o volante com raiva. Impotente. Eu estava impotente. Levei a mão às rodas da maldita joça, pensando que Júlia poderia usá-la para trazer a tia até o carro, mas ela já estava na metade do caminho. Chegaria ao veículo antes que eu terminasse a montagem. Cacete.

Júlia e a tia passaram pelo portão e eu destravei as portas. Quando a mulher finalmente entrou no carro, percebi como ela estava mal. Sua pele brilhava por conta do suor, em um tom cinzento de causar calafrios.

— Dona Berê — murmurei, por culpa do nó na garganta.

— Meu querido...

Júlia se sentou ao lado dela, batendo a porta. Dei uma olhada rápida em seu rosto. Ela estava meio verde, como se fosse vomitar a qualquer instante.

— Sabe onde fica o hospital? — Ela não esperou por uma resposta, foi logo dizendo o endereço.

— Coloquem o cinto — ordenei a elas, engatando a marcha.

Passei em todos os faróis amarelos e em um vermelho. Júlia não pareceu se dar conta disso, segurando Berenice com cuidado, aparando sua cabeça, acariciando os cabelos dela para longe da testa. Por duas vezes meu olhar se encontrou com o seu no retrovisor. Eu queria dizer que tudo ficaria bem, mas não queria mentir para ela. Então apenas fiz um meneio com a cabeça, a que ela correspondeu com um apertar de lábios.

Ao chegar ao hospital, embiquei o carro na área de desembarque, ficando a poucos metros da entrada. Júlia desceu antes mesmo que eu desligasse o motor e passou ventando pelas portas automáticas.

Abri minha porta e comecei a montar o trambolho.

— Aguenta aí, dona Berenice.

Sua mão fria e trêmula tocou meu ombro. Girei a cabeça e encontrei os olhos fundos da mulher.

— Preciso falar com você, meu querido.

— Vamos conversar sobre o que a senhora quiser, depois que for atendida.

Ela balançou a cabeça, os olhos fechados com força.

— Tem que ser agora.

Ah, não. Não morra agora!

Eu me apressei na montagem da maldita cadeira. Colocaria a mulher no colo e a levaria para dentro, se fosse o caso.

— Eu sei, Marcus — ela sussurrou.

A roda que eu tentava encaixar na base caiu no chão. Inferno!

— Sabe o quê? — perguntei, me inclinando com a ajuda do cinto de segurança para pegar a peça.

— Tudo! — ela disse, num choramingo doloroso e preocupante que me fez olhar para ela outra vez. Sua expressão era grave. — Eu sei a *verdade*, Marcus. Sobre você e a Júlia.

Ah, caralho.

33
Júlia

Passei pela porta automática do hospital feito um raio e fui direto para a recepção.

— Por favor, eu preciso... — fui dizendo, mas a garota de coque bem feito levantou a mão, me cortando.

— Um momento, por favor. — Pegou o telefone que tocava.

— Mas eu preciso...

— Eu disse um momento, por favor. — Ela me fulminou com os olhos exageradamente maquiados. — Hospital do Coração, boa noite. Silvia falando. Como posso ajudar? Ah, oi, Jô! Eu já ia te ligar. Você não sabe o que aconteceu comigo hoje!

— Moça, a minha tia está...

Tudo o que ela fez foi girar na cadeira e me dar as costas.

— Lembra daquele residente que te falei? Ele passou aqui ainda agora e me disse...

Eu já me preparava para saltar dentro do balcão quando vi dois enfermeiros passando atrás de mim, empurrando uma maca vazia.

— Por favor, me ajudem. Tenho alguém no carro que precisa de cuidados imediatamente.

— Qual o caso? — o mais alto deles perguntou.

— Insuficiência cardíaca com agravantes de...

— Merda. — O outro, meio careca, não esperou que eu concluísse e girou a maca, já correndo para a porta.

— Calma, tudo vai ficar bem. Vamos cuidar de tudo. — O grandalhão pousou uma mão pesada em meu ombro, para em seguida se juntar ao colega.

— Aquele carro prata ali — gritei aos dois enfermeiros. Marcus abria a porta traseira, pálido de tão aflito. Ele realmente gostava de tia Berenice. Isso fez meu coração se apertar.

Os enfermeiros o alcançaram e o puxaram para trás de um jeito meio brusco. Um par de mãos se encaixou embaixo de seus braços, içando-o. O outro agarrou suas pernas. Em um instante Marcus estava sobre a maca.

— Parem! — Que diabos eles estavam fazendo?

— Não se preocupe, senhor. Vai ficar tudo bem — um deles disse a Marcus, que se contorcia. — O senhor está em boas mãos.

— Me solta, caralho! — berrou Marcus, tentando se livrar dos dois.

— O que estão fazendo? Soltem ele! — exigi, puxando um dos enfermeiros para trás.

Ele se livrou de mim com um safanão.

— Não precisa entrar em pânico, moça. Nós sabemos o que estamos fazendo.

— Sabem porra nenhuma — reclamou Marcus, se debatendo. — Me solta!

— Solta ele! — Soquei o maior, que já começava a empurrar a maca para dentro do hospital.

Agarrei a alça da maca e plantei os pés no chão para detê-la. Marcus tentou se levantar, mas o careca o obrigou a se deitar, colocando o braço dobrado sobre seu peito.

— Ele precisa de atendimento imediato, senhorita. — O careca me olhou feio.

— A *minha tia* precisa de atendimento imediato. — *Seu imbecil!*, eu quis acrescentar. — Não ele!

Os dois pararam. A maca ficou entre as portas automáticas. Os enfermeiros olharam para mim.

— Mas ele é... — O enfermeiro alto coçou o ombro. — Só pensei que...

— É, eu sei o que você pensou — Marcus o cortou, se sentando com alguma dificuldade. Ele evitava contato visual, completamente mortificado. Desconfiei que o motivo principal de seu desconforto fosse o fato de eu ter presenciado a cena. Odiei os dois enfermeiros. Realmente odiei. Gostaria de ter feito ou dito alguma coisa, mas eu não tinha tempo a perder. Tia Berê precisava de socorro.

— Andem logo. Tem uma mulher doente sofrendo no banco de trás. — Eu me apressei em pegar a cadeira de Marcus, a trouxe para perto da maca e acionei o freio. A maca era muito alta, mesmo assim ele conseguiu fazer a transferência.

Os enfermeiros falavam agora com tia Berenice. Ela foi acomodada na maca segundos depois. Passamos direto pela recepção, e então a loira finalmente achou que seria legal me chamar para preencher a papelada.

— Tudo bem, eu faço isso — Marcus se ofereceu.

Entregando minha bolsa a ele, assenti, o coração repleto de gratidão e medo. Eu já tinha suspendido a saia do vestido e me preparava para correr atrás da maca que levava minha tia quando uma mão grande e ligeiramente calejada se enroscou na minha. Olhei por sobre o ombro, encontrando o olhar de Marcus. Ele não disse nada. Apenas ficou ali, me encarando como se com isso conseguisse me passar um pouco de calma. E, de certa maneira, conseguiu mesmo.

Eu o deixei na recepção cuidando da burocracia e fui atrás de tia Berenice e dos enfermeiros, até a sala de emergência.

Eu tinha ligado para o dr. Victor logo depois de falar com Marcus, e ali estava ele, a sua espera, como me prometera.

— Berenice. — Ele olhou para ela com carinho enquanto tomava seu pulso.

— Ora, ora, se não nos encontramos de novo. Está me perseguindo, doutor?

— Parece que é você quem não consegue ficar longe de mim.

Ela fechou os olhos, cansada, mas tentou sorrir.

— É esse coração. Ele não consegue ficar longe de você.

— Vou cuidar bem dele.

O médico me olhou brevemente antes de disparar ordens aos enfermeiros.

Então minha tia foi levada para outra sala, e não me permitiram acompanhá-la. Fiquei no corredor, andando de um lado para o outro, sem realmente ver nada à minha frente. Apesar de frias, minhas mãos começaram a suar dentro das luvas. Eu me livrei delas, amarrando-as com um nó firme, e continuei com o vaivém.

— Fica calma, Júlia. — A voz de Marcus, suave e estudadamente segura, chegou a meus ouvidos. Girei sobre os calcanhares e o encontrei parado perto da porta, me observando.

— Eu não posso perdê-la, Marcus. Sem ela eu... — Minha vista escureceu e o cenário ficou meio borrado. As paredes formaram um ângulo estranho.

— Vem cá. — Ele chegou mais perto e me pegou pela cintura.

Não resisti. Me permiti aceitar seu consolo, me encolhendo em seu colo e afundando a cabeça em seu pescoço. As lágrimas vieram, e, por mais que eu odiasse o fato de ele me ver chorar de novo, o medo de perder tia Berê era tão grande que eu não pude encontrar forças para me importar.

Não percebi o tempo passar até o médico aparecer. Fiquei sobre minhas próprias pernas e me preparei para o que iria ouvir. No entanto...

— Veja bem, Júlia. A dor que a Berenice está sentindo é na verdade causada por gases.

— Gases? — perguntei, descrente, quase rindo.

— Sim. Mas, Júlia, eu fiz novos exames, e eles apontaram uma queda acentuada no bombeamento sanguíneo. As pernas e os pés da Berenice estão mais inchados, e também há um pouco de sangue nos pulmões.

— Merda — Marcus murmurou ao meu lado, ecoando meus pensamentos.

— Certo. O que a gente faz agora? — exigi.

— Nós precisamos de um coração, querida — o dr. Victor esclareceu. — Vou fazer o que puder para dar a ela um pouco de bem-estar. Precisamos redobrar os cuidados. E rezar para que o órgão apareça o mais rápido possível. Ela vai ficar alguns dias conosco, e depois pode ir para casa.

— Graças a Deus.

— Mas sua tia precisa evitar todo e qualquer esforço físico de agora em diante.

— Mas ela tem feito repouso!

— Não se ela tem que subir uma escada — ele me corrigiu. — Seria possível mantê-la apenas no andar de baixo?

— Bom... Eu não sei ao certo. Não temos chuveiro no banheiro de baixo, só um lavabo. Mas eu vou pensar em alguma coisa.

— Faça isso. Também vou mudar a medicação. Pode causar alguns efeitos colaterais. — Ele voltou para dentro da sala e eu permaneci em pé, olhando a porta se fechar com um baque surdo.

— Acho melhor você se sentar um pouco. Pode demorar até te deixarem entrar para vê-la — Marcus falou atrás de mim.

Eu me virei, as mãos retorcidas em frente ao corpo.

— Tá. — Parecia boa ideia.

Agora que sabíamos que tia Berê estava relativamente bem, pensei que Marcus fosse sair correndo, mas ele não fez isso.

— Marcus... — comecei — eu não sei o que teria acontecido se você não tivesse aparecido lá em casa tão depressa.

— Você teria dado um jeito.

Neguei com a cabeça.

— Não teria, não. O Dênis está no centro, na festa de um amigo. E ele não tem carro. Eu poderia ter chamado um táxi ou uma ambulância, mas às vezes eles demoram tanto para chegar, e eu fiquei com medo de não ter todo aquele tempo. Você foi incrível. Ainda mais depois de hoje de manhã... — Desviei o olhar para a barra do vestido, agora suja. — O que eu quero dizer é... obrigada por ajudar a salvar minha tia.

— Eu não fiz nada, Júlia. — Ouvi Marcus se remexer na cadeira, parecendo desconfortável.

— Fez sim. E nem tem ideia de quanto. O caso da tia Berê é delicado. Cada segundo perdido pode significar um passo em direção a... Bom... você sabe. Achei que você nem fosse atender o telefone. — Eu não conseguia olhar para ele. — Eu não queria te ligar. Juro que não. Mas, quando ela passou mal, só consegui pensar em você.

Ele ficou calado por tanto tempo que tive que espiá-lo. Seu maxilar estava trincado, as sobrancelhas apertadas, mas os olhos cintilavam para mim.

— Ainda bem que... — Sua voz falhou. Ele pigarreou. Duas vezes. — Ainda bem que ela não passou mal por causa do cancelamento do noivado. Quer dizer... você contou para ela? — ele quis saber.

— Contei, mas olha só pra mim! — Toquei a saia do vestido. O alinhavado na barra já começava a desmanchar.

E ele olhou. Olhou de verdade, até eu sentir como se estivesse me acariciando.

— Isso é um vestido de noiva? — Sua testa se enrugou.

— Versão tia Berê do vestido da Sabrina. — Como ele fez uma careta engraçada, adicionei: — Do filme, sabe? Com a Audrey Hepburn e o Humphrey Bogart.

Ele deliberou por um instante.

— Eles são astros pornôs, certo?

— Claro que são. Eu e a minha tia adoramos esse tipo de filme. Assistimos o tempo todo. — Acabei rindo de verdade. A primeira vez desde a noite passada.

Marcus respirou fundo, como se estivesse prendendo o fôlego havia muito tempo.

— Eu imaginei. E esse vestido ficou... — ele fez um gesto de mão — ... ficou qualquer coisa em você, Júlia.

— Obrigada. — Meu rosto se incendiou.

Marcus chegou mais perto, se ajeitou entre os assentos, ficando tão próximo de mim que seu cheiro me envolveu como um abraço reconfortante. Perto o suficiente para, se eu inspirasse fundo, o movimento fazer meu ombro esbarrar em seu braço. Comecei a traçar o desenho da renda com a ponta dos dedos.

— Então... — ele começou. — Sua tia não acreditou que a gente terminou.

— Ela acha que estamos muito apaixonados e que o desentendimento não passou de uma briguinha à toa.

— E o que você vai fazer agora?

— Vou continuar dizendo que nós terminamos, até ela acreditar.

— E o contrato com a agência de festas? — ele perguntou. Havia uma sombra em seus olhos agora.

— Assim que ela acreditar em mim, vai querer cancelar o contrato. — Pelo menos era o que eu esperava que acontecesse.

— Então nós... — Ele se interrompeu e pigarreou de leve. — Sabe...

— Com certeza.

Diversas emoções atravessaram seu rosto, e desejei ser capaz de decifrá-las. Ficamos calados por um momento. Eu, brincando com a bolota que agora eram as luvas brancas. Ele, se remexendo desconfortável, como se algo o ferroasse. Isso me lembrou:

— Odiei o jeito que os enfermeiros te trataram — confessei.

Ele ergueu os ombros.

— É normal. Toda vez que chego perto de um hospital, é parecido. As pessoas me olham e veem alguém às portas da morte.

— Isso é ridículo, Marcus. É cruel, é...

— É assim que é — ele completou. — Já estou acostumado.

— Eu sinto muito.

Ele tentou sorrir.

— Eu também.

— Quer que eu desça lá e encha aqueles dois de porrada? — ofereci. — Ando precisando mesmo testar aqueles golpes que você me ensinou.

O que antes não passava de uma insinuação agora se transformara em um largo sorriso, e depois em uma gostosa gargalhada, que aqueceu meu coração.

— É muita gentileza sua oferecer, mas não é necessário. Os caras não têm culpa. Antes do acidente eu também pensava assim sempre que via alguém na cadeira de rodas.

— Eu nunca pensei nada disso, Marcus.

— Eu sei, Pin. — Seus olhos de turmalina escrutinaram meu rosto e se detiveram em minha boca. — Você é feita de outro material.

Meu pulso acelerou e eu quis perguntar o que significavam aquelas palavras, mas uma enfermeira apareceu e avisou que eu já podia entrar para ver tia Berenice. Não hesitei um instante sequer. Corri até o quarto dela como se o mundo estivesse acabando. Marcus me acompanhou com facilidade. Uau, ele era muito rápido quando estava com pressa.

Não parei nem para tomar fôlego quando cheguei ao meu destino. E lá estava ela, ainda respirando, deitada naquela cama hospitalar. Sua pele tinha uma cor estranha, mas isso não importava. Seu peito subia e descia e isso era tudo.

Eu me aproximei da mulher, da única mãe que conheci, e segurei sua mão. Estava fria. Beijei sua palma repetidas vezes, agradecendo a Deus por ainda poder fazer aquilo. Tia Berenice parecia cansada, mas fez o melhor que pôde para sorrir.

— Estou bem, querida. No fim das contas, tudo que eu precisava era soltar p... — Ela se deteve ao ver Marcus mais atrás. — Ah, meu querido, você ficou!

— É claro que fiquei. Quem vai garantir que a senhora siga as instruções do médico?

— É muito bom te ver de novo.

— Digo o mesmo. — Ele abriu um largo sorriso, que deixou nós duas um pouco abobalhadas. — Agora precisamos fazer a senhora melhorar logo — continuou. — Não gosto deste lugar. Já passei muito tempo em um assim.

Ela estremeceu.

— Nem me fale. — Então voltou seus olhos cansados para os meus. — O dr. Victor já te deu as boas notícias? Não posso nem subir uma mísera escada.

— Vamos dar um jeito nisso. Não se preocupe com nada agora. Só descanse.

Ela sacudiu a cabeça.

— Não me preocupar! Eu quero sair daqui o mais rápido possível, e aquele médico nanico não vai me liberar se souber que tenho uma escada pela frente. Andei pensando... E se colocássemos uma banheira na lavanderia?

Eu pretendia dizer que aquilo era um absurdo e que eu não permitiria que ela se expusesse a uma situação tão humilhante. Contudo, Marcus falou antes:

— Eu não vou permitir que a senhora tome banho numa lavanderia como se fosse um cachorro sarnento. Além disso, os vizinhos podem tentar espiar a senhora por cima do muro.

— Ora, Marcus, ninguém jamais espiou pelo muro — ela rebateu.

— Ah, mas isso porque nunca tiveram o incentivo de uma bela mulher nua no quintal.

Ela corou de deleite, e sua cor já não parecia tão agourenta. Marcus fazia bem a ela.

— A friagem pode não fazer bem — concordei. — É muito aberto.

— Mas o que vamos fazer, então? Não temos dinheiro suficiente para pagar um hotel por tempo indeterminado. Nem, Deus me livre!, uma casa de saúde.

— Nós teríamos, se a senhora não tivesse sido tão precipitada e gastado todas as economias naquela festa de casamento — murmurei.

Ela revirou os olhos.

— Detalhes, detalhes...

— Vocês podiam ficar comigo — a voz grave e macia de Marcus reverberou pelo quarto.

Voltei o rosto para ele de imediato.

— O quê?! — Ele tinha perdido a cabeça de vez? — Não! Nem pensar. De jeito nenhum. Não mesmo.

— Por que não? Tem espaço suficiente para nós três. — Ele encolheu os ombros generosos.

— Porque isso é a coisa mais ridícula que eu já ouvi na vida. E você acabou de se mudar para ter o seu espaço, lembra?

— Por isso mesmo estou convidando. Ando me sentindo meio solitário. — Sorriu sarcasticamente e eu desejei que ele não fosse tão bonito. Com calma, ele se aproximou da cama. — Então, dona Berenice, o que a senhora prefere? Ficar confinada entre a sala e a cozinha, tomar banho na lavanderia com uma plateia, ou ir morar comigo por uns tempos, num apartamento onde existem barras de apoio no banheiro?

Ela olhou para mim de imediato.

— Quando faremos a mudança, Juju?

34
Marcus

O relógio marcava dez e onze quando o interfone tocou naquela manhã de domingo, anunciando a chegada de minhas novas hóspedes. Dona Berenice tivera alta naquele dia, e ela e Júlia viriam do hospital direto para cá.

Eu tinha arrumado a casa toda, dei um tapa no banheiro e até coloquei uma vela aromática — Max disse que as mulheres gostavam disso. Júlia aparecera no dia anterior e me ajudara a limpar o quarto onde ela e a tia dormiriam. Ela fez questão de deixar claro seu descontentamento com a situação não falando comigo. A única vez em que me dirigiu a palavra foi para me perguntar se poderíamos adiar o jantar em que eu a apresentaria aos meus pais, naquela noite, como tínhamos combinado.

— Fica tranquila, já cancelei — contei, e ela voltou a me ignorar.

O que era bom, de certa maneira. Toda aquela raiva certamente faria Berenice acreditar que tínhamos mesmo terminado.

Diabos, de boba aquela mulher não tinha nada. Júlia estava certa: era uma péssima mentirosa, e nem todos os seus esforços convenceram sua tia de que realmente tínhamos um relacionamento. Confesso que fiquei boquiaberto quando Berenice me falou no carro:

— Eu sei que você e a Juju não estão juntos de verdade, que ela só está tentando me fazer feliz com a ideia de um casamento iminente.

Naturalmente, fiz o que qualquer pessoa faria numa situação dessas. Neguei.

— Não sei de onde a senhora tirou um absurdo desses, dona Berê. A Júlia jamais fingiria alguma coisa. A senhora sabe como ela é...

— Por isso mesmo eu sei que ela *está* mentindo! O que eu não entendo é por que você está fingindo ser apaixonado por ela.

Eu podia ter respondido aquilo de mil maneiras diferentes. Qualquer merda teria sido mais aceitável do que o que eu disse.

— Eu não estou mentindo, dona Berê. Eu realmente estou louco por ela.

Uma expressão de surpresa e esperança dominou seus traços contorcidos pela dor.

— Oh! Então... eu me enganei? Vocês estão envolvidos?

— Eu só penso nela, dona Berê.

E desde aquele momento a verdade continuava ali, me encarando de frente, de cima, de todos os ângulos: eu amava Júlia. Amava como jamais amei ou viria a amar alguém. E sabia que a convivência com ela seria complicada, que ela estava magoada comigo. Um tipo de mágoa profunda, que não seria fácil de apaziguar.

Mas eu só queria que ela sorrisse mais, que seus ombros não estivessem sempre tão eretos, como se esperasse pelo pior, que ela não me olhasse com tanta decepção. Sobretudo esta última.

Por isso eu sabia que tinha feito a coisa certa ao oferecer minha casa a elas. Uma mulher na idade de dona Berenice não podia tomar banho numa tina na lavanderia. Eu nunca deixaria minha mãe passar por uma humilhação dessas. E, se a tia estivesse confortável e bem instalada, então talvez Júlia relaxasse um pouco.

A batida na porta me fez disparar para a entrada e abri-la. Júlia trazia uma mochila em cada ombro e uma expressão assassina no rosto delicado.

— Bom dia — ela disse, sem nenhuma emoção.

— Vai entrando. Agora a casa também é sua.

— Apenas por um tempo. — Ela passou por mim. Uma das mochilas me acertou na cabeça, e tenho quase certeza de que foi de propósito.

— Marcus, meu querido — Berenice começou, o rosto ainda pálido. A seu lado, lhe oferecendo o braço, estava um rapaz que me pareceu vagamente familiar. Ele trazia duas malas enormes. — Obrigada por ter nos acolhido. Não sabe como eu estou agradecida.

— O que é isso, dona Berê? É um prazer ajudar a senhora.

— Ah, meu amor... — Beijou minha bochecha. — Já conhece o Dênis?

Então aquele era o tal Dênis. E, diabos, ele não era a cruza do Gollum com o Chewbacca que eu havia imaginado. Na verdade, ele era a cara do George Wilson, o jogador de futebol americano do Tennessee Titans, só que mais jovem e menos inflado.

Que bosta.

— E aí? — cumprimentei.

— Beleza — ele respondeu, direto. — Onde eu coloco as malas?

— Primeira porta à esquerda.

Ele foi entrando, e Júlia, que retornava para a sala, fez meia-volta e o acompanhou. Eram íntimos. Muito íntimos, se ela o deixava entrar em seu quarto.

— Me mostre a casa, querido? — Berenice pediu.

— Claro. Bem aqui de frente é a cozinha...

Mostrei os cômodos a ela em dois minutos. Dênis me encontrou na sala e disse que precisava de ajuda com uma mala. Estranhei um pouco — quase ninguém pedia a minha ajuda para nada —, mas o acompanhei. Ao chegarmos à garagem, ele apontou para o carro, que havia pegado emprestado com um amigo, segundo ele dissera, e abriu o porta-malas.

Então, jogou um trambolho do tamanho de uma van sobre mim. A força do choque fez minha cadeira rolar até colidir contra a parede, assim como a parte de trás da minha cabeça.

Apenas quando Dênis estava sobre mim, empurrando a mala com força de encontro ao meu peito, me dei conta de que não fora um acidente.

— Nunca mais a faça sofrer — ele disse entredentes. — Essa foi a primeira e última vez que eu a vi chorar por sua causa, estamos entendidos?

— Eu sabia que você gostava dela — empurrei a mala e a ele com força. A bagagem caiu no chão com um baque surdo.

Ele se endireitou e cruzou os braços.

— Gosto muito mais do que você pode imaginar ou compreender. Se a magoar de novo, eu mato você.

— O que te preocupa é a possibilidade de eu a magoar de novo ou o fato de ter esse poder?

— Não banque o engraçadinho comigo. — Deu dois passos para mais perto, chutando a mala para o lado. — A Júlia é a pessoa mais importante do mundo pra mim. E ela já passou por muita coisa nesta merda de vida. Eu não vou permitir que um babaca feito você a machuque de novo. Estou pouco me lixando que você esteja nessa cadeira. Ainda vou te arrebentar se você a magoar de novo.

— Eu não tenho intenção de magoar a Júlia. Não que isso seja da sua conta. O que acontece entre mim e ela não te diz respeito.

Ele ficou me olhando de cima, os olhos apertados.

— Ela te contou sobre nós?

Então havia uns "nós", porra.

— Não. E tudo o que eu preciso saber é que ela está agora arrumando as coisas na *minha* casa, não na sua. Que ela ligou para *mim* quando a tia passou mal, não para você.

— Isso porque eu não tenho carro, e moro num sobrado exatamente igual ao dela. Ela não queria vir, Marcus, e você *sabe* disso. Ela me disse que vai ser um pesadelo conviver com você.

— Então eu vou ter que fazer ela mudar de ideia.

— Você não merece uma mulher como a Júlia — ele cuspiu.

— Nenhum homem neste planeta merece uma mulher como a Júlia — corrigi. — A menos que ele seja capaz de fazer chover estrelas enquanto dança com ela ao som de Frank Sinatra. Ainda assim — cheguei mais perto, elevando o queixo, desafiando-o —, ela está na minha casa agora.

A raiva faiscou em seu rosto enquanto ele continuava a me encarar. No entanto, algo mudou, mas não tive tempo de descobrir o que era.

— O que está acontecendo aqui? — A voz de Júlia chegou aos meus ouvidos. Dênis acabou cedendo e desviou os olhos para ela. E sorriu, o filho da puta.

— Nada, florzinha. Só estávamos nos conhecendo melhor.

Florzinha? Pelo amor de Deus!

Afastei-me do cara e me virei para ela. Estava parada a poucos passos, os olhos indo de mim para Dênis com desconfiança.

— Tem certeza? — ela insistiu. — Porque eu tive a impressão de que vocês estavam discutindo.

— Foi só impressão — garanti.

— Você sabe que eu falo um pouco alto. — Dênis riu.

— Humm... Tudo bem, então. Acabou? Pegamos tudo?

— Sim, esta é a última. — Dênis fechou o porta-malas. — Mas, se você lembrar de algo de que precisa, é só me ligar que eu trago.

— Obrigada, Dênis. — Ela o abraçou pela cintura. — E agradeça à sua mãe também. A tia Berenice já está com saudade.

— Não por muito tempo. Minha mãe deve fazer uma visita logo, se estiver tudo bem...? — ele me perguntou.

— O Dênis é filho da Magda — Júlia explicou.

Ele era da família, então. Que maravilha.

— Problema nenhum. — Eu me inclinei para a frente, pescando a alça da mala.

— Eu venho te ver sempre que der. — Ele pegou as mãos de Júlia e as aproximou do rosto, beijando uma, depois a outra. — Não sei como vou sobreviver com você assim tão longe.

— Não é *tão* longe. Mas também ando me fazendo essa pergunta. Vê se não some, tá?

Ele tocou o queixo dela, erguendo seu rosto para o dele.

Soltei a mala, que caiu no chão com estardalhaço, assustando Júlia e a fazendo pular um metro longe de Dênis.

Melhor. *Bem* melhor assim.

— Opa. Escorregou. — Sorri para ela.

Dênis me lançou um olhar severo, mas eu podia jurar que havia um pouco de diversão também.

— Acho melhor eu ir — ele disse, por fim. — Até mais, florzinha.

— Tchau, Dênis.

Ele entrou no carro e saiu da vaga calmamente. Júlia o observou desaparecer, soltando um suspiro tristonho. Voltei a pegar a mala e a acomodei o melhor que pude sobre meu colo. Então, com alguma dificuldade, consegui mover as rodas e me aproximar dela.

— Vamos?

— Não tem outro jeito, tem? — Ainda muito furiosa comigo, ela saiu andando, sem olhar para mim.

— Não, Pin — falei baixinho, para que ela não pudesse ouvir, enquanto a seguia. — Para a minha sorte, não tem não.

35
Júlia

— Precisa de alguma ajuda? — Marcus perguntou, parado sob o umbral da porta, todo prestativo.

— Não fale comigo.

— Só queria dizer que, se precisar de qualquer coisa, é só me chamar.

Peguei uma trouxa de roupas e a joguei na gaveta de qualquer jeito, pressionando os lábios para não gritar. Não acreditava que estava arrumando as minhas coisas e as da tia Berenice no quarto de hóspedes do pequeno apartamento de Marcus. Só podia ser um pesadelo.

Não. Devia ser carma, isso sim.

— Até quando você pretende ficar brava comigo? — ele quis saber.

— Até os meus olhos funcionarem normalmente. Ah, espera. Isso não vai acontecer. — Soquei mais uma batelada de roupas na cômoda.

— Você não está sendo justa, Júlia — reclamou, chateado.

Ele estava aborrecido? Ele?

Parei o que estava fazendo e o encarei, os punhos pendendo ao lado do corpo.

— Ah, e você foi justo?

— Claro que fui. Dei duas opções para a sua tia. A culpa não é minha se ela é uma mulher sensata. Pensei que você ficaria feliz, já que é o melhor para ela agora.

Isso era o que mais me irritava. Por causa da piora na saúde de tia Berê, eu teria que voltar a conviver com Marcus. Justo agora, que eu tinha dito a ela que não estávamos mais juntos. Ela faria de tudo para tentar nos juntar de novo.

Sendo franca, Marcus mexia comigo como ninguém jamais conseguiu. Se eu já tinha sido idiota e me apaixonado por ele quando ficávamos juntos por curtos períodos, como seria agora, vivendo sob o mesmo teto?

Onde estava o bendito coração novo? Por que ele não aparecia logo?

— Eu só estou tentando ajudar, Júlia — ele murmurou.

— Eu... eu sei, droga! — Fechei a gaveta com mais força do que pretendia, e voltei a encará-lo. — Mas como vai ser, Marcus? O que vai dizer para a sua família? Quando o Max aparecer e vir a gente aqui? Como vai explicar a nossa presença?

— Quer parar de se preocupar tanto com os detalhes? Vamos resolver uma coisa de cada vez. Já pensei em tudo.

— É mesmo? — Cruzei os braços.

Ele, com seu pouco bom senso, entendeu aquilo como um convite e entrou no quarto, fechando a porta sem fazer barulho.

— Ah, sim. Vou falar com o porteiro. Ele só vai liberar a entrada da minha família depois que eu autorizar. Posso dizer que o quarto foi ocupado pela minha cuidadora. Não tem por que eles desconfiarem.

— Exceto se o Max ou a Alicia me virem.

— Júlia, pode vir aqui um instantinho? — tia Berenice gritou.

— Estou indo. — Baixei a voz ao me dirigir a Marcus. — Eu não quero te trazer problemas, Marcus, por mais que essa situação me desagrade. Então, se você pensar em alguma coisa, me diga, tá?

Ele fez uma careta.

— Já disse que vou dar um jeito neles. Relaxa.

Deixei o quarto e fui procurar tia Berenice. Eu a encontrei na cozinha, sentada em uma cadeira encaixada no balcão sob a pia, lavando alface.

— É extraordinário! Simplesmente extraordinário! — exclamou, animada. — Todas as casas deviam ser assim. Olha só! Eu posso preparar uma salada sozinha!

— Muito legal, tia. Precisa de ajuda?

— Não! Isso não é maravilhoso? — Ela riu gostosamente. — A Magda está vindo pra cá me fazer companhia. Então, será que você e o Marcus poderiam ir ao mercado pegar umas coisinhas pra mim? Não tem quase nada na despensa, só porcaria. Esse menino não pode viver à base de miojo e Doritos!

— Eu vou sozinha. A senhora fez uma lista?

— Fiz, mas acho melhor ele ir com você. É muita coisa pra trazer no ônibus. O Marcus não vai se importar de me fazer mais esse favorzinho, vai, meu querido? — ela falou mais alto.

Se eu tinha alguma dúvida quanto aos planos dela, sobre juntar Marcus e eu, elas teriam acabado ali.

— De maneira nenhuma, dona Berê — ele devolveu da sala.

— A lista está aí na mesa. Ah, e se puder me trazer um daqueles pãezinhos de coco, eu iria adorar.

— Nada de pão doce. — Passei a mão no papel e o guardei no bolso da calça. — Não por enquanto.

— Não custava tentar a sorte. — Ela suspirou, tristonha. — Agora vão, vão! Senão o almoço não sai hoje.

— Vou só esperar a Magda...

A campainha tocou.

— Então não vai esperar mais nada — falou, contente. — Sumam daqui! Tenho umas coisas pra contar pra minha amiga e não quero ouvidos enxeridos por perto.

— Tem a ver com um certo médico que tem uma bunda no queixo, não tem? — Marcus surgiu sob o batente.

Ela ficou vermelha.

— Que ideia, meu querido. Imagine se a essa altura eu iria pensar nesse tipo de coisa. Meu pobre coração não aguentaria aquela loucura despertada pela paixão. — Mas seu olhar perdeu o foco por um instante. Ela então piscou, balançando a cabeça, como se acabasse de despertar de um sonho. — Agora, vão logo! Preciso dos ingredientes para fazer um cozido de legumes.

Mordi o lábio inferior para não gritar de tão frustrada. Já podia imaginar todas as técnicas e estratégias de tia Berenice para fazer ele e eu passarmos o maior tempo possível juntos, e isso era péssimo, já que eu pretendia esquecê-lo.

Peguei a mochila em cima da mesa enquanto Marcus deixava Magda entrar.

— Por que eu tenho a impressão de que a sua tia escondeu as compras que eu fiz ontem de manhã? — ele perguntou, enquanto o elevador descia.

— Porque ela escondeu mesmo. Ou fingiu não ver. Ela está tentando juntar a gente. Não percebeu, não?

— Eu desconfiei que ela pudesse tentar algo parecido. — Abriu um meio-sorriso. — Mas não foi tão ruim assim.

Ele não tinha entendido ainda.

— Foi só o começo, Marcus. O que me assusta é o que ainda está por vir.

❧

O mercado não ficava longe da casa de Marcus. Eu já estava pegando um carrinho, mas ele me deteve.

— Não vamos precisar de um desses. Vem.

Ele foi para a parte administrativa, logo ali na entrada, e uma garota de cabelo crespo preso no alto da cabeça sorriu largamente assim que o viu.

— Ei, delicinha! — ela foi dizendo. — Já vou trazer ela pra você. Só um segundo.

— Obrigado, boneca.

Rindo, ela desapareceu atrás de uma porta.

— Você já tentou sair de casa e não paquerar ninguém? — comentei, irritada.

— Eu só estava tentando ser gentil.

— É claro...

A srta. Cachinhos voltou com uma espécie de cadeira de compras. Olhando bem para a base vermelha, achei parecida com uma scooter. Marcus subiu nela e a srta. Cachinhos levou a cadeira dele para os fundos da loja. Ele regulou a altura do banco antes de experimentar o acelerador e sorrir de leve, como se tivesse acabado de ganhar um brinquedo novo.

— Por onde quer começar? — ele perguntou.

Retirei a lista do bolso.

— Acho melhor deixarmos os laticínios para o final. Então... precisamos de purê de tomate.

Ele começou a me guiar para o corredor certo. O sorriso de menino não deixava seus lábios. A srta. Cachinhos realmente tinha um belo efeito sobre ele. E, tá, ela era bonita, mas eu imaginei que as mulheres que o atraíam fossem mais parecidas com a Charlize Theron ou a Angelina Jolie...

— Que foi? — ele perguntou, me estudando.

— Nada. Por quê?

— Você bufou pelo menos cinco vezes nos últimos trinta segundos.

— Eu não bufo. Nunca.

— Você bufa o tempo todo, Pin.

— Para de me chamar assim. Eu não bufo coisa nenhuma. No máximo eu... expiro um pouco mais forte.

— Ou seja, bufa. E acabou de fazer de novo.

Peguei duas embalagens de purê de tomate e as joguei de qualquer jeito na larga cesta presa ao guidão da scooter.

— E não tem nada te incomodando... — ele resmungou, achando graça.

— Tive uma ideia. Por que você não fica lá na frente com a srta. Cachos Sorridentes enquanto eu faço as compras?

— A Ana Cláudia está te incomodando? — Seus lábios se esticaram, revelando seus dentes brancos perfeitos.

— Não. Mas, pelo tamanho do seu sorriso, você está muito a fim de incomodar a moça. Pode ir. Eu termino tudo rapidinho.

Os cantos de sua boca tremeram e um brilho sedutor surgiu naqueles olhos impossivelmente verdes.

— Eu não quero incomodar ninguém além de você.

— Deus me ajude... — E... bom, eu meio que bufei.

Dei uma espiada na lista e comecei a procurar os temperos de que precisava. Orégano. Peguei um pote na prateleira mais alta.

— Eu gosto dela — Marcus comentou.

— Bom pra você. — Fixei os olhos no pote com mais intensidade do que deveria.

— Não estou falando da Ana Cláudia, Pin. É da scooter. Eu gosto dela. Me sinto menos estranho nela. Mais como eu era.

Levantei os olhos para Marcus. Ele corria o indicador pelo pequeno painel da moto.

— Eu adoro dirigir, Júlia, mas carro não tem tanta graça. E, como você pode imaginar, desde que eu me acidentei não subo numa moto. Exceto aqui, ainda que seja uma scooter esquisita. É por isso que eu venho tanto neste mercado. Já até pensei em pegar o carro uma noite dessas e vir roubá-la. — Sorriu, mas era um sorriso fraco demais para chegar aos olhos.

— Marcus, eu...

— Não. Não faz isso — ele me cortou secamente, o rosto inexpressivo, como se fosse feito de mármore. No entanto, ele não conseguiu afastar a mágoa profunda da voz. — Você não.

— Eu só ia dizer que não acho boa ideia roubar uma dessas de carro. Seria melhor se você alugasse uma picape. — Mas meu coração tropeçou dentro do peito, também magoado. Marcus estava habituado a receber palavras e olhares repletos de piedade. E os odiava, com razão. Era tão injusto, porque, apesar de tudo, ele era a última pessoa que merecia esse tipo de tratamento. Marcus era um homem forte e independente, lutando contra as adversidades que a vida lhe impusera, como a maioria das pessoas. Como eu.

A tristeza se esvaiu aos poucos, dando lugar ao alívio, e uma risada gostosa lhe escapou.

— Por que é que eu não pensei nisso antes?

— Porque o gênio nesta dupla sou eu.

— É verdade. — Ele me admirou por um minuto inteiro, o meio-sorriso lançando fogo dentro de mim, fazendo minhas faces se incendiarem. Desviando o olhar, ele se ajeitou na scooter como se estivesse procurando uma posição melhor. — O que mais tem aí? — indicou com a cabeça a folha em minhas mãos.

Relanceei o papel, satisfeita por ter conseguido fazer a melancolia ir embora.

— Tem um pouco de tudo. Vamos aos cereais.

— Ok, mas antes vem aqui. — E me puxou pela blusa, de modo que quase caí sobre ele. Suas mãos grandes e fortes envolveram minha cintura. — Quero que você experimente.

— O quê? A scooter? — perguntei, aflita, quando ele me fez virar de costas e me puxou para seu colo.

Assim que me sentei sobre suas coxas, Marcus se inclinou para o lado, mexeu em alguma coisa e o banco começou a abaixar.

— O que você está fazendo, Marcus?

— Deixando na altura certa. — Pegou minhas mãos e as posicionou no guidão. — Acelerador, freio. Acelerador, freio. — Alternava os apertos em meus dedos paralisados. — Agora vai. E devagar. Esta coisa não passa de dez quilômetros por hora, mas a gente não quer terminar o dia dentro de uma prateleira.

— Marcus, eu não posso! Alguém vai ver a gente e...

— Então vai logo, Pin.

— Não! Vão acabar ficando bravos com a gente e nunca mais vão te deixar usar a scooter!

— Meu Deus, mulher, você pensa demais! — Colocou a mão sobre a minha e pressionou com firmeza. Começamos a nos mover. Tá, devagar e tudo o mais, e mesmo assim eu tinha um pouco de dificuldade para manter o guidão reto, de modo que serpenteamos pelo corredor.

Eu evitava olhar para as poucas pessoas que estavam por ali e tentava não bater em nenhuma delas nem nas prateleiras. Com a ajuda de Marcus, fizemos a curva e nos arriscamos na seção de pet shop. Só havia um homem por ali, colocando um saco imenso de ração sobre o ombro.

— Já te ocorreu que eles podem pensar que a scooter é minha? Relaxa um pouco, Júlia. Tenta se divertir.

— Mas nós estamos fazendo uma coisa errada!

— E daí? Nem sempre fazer a coisa certa é divertido. Acredite em mim, eu sei o que estou falando.

— Acho difícil acreditar nisso. Que você já tenha feito alguma coisa certa, quero dizer.

Ele gargalhou.

— Bom, fico feliz que minha reputação se mantenha intacta. Mas, desde que eu conheci você, ando fazendo uma porção de escolhas que eu normalmente não faria. — Ele estava tão próximo que seu hálito quente acariciou meu pescoço, me causando arrepios por toda parte. — Acho que você está pegando o jeito. Me deixa ver o que mais tem nessa lista. — Ele soltou uma das minhas mãos e deslizou dois dedos para dentro do meu bolso traseiro, pescando o papel. — Tudo bem, precisamos ir para a seção de enlatados de novo. Reto e à esquerda.

— Certo.

Eu me concentrei em manter a roda o mais alinhada possível e não tombar ao fazer a curva. Assim que voltamos para o corredor dos enlatados, Marcus contornou minha cintura com o braço e aproximou a boca da minha orelha.

— Você está dirigindo — sussurrou.

— Eu sei!

— Estou orgulhoso, Pin.

Eu sorri, mas mantive a cabeça voltada para a frente para que ele não pudesse ver quanto aquele comentário havia significado para mim.

☙

Marcus estacionava o carro na garagem do prédio quando meu celular tocou. Franzi a testa. Américo me ligando num domingo não podia significar boa coisa.

— Júlia, preciso de você na L&L em dez minutos.

Merda.

— O que aconteceu, Américo?

— Quem dera eu soubesse!

— Tudo bem. Estou indo pra lá agora.

— Me ligue assim que arrumar tudo. E preste atenção no que está fazendo dessa vez. — Desligou antes que eu pudesse argumentar.

— Droooooooga! — Fechei os olhos e deixei a cabeça pender no encosto do banco.

— Outro bug? — Marcus perguntou, já dando partida.

— Parece que sim. Um que não existia até sexta-feira. Mas preciso entregar as compras da tia Berê e avisar que vou sair. Volto em dois minutos.

Peguei as sacolas e corri para o elevador. Ele estava no décimo segundo andar, e parou no décimo primeiro. No décimo. Nono. Oitavo.

— Molecada — praguejei, abrindo a porta de emergência. Subi os dois lances aos pulos e estava sem fôlego ao entrar na casa de Marcus. Tia Berê e Magda estavam sentadas à mesa da cozinha e pareceram surpresas ao me ver entrando toda esbaforida. Minha tia não precisou de muitas explicações para entender o que havia acontecido, de modo que, depois de me certificar de que a comida que ela pretendia preparar com a ajuda da amiga era adequada para sua dieta, voltei para o estacionamento e entrei no carro, que Marcus manteve ligado.

Levamos menos de vinte minutos para chegar à empresa. Como eu conhecia o porteiro, consegui que deixasse Marcus me acompanhar. Não perdi tempo apresentando o local a ele ao alcançarmos o andar de TI. Fui direto para minha máquina, abrindo o sistema e procurando até encontrar o erro. Levou um tempo, mas ali estava. Não era à toa que Américo estava tão furioso. O estoque não estava dando baixa. Diversos produtos estavam cadastrados pelo preço de um centavo.

— Humm...

— O quê? — Marcus quis saber, logo atrás de mim.

— Isso é muito estranho. Tenho certeza absoluta que cadastrei os valores certos. E a baixa nos estoques estava normal até ontem.

— Você já parou para pensar que isso pode ser mais do que estranho? Que esses problemas estão aparecendo sempre nos seus horários de folga?

— Já. — Porque eu sabia que havia feito tudo certo. Aqueles erros não eram exatamente erros. Eram propositais. Por quê? E, o mais importante, quem era o responsável?

Abri o histórico do programa e dei uma zapeada.

— Cacete.

Alguém havia entrado no sistema na noite passada, usado minha máquina e feito as modificações. E essa pessoa obviamente não era eu.

Alguém estava me sabotando.

36
Júlia

— Quem pode querer te ver longe da L&L? — Marcus perguntou, tomando um gole de seu café preto.

Assim que arrumei toda a bagunça no site, Marcus decidiu que eu precisava me acalmar antes de voltar para casa, por isso paramos em um café. Não faria bem a tia Berê me ver furiosa daquele jeito. Mas quem poderia me condenar? Alguém estava entrando no servidor, usando meu nome, e bagunçando tudo, e eu não sabia o motivo. Não conseguia entender, e a impotência estava me deixando louca.

— Eu não sei, Marcus. Juro que não faço ideia.

— Aquele Ivan não parece ser do tipo que gosta de ficar em segundo lugar.

Sacudi a cabeça, girando o copo quente de cappuccino entre minhas palmas frias.

— Quem é que gosta? Mas eu não estou acima dele. Somos parceiros, iguais nas responsabilidades e nos projetos. E ele sabia que eu olharia o histórico assim que desconfiasse que algo estava errado. Se ele quisesse me sabotar, teria feito isso do computador dele. Ele é muito caxias para fazer uma coisa dessas. Não se arriscaria assim.

— E o Américo?

— Que interesse ele teria? Um diretor de TI sabotando uma programadora júnior? Não faz sentido. Era mais fácil me demitir de uma vez.

Ele concordou, também frustrado.

— Alguém lá dentro quer que você se ferre, Júlia. Isso pode ser perigoso.

— Eu sei! Mas quem, Marcus? E por quê?

— E se você pedir para ver as imagens das câmeras de segurança? Deve ter alguma coisa nas filmagens.

Olhei fixamente para ele.

— Essa é a coisa mais genial que você já me disse.

— Uma das — ele corrigiu, com uma piscadela.

Saquei o celular e liguei para Amaya. Ela estava na casa de Paulo, mas me ouviu com muita atenção conforme eu explicava por alto o que havia acontecido e pedia o telefone do chefe de segurança.

— Meu Deus, Júlia, isso é grave! — exclamou. — Mas eu acho que o Moreira não vai te ajudar sem autorização da diretoria. Vou falar com a Alicia. Talvez ela consiga agilizar as coisas.

— Obrigada, Amaya. Você é o máximo.

Desliguei logo após me despedir, a cabeça a mil. Por que alguém se daria o trabalho de olhar para mim? De todo o setor de TI, o meu cargo e o de Ivan eram os menos cobiçados. Por que alguém me sabotaria?

A menos que eu não fosse o alvo, mas a L&L.

Ah, meu Deus! Será que havia um traidor entre nós?

— Isso não vai te ajudar em nada — Marcus comentou. Olhei para ele, confusa. — Ficar tentando entender os porquês. Você precisa de um ponto de partida. O que a Amaya disse?

— Que preciso da autorização da diretoria para ter acesso às imagens. E como é que você faz isso? Como é que sempre adivinha o que eu estou pensando?

— Um mágico nunca conta os seus truques. — Seu rosto assumiu uma expressão insolente. Mas ficou sério de novo ao dizer: — Eu posso falar com a Alicia para você.

Balancei a cabeça.

— A Amaya vai fazer isso. Eu prefiro não meter você nessa história. Não quero que você se envolva até eu entender o que está acontecendo. E eu tenho que descobrir bem depressa. Não posso perder o emprego. Não agora, que a minha tia precisa de tanta coisa e tudo sempre custa um absurdo... — Apoiei os cotovelos na mesa e a testa nas mãos. Meu Deus, o que eu ia fazer se perdesse o emprego? Como iria arcar com os remédios? A dieta especial?

A mão ligeiramente calejada e a essa altura familiar afagou meu braço, enviando centenas de pulsos elétricos por todo o meu corpo.

— Isso não vai acontecer. Você impressionou a Alicia na fundação, e o Max acha que você foi uma das melhores aquisições da L&L nos últimos tempos. Que você tem um futuro brilhante.

Ergui o rosto.

— Você falou de mim pra ele? — perguntei, surpresa.

— Um pouco. Mas ele ainda não sabe nada sobre o nosso arranjo. Por falar nisso, já conversei com o pessoal da portaria. Se a minha família aparecer, eles devem interfonar avisando. E, se eu não estiver lá, deixei ordens para nem ligarem...

— Ei, Marcus! — um cara muito parecido com ele chamou, se aproximando da nossa mesa.

— E aí, Nick? — Marcus o cumprimentou.

— Soube que você já se mudou. Vou passar lá qualquer hora dessas. — O rapaz mirou seus olhos azuis em mim. — Oi.

— Olá.

— Essa é a Júlia. — Marcus pegou seu copo. — Júlia, esse é o meu primo, Nicolas.

— Nicolas Cassani, a seu dispor. — Ele tomou minha mão e a levou aos lábios, mantendo contato visual.

Marcus afastou o braço do rapaz com um safanão.

— Ela está comigo, Nick.

— Eu não estou fazendo nada. Estou? — Ele sorriu para mim. Seu cabelo negro reluziu quando inclinou a cabeça para o lado.

Ah. Um mulherengo querendo curtir a vida. Típico.

E, Deus do céu, qual era o problema genético daquela família? Por que todos eles tinham que ser assim, absurdamente bonitos?

— Estava sim — Marcus cuspiu, olhando feio para o primo.

Nicolas ergueu as mãos, como quem se desculpa.

— Ok. Entendi o recado. — Puxou uma cadeira e sentou. — Pensei que fosse te ver de novo só no casamento do Max. Ele não mudou de ideia ainda?

— Não e nem vai.

— Ainda não acredito nisso. Quem se casa hoje em dia? E duas vezes com a mesma mulher?

— Eu acho romântico. — Dei de ombros. — Comprometimento é algo que eu admiro muito em uma pessoa.

— Mas um pedaço de papel não faz ninguém se comprometer com nada — Nicolas rebateu.

— É verdade. Mas pelo menos indica a vontade de se comprometer. Já é um começo. O Max parece ser um cara muito legal. É raro encontrar homens como ele hoje em dia. A maioria é mais parecida com você. — Sorri.

Ele olhou para Marcus, arqueando a sobrancelha.

— Não sei se ela acaba de me elogiar ou me ofender.

— Ofender, com certeza. — Marcus riu. — Como está o emprego novo?

— Uma merda. — Nick esfregou o rosto. — A adaptação não está sendo exatamente como eu tinha imaginado. Podíamos combinar de sair uma noite dessas. Foi divertido da outra vez. — Ele socou o braço do primo, que, para minha surpresa, ficou vermelho. — E você pode vir junto, se quiser — Nick se voltou para mim. — Prometo que vou me comportar. Pelo menos até o Marcus me dizer o contrário.

— Ele não precisa dizer nada. — Tomei um gole da minha bebida. — Eu sou bem grandinha. Já sei me virar sozinha.

— Melhor ainda! — Um sorriso largo esticou sua boca.

— Nicolas... — Marcus disse, em um tom baixo e contido, adotando uma postura ereta, os ombros se alargando mais. Ele parecia bastante agressivo naquele instante. E, droga, lindo.

— Ah! — A aura sedutora de Nicolas desapareceu. — Foi mal.

— Tudo bem. — Marcus bebericou seu café.

— Bom, acho melhor eu ir. Me liga pra gente sair, Marcus. — Ele se levantou.

Os dois trocaram socos nas costas durante um breve abraço e Nicolas se mandou, gingando.

— Vocês se parecem um bocado, sabia? — comentei quando ficamos sozinhos.

— Deve ser por causa do cabelo. Mas, voltando ao assunto, antes de a gente ser interrompido pelo Nick... O que você pretende fazer quanto à sabotagem?

— Vou falar com o Américo sobre as minhas suspeitas e torcer para ele acreditar em mim e me ajudar a descobrir quem está fazendo isso.

— E se ele não te ouvir?

Pensei por um instante.

— Aí eu vou ter que resolver tudo sozinha.

Ele deu risada, sacudindo a cabeça.

— Você anda agindo de um jeito muito diferente do que eu tinha imaginado. Você também não é quem eu pensei que fosse.

— Parece que as nossas primeiras impressões estavam erradas, né? — falei, um pouco sem jeito, surpresa com a empatia que parecia crescer entre mim e ele.

— Com certeza. Você está se tornando uma mulher quase ousada, Pin.

E lá se foi toda a empatia.

— Não me chama de Pin! E eu não sei do que você está falando. Eu *sou* ousada, Marcus. *Muito* ousada!

— Claro que é... — Ele riu de novo, fazendo meu sangue fervilhar.

— Estou falando sério!

Ele tentou se recompor, exibindo uma expressão controladamente séria, mas os cantos de seus olhos revelavam que se divertia à minha custa.

— Júlia, tá certo que nos últimos tempos você tem agido com menos... precaução. Mas você precisa admitir que em situações normais não faria nenhuma dessas escolhas.

— Faria sim! — Tá, não faria. Mas ele não precisava saber disso.

— Me diz qual foi a coisa mais ousada que você já fez.

— Aceitei sua proposta! E dirigi uma scooter no mercado que é destinada a pessoas com dificuldade de locomoção ou deficiência. Se isso não é ser ousada, então eu não sei o que é.

— Eu também gostei do passeio de scooter. — Seu rosto se suavizou, e eu podia jurar ter visto um vislumbre de ternura. — A gente podia repetir qualquer dia desses.

— É só marcar. Viu, só? Ousada! — apontei para meu próprio peito.

Ele teve a audácia de rir mais uma vez.

— Isso não é ser ousada, Júlia. Ser ousado é dizer o que está pensando sem medo de como a outra pessoa vai reagir, ou beijar alguém por impulso, sair de casa sem a roupa de baixo. Aposto que você nunca entrou em uma sex shop.

— É claro que eu já entrei numa sex shop. Um monte de vezes! — Esfreguei o nariz, sentindo o rosto e o pescoço em chamas.

— Verdade? — Marcus arqueou uma sobrancelha, e eu quis bater nele. — E o que você comprou de interessante nessas suas visitas?

— Um... foi um... — Como é que eu não era capaz de pensar em um único item? — Isso é pessoal, tá?

— Você nunca entrou em uma, entrou?

— Vai se ferrar, Marcus Cassani. — Lancei a ele um olhar duro, e por muito pouco não lhe mostrei a língua, como costumava fazer aos seis anos.

Por alguma razão, seu olhar baixou para minha boca.

Às vezes eu lia alguns dos livros de tia Berenice e me pegava rindo quando expressões como "pupilas dilatadas" surgiam nos textos. Não era possível isso acontecer. A pupila se ajusta de acordo com a intensidade da luz, ponto-final. Não tem essa de se dilatar ao olhar para alguém que se deseja muito, como acontecia naqueles romances. Disso eu sempre tive certeza.

Até aquele instante. Porque eu juro que a pupila de Marcus se dilatou, quase engolindo por completo as íris indecentemente verdes enquanto ele olhava para minha boca.

Isso indicava duas coisas:

- Eu estava errada sobre as pupilas.
- Eu devia parar de ler escondido os romances de tia Berenice.

E, se eu estava errada e as pupilas se dilatam sim ao encarar quem se deseja muito, isso significava que Marcus...

Não!, meu cérebro gritou. Claro que não. Se Marcus me desejasse, não teria me rejeitado naquela noite. A pupila dele devia ter feito aquilo provavelmente porque ele... por causa de... Ah, sei lá! Mas não era desejo por mim!

— Não tem nada de errado nisso, Pin — ele disse, carinhoso. — É só o seu jeito. Todos nós somos diferentes.

Fiquei magoada por ele não me achar ousada. É claro que eu não era nenhuma Alicia Moraes de Bragança e Lima (pelo que eu ouvira falar, antes de conhecer Max, a garota aprontava uma atrás da outra), mas não era tão enfadonha como ele indiretamente sugeria, era?

— Acho que é hora de pedir a conta — Marcus falou depois de um tempo, ao perceber meu humor irritadiço.

Deixamos o café cinco minutos depois, e eu ainda remoía o que ele havia dito. De tudo o que andava acontecendo em minha vida, eu não tinha controle sobre absolutamente nada. Ou quase nada, pensei com meus botões...

Só percebi que tinha entrado no carro quando Marcus bateu minha porta. Eu a abri e desci. Ia mostrar quem era entediante!

Marcus me olhou com confusão.

— O que foi, Pin?

— Já disse pra não me chamar assim!

Ele deu risada.

— Você saiu do carro só pra me dizer isso?

— Claro que não, idiota. — Coloquei as mãos em sua nuca e abaixei a cabeça em direção à sua. Meus lábios fizeram contato com os seus. Depois minha língua abriu caminho para sua boca.

Ele ficou surpreso, disso eu tenho certeza. Até eu fiquei, especialmente porque estava tão furiosa com ele. No entanto, seu espanto logo findou e ele pousou as mãos em meus quadris, correspondendo ao beijo e me puxando para seu colo. E foi tão, mas tão difícil não ceder, não me deixar aconchegar em seu corpo quente e sentir o calor de sua pele quando ele me beijava daquela maneira. Mas eu consegui resistir e me afastei dele abruptamente, cambaleando de leve.

— Ousada o bastante para você? — perguntei, tentando recuperar o fôlego.

— Hã? — Uma fina névoa de confusão embotava seus olhos.

Um sorriso largo se abriu em meu rosto, e tive a impressão de que isso o deixou ainda mais atordoado. Eu havia provado a ele que não era tão entediante assim.

Só tinha um probleminha. Meu corpo havia despertado e agora pulsava desconfortavelmente de desejo.

Que droga.

— Agora me leva pra casa. — Voltei a entrar no carro, deixando-o ali na calçada, sem reação.

Marcus correu uma das mãos pelos cabelos, meio rindo, meio grunhindo, antes de contornar o veículo.

37
Júlia

Graças à noite muito maldormida por conta dos roncos de tia Berenice — e às sensações daquele beijo que nunca iam embora —, eu estava um trapo na segunda-feira. Para melhorar, fui chamada na sala de Américo para dar explicações tão logo pisei no escritório. Mas isso eu já esperava. Ele é que não esperava o que ouviu.

— Sabotagem — falei, categórica.

— Não pode ser, Júlia — meu chefe sacudiu a cabeça. — Eu confio em cada membro da minha equipe.

— Não estou dizendo que é alguém daqui do TI. Havia uma alteração no sistema do site. Dei print e mandei tudo para o seu e-mail. Uma alteração foi realizada às nove e quarenta da noite de sábado. Eu estava no hospital com a minha tia nesse horário. Pode ligar para lá e conferir se quiser. Alguém entrou no sistema pelo meu computador e bagunçou tudo. Desconfio que ocorreu o mesmo nas outras vezes.

— E por que alguém faria isso? — Ele pegou um lenço no bolso do paletó e o esfregou na testa.

— Eu não sei. E é por isso que eu preciso das filmagens. Talvez quem fez isso apareça.

— Tem certeza do que está dizendo? Tem certeza que não fez alguma alteração por engano?

Trinquei os dentes.

— Me magoa muito que você pense que eu sou esse tipo de profissional, Américo.

— Desculpe, menina. Só estou tentando entender. — Ele abanou a cabeça. — Não posso acreditar que alguém da minha equipe... — E soltou um pesado suspiro. — Vou autorizar que você analise os vídeos das últimas quarenta e oito horas. Mas quero sigilo absoluto e um relatório sobre a minha mesa amanhã cedo, caso você encontre alguma coisa.

— Obrigada, Américo. — Abri a porta.

— Mas eu espero que você esteja enganada — ele disse antes de eu sair. — Tudo o que não precisamos agora é de mais uma conspiração nesta empresa.

Aquiesci, um tanto ressentida, porque, se eu estivesse errada, só restaria a opção "não sei o que estou fazendo".

Deixei a sala dele e fui direto para o primeiro subsolo. Moreira, o chefe da segurança, era tão baixinho que tia Berenice pareceria alta perto dele. Ninguém jamais adivinharia que ele ganhava a vida fazendo segurança em uma das maiores empresas de cosméticos do país.

— O seu Américo ligou. Já separei o material — ele foi dizendo. — Mas vou ter que acompanhar você o tempo todo.

— Tudo bem, Moreira.

Ele me deixou entrar numa saleta abarrotada de monitores e se sentou em frente a eles.

— Tela quatro. Tarde de sexta. E lá vamos nós.

As imagens aceleradas do setor de TI apareceram. Pessoas desligando os monitores, pegando suas mochilas/bolsas/pastas, a algazarra em frente ao elevador. Américo deixando sua sala. Apagando todas as luzes do andar antes de desaparecer escada abaixo. Escuridão absoluta. Apenas os números no canto superior da tela registravam o passar do tempo. Um novo dia começou sem que nada de diferente acontecesse no andar, até que o relógio marcou nove e meia da noite.

— Para!

A câmera permaneceu apontada para o elevador, mas captou um brilho suave. A porta que dava para as escadas fora aberta. Em seguida, escuridão total. E nada mais.

— Droga! — reclamei, depois de praticamente colar o rosto na tela quatro. — Não dá pra ver nada.

— Paciência, garotinha. Pode ser apenas um dos meus homens fazendo a ronda.

Os números continuaram correndo. A câmera se movimentou para o lado. O brilho azulado de um computador ligado quase entrou na tela.

— Mais um pouco. Só mais um pouquinho...

— Você sabe que isso é uma gravação, né? — Moreira perguntou.

Olhei feio para ele. A câmera continuou girando. Minha mesa entrou no quadro...

No exato instante em que a tampa do notebook era fechada, a única fonte de luz do ambiente desapareceu.

— Não! Volta!

A imagem retrocedeu. Moreira foi gentil ao exibi-la em câmera lenta. Eu me aproximei da imagem de novo. O vulto era apenas uma mancha borrada e preta.

— É tudo o que tem aí — ele disse. — Vou gravar isso pra você. Pode tentar encontrar alguma pista se assistir um milhão de vezes. Ouvi dizer que os caras do FBI fazem assim.

Ele deixou o vídeo prosseguir, mas, a partir do momento em que meu computador foi desligado, o vulto se perdeu nas sombras, se tornando um fantasma.

Quem era ele?

Ou seria *ela*?

Moreira me entregou um CD com os três segundos em que o vulto aparecia, e nada mais.

— Isso é tudo que estou autorizado a dar.

— Você não pode verificar os vídeos mais antigos, Moreira? — Entreguei a ele um pedaço de papel com as datas em que eu desconfiava que havia acontecido a sabotagem. — Porque essa não foi a primeira vez que mexeram nos meus arquivos. Deve ter mais alguma coisa.

— Posso tentar, mas não garanto nada.

Moreira foi rápido e eficiente, porém nada novo surgiu. Nem o vulto, para ser sincera, pois a câmera permanecera o tempo todo voltada para as portas do elevador.

Então, decidi partir para o plano B. Eu faria minha própria rede de segurança.

⚬

Praticamente voei porta afora quando o relógio marcou o fim do expediente. Corri algumas quadras até a loja de informática que havia ali perto e graças aos céus consegui pegá-la aberta.

— Posso te ajudar? — uma garota perguntou.

— Preciso de umas coisas. Várias, na verdade.

Ela me ajudou a pegar tudo que eu procurava. Saí da loja com a sacola balançando no pulso e um sorriso no rosto. Fosse quem fosse que estava querendo me causar problemas, eu o pegaria. E depois...

Eu não sabia ao certo o que faria. Uma coisa de cada vez, tia Berenice sempre dizia.

Minha intenção era seguir para o ponto de ônibus e ir para casa, mas, ao passar em frente a um prédio de fachada preta e ler o nome na placa vermelha e branca, me senti tentada a entrar. Apenas para saber como era.

Marcus e sua conversa idiota.

Não, eu não iria entrar ali.

Andei até a esquina e esperei o farol fechar para poder atravessar. Quando os carros pararam, dei um passo para a frente.

E girei sobre os calcanhares, voltando apressada para a sex shop. Tá bem, eu tinha mentido. Nunca estivera em uma daquelas lojas. Mas eu podia ser ousada. Podia entrar lá e comprar alguma coisa, apenas para provar que era capaz.

Soltei o rabo de cavalo e puxei alguns fios para perto do rosto para ter alguma cobertura. O aroma lá dentro era uma mistura de coisas doces com desinfetante e me fez espirrar uma vez. Um manequim vestido com algo parecido com um biquíni de couro me recepcionou. Ao lado dele, uma bancada cheia de potinhos coloridos. Tomei fôlego.

Não acredito no que vou fazer.

— Posso ajudar? — Uma garota alta, com cabelos cor de cenoura, se aproximou.

— Ah, eu... só estou olhando. Não estou procurando nada específico.

— Tudo bem. Entendi. — Ela sorriu como quem sabe das coisas. — Vou te mostrar os vibradores que chegaram. São superdiscretos! — cochichou.

Ai, meu Deus.

— Não! Não é isso!

— É claro que é. Todas têm vergonha, não entendo por quê. Conhecer o próprio corpo é obrigação de todas nós.

— Olha, sério. Não quero um vibrador. Eu quero... humm... Na verdade, uma amiga minha...

— Ah, saquei! — ela me interrompeu, piscando conspiratoriamente. — Vem comigo.

Ela me levou para um cantinho e começou a tirar calcinhas com — Deus do céu! — pênis de borracha presos na frente.

— Não quero isso, não! — Eu me afastei do balcão.

— Mas você disse que a sua amiga queria...

— Não amiga *desse* jeito!

— Ah! — A garota murchou.

— Algum problema? — perguntou uma voz masculina.

Um homem barbado, de cabelo comprido, sentado numa cadeira de rodas e usando uma camiseta com a cara do Bob Marley, olhava para nós duas.

— Eu não sei — a ruiva disse. — Não consigo entender o que ela quer, Guto.

O rapaz me observou com uma sobrancelha arqueada.

— Uma *amiga minha* quer — esclareci.

— É claro. — Sua expressão se tornou amigável. — Deixa que eu cuido disso, Evelyn. Pode pegar minha mochila? Esqueci no baú da moto.

A moça me lançou um olhar ressentido, mas foi para a frente da loja, onde um casal de idosos acabava de entrar dando risadinhas. Puxei o cabelo para a frente do rosto.

— Então, a sua amiga... — o tal Guto foi dizendo. — Me fale sobre ela. Quem sabe eu consigo entender o que ela quer. Ela tem alguém especial?

— Hã... Bom, não. Mas tem um cara que ela gosta, mas eles nunca... sabe? E acho que nem vão.

— E por que não? — Ele me analisou com curiosidade.

— Ele não quer nada com ela.

E isso me confundia. Porque Marcus não tentou me impedir de beijá-lo ontem à noite. Na verdade, ele me beijou também, e com muita vontade, a ponto de eu sentir os dedos dos pés se encolhendo e aquele pulsar doloroso por todo o corpo. Sobretudo na parte inferior do meu abdome. E ainda teve o lance das pupilas! Se ele não me queria, porque tinha me beijado daquele jeito, me olhado daquele jeito?

— Uma vez as coisas progrediram — me ouvi dizer —, mas o cara... bom, ele recuou.

— Certo — Guto assentiu, mais por educação, imaginei.

— E aí ela ficou sem entender nada, e muito magoada, porque ela gosta dele de verdade.

— É aí que tudo sempre se complica.

— É... Sobretudo porque essa minha amiga não é muito boa com sedução. Na verdade, ela é péssima. Uma vez até se matriculou num curso sobre esse assunto e foi um desastre. E eu só queria... *ela* só queria... pelo menos uma vez... não ser tão... tão...

— Entendi. — Ele chegou um pouco mais perto. — Mas deixa eu te dizer uma coisa: todo mundo é sensual, à sua maneira. Não existe uma regra. Sua amiga não devia se esforçar tanto. Pessoalmente, acho que não existe nada mais sexy que a autenticidade. — Ele me olhou da cabeça aos pés. — E o cara por quem a sua amiga está apaixonada é um idiota se ainda não sacou isso. Agora, comercialmente, eu tenho que te dizer que existem uma ou duas coisinhas que podem ajudar alguém como a sua amiga a apimentar as coisas, caso o lance progrida. Quer dar uma olhada?

Fiz que sim. Apenas porque estava curiosa.

— O que você acha desses óleos? — Ele apanhou vários vidrinhos coloridos sob o balcão. Destapou um deles e começou a esfregar o óleo em meu antebraço. Algumas partes ficaram geladas, outras quentes. O cheiro era bem gostoso. — Me fale mais sobre o cara — Guto pediu.

— Ah, ele é bem-humorado. Até demais. Faz piada de tudo. E tem os olhos mais lindos que eu... que a minha amiga já viu.

— O que ele faz?

— Dá aula de informática para crianças e está terminando a faculdade.

— Ele pratica esportes? — Guto pegou um novo frasco e o aproximou do meu nariz. Tinha aroma de suco de morango.

— Natação. E é muito bom. Ele tem braços bem fortes. Costas largas e...

— Informação demais. — Guto ergueu as mãos numa súplica e eu acabei rindo. — Mas tenho certeza que ele vai curtir os óleos. Ou talvez as velas. Eu adoro essa aqui. — Ele me entregou um copo vermelho. — É à base de soja. Quando aquecida, se transforma em óleo corporal. O cheiro é uma delícia. O gosto também. — Ele me lançou uma piscadela. — Não se preocupe, não dói nada. Me dá sua mão.

Um pouco receosa, estendi o braço. Ele acendeu a vela e a inclinou sobre o dorso da minha mão. Eu me encolhi quando a gota brilhante caiu, mas para minha surpresa não ardeu. Era morna, de um jeito bom. Espalhei o óleo sentindo a textura suave, o aroma de baunilha, e imediatamente pensei em Marcus na beira da piscina, todo molhado e brilhante...

— Vou levar essa. — Porque eu havia prometido a mim mesma que sairia dali com uma sacola. Não tinha nada a ver com besuntar Marcus e deixar aqueles ombros fortes escorregadios. Depois as costas. E então o peito, com aquela sedosa manta de pelos negros, a barriga sequinha...

Isso nem me passou pela cabeça.

— Boa escolha. Vou pegar uma fechada para você.

Enquanto ele ia para o fundo da loja, Evelyn passou por mim, acompanhando o casal de idosos. Pararam na seção de vibradores e começaram a analisar um a um. Desviei os olhos rapidamente. *Aquilo* é que era informação demais.

Fui para o caixa e paguei pela vela. Bom, depois de um tempo. O programa que Guto usava estava todo bugado.

O rapaz colocou minha vela em uma sacola preta simples, sem nenhum logo ou coisa do tipo, e me entregou um cartão da loja. Por precaução, decidi guardar tudo na mochila, com a sacola de equipamentos que eu havia comprado.

— Diz pra sua amiga relaxar e se divertir. — Guto acenou.

— Tá, obrigada. — Ele não precisava saber que a vela nunca seria usada.

Saí da loja o mais rápido que pude. Só tirei o cabelo da cara quando já estava a duas quadras de distância, me sentindo muito ousada.

E muito idiota também. Eu tinha acabado de jogar fora vinte pratas.

Talvez eu devesse seguir o conselho de Dênis e fazer terapia para aplacar um pouco meu lado competitivo, que não suportava ser desafiado.

Meu celular tocou.

— Ei, eu estava agora mesmo pensando em você! — contei a Dênis.

— Estou com saudade. Odeio que você não esteja do outro lado da rua.

— Eu também. Mas pode vir me visitar a hora que quiser. Você sabe disso, né?

— Eu acho que o Marcus não vai gostar muito. Claro que isso é apenas mais uma razão para que eu vá.

E isso me lembrou.

— O que aconteceu entre vocês dois na garagem do prédio, afinal? Por que estavam discutindo?

— Coisa de homem, florzinha. E aí? Me conte as novidades.

Expliquei os acontecimentos dos últimos dias, e ele fez o mesmo. Seu ex havia ligado algumas vezes, querendo conversar. Dênis tinha encontrado o tal Cadu na cama com o entregador de pizza fazia pouco mais de dois meses. O desgraçado ainda teve a pachorra de dizer que fez aquilo porque estava de porre. Meu amigo fora esperto o bastante para mandá-lo à merda, mas Dênis ainda não havia se libertado. Era como se o assunto permanecesse inacabado e o mantivesse preso, feito uma âncora.

— Vocês vão se encontrar? — eu quis saber, preocupada.

— De jeito nenhum, Ju. Não quero ter que olhar pra ele outra vez. — Mas ele titubeou. — Você não vai acreditar. Ontem eu saí com o pessoal da joalheria e uma das meninas levou a amiga. Ela se chama Melissa e trabalha numa agência de eventos chamada Allure.

— Você está brincando!

— Falei com ela sobre você. Ela é legal, Ju. Queria fazer alguma coisa pra ajudar, mas não pode.

— Eu sei.

— O mundo é mesmo um ovo de codorna... Ah, preciso desligar. Chegou um cliente. Beijocas, florzinha.

Nem bem encerrei a chamada e meu celular voltou a tocar. Dessa vez era Marcus. Hesitei em atender. Não sabia como agir depois de tê-lo beijado. Eu saíra de casa antes que ele tivesse acordado, naquela manhã.

Engolindo em seco, levei o aparelho à orelha.

— E aí, Pin? Onde você está?

Revirei os olhos. Era uma causa perdida tentar fazê-lo parar de me chamar daquele jeito.

— Estou no centro ainda. Por quê?

— Eu também estou no centro. Quer carona?

— Hã... Quero. — Por que não? Morávamos na mesma casa!

Depois de explicar onde estava, desliguei, me sentindo aliviada pelo fato de o clima não ter ficado estranho. Essa era uma das coisas que eu mais admirava em Marcus. Nada parecia abalá-lo.

Ele estava perto, e em questão de dez minutos encostava o carro no meio-fio. Sorriu quando me viu, se desculpando ao apontar para a cadeira no banco do carona. Abri as duas portas laterais e a transferi para o banco traseiro. Assim que entrei e passei o cinto, ele se inclinou para beijar meu rosto.

— Oi. — Enrugou o nariz. — Você trocou o perfume? Seu cheiro está diferente.

— Não. — Puxei a manga da blusa até cobrir minha mão besuntada de óleo. — Deve ser por conta do incenso que tinha na loja de informática.

Ele franziu a testa, mas alguém buzinou atrás da gente e ele resolveu deixar o assunto para lá.

— Descobriu alguma coisa sobre a sabotagem? — perguntou.

— Nada além de um vulto borrado. Não dá pra ver nem se é homem ou mulher. E o que me mata é não saber por que ele ou ela fez isso. Mas tudo bem, eu bolei um plano. Vou pegar esse filho da mãe.

— Tenho até medo de perguntar como.

— Melhor você não saber, Marcus. A Alicia é sua cunhada. Sei que você não contaria, mas talvez se sinta culpado por não dizer o que sabe e eu não quero isso. — Recostei-me no assento. — Minha cabeça parece que vai explodir.

Ele manteve o olhar na rua, mas um sorriso zombeteiro curvou os cantos de sua boca.

— Então não deve ser um bom momento para te lembrar que hoje é noite de buraco com as meninas?

Eu gemi. Havia esquecido que, por conta da internação na semana passada, a noite de buraco tinha sido remarcada para aquela segunda.

— Saco. Definitivamente, não estou a fim de encontrar a Marlucy. Não entendo como minha tia a suporta. Uma parceira de buraco não vale tanta aporrinhação assim, não. Aposto que ela vai na sua casa só pra xeretar.

— Vamos fazer o seguinte. A gente sobe, troca de roupa, avisa a sua tia que não vai dar pra ficar e aí vamos para o cinema. Que tal, Pin?

— Você vai mesmo ficar me chamando de Pin? Isso é tão irritante, Marcus.

Ele abriu um sorriso preguiçoso, e meu estômago reagiu imediatamente.

— Você vive dizendo que eu sou irritante. Não vai mudar de ideia se eu parar de usar seu apelido.

— Mas não é meu apelido! — grunhi.

— Para mim é.

Resmunguei, me remexendo no assento, e sem querer esbarrei o joelho na carteira de Marcus, logo acima do câmbio. Ela caiu sobre meu pé e me abaixei para pegá-la. Como estava meio aberta, algo prateado saltou dali de dentro.

O anel. Marcus estava concentrado no trânsito, então aproveitei sua distração e o encaixei em meu anular. O diamante reluziu em minha mão da mesma maneira que os olhos de Marcus cintilaram na noite em que ele me pedira em casamento. *Fingiu pedir*, corrigi.

Com um suspiro, tirei o anel. Quer dizer, *tentei* tirar, já que ele ficou preso em meu dedo! Torci, empurrei, puxei o aro com força, mas parecia que, quanto mais eu me esforçava, mais entalado ele ficava. Que droga!

— Que foi? — Marcus perguntou.

— Caiu da sua carteira. Fui pegar e... — Mortificada, o rosto pegando fogo, ergui a mão para que ele entendesse.

Um sorriso se insinuou em seu rosto.

— Pensei que ele te lembrasse de coisas que você preferiria esquecer.

— E lembra! Eu só queria... errr... saber se ainda servia. — Não tinha relação alguma com reviver as emoções de quando ele o dera para mim. Nada mesmo. — E não serve mais, já que entalou. Vou tirar assim que a gente entrar em casa.

Ele deu de ombros, mas havia diversão em seu semblante. Quando chegamos ao subsolo do prédio, ajudei Marcus a retirar a cadeira e, enquanto ele a montava, chamei o elevador. No entanto, havia alguma coisa errada. Pressionei o botão com mais força, mas ele insistiu em ficar apagado.

— Acho que está com algum problema — eu disse a Marcus. — Vamos pela frente do prédio. Talvez lá em cima esteja funcionando.

Ele não gostou da ideia, é claro. A rampa por onde os carros entravam era muito íngreme e ele não conseguiria subir por ali sem ajuda, mesmo sendo tão forte. Segurei os apoios nas costas da cadeira e comecei a empurrar.

Ele me olhou por sobre o ombro, desconfortável.

— Odeio quando...

— Precisa de ajuda — completei. — Eu já tinha percebido. Mas todo mundo uma hora ou outra acaba precisando. Se segura aí, que nós vamos decolar! — brinquei, tomando impulso, pois Marcus não era nada leve.

Eu estava sem fôlego quando cheguei à calçada, mas ria enquanto meu coração tentava acalmar as batidas. Para minha surpresa, Marcus também estava rindo.

— Vai, confessa. — Eu o cutuquei no ombro. — Não foi tão ruim assim.

— Só porque com você tudo fica melhor. E eu adoro te ver corada assim. Seja pelo motivo que for. Você fica linda, Pin.

Com isso, as bochechas afogueadas pelo exercício entraram em combustão e tudo que eu pude fazer foi desviar os olhos para o chão. Por que ele me dizia aquelas coisas se não queria nada comigo? Por que tudo era tão confuso?

— Marcus, meu amor! O que faz aí?

Virei a cabeça em tempo de ver um casal acenar e se aproximar a passos acelerados. A mulher era linda, com cabelos ondulados e claros. O homem a seu lado devia medir pelo menos um metro e oitenta e, a julgar pelo desenho do queixo, certamente era um Cassani.

— O que vocês estão fazendo aqui? — Marcus se aproximou da mulher. — Vocês só viriam no sábado!

— As coisas mudaram quando soubemos que você tinha se mudado. *Sem nos avisar!* — ela adicionou, ressentida.

— Francamente, Marcus — o homem, que só podia ser o pai de Marcus, olhou torto para ele —, quando é que você vai começar a agir com um pouco de prudência e dar sossego para a sua mãe?

— Eu pretendia contar no sábado, pai. Pessoalmente.

— Preciso dizer que estou magoada, Marcus? — a mãe resmungou. — Você realmente não confia nos seus pais. Não sei o que fizemos para merecer isso. Não sei mesmo.

— Mãe! — Ele fez uma careta. — Eu só queria fazer tudo do meu jeito dessa vez.

— Tudo bem, Mirna — o pai disse, colocando a mão no ombro da mulher. — O Max garantiu que ele está se comportando bem. E é melhor que esteja mesmo. — Ele lançou um olhar comprido a Marcus. Então, pareceu se dar conta da minha presença. — Olá, minha querida. Creio que ainda não fomos apresentados.

— Júlia, esses são Mirna e Julius Cassani — Marcus apontou para os pais. — Pai, mãe, essa é a Júlia, a babá que vocês me obrigaram a arrumar.

— Olha os modos, rapaz! — Julius deu um tapa leve na cabeça do filho. No entanto, era todo animação ao se dirigir a mim. — É um prazer conhecer você, querida.

— Com certeza — Mirna concordou, pegando minha mão. — Tenho tantas perguntas, querida. Vamos subir para que a gente possa conhecer a casa do nosso filho, e então conversar um pouquinho?

Marcus olhou para mim, preocupado.

Ah, droga. Tia Berê! E provavelmente Magda, Inês e Marlucy. O que iríamos fazer?

38
Júlia

Marcus olhava para mim como se buscasse uma luz. E eu não tinha nada para oferecer. Sair pela escada de emergência com uma mulher cardíaca e três senhoras com mais de sessenta anos não parecia uma boa ideia.

Balancei a cabeça para ele, me desculpando.

Ele aquiesceu discretamente.

— É claro, vamos subir — concordou, por fim.

Passamos pela portaria e eu cumprimentei seu Emerson com um tchauzinho rápido. Marcus apertou o botão do elevador.

— Xi, esqueci de avisar! — seu Emerson gritou de trás do balcão da portaria. — O elevador parou, seu Marcus. Já chamei os técnicos.

— Vamos pelo elevador de serviço mesmo — seu Julius sugeriu.

— Não dá. — Marcus se esforçou para não sorrir. — Só tem um elevador neste prédio.

Eu quase caí de alívio. Nunca me senti tão contente por Marcus ter escolhido aquele prédio antigo.

— E agora, o que vamos fazer? — dona Mirna arfou.

— Podemos ir comer alguma coisa — Marcus sugeriu. — Estou morto de fome. Devem resolver o problema até a gente voltar.

— Excelente ideia — comentei. — Enquanto isso eu fico aqui e arrumo tudo.

— Não, minha querida — interveio Julius. — Você precisa comer também.

— Mas...

— Ele tem razão. — Mirna tocou meu braço. — Você precisa comer também.

Olhei para Marcus em busca de ajuda, mas tudo o que ele fez foi sorrir.

— É, Júlia. Vamos comer. Mais tarde a gente vê como as coisas ficam.

— Mas... — Parei de falar quando ele fez um pequeno aceno com a cabeça. — Tá bem. Só preciso dar um telefonema antes.

— Nosso carro está estacionado logo ali. Vamos indo, filho? — Julius apoiou uma mão em seu ombro.

Marcus concordou e eles seguiram para a saída. Assim que os três passaram pela portaria, liguei para o celular de tia Berenice.

— Júlia, é a tia Berê.

— Eu sei, tia. Escuta, estamos com problemas. O elevador quebrou e os técnicos estão vindo. Não vai dar para o Marcus subir.

— Que coisa mais desagradável. E agora?

— Ainda não sei. Vamos sair para comer alguma coisa. Quem sabe até lá esteja tudo resolvido. Será que a Magda pode ficar até eu voltar?

— Ah, pode. O Dênis saiu com uns amigos, e ela estava se queixando ainda agora de que não gosta de dormir naquele sobrado sozinha, agora que não estamos mais ali do lado, no caso de ela precisar de ajuda.

— Tá. Eu ligo mais tarde.

— Eu preferiria que não. Eu e as meninas estamos nos divertindo muito. Inês e eu já batemos duas vezes. Ficar parando para atender o telefone pode espantar a minha sorte. Beijinhos, Jujuba. — Desligou.

Quase ri. Tia Berê, com todos os seus problemas e limitações, se divertia em uma noite de segunda muito mais do que eu em um mês inteiro.

&

Eu nunca tinha ido àquele restaurante, mas aparentemente a família Cassani era frequentadora assídua, percebi, quando um dos garçons cumprimentou Marcus com bastante euforia. O lugar tinha o clima familiar bem típico das cantinas italianas. Fomos levados para uma mesa comprida próxima às janelas.

Eu me sentei entre Marcus e uma cadeira vazia, porque ficar ao lado de sua mãe me pareceu errado. Os pais dele fizeram muitas perguntas a ele e eu me ocupei em olhar o cardápio, me sentindo muito deslocada. Sobretudo porque tinha uma vela erótica dentro da minha mochila.

— Já escolheu? — Marcus me perguntou.

— Não.

— O ravióli daqui é muito bom — opinou seu Julius.

— Então, Júlia. Como o Marcus anda se comportando? — Mirna quis saber, tentando manter a ansiedade sob controle, e falhando.

— Hã... Muito bem. Ele tem ido à faculdade. Não faltou nenhuma vez. — Ou pelo menos eu esperava que não.

— Isso é bom — ela anuiu. — Ele se queixou de alguma dor ou...

— Mãe — Marcus grunhiu, frustrado.

— Como vou saber se você está mesmo bem como diz, se nunca me conta a verdade? — ela objetou.

— Mas eu sempre digo a verdade.

— Não toda ela — o pai replicou.

— Boa noite.

Todas as cabeças se viraram.

— Ah, merda — Marcus praguejou baixinho, fechando a cara.

— Max! — Mirna se levantou e abraçou seu primogênito. Em seguida beijou Alicia. — Querida, você está tão linda! Que coincidência maravilhosa encontrar vocês dois aqui!

— Nem tanto assim, já que este é o restaurante favorito do Max. — Seu Julius pousou a mão no ombro dele, dando leves tapinhas.

— O que eu faço? — fiz com os lábios para Marcus.

Ele apenas abanou a cabeça, aprumando as costas como se estivesse prestes a entrar em uma luta. E foi quase isso.

Max se virou para me cumprimentar, e seu sorriso vacilou ao me reconhecer. Seu olhar imediatamente recaiu sobre o irmão, e o apertar de mandíbula deixou claro que não estava nada contente. Marcus trincou os dentes em resposta, empinando o queixo como se aceitasse o desafio. Ah, meu Deus!

Alicia se mostrou surpresa ao me ver e me lançou um olhar especulativo, que me fez encolher na cadeira.

Quando Max arrastou a cadeira vazia ao meu lado, eu me empertiguei. Não queria ficar entre os dois irmãos com toda aquela tensão pairando no ar. Por sorte ele estava apenas sendo gentil, puxando a cadeira para a noiva.

— E aí? Os Cassani já te enlouqueceram? — Alicia me perguntou depois de se sentar.

— Acabei de conhecê-los.

— Espera um pouquinho mais, então. — Ela riu. — Não vai demorar. Eu sempre me perco quando eles se reúnem. Falam todos juntos. Não consigo acompanhar grande parte.

As bebidas chegaram e o garçom anotou o pedido de Alicia e Max. Esperei que ele se retirasse para dizer a ela:

— Alicia, você deve ter ouvido uns boatos na L&L...

— Meio por alto. — Desdobrou o guardanapo e ajeitou no colo.

— Não fui eu. Juro que não. Sei que parece que foi, mas eu garanto que jamais colocaria meu emprego em risco só por um capricho. Alguém sabotou o site.

— Quem? — Seus olhos azuis se estreitaram quase que imperceptivelmente.

— Eu não sei. Ainda. Mas vou descobrir.

Ela me encarou por um instante e então me surpreendeu ao assentir.

Soltei um longo suspiro. Ela estava me dando o benefício da dúvida. Era mais do que eu poderia esperar. Peguei minha bebida e tomei um gole.

— Você está noiva? — Mirna me perguntou, animada, o olhar em minha mão.

Ah, droga!

Pousei o copo com cuidado sobre a mesa.

— Humm... Éééé... — Sentei sobre a mão, esperando que ninguém mais visse o anel, que então seria esquecido.

Fui otimista demais.

— Isso é tão lindo. Quase ninguém mais fica noivo hoje em dia. — Mirna estendeu a mão para mim. — Me deixe ver esse anel, querida.

Sem ter uma desculpa, estendi lentamente o braço, pousando a mão na dela.

Max se inclinou, examinando a joia com atenção. Sua testa então se franziu e seu olhar se fixou imediatamente em Marcus.

— Belo anel — comentou secamente.

— Sua tia deve estar muito feliz. — Alicia também examinava a joia.

— Para quando é? — Seu Julius quis saber.

— Ainda não definimos a data. — Meu rosto estava em brasa.

— É tão delicado. — Mirna suspirou.

— O tipo de anel que não enroscaria na roupa ou no cabelo — Max completou, os olhos soltando faíscas em direção ao irmão. — Nem chamaria muita atenção. Não acha, Marcus?

O caçula dos Cassani travou o olhar no do irmão. Tenho quase certeza de que eu estava testemunhando uma briga, embora nenhuma palavra tenha sido dita. Desesperada para que o assunto fosse esquecido, escondi a mão embaixo da mesa. Marcus, ainda encarando Max, a pegou discretamente, apertando-a de leve.

Infelizmente Alicia captou o gesto. E engasgou com sua água, cuspindo grande parte na cara do noivo.

— Ah, Deus. Desculpa, Max — se apressou ela, pegando um guardanapo.

— Está tudo bem. Não foi nada. — Ele secou o rosto e parte da camisa.

— O que foi, querida? — Mirna olhou para ela com preocupação.

— Eu... — Alicia começou, os olhos dardejando. — Acabei de lembrar que preciso... humm...

— Ligar para a Mariana — ajudou Max. — Vou com você.

Os dois se levantaram e começaram a cochichar antes mesmo de desaparecerem no corredor que levava aos banheiros. Dona Mirna os acompanhou com o olhar preocupado.

— Acho melhor ir ver o que está acontecendo — ela ponderou. — Alicia parece bastante exaltada.

— Mirna, deixe os dois. — Julius pousou a mão em seu braço com delicadeza. — Ficou claro que ela queria um minuto sozinha com o Max.

— Mas ela pode estar precisando de uma mãe! A pobrezinha parecia abatida.

— O pai está certo. — Marcus pegou seu garfo e começou a girá-lo entre os dedos. — Deixa os dois. Fica aí.

— Ora, nenhum de vocês vai me ensinar como eu devo tratar a minha filha! — A mulher se levantou, decidida.

Com um suspiro de dar pena, seu Julius ficou de pé e foi atrás da mulher.

— Mirna, espere. Você prometeu...

Soltei os ombros e um pesado suspiro quando ficamos a sós.

— Não precisa ficar tão tensa. Deu tudo certo. — Marcus pressionou os dedos ao redor de minha mão e então a soltou.

— Fiquei com medo que eles fossem fazer mais perguntas, e eu não tenho nada pronto. A Alicia sabe, Marcus. Ela viu você segurar a minha mão.

— Não faz a menor diferença agora. — Ele pousou o talher na mesa com um baque agudo. — Ela acabaria sabendo de todo jeito. O Max estava comigo quando eu comprei o anel.

— Desculpa, Marcus. Agora ele vai pensar que é pra valer.

— Não foi culpa sua. E o Max é esperto demais, Pin. Ele sabe que você precisava de um noivo. Estava no bar quando a Alicia sugeriu arranjar um noivo falso. E sabe que eu estava relutante em arranjar um cuidador. Ele já juntou as coisas. E, pelo jeito que ele me olhou, não gostou nada disso.

— Você acha que ele vai contar para os seus pais?

Ele negou com a cabeça.

— O Max jamais faria uma coisa dessas. Mas te garanto que eu vou ouvir um sermão do caralho. — Soltou o ar com força.

— Eu não queria que você se metesse em problemas. Que tivesse que contar mais mentiras para a sua família.

— Eu vou te contar um segredo. — Ele se inclinou para mais perto, o meio-sorriso dando as caras. — Nem sempre a verdade é o melhor caminho.

Acabei rindo.

— Como você consegue distorcer as coisas e parecer que está certo?

— Deve ser um dom. Eu tenho muitos. — Ele pegou uma mecha do meu cabelo, enrolando-a no indicador. — E um deles é irritar você.

— Até a morte. — Ergui o rosto para ele.

— Não. Até a morte, não. — As íris estupidamente verdes percorreram meu rosto, cada detalhe dele, até se fixarem em minha boca. — Apenas até que você fique tão furiosa comigo que não consiga pensar em mais nada. Só em mim.

Minha respiração ficou presa na garganta, a boca seca, e eu só conseguia pensar em ter aqueles lábios macios e molhados sobre os meus. Contudo, Marcus se afastou de súbito, pois o garçom colocava os pratos na mesa. Precisei de um instante para me recompor, e consegui bem a tempo, já que praticamente no mesmo instante os pais dele retornaram.

— São os preparativos do casamento. — Mirna se sentou. — A Alicia está um pouco nervosa, pobrezinha. Mas que noiva não fica, não é mesmo?

Alicia e Max voltaram. Ela evitava olhar para mim, e eu percebi que Marcus tinha razão quanto ao irmão. Max estava furioso, pegando a faca e a girando entre os dedos enquanto encarava Marcus, que por sua vez aceitou o desafio com um largo sorriso. Eu não queria estar por perto quando aqueles dois fossem acertar as contas.

Se os pais perceberam o clima estranho entre os filhos, não deixaram transparecer. A conversa logo se voltou para o casamento iminente de Alicia e Max, e então eu comecei a relaxar. Depois da sobremesa, eu estava quase à vontade ouvindo Marcus e a mãe falarem sobre o sítio. Ele tinha saudades de lá, embora eu duvidasse de que fosse admitir isso um dia.

— Sua tia ia adorar — ele me disse. — Minha mãe tem um jardim que é considerado o mais bonito da região. Não tem begônias, mas é bem bonito.

— E desde quando você sabe o que é uma begônia? — Mirna quis saber, surpresa.

— Begônia, rosa, samambaia. É tudo flor. — Ele deu de ombros, afundando a colher no seu sorvete.

— Minha tia é doida por begônias — esclareci. — Tem um jardim repleto delas. O Marcus teve que escutar a história da planta quando a conheceu.

— Ah. — O vinco na testa dela se aprofundou.

— Ei, pai, sabia que o Marcus quase me venceu na piscina? — Max questionou, mas ainda não parecia amistoso. Era mais como se estivesse querendo mudar o foco da conversa.

— É mesmo, filho? — Julius sorriu para o seu caçula.

— Ele diz. — Marcus deu de ombros. — Mas não acredito muito nisso.

— Eu não menti, Marcus. — O rosto de Max continha uma sombra agora. — Eu não minto.

— Claro. Você prefere ocultar a verdade. Eu tinha esquecido. — Marcus lambeu a colher e... eu me perdi do resto do mundo. Ah, caramba.

— Posso ter ocultado algumas coisas — vociferou Max, me despertando do transe —, mas pelo menos contei uma parte da verdade. O que era relevante, pelo menos. E eu tinha os meus motivos.

— Já chega. Esse assunto já foi resolvido — Mirna disse, um pouco agitada.

— Não seja hipócrita, Max. — Marcus estreitou os olhos.

Os dois se encararam por um momento. Ai, droga. Eles iam começar a brigar e a verdade acabaria saindo sem querer.

— Sabia que o olho de um avestruz é maior que o cérebro? — abri a boca e soltei a primeira coisa que me veio à mente.

Todas as cabeças se viraram em minha direção.

— Acho que eu não entendi direito. — Marcus pressionou os lábios, reprimindo o riso.

— Eu vi num documentário. — Empurrei os óculos para cima.

— E o que mais tinha nesse documentário? — ele quis saber, achando graça.

— Que os ursos-polares são canhotos.

— Jura? — Alicia perguntou. — Todos?

— Todos — confirmei. — E também dizia que as estrelas-do-mar não têm cérebro. Conheço uma ou duas pessoas assim — encarei Marcus.

Ele sacudiu a cabeça.

— Definitivamente, preciso te levar pra sair de novo.

Lembranças de nossa ida ao cinema preencheram minha mente. Estremeci de leve.

— Prometo que dessa vez não vamos acabar na delegacia, Pin — ele se apressou, a voz doce como uma carícia.

— Pin? — alguém perguntou. Alicia.

— O quê? — Max esqueceu a desavença, e tudo o que seu rosto demonstrava agora era preocupação.

— Delegacia? — o pai repetiu, com a testa franzida.

— Ah, meu bom Deus! — Mirna gemeu.

— Ninguém foi preso! Não precisam surtar — Marcus ergueu as mãos.

— Estou esperando, garoto. — Seu Julius se empertigou, cruzando os braços sobre a barriga proeminente.

Marcus olhou para mim, fez uma careta e suspirou, vencido.

— Não foi nada de mais — explicou. — Arrumei confusão no cinema. Só isso

— E por quê? — Julius insistiu.

— Por nada.

— Isso não é verdade, Marcus — interferi, ainda que falar sobre aquilo fosse a última coisa que eu quisesse. — Um sujeito tentou... me atacar. O Marcus o impediu. Tivemos que ir para a delegacia prestar queixa.

— Você o conteve? — Max cruzou os braços, se inclinando de leve em direção ao irmão.

— Sim — Marcus disse entredentes.

Pela primeira vez desde que vira o anel, Max sorriu para o irmão. Na verdade, parecia quase reluzir de orgulho.

— Marcus! — Mirna arfou, horrorizada, levando a mão à boca.

— Não foi nada, mãe — Marcus garantiu, voltando a sua sobremesa. — Juro. Estou inteiro.

— Quem é Pin? — Alicia perguntou.

— A Júlia — Marcus disse simplesmente, a atenção em seu prato.

— Por quê? O que significa? Não faz sentido pra mim.

— É o que eu vivo dizendo pra ele — comentei.

— Mas faz pra mim. — Ele soltou o talher e olhou para cada membro da família. — Será que podemos mudar de assunto? A Júlia não gosta de ser o centro das atenções. Vamos ser educados com a minha babá, ok?

— Marcus! — seu Julius rosnou. — O que foi feito do agressor?

— Ficou preso por duas semanas. — Bufou. — Mas, por ser réu primário, o advogado dele conseguiu um habeas corpus e o cara está solto.

— Como você sabe disso? — perguntei, espantada.

Ele voltou o rosto para mim, e sua voz estava muito gentil quando disse:

— Eu queria me certificar de que aquele monte lixo ia ter o fim que merecia, então ligava de vez em quando para o delegado. Infelizmente ele foi solto, Pin.

Um arrepio gélido subiu por minha espinha e eu estremeci. Marcus pousou a mão sobre a minha, apertando-a com firmeza.

— Está tudo bem. Ele não vai mais te fazer mal. Ninguém vai. Você aprendeu os golpes, lembra?

Fiz que sim com a cabeça, embora ainda estivesse mexida.

— Ah, meu Deus, Marcus... — Mirna balançou a cabeça. — Julius, você tem que falar com ele. Esse menino não pode ficar se metendo em confusões desse tipo. Vai acabar sendo morto!

— Pode deixar, mãe. Eu faço isso. — Max encarou o irmão demoradamente. — O Marcus e eu vamos ter uma longa conversa.

Marcus concordou com a cabeça e, como se nada tivesse acontecido, partiu para o que restava da sobremesa.

39
Marcus

O jantar chegou ao fim e minha inquietação aumentou. Meus pais queriam ir para minha casa, e de maneira alguma eu os levaria para lá. Então, saquei o celular e liguei para a portaria. Para minha sorte, o elevador continuava na mesma.

— Continua parado — contei a eles, fazendo uma boa atuação para ocultar meu alívio. — Não vou poder ir para casa hoje.

— Então está resolvido — minha mãe disse. — Você vai com a gente para a casa do seu irmão.

— Não vai caber todo mundo lá, mãe.

— Claro que vai. Sempre coube — Max argumentou.

— Mas eu não gosto de ver o pai dormindo no sofá — rebati. — Ele é teimoso, nunca me deixa ficar na sala.

— Marcus... — meu pai começou.

— Você podia ficar na minha casa — Júlia murmurou.

O olhar de minha mãe — e de Max — disparou em direção a ela.

— Tem espaço. — Suas bochechas ganharam um delicioso tom rosado. — A tia Berenice não ia se importar.

— Não há razão para incomodar a sua tia — seu Julius ponderou — quando podemos nos ajeitar na casa do Max e da Alicia.

— Humm... Acabei de lembrar! O sofá está quebrado — Alicia veio em meu socorro. Eu amava aquela menina. — Umas molas estão saltando. O Marcus tem razão, seu Julius. O senhor ia ter uma noite horrível nele.

— Não me importo com isso, minha querida.

— Mas eu me importo, pai — falei. — Está decidido. Vou dormir na casa da Júlia e da tia dela.

— Marcus... — minha mãe tentou.

— Mãe, a senhora insistiu que eu contratasse uma babá. Eu tenho que usar os serviços dela. Amanhã bem cedo eu volto para casa e, se estiver tudo bem com o elevador, ligo pra vocês irem conhecer o meu cafofo. Certo?

Houve discussão, claro, mas eles acabaram cedendo graças a Max, que, mesmo furioso comigo, percebeu que eu queria mais um tempo com Júlia e decidiu me ajudar. Claro que, ao nos despedirmos, ele sussurrou na minha orelha:

— Vamos almoçar amanhã, e então você vai me explicar direitinho o que diabos anda fazendo.

Meu pai se ofereceu para nos levar, mas eu preferi chamar um táxi, já que a casa de Júlia ficava fora de mão. Ela ligou para a tia e passou o percurso todo falando com ela. Na verdade ouvindo, pois conseguiu perguntar poucas coisas. Mas escutava tudo com um sorriso tímido de deleite no rosto.

— Está tudo bem? — perguntei quando ela, por fim, desligou.

— Ela parece uma criança de tão contente. Bateu cinco vezes. As "meninas" já foram embora, exceto a Magda, que vai passar a noite com ela.

Era difícil não enxergar, mesmo com a parca luz que o painel do táxi fornecia, o amor e a devoção de Júlia para com a tia.

O táxi estacionou em frente ao sobradinho na periferia meia hora depois. Júlia saltou e, sem que eu dissesse nada, pegou a cadeira no banco da frente e começou a montar — embora eu nunca a tenha ensinado. Acho que aprendeu apenas me observando. Não sei ao certo como me senti em relação a isso.

Júlia parou no portão e ficou olhando para a casa do outro lado da rua. A lâmpada da varanda do sobrado em frente ao dela estava ligada.

— O Dênis deve ter saído. Ele nunca deixa a varanda acesa se tiver alguém em casa.

— Você e ele são muito ligados — resmunguei, carrancudo.

— E como não seríamos, Marcus? Eu o conheço desde que me entendo por gente. O Dênis sempre esteve lá. — Apontou com a cabeça para o sobradinho amarelo em frente.

Ela abriu o portão e foi entrando. Eu a segui com alguma dificuldade, mas já estava me habituando ao trajeto irregular. Ao chegarmos à sala, percebi que o ar estava pesado, lembrando que não era habitada já havia alguns dias.

— Parece diferente — comentei.

— Também estou com essa sensação. — Ela admirava o ambiente com algo entre a saudade e a angústia. — Quer beber alguma coisa?

— Pode ser.

Enquanto ela desaparecia na cozinha, examinei a lombada dos livros na pequena prateleira sobre a TV. Era fácil distinguir os de Júlia e os de sua tia. Para começar, os da senhora estavam em um estado penoso, de tanto manuseio. Os de Júlia estavam como novos. Muitos eram técnicos, é verdade, mas havia bastante coisa fina: *Crime e castigo*, *Os irmãos Karamazov*, *O pequeno príncipe*, *Dom Casmurro*, *Um teto todo seu*.

Ao lado da modesta TV, havia a dock station mais maneira que eu já tinha visto.

Júlia retornou à sala.

— Tem pouca coisa na geladeira. Só encontrei um pote de margarina quase vazio, dois ovos, uma Superbonder e um saquinho de queijo ralado. Mas achei isso no armário. — E ergueu uma garrafa de vinho tinto.

— Se você me acompanhar...

Ela hesitou por um momento, mas acabou cedendo.

— Tudo bem. Só uma taça.

— Posso? — Indiquei a dock em formato de cubo mágico.

— Claro. — Ela foi para a cozinha e voltou com duas taças. Serviu a bebida enquanto eu plugava meu celular e ajustava o volume. Um rock dos anos 90 começou a tocar.

Ela me passou o vinho e eu o ergui em um brinde.

— Por noites menos conturbadas.

— Amém! — Bateu a taça na minha e experimentou um gole. — Marcus, eu realmente lamento ter esquecido de tirar o anel. Já me acostumei com ele, e não lembrei que nem todo mundo deve vê-lo.

— Tudo bem. Eu também esqueço.

Um silêncio constrangedor pesou sobre a sala, e nós bebericamos o vinho apenas para ter o que fazer. A música terminou e outra começou.

— O que você achou da reestruturação que estão fazendo na L&L? O Max e a Alicia não falam de outra coisa — puxei assunto e ela suspirou de alívio. Aquele era um tópico seguro, e ela falou sem parar por uns bons dez minutos. Eu bebericava o vinho, assentia e sorria nos momentos certos. Isso ajudou a varrer aquele clima esquisito para longe. Quanto mais ela falava, mais relaxada parecia, o que era a minha intenção. Eu não gostava de vê-la tão tensa perto de mim. Não desse jeito, não por esses motivos. Além disso, eu podia admirá-la sem parecer um idiota ou um psicopata. Meu Deus, ela era tão bonita! Tudo nela fazia meu peito se contrair. Tudo nela despertava o desejo de beijá-la.

A conversa subitamente mudou de rumo, se tornou pessoal. Ok, eu tornei a conversa pessoal. Estávamos fazendo nosso top três de momentos embaraçosos.

— Tentei invadir a sala dos professores para pegar minha redação — ela contou. — Eu não aceitei aquele oito e meio. Fui pega, acabei na diretoria e a tia Berenice me deixou de castigo por um mês.

— Meu terceiro lugar vai para a primeira vez que tentei fazer sexo. Eu tinha catorze anos, e uma garota do colegial me deu mole. Meus pais tinham saído para fazer compras, então eu achei que estava tudo bem. Só que meu pai esqueceu a carteira em casa e eles voltaram em vinte minutos. Chegaram bem na hora em que eu tentava colocar a camisinha.

— Meu Deus do céu! E esse é o terceiro lugar? — Ela riu.

— Pois é. Acredite, ainda tem coisa pior. Desse dia em diante, nunca mais levei uma garota para a casa deles, obviamente. — Peguei a garrafa para encher nossas taças.

— Obrigada, já bebi o suficiente por hoje. — Ela pousou a taça na mesinha de apoio.

— Tudo bem. Seu segundo lugar, Júlia.

Depois de refletir um pouco, ela soltou:

— Definitivamente, foi quando eu descobri sobre o cara do wi-fi. Fiquei muito constrangida.

O bichinho da curiosidade dentro de mim ergueu as orelhas e ficou sobre as duas patas, atento. Havia muito que eu queria entender o que tinha acontecido entre ela e esse cara. Como o wi-fi podia ser responsável pelo fim de um relacionamento? E o mais importante: como ele foi idiota o bastante para deixar uma garota como a Júlia escapar?

Ela soltou um suspiro suave e se recostou no sofá, olhando para o nada.

— Eu namorava esse cara. Fazia pouco tempo, e eu nem sei dizer como é que começou. O Eduardo era extrovertido, a gente se via todos os dias na faculdade, e ele falava tanto que eu não precisava dizer nada, então funcionava. — Deu de ombros. — Mas nós não tínhamos muito em comum.

— Sei. — Eu podia adivinhar para onde aquilo estava indo.

— Um dia, surgiu um trabalho em grupo para fazer. Combinamos de ir na casa de uma das meninas do curso. A Flaviana ia mal em todas as matérias, mas acabava passando mesmo assim, porque sempre tinha alguém para ajudá-la com os trabalhos.

— Tipo boazuda?

Ela fez que sim.

— Então nós fomos para a casa dela, e o Eduardo, apesar de ser de outra turma e não conhecer a Flaviana, resolveu me acompanhar. No meio do trabalho surgiu uma dúvida e eu tentei fazer uma pesquisa na internet. Universitária, né? Sempre dura. O meu celular não tinha crédito. O de ninguém tinha, e nenhum de nós conseguiu navegar. Exceto o Edu. O celular dele funcionou que foi uma beleza. Tinha logado no wi-fi da Flaviana.

Ah.

— Foi aí que eu percebi que eles se conheciam muito melhor do que eu poderia imaginar — ela prosseguiu, a lembrança (ou seria o vinho?) trazendo um pouco de cor a suas bochechas. — Não sei dizer desde quando eles estavam se encontrando, e nem quis saber. Que diferença faria?

— Não pode ter sido tão simples assim...

— E não foi. — Ela virou a cabeça e me mostrou um arremedo de sorriso, quase doloroso de se ver. — Mas eu sou boa em arquivar sentimentos, Marcus. Agora você.

Tomei um gole de vinho antes de contar a história.

— O meu segundo lugar fica com o dia em que eu descobri que ainda podia funcionar, depois que me arrebentei com a moto. Eu estava no hospital já fazia alguns meses quando tive um sonho... hummm... quente. Acordei com uma baita ereção e comecei a gritar: "Meu pau ainda funciona!", tão alto que acordei o andar inteiro. Tive que aguentar muita zoeira do Max por causa disso.

Ela assentiu, rindo. Nenhum tipo de surpresa ou curiosidade sobre esse assunto. Nada. Nada mesmo.

Diabos.

— E o seu primeiríssimo lugar? — perguntei.

Júlia gemeu, escondendo o rosto, agora rubro, entre as mãos.

— Não quero contar.

— Por que não?

— Porque você vai rir de mim para o resto da vida!

— Não vou, prometo. Eu te contei coisas que espero que ninguém jamais fique sabendo, então pode confiar em mim.

Espiando por entre os dedos, ela analisou minha expressão. Deve ter percebido que eu falava a verdade, pois suas mãos caíram sobre o colo.

Levei a taça à boca enquanto ela organizava os pensamentos, parecendo buscar as palavras certas.

— Tá. Meu primeiro lugar fica com o dia em que eu fiz uma aula de striptease.

Engasguei com a bebida. Ela fez o *quê*?

— Pois é — comentou, sem jeito, se esticando para bater de leve em minhas costas.

— Isso é... — Passei o dorso da mão na boca, limpando os respingos de vinho, enquanto meu cérebro gritava: "Puta que pariu!" — ... É a coisa mais surpreendente que já ouvi sobre você. É tão... tão...

— Ousada? — ela arqueou uma sobrancelha, em desafio.

Formular uma sentença coerente me pareceu impossível, então apenas concordei enfaticamente com a cabeça.

— Foi só uma aula. — Encolheu os ombros.

— O que... o que te levou a se inscrever num curso desses? — Tentei muito, mas muito, rebater as imagens que meu cérebro estava criando, de Júlia dançando seminua para mim.

Seu indicador traçava os padrões das flores do sofá.

— Eu queria aprender a ser sexy.

Mais?, eu quase gritei.

— O idiota do wi-fi... — Suas bochechas ficaram ainda mais coradas. — Bom, ele disse que acabou na cama da Flaviana porque eu era pouco... empolgante nesse departamento.

— E você deu ouvidos ao idiota do wi-fi?!

— No começo não. — Ela mantinha os olhos abaixados. — Mas depois fiquei remoendo o que ele disse. E eu odeio não ser boa em alguma coisa. Sempre tento ser a melhor em tudo, e saber que eu não era nessa área me deixou muito irritada. Por isso eu tive a ideia absurda de fazer o curso de strip. Achei que, se eu conseguisse fazer isso, todo o resto acabaria despertando também, sabe? Como se eu conseguisse detectar o erro do meu sistema e o corrigisse. Mas foi uma merda, Marcus. — Ela suspirou com tristeza. — Nunca me senti tão envergonhada como naquela aula. A mulher ficava gritando: "Seja sexy, radiante, uma deusa!" e, como eu não me saí muito bem, ela ordenou que eu sentasse e chamou um rapaz para me mostrar como é que se faz. Saí de lá morta de vergonha e nunca mais passei naquela rua.

Eu estava tendo problemas para me manter sério, mas não pelos motivos que ela tinha imaginado. Como aquela garota linda podia não se achar sexy? Com assim, *um erro no sistema?!*

— Júlia, não sei como te dizer isso delicadamente, então vou ser direto. Você é sexy pra caralho.

Ela franziu a testa e ficou vermelha ao mesmo tempo.

— Não faz isso, Marcus. Eu sei o que eu sou, e o que eu não sou também. Tá tudo certo.

Como ela podia ser tão cega? Como uma menina com aquele QI — que lia Dostoiévski! — podia ser tão tapada?

— Acredite em mim, Pin, você é sexy pra cacete. Não saber fazer um strip não é o mesmo que não ser sensual. Você deve ter ficado meio nervosa no curso. Só isso.

— Só isso? — perguntou, ofendida. — Por acaso você já tentou tirar a roupa em público?

— As minhas, nunca — brinquei. — E você estava fazendo pelos motivos errados. Vai, me mostra o que você sabe.

Ela me lançou um olhar que dizia "você ficou maluco?".

— Tô falando sério, Júlia. Me mostra o que sabe. Talvez eu possa te ajudar.

— Você tá curtindo com a minha cara? E desde quando você virou especialista em striptease?

Revirei os olhos.

— Desde que nasci com testículos. Vai, levanta essa bunda daí e me mostra. Não precisa tirar a roupa. Só quero ter uma ideia geral.

— Não! — Seu rosto agora estava tão vermelho e quente que as lentes dos óculos começaram a embaçar.

— Quando você vai ter outra chance de ter uma opinião masculina sem estar interessada no cara que opina?

Ela me observou com a testa encrespada e não negou. Não que eu tivesse alguma esperança de que ela negasse.

Ok, talvez tivesse.

Estreitando os olhos, ela se levantou devagar. Tomei o restante da bebida enquanto ela ia para o meio da sala e praticamente chutava a mesa de centro.

— Eu realmente não sou boa nisso — se adiantou.

— Vamos ver.

Ela bufou, mas começou a se mover ao som de Pearl Jam. Ela tinha ritmo, ainda que seus movimentos fossem contidos. E continuou dançando de olhos fechados, mortificada, pois acreditava que não era boa. Tive vontade de esmurrar o idiota do wi-fi por ferir a autoestima daquela garota. Se Júlia não era sensual, então eu não sabia mais porra nenhuma. Ela precisava entender isso.

Ela me surpreendeu ao levar as mãos à barra do agasalho e o puxar para cima, revelando uma regata preta tão justa que era possível distinguir os contornos do sutiã e... acabou entalada na roupa. Ela se esquecera de tirar os óculos.

Sorri. Que Deus me ajudasse! Ela não era só sensual. Era absurdamente encantadora, com aquele jeito atrapalhado e tímido.

— Ok, acho que eu detectei umas poucas coisas que você pode tentar melhorar — eu disse.

— Você acha? — ela cuspiu, se contorcendo para se livrar da blusa.

Cheguei mais perto e a ajudei a se desprender da peça. Os óculos caíram no chão, o cabelo em uma deliciosa bagunça, como se ela tivesse acabado de sair da cama.

— Você leva jeito, mas está fazendo pelos motivos errados, Pin. Parece que não quer que ninguém te veja. E um strip é o oposto disso.

— Por isso mesmo nunca vai dar certo comigo. — Soprou uma mecha que lhe caía no rosto e se abaixou para pegar os óculos.

— Claro que vai. Você só precisa entender que quer ser admirada. Você está seduzindo, Júlia. E como deve fazer isso?

— Se eu soubesse, não estaria aqui olhando pra você com cara de idiota. — Depositou os óculos sobre a mesinha.

— Você olha nos olhos! É assim que se faz. Tente pensar em... Ok, imagine que você se sente atraída por mim.

Ela passou um braço sobre o peito e friccionou de leve o cotovelo, desviando o olhar.

— Tá.

— E que quer muito me seduzir. Como você faz isso?

— Te convido para comer um hambúrguer do tamanho de um ônibus espacial?

Dei risada.

— Isso até funcionaria. Mas você tem um hambúrguer agora?

— Não — ela gemeu.

— Então você dança. E lembre-se que você quer que eu te veja. Quer que eu **te admire**. Use as mãos para destacar o que você acredita que tem de mais bonito, os lugares onde gostaria que eu te acariciasse, mas não posso, porque quem está no comando é você. Entende isso? Quem está no comando é você! Você está no controle agora. Faça amor comigo dançando pra mim. — Como ela deixou escapar um som de engasgo, eu me corrigi. — Com o cara pra quem você for dançar. Foi isso que eu quis dizer.

Ela começou a abanar a cabeça.

— Marcus. Eu não vou...

— Vai, sim. Confie em mim. E olhe nos meus olhos dessa vez.

Acendi o abajur sobre a mesinha de apoio, inclinando a cúpula para o lado para focalizar Júlia. Então fui até a dock station. Pearl Jam não daria conta do recado. Eu precisava de algo mais pesado.

Apaguei a luz no instante exato em que a música começou a tocar. Júlia a reconheceu de imediato, mas tentou ocultar a surpresa. A voz macia de Marvin

Gaye serpenteou pela sala, e ela permaneceu imóvel, me encarando, buscando respostas.

Como se eu pudesse explicar alguma coisa..

— Dança pra mim — murmurei.

Um arrepio a fez se encolher ligeiramente, a mão indo para o pescoço, mas os olhos permaneceram travados nos meus.

Ela deslocou o corpo para o lado. Foi muito sutil, e assim deu início a sua dança suave. Um sorriso de apreciação me esticou a boca, e ela deve ter entendido como um encorajamento, pois seus movimentos se tornaram mais decididos, ligeiramente voluptuosos.

Sua mão escorregou pelo pescoço, correu pela lateral do corpo por um tempo, depois subiu, sem pressa. Jogando a cabeça para trás, seus dedos resvalaram no queixo, no ponto em que eu queria desesperadamente colar meus lábios.

E a língua.

E os dentes.

E o nariz, para absorver seu delicioso aroma adocicado.

De súbito, ela ergueu a cabeça para me encarar, os dedos descendo pelas clavículas, pelo colo, pelos seios firmes. Um silvo escapou do fundo da minha garganta quando suas mãos delicadas os apararam como duas taças. Meus ombros, bíceps e abdome se retesaram no mesmo instante, e não foram as únicas partes de mim a enrijecer. Receoso de que ela percebesse como eu estava excitado, porque a última coisa que eu queria era assustá-la, estendi o braço em busca das almofadas do sofá, incapaz de afastar os olhos dela e...

— Caralho!

Como ainda olhava para ela, medi errado a distância entre o sofá e a cadeira, e no segundo seguinte eu estava no chão.

40
Júlia

— Marcus! — Corri até ele e... comecei a rir antes mesmo de alcançá-lo. Que droga! — Você está... — Mais risadas. — ... bem?

— Ai! — ele gemeu, se virando de barriga para cima.

— Deus... você... — Risos histéricos. — Desculpa. Eu não consigo... Hahahaha... Você está...?

Ele se sentou, massageando o ombro.

— E este momento, com certeza, vai direto para o topo da minha lista.

Com isso eu gargalhei mais, mesmo morta de preocupação. Ele estava bem? Havia se machucado?

— Desculpa... Não quero rir... hahahahaha... mas não consigo... parar. Você está... bem?

Ele fez uma careta engraçada.

— Não sei. Acho que machuquei alguma coisa, porque não consigo mexer as pernas.

A diversão de repente se foi.

— Seu grande idiota! — Dei um soco no braço dele. — Você está bem?

— Acho que sim. Tudo intacto, exceto o meu orgulho. — Ele tentou se levantar, mas não conseguiu. — Acho que vou precisar de uma ajudinha. Meus reflexos não estão tão bons quanto eu imaginei.

Plantando-me diante dele, passei os braços por baixo dos seus e tentei suspendê-lo.

— Meu Deus do céu. Você pesa uma tonelada! — gemi.

— E você não pesa nada. Opa! — Ele escorregou, e, na tentativa de mantê-lo firme, acabei caindo sobre ele, as pernas dobradas ao lado de seus quadris.

Comecei a rir de novo. Ele também.

— Firme aí. — Ele me segurou pela cintura quando me desequilibrei por conta do riso. — Já basta um de nós ter se estabacado esta noite.

— Você se machucou?

— Em um pedaço só.

— Seu rosto... — Toquei a pele, que já ganhara uma coloração avermelhada. Deslizei os dedos com cuidado sobre o queixo, e as pontinhas da barba fizeram cócegas. Ergui os olhos para ele, pronta para perguntar se ele queria um pouco de gelo para colocar naquele hematoma, mas as palavras morreram quando percebi o fogo inflamando seu olhar.

Minha respiração disparou e o formigamento surgiu com força, arrepiando-me dos pés à cabeça. Seus dedos se contraíram de leve em minhas costas, ao mesmo tempo em que a outra mão subia e se prendia em minha nuca. Com um delicado puxão, ele trouxe meu rosto para junto do seu.

Seus lábios não foram gentis, e aquilo foi parecido com alcançar o nirvana. Prendi os dedos em seus cabelos macios, me aproximando ainda mais, até que todas as partes de meu corpo estivessem coladas a ele. O beijo se tornava mais voraz a cada segundo, e ainda assim não era o bastante. Minhas mãos se desprenderam da massa escura para percorrer a musculatura firme de seu torso. Marcus gemeu, envolvendo minhas coxas com aquelas mãos imensas, forçando meu quadril contra o seu quando meus dedos atrevidos penetraram sob sua camiseta. Fui desvendando as elevações e reentrâncias daquele tórax, a suavidade dos pelos, até que o tecido funcionou como uma algema, me atrapalhando.

Ele interrompeu o beijo apenas para puxar a camiseta pela gola, jogando-a para o lado. Sua pele dourada reluziu sob a luz pálida do abajur, e não pude conter o desejo de abaixar a cabeça e deslizar meus lábios por ela, sentindo com a ponta da língua seu gosto levemente salgado, a ponta dos dedos descobrindo cada curva, cada ângulo ou cavidade daquele tórax. Marcus gemeu, me fazendo sentir viva, quente, exultante e emocionada. Não era apenas um cara que finalmente havia despertado meu lado mais lascivo. Não. Ele era alguém que parecia realmente conectado a mim, de um jeito que eu não imaginei que fosse possível.

Pegando-me pelos ombros, ele me trouxe para cima e me beijou com fúria, até eu ficar completamente sem ar. Seus lábios então deixaram os meus e a língua serpenteou, vagarosa, por meu pescoço, a curva que se une ao ombro, contornando a alça da minha regata. Seus dentes resvalaram a pele sensível do meu ombro, as mãos espalmando meu traseiro, impelindo-me de encontro àquela protuberância vertical que brotava de sua virilha.

Meu Deus do céu!

E isso foi antes de Marcus tomar um dos meus seios na mão, o polegar beliscando o centro em riste que havia muito implorava por seu toque. Ele aproveitou para dar especial atenção ao meu pescoço, mordiscando a pele sensível, deslizando a língua quente e macia por meu queixo, para voltar às carícias em minha garganta. Descendo um pouco mais, capturou o outro mamilo entre os dentes. Seu hálito quente perpassou o tecido da minha camiseta e da lingerie, enviando uma explosão de calor por todo o meu corpo, fazendo meus dedos dos pés se contraírem. Pequenos tremores me sacudiam por dentro, e fiquei um pouco assustada com o que estava sentindo, com a maneira como ele me fazia sentir.

Mas não era o bastante.

— Você precisa parar. Você tem que parar — ele murmurou contra a pele do meu colo. — Porque eu não vou. Eu te quero tanto, mas tanto, que tudo me dói, Júlia. — Afastou meus cabelos e lambeu a pequena depressão na base do meu pescoço. — Não vou ser capaz de fazer a coisa certa de novo. Não vou conseguir me afastar de você novamente. Então você tem que parar agora.

Suas palavras se perderam dentro de mim. Mesmo com meu QI, não fui capaz de compreender o que ele disse depois de "Eu te quero tanto, mas tanto, que tudo me dói".

Nenhum homem jamais me quis assim.

Eu nunca quis um homem como queria Marcus, a ponto de sentir dor, de a consciência me abandonar.

Enredei os dedos em seus cabelos e trouxe seu rosto para junto do meu, deixando claro que não iria a parte alguma. Ele gemeu, metade alívio, metade desespero, suas mãos subindo por minhas costas, me apertando de encontro a seu corpo como se tivesse medo que eu lhe desse ouvidos e parasse.

Eu o beijei em todos os lugares que pude alcançar. Quando minha língua roçou de leve um dos pequenos mamilos, Marcus enrolou meus cabelos em uma das mãos, mas não foi para me afastar. Ele fechou os olhos, deixando a cabeça pender para trás, me maravilhando com a visão de seu largo pescoço, seus ombros generosos. Erguendo-me um pouco mais, colei os lábios em sua garganta, depois na curva de seu pescoço, até atingir a parte lisa e irregular que recobria seu ombro. Hesitante, depositei um beijo sobre uma das cicatrizes irregulares. Ele inspirou fundo.

— Sabe, eu gosto delas. — Continuei beijando a linha torta e larga. — Você também devia gostar. Você enfrentou a morte e venceu, Marcus. Ninguém sai de uma batalha dessas sem marcas.

Um gemido profundo, vindo do fundo da garganta — ou da alma, não sei ao certo —, repercutiu por seu peito. Ele me puxou para cima e me beijou com força. Seus dedos retornaram à bainha da minha blusa, e dessa vez ele a suspendeu, passando-a por minha cabeça e a jogando longe. Seus olhos se prenderam em meu sutiã preto de algodão, as pupilas se dilatando, até que a parte verde se tornou apenas um anel. Estendendo a mão, ele contornou a peça, começando pela alça em meu ombro e terminando entre meus seios. Meu coração batia alvoroçado, e tenho certeza de que ele podia sentir seu pulsar insano. Continuou desenhando até alcançar a tatuagem em minhas costelas, traçando a begônia rubra com a ponta dos dedos.

— É linda. Você é linda, Júlia. Tão linda que me deixa sem ar.

Eu normalmente discutiria, mas não pude, pois uma de suas mãos cercou minha cintura, me trazendo para junto dele, enquanto a outra segurava meu seio, a boca capturava a minha. Meu peito se colou ao dele, duro e quente, os pelos macios roçando em minha pele agora hipersensível, enviando sensações novas que eu não reconheci a princípio. Tudo o que eu sabia era que ele não podia parar de me tocar.

Eu queria mais. Muito mais!

— Pode se levantar um instante? — ele sussurrou em minha boca, e em minha cabeça eu gritei: *O quê??!!* Mas seus dedos brincavam no cós da minha calça, então entendi.

Um tanto relutante, me desprendi dele e fiquei de pé, firmando um pé em cada lado de seus quadris. As mãos de Marcus acariciaram meus pés, meus tornozelos, as panturrilhas sob a calça, meus joelhos, e continuaram subindo por minhas coxas, meus quadris, mantendo no rosto uma expressão febril e maravilhada que jamais havia sido dirigida a mim por ninguém. Ele começou a desfazer o botão, em seguida deslizou o zíper. Contornando meu traseiro, enfiou a ponta dos dedos nos meus bolsos, apertando meu bumbum antes de puxar o tecido para baixo, fazendo-o escorregar por meu corpo. Então se inclinou para a frente, desenhando meu umbigo com a língua, o cós da calcinha verde-água de algodão, antes de seus lábios resvalarem no centro daquela parte minha que agora latejava.

Ah, meu Deus do céu!

Ele continuou me beijando por toda parte enquanto ia abaixando minha calça devagar, me deixando tonta, quente e dolorida.

— Pode erguer este pé para mim? — perguntou contra minha coxa, enrolando uma das mãos em meu tornozelo esquerdo. Fiz o que Marcus pediu, e ele rapidamente passou a calça por meu pé, depois fez a mesma coisa com o outro lado. Seu olhar então se ergueu e percorreu meu corpo lentamente.

Foi aí que pensei que a velha Júlia, a tímida e insegura, daria as caras e tentaria se cobrir como pudesse. Mas não. Eu não quis me esconder dele. Eu *queria* que ele me admirasse, queria que me visse por inteiro.

E ele fez isso. Contemplou-me com aquele olhar febril e me provocou com seus dedos por tanto tempo que achei que eu fosse entrar em combustão espontânea se a chama dentro de mim não fosse apaziguada.

Eu não sabia quais eram seus limites. Estava muito ciente de que ele era capaz de ter uma ereção. Mas tinha lido diversas matérias sobre sexualidade pós-lesão medular, os tipos de ereção — reflexa ou psicogênica —, e desconfiava de que Marcus entrava no segundo grupo. Ainda assim, não sabia até onde ele podia ou estava disposto a ir. E tudo bem para mim. Desde que ele não parasse de me tocar, eu ficaria bem. Mais que bem.

Ele pegou minha mão e a levou aos lábios, beijando o dorso, a palma, o pulso. Com um delicado puxão, me trouxe para seu colo, me encaixando sobre seus quadris. Eu o beijei, correndo as mãos por toda a sua pele e fazendo-o gemer baixinho. Gostei daquilo. Ouvi-lo gemer de prazer fez meu peito se aquecer.

Então as coisas ficaram realmente sérias. Suas mãos estavam por toda parte, e a partir daí as coisas se tornaram um borrão de mordidas, beijos, gemidos e coisas se rasgando — minha calcinha, eu acho, já que ela se enrolou em minha cintura, e a embalagem do preservativo —, o zíper da calça sendo aberto, e aquela parte dele que parecia ser a única coisa que faria minha agonia desaparecer se encaixou onde eu mais a queria.

Mantendo os olhos nos meus, ele envolveu meu traseiro nu com suas mãos grandes, me empurrando para baixo lentamente. Gritei com a deliciosa invasão, e não demorou para que meu corpo assumisse o controle, cavalgando-o enquanto ele continuava empurrando meu quadril para cima e para baixo, beijava meu queixo, lambia minha orelha, mordia meu pescoço, meu mamilo, sussurrando como eu era linda.

Foi demais para mim. O caos no qual eu me encontrava chegou ao ápice e eu arrebentei num maravilhoso e brilhante vórtice de prazer. Uma existência sem corpo, energia pura, apenas essência. Não sei quanto durou aquilo, mas me perdi nele pelo tempo que pude. Era a primeira vez que eu sentia algo daquela magnitude, e queria que durasse para sempre.

Eu não imaginava que sexo podia ser assim. Isso explicava muita coisa! Era por isso que as pessoas perdiam a cabeça e faziam as maiores maluquices. Detestei ainda mais o idiota do wi-fi por isso. O problema não estava em mim, mas nele, aquele porco egoísta rápido demais.

O que me trouxe de volta foi um rugido feroz, um som quase animalesco, poderoso. Abri os olhos a tempo de ver os últimos resquícios de êxtase colorindo o rosto de Marcus, a cabeça jogada para trás, os tendões e as veias em seu pescoço ressaltados.

Lindo. Ele era tão lindo.

Marcus me flagrou olhando para ele e sorriu com aquele jeitinho de menino, que lhe atingia os olhos e a alma, num daqueles raros momentos em que se permitia ser ele mesmo, livre de desilusões ou revolta. Ele me abraçou firme pela cintura, me mantendo presa a ele.

Estava tudo bem, combinava. Eu nunca me senti tão ligada a alguém como naquele instante. Era como se Marcus fizesse parte de mim e eu dele.

Era assustador.

Era maravilhoso.

41
Marcus

Acabamos nos ajeitando ali mesmo, aconchegados um no outro sobre o tapete da sala. Meu corpo ainda nadava em êxtase. Minha cabeça estava leve como um balão, meus membros completamente relaxados, de tal modo que me mexer parecia impossível, embora eu não conseguisse parar de acariciar Júlia.

Nunca tinha sido daquele jeito. Depois do acidente eu tive que me adaptar, reaprender certas coisas, e o orgasmo foi uma delas. Aprendi o que as mulheres já sabiam fazia muito tempo: tudo estava na cabeça. Depois a sensibilidade retornou e as coisas melhoraram ainda mais. Mas nunca tinha sido assim. Nunca tão intenso e violento.

E eu sabia o motivo.

Cacete, é claro que eu sabia.

— O que foi? — perguntou Júlia. — Por que você ficou tenso?

— Não estou tenso. É impressão sua.

— Tem certeza?

— Absoluta. — Beijei sua testa.

Uma parte do cabelo lhe cobriu o rosto. Eu o afastei com os dedos. A mão de Júlia se enroscou em meu pulso, a ponta do indicador percorrendo de leve a cicatriz irregular.

— Marcus, essa aqui... não foi no acidente. — Não era uma pergunta.

— Não no da moto, Pin. E esse era o meu primeiro lugar na lista, antes de eu cair esta noite.

— Como assim? — Ela apertou os olhos, adoráveis ruguinhas se formando em seu nariz conforme tentava ajustar a vista sem os óculos.

— Bom, eu sei que as pessoas costumam mentir quando tentam suicídio e não são bem-sucedidas, mas no meu caso foi *mesmo* um acidente... — Contei a história, do momento em que deixara a porcaria da caixa cair até as sessões de terapia que eu tanto odiava, e a coisa mais maravilhosa aconteceu. Júlia começou a rir.

— Deus do céu, Marcus!

— No fim eu já estava quase tentando suicídio de verdade, só para não ter que ir para a terapia.

Ela gargalhou tanto que seu corpo todo sacudia. Tive que firmar os braços ao redor dela, para que não saísse de onde estava.

— Agora me conta sobre a marca que você escolheu levar na pele. — Deslizei o polegar sobre o desenho na lateral de suas costelas, pouco abaixo do seio esquerdo.

— Eu nunca comemorei um Dia das Mães com a mulher que me pariu. Mesmo depois, quando eu já morava com a tia Berenice. Foi só quando ela ganhou a minha guarda que eu... que eu criei coragem de dar um presente para ela no Dia das Mães. Juntei todas as moedas que pude encontrar por quase um ano, e o que eu consegui comprar foi um vasinho de begônia vermelha. — A lembrança lhe trouxe um sorriso aos lábios. — A tia Berê não tinha nenhuma dessas no jardim e ficou louca quando viu. Disse que aquela era a flor mais especial de todas, e em pouco tempo nosso jardim foi invadido por begônias de todas as cores, como você deve ter reparado.

— Eu reparei. — Continuei acariciando a bela tatuagem.

— Begônias sempre me fazem lembrar da tia Berenice. Eu queria tê-la comigo para sempre, então fiz a tatuagem.

Passei um braço por sua cintura e a trouxe mais para cima, para que pudesse beijar aquela boca rosada e macia. Ao contrário do que eu havia imaginado, Júlia não se afastou assim que a lucidez tomou conta dela. Não tentou se cobrir. Não fugiu. Tudo o que fez foi ficar ali, enrolada em meu peito como se fosse seu lugar favorito no mundo. Era o meu, com certeza.

Eu estava totalmente ferrado.

Ela interrompeu o beijo, me olhando com a testa franzida.

— Você tá tenso.

— Deve ser a agitação do dia. E o seu, eu sei, não foi muito melhor. Você não vai mesmo me contar o que pretende fazer para descobrir quem anda te sabotando na L&L? — Tentei distraí-la. Funcionou.

— Eu estava cuidando disso lá no centro, pouco antes de você me pegar. Só não posso deixar ninguém saber, ou vão pensar que estou espionando por outros motivos. Minha ficha já está meio suja.

— Espionar de que jeito? — perguntei enquanto pensava como seria agora. Porque não dava para ignorar o que tinha acabado de acontecer. E eu não queria isso.

Que mentira do caralho. Eu queria isso mais que qualquer coisa neste mundo. Mas havia aquela suspeita. O maldito vermezinho em minha cabeça que vinha me atazanando com seus sussurros. Júlia era uma cuidadora nata. Ela fazia o possível para ajudar todo mundo. Em sua lista de prioridades, todos sempre vinham primeiro. Agora que eu morava com ela e podia observá-la interagir com a tia, as coisas ficaram muito claras. Ela arrumava a casa, cozinhava, ajudava a tia com as linhas do crochê, mesmo que tivesse trabalho esperando por ela logo ali, no computador. Era como se se esforçasse para ser aceita. Ou tivesse medo demais de ser rejeitada.

Agora eu entendia sua reação na primeira vez em que estivemos a sós, em meu quarto. Eu a magoei onde lhe doía mais. Fora a isso que o cretino do Dênis se referira. E ele tinha toda a razão. Eu queria socar minha cara até virar pudim.

Assim que comecei a compreender melhor aquela mulher, diversas mudanças foram acontecendo. A primeira delas ocorreu em mim: a atração se transformou em paixão, que foi ficando cada vez mais forte, criando raízes profundas em meu peito. A segunda foi um medo terrível e absoluto de que sua natureza insegura estivesse distorcendo os fatos. Não era assim tão descabido imaginar que ela se sentisse atraída por mim porque eu tinha limitações e precisaria de ajuda. E se ela me ajudasse, se eu precisasse dela, então não a abandonaria. Eu era seguro para ela. E a possibilidade de eu estar certo fazia meu estômago embrulhar.

— ... câmera portátil acionada por movimentos — ela dizia. — Vou deixar na minha mesa. Ninguém vai reparar. Ela tem o formato de uma matriosca.

— Uma o quê? — Aquilo varreu meus pensamentos obscuros para longe. Se Júlia fosse pega com um equipamento de vídeo, poderia perder o emprego mais depressa do que eu conseguia dizer nanochip.

— Uma matriosca. Aquelas bonecas russas... uma colocada dentro da outra. — Ela acabou rindo, um som doce, quase infantil, e esfregou a ponta do nariz em meu peito suado.

— Posso ver?

— Tá na minha mochila. — Bocejou de olhos fechados, estendendo o braço em direção à mochila. — Muito... longe...

Mas não para mim. Eu me alonguei e, sustentando suas costas para mantê-la sobre mim, alcancei a mochila surrada e pesada, puxando-a para perto. Abri o zíper e meti a mão ali dentro, pescando algo roliço e firme.

— Humm... — Analisei o cilindro vermelho. — Isso não parece uma boneca. Júlia riu de novo.

— E desde quando você entende de bonecas?

— Tem razão, mas isso definitivamente não parece uma boneca. Parece uma vela.

Júlia se sentou num átimo, o rosto ganhando a mesma cor deliciosa que adquirira em seu êxtase. Entendi o motivo ao ler o rótulo. "Vela de massagem sensual sabor baunilha."

— Isso é *comestível*? — Cacete!

Estudei a vela por todos os ângulos e acabei encontrando um isqueiro em formato de coração na base. Eu o desprendi, mas um pequeno retângulo de papel caiu em meu peito.

— Me dá isso! — Ela o pegou antes que eu pudesse dar uma olhada no livreto. — É só uma vela aromática. — Seu rosto e seu pescoço estavam quase roxos agora.

— Ah, é mesmo? — Arqueei uma sobrancelha, me divertindo com seu constrangimento. E muito, mas muito interessado em saber o que a levara a comprar aquela vela. — É por isso que você está toda corada, ou porque o rótulo diz "vela de massagem sensual"?

— Deve estar com o rótulo errado. Acontece o tempo todo. — Tentou pegar a vela da minha mão, mas não conseguiu. — Ou eu devo ter pegado a vela errada. Me dá aqui, Marcus.

Eu a mantive fora de seu alcance e permaneci calado, encarando-a, tentando conter o divertimento.

— Que inferno! — Júlia rosnou, socando meu peito. — Eu comprei isso numa sex shop, tá? Eu menti quando disse que já tinha entrado em uma.

— Eu já sabia.

— Que ótimo! — Revirou os olhos, jogando as mãos para cima e as deixando cair sobre meu peito.

— O que eu não sabia é que, depois que discutimos esse assunto, você tinha se aventurado em uma sex shop. Por que fez isso? — Mas eu desconfiava. Júlia não suportava ser desafiada, e eu meio que a tinha provocado. Como aquele beijo na calçada depois do jantar, que me pegou de guarda baixa e me deixou completamente louco.

— Porque eu queria provar que você estava errado. Além disso, eu odeio ser desafiada... — ela contou, muito sem jeito. *Bingo!* — Aí eu comprei essa droga de vela. Pronto, é isso. Agora para de me olhar desse jeito e me dá isso aí.

Ela se esticou, mas eu a impedi de alcançar o pote vermelho, passando um braço por sua cintura e a derrubando sobre meu peito. Seus cabelos caíram no rosto, e ela os afastou com um safanão irritado, que só serviu para deixá-los ainda mais bagunçados.

Ela fazia alguma ideia de como estava linda naquele instante, nua, corada e descabelada sobre mim? Se não sabia, eu logo a faria entender.

— Por que escolheu a vela? — eu quis saber.

— Eu não sei. — Bufou em completa derrota. — Porque era isso ou calcinhas com pênis de borracha. E porque eu pensei que fosse algo que, se um dia você e eu ficássemos juntos, eu gostaria de... — Ela balançou a cabeça, escondendo o rosto nas mãos. — Por que eu estou te contando isso?

Mas eu sabia o motivo. Ah, eu sabia!

Usei os dentes para romper o lacre que envolvia o copo com cera perfumada e a aproximei do isqueiro. A pequena língua de fogo lambeu o pavio com delicadeza, exatamente como eu pretendia fazer com Júlia. Com cada pedacinho dela. De repente, baunilha era o meu sabor favorito.

Júlia ergueu a cabeça subitamente, uma interrogação pairando naqueles imensos olhos castanhos ao sentir a movimentação entre suas coxas.

Ah, o que eu podia fazer? Toda aquela esfregação e a descoberta de sua fantasia acenderam meu corpo e minha imaginação.

Erguendo-me sobre o cotovelo, a vela acesa apoiada no chão, afundei os dedos naquela massa castanho-clara, puxando seu rosto para mais perto até sua boca ficar a um suspiro da minha.

Ela me olhava com ansiedade e, mais que qualquer outra coisa, excitação.

Deus, como ela era linda...

Corri o polegar por seu lábio inferior, sentindo um tremor nas entranhas de pura luxúria... e algo mais profundo, perigoso e imutável, que eu não quis analisar mais de perto naquele instante.

Tudo o que importava agora era Júlia.

Apenas ela.

— Eu vou te mostrar por que você comprou essa vela, minha Pin.

42
Júlia

Acordei enroscada em Marcus, ainda no tapete da sala. Uma nesga de luz amarelada e quente tocava minhas costas nuas. Eu me aconcheguei mais a ele e deslizei os dedos nos pelos macios de seu peito, inalando seu aroma. Uma mistura inebriante de suor e óleo adocicado recobria sua pele escorregadia. Assim como a minha.

Senti minhas faces se afoguearem.

De uma coisa eu estava certa: jamais conseguiria olhar para qualquer vela que fosse sem ficar vermelha.

Apoiei o queixo em seu tórax e o admirei em seu sono. Das sobrancelhas grossas à barba curta que recobria o queixo quadrado, o nariz reto, a boca larga e rosada.

O que aquela noite teria significado para ele?, me perguntei.

Provavelmente nada. Assim como não deveria significar para mim. Éramos dois adultos, solteiros, que tinham compartilhado uma noite de prazer. Acontecia o tempo todo.

Mas, por mais que eu tentasse me sentir moderna e adulta, um eco barulhento berrava em minha cabeça que aquela noite poderia ser o começo de algo especial.

Confusa e temendo a maneira como ele poderia olhar para mim quando acordasse, me desvencilhei dele com cuidado. Eu não era boa com aquele tipo de conversa. Não era nada boa em explicar o que sentia.

Marcus inspirou fundo, mas apenas moveu a cabeça para o lado. Na pontinha dos pés, recolhi minhas roupas e fui para o andar de cima. Tomei um banho rápido — ou razoavelmente rápido; havia muito óleo para remover — e vesti uma das roupas que tinham ficado em meu armário. Quando desci, Marcus estava acordado, já vestido, o cabelo meio úmido.

— Bom dia — ele saudou com um sorriso de canto de boca, que tanto podia significar alguma coisa quanto nada. — Onde a gente pode comer alguma coisa por aqui, já que a despensa está zerada?

— Tem uma padaria a duas quadras.

— Beleza.

Virei-me para a saída. Os raios de sol que banhavam a sala incidiram sobre o diamante ainda em minha mão. Puxei de leve e, graças aos resquícios de todo aquele óleo, o anel deslizou por meu dedo com facilidade.

— Aqui. — Estendi-o para Marcus. — E desculpa. Eu não devia ter mexido nas suas coisas.

— Eu comprei isso pra você, já disse. É seu.

— Obrigada. — Dei risada, colocando o anel em sua palma, tomando cuidado para que nossa pele não se tocasse. — Mas não posso ficar com ele, por inúmeras razões. E você viu a confusão que ele causou ontem. É melhor não arriscar.

— Tem certeza?

Fiz que sim. Ele me analisou por um momento antes de, enfim, guardar a joia no bolso.

Eu estava abrindo a porta quando um puxão me fez perder o equilíbrio. Caí sentada no colo de Marcus. Seus braços ágeis se enredaram em minha cintura e minhas coxas, e sua boca estava sobre a minha antes que eu pudesse entender o que havia acontecido. Não que eu fosse reclamar, é óbvio.

— Esqueci de te perguntar ontem — ele disse ao interromper o beijo, afastando uma mecha de cabelo que tinha caído sobre meu olho e se enroscara na armação dos óculos. — Como anda a sua alergia?

— Pior do que nunca — confessei.

— Que bom! — Ele abriu um meio-sorriso. — Porque eu acho que também desenvolvi uma. Qualquer lugar que você toca fica em chamas.

— Em c-chamas?

Ele assentiu, resvalando a boca em meu pescoço.

— Agora, por exemplo, é como se eu estivesse dentro de uma fogueira. Mas não consigo me controlar. — Seus lábios subiram um pouco mais, acompanhando o desenho do meu queixo. — É muito difícil estar perto de você e não te beijar.

— Difícil? — Ah, meu Deus!

— *Muito* difícil — frisou. Então ele me beijou de novo, até eu ficar dormente e fora do ar.

Quando ele libertou minha boca, precisei de um minuto para conseguir me levantar, pois minhas pernas haviam se transformado em gelatina.

— Podemos ir? — perguntou.

— Ah, sim. Claro. — Eu fui na frente, mas Marcus me fez parar quando chegamos ao portão e o abriu para mim. — Obrigada.

— Disponha. Pra que lado fica?

— Ah, não! — Praguejei ao ver Marlucy, com sua inseparável vassoura, vindo em nossa direção.

— Que foi? — Marcus acompanhou a mulher com os olhos.

— Você já vai entender.

— Júlia! Nossa, há quanto tempo não te vejo. Pensei que ia te ver ontem, mas você não voltou pra casa nova. Esse é o seu noivo? — Os olhos dela estudaram Marcus de cima a baixo. — Ah. Não sabia que ele era aleijado. O que ele tem? Foi alguma coisa na infância ou já nasceu assim?

— Por que a senhora não pergunta para ele? — resmunguei, irritada demais para tentar ser educada.

Ela franziu a testa, como se a ideia fosse absurda. Então se inclinou para Marcus, um sorriso benevolente na cara enrugada.

— Oi, meu bem. Como você está? — Bateu de leve no braço dele.

Marcus apenas a encarou, parecendo não saber como responder.

— Você consegue me entender? — falou alto e pausadamente.

Esperei que Marcus dissesse poucas e boas para ela — eu mesma já tinha um repertório bem grande querendo sair —, mas, em vez de gritar com aquela mulherzinha desprovida de cérebro, Marcus começou a latir.

E a rosnar.

Marlucy pulou um metro longe.

— Mas que diabos...! — ela cuspiu, de olhos arregalados.

Marcus continuou latindo.

— Calminha. Comporte-se. — Dei leves batidinhas no ombro dele. Isso o incitou mais ainda. Encarei Marlucy. — Ele fica assim sem os remédios. Mas é um amor de pessoa, depois que toma um ou... três antipsicóticos. Juro.

Marcus tentou morder meu braço. Dei um peteleco nele.

— Então é melhor eu ir andando. Tchau, dona Marlucy. — Segurei o apoio da cadeira e comecei a empurrar. Marcus, como a praga que era, se esticou na cadeira, tentando fincar os dentes na mulher. Ela saiu correndo e entrou em casa em tempo recorde.

Marcus e eu nos entreolhamos, e foi o que bastou para começarmos a rir descontroladamente.

— Você não devia ter feito isso, Marcus.

— Por quê? Aposto que ela vai te deixar em paz agora. Pelo menos quando eu estiver por perto. O que deve acontecer mais ou menos umas dezesseis horas por dia.

— Dezesseis? Eu trabalho, sabia? — Mas não pude deixar de sorrir. Ele me queria por perto.

— Eu também. Por isso disse dezesseis em vez de vinte e quatro. — Revirou os olhos. — Francamente, Pin. Você já foi bem mais inteligente. Estou meio decepcionado.

— O que eu posso fazer? É como dizem por aí: diga-me com quem andas e ficará igualzinho a eles. — Dei dois tapinhas em seu ombro.

Seus olhos se arregalaram numa surpresa fingida.

— Você acabou de tentar fazer uma piada?

— Eu não tentei! Eu *fiz* uma piada.

— Uma muito, mas muito ruim.

— Ainda assim é uma piada. E a culpa é do meu professor. Eu sou apenas um subproduto da sua ironia distorcida e do seu sarcasmo desaforado. — Olhei significativamente para ele.

— Meu Deus! Eu criei um monstro! — Sua gargalhada gostosa ecoou pela rua e por meu peito, aquecendo-o. — Acho melhor a gente ir comer agora, antes que você tente fazer mais alguma piada que me faça querer explodir os miolos. Não quero ter que fazer isso de barriga vazia. — Empinou a cadeira de leve, se colocando na direção correta.

— Você nunca quer fazer nada de barriga vazia. — Comecei a acompanhá-lo.

— Mas é claro que não. — Ele ergueu aqueles incríveis olhos verdes para mim. E eles sorriam. — Nunca se sabe quando o mundo como o conhecemos pode acabar e podemos ser lançados em um apocalipse zumbi. É melhor estar de barriga cheia.

Acabei rindo alto.

— Você anda assistindo a seriados demais.

Ele riu também, mas algo mudou em sua postura.

— Júlia, andei pensando...

Fiquei rígida. Aquele começo de frase podia ter milhares de continuações, e algumas delas me fizeram engolir em seco.

— ... será que você consegue tirar a sua tia de casa pelo menos na parte da manhã? — perguntou. — Meus pais vão querer conhecer o apê.

Ah. Isso era algo com que eu conseguia lidar.

— Acho que sim. Ela pode ficar na casa da dona Inês ou da Magda por um período.

— Ótimo. Venho pegá-la assim que sair da fundação.

Continuamos andando devagar, lado a lado. Então sua mão grande tocou a minha. Olhei para baixo a tempo de ver os dedos ligeiramente calejados se enroscarem aos meus. Se era mais difícil se locomover usando apenas uma das mãos, ele não deixou transparecer. Nem se mostrou surpreso quando percebeu que eu o encarava. Na verdade, me abriu um sorriso tímido (aquele de garoto) e meu coração fez um loop.

Inspirando fundo, levantei o rosto para o céu, recebendo de bom grado a brisa fresca da manhã em minha pele agora quente.

— O dia está lindo, não está?

Marcus observou o manto cinzento repleto de pesadas nuvens escuras sobre as nossas cabeças. Sorriu de novo. Mais um daqueles sorrisos raros. Que já não eram mais tão raros como antes, me dei conta.

— Está perfeito, Pin. Não consigo imaginar um dia mais bonito que esse.

Virei o rosto para o lado para que ele não visse o sorriso que teimava em esticar minha boca enquanto seguíamos pela calçada, nossas mãos ainda entrelaçadas.

&

Ajeitei a matriosca na mesa antes de desligar o computador, apontando a minúscula câmera em direção a minha máquina. Agora era só esperar. Mais cedo ou mais tarde eu pegaria o filho da mãe que estava tentando me causar problemas.

Pensei nos possíveis suspeitos. Tudo levava a Ivan, mas eu conhecia o cara. Não podia ter me enganado tanto assim com ele. Eu me recusava a pensar nisso.

Não que eu pensasse em muita coisa desde aquela manhã, claro. Pessoas apaixonadas rendem muito menos no trabalho, e agora eu entendia o motivo.

Depois do café na padaria do seu Ribeiro — onde Marcus devorara dois mistos-quentes, um pão doce, um muffin de queijo, uma tortinha de banana, outra de limão, um suco de laranja e um café —, tínhamos pegado um táxi para a casa dele. Tia Berenice parecera desapontada ao nos ver chegar separados, nada de mãos unidas ou abraços. Mas seu ânimo retornou assim que sugeri que ela passasse o dia com Magda.

— Ela pode ir mesmo, Júlia? — Magda quis saber, a animação fazendo-a saltitar como uma menininha.

— Desde que a minha tia prometa que não vai sair da sua casa ou da dieta, e que vai manter repouso.

— Prometo, Juju! Juro, juradinho, ó! — Tia Berê fez um x com os indicadores e o beijou duas vezes. Então ela correu para o quarto para trocar as pantufas pelos sapatos de sair enquanto eu mudava de roupa. Eu tinha chamado um táxi. Decidi acompanhá-la até em casa, só por garantia. Nunca se sabe quando tia Berê vai ter uma ideia maluca.

Marcus ficara no apê, escondendo no quarto tudo o que pudesse delatar nossa estadia. Ele ia passar a chave nele e dizer aos pais que a fechadura estava com problemas. Parecia um bom plano. E eu estava louca para saber se havia funcionado, por isso mandei uma mensagem para ele, perguntando.

Ele respondeu de pronto:

> Deu tudo certo. Eles ainda estão aqui.
> Mais tarde vou encontrar o Max. Se eu não sobreviver, quero que vc fique com os meus games. Deixo minhas três panelas para a sua tia. O restante pode doar para o Exército da Salvação.

Acabei gargalhando alto, e Ivan me olhou como se eu fosse louca. O mais maravilhoso é que eu não estava nem aí para o que ele ou qualquer outra pessoa pudesse pensar. Eu queria poder fazer Marcus se sentir feliz assim também. Por isso eu havia ligado para Guto mais cedo, depois de fazer algumas pesquisas infrutíferas na internet. No fim das contas, meu plano saiu melhor que a encomenda.

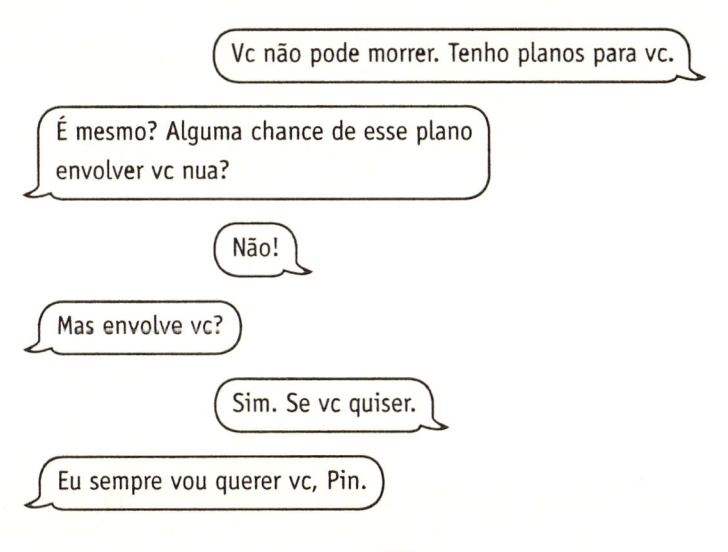

> Vc não pode morrer. Tenho planos para vc.

> É mesmo? Alguma chance de esse plano envolver vc nua?

> Não!

> Mas envolve vc?

> Sim. Se vc quiser.

> Eu sempre vou querer vc, Pin.

Fiquei olhando para a tela, o coração a mil. Ele estava dizendo... Ele me queria para...

Respirar se tornou difícil. Por mais que eu tenha tentado não acreditar nele, agir com bom senso e me preservar de um futuro possivelmente doloroso, eu não pude. Eu... acreditava em Marcus. E ele me queria para sempre.

Um calor repentino inundou meu peito e rosto. Achei melhor ir até o refeitório pegar um refrigerante.

Acabei encontrando Samantha na porta do elevador.

— Nossa, o que aconteceu? — Ela me analisou com a testa franzida.

— Nada, por quê?

— Você está diferente. Cortou o cabelo? — Ela estreitou os olhos.

— Não.

— Tem alguma coisa aí.

O elevador chegou.

— Maquiagem nova? — ela insistiu.

— Não, Samantha. Não fiz nada diferente. — Não com minha aparência.

As portas metálicas se abriram e revelaram Amaya. Ela chegou para o lado para que entrássemos.

— Estava torcendo pra te encontrar, Ju — ela foi dizendo. Então sua testa encrespou e ela se pôs a me avaliar. — Nossa, você está diferente.

— Acabei de dizer isso pra ela! — Samantha apertou o botão do segundo andar. — Mas ela insiste em dizer que não fez nada. — Estalou os dedos. — Botox! É isso, não é? Pode falar, Júlia. Não vou contar pra ninguém.

— Eu não fiz botox, Samantha. Já disse, não fiz nada.

— Fez sim! — Amaya interveio. — Você está...

— Radiante — a loira ajudou.

— É, parece que ela está brilhando, como se... — Os olhos estreitos de Amaya se alargaram abruptamente, a mão indo para o centro do peito enquanto ela arfava. — Ah, meu Deus! Você e o Marcus *ficaram*?

— O quê? — Samantha guinchou. — Quem é Marcus?

— O irmão do Max, Sam — Amaya disse. — Foi isso, não foi, Ju?

Com as faces afogueadas, não consegui esconder o sorriso nem a verdade dela.

— É tão óbvio assim? — Era melhor eu treinar uma expressão menos contente, ou tia Berenice poderia perceber alguma coisa. Era um milagre que não tivesse percebido ainda.

— Ai, meu Deus! — Amaya riu. — Mulher nenhuma aparece com os olhos brilhando desse jeito e esse sorrisinho secreto se não teve a noite mais espetacular de toda a sua vida. Me conta *tudo*! — Beliscou minha cintura. — Como, onde e quando?

— Você está saindo com o Marcus? — Samantha insistiu, parecendo furiosa.

— Mais ou menos. É complicado. — Suspirei. — E não vou te contar o que rolou, May. Aconteceu e pronto. Foi... foi legal.

— Legal? — Amaya riu. — Você, com esse sorriso besta na cara, quer mesmo que eu acredite que foi só *legal*?

— Você transou com um cara logo na primeira vez em que saíram? — Samantha exigiu, em tom frio.

— Não foi a primeira vez que saímos, Samantha. E, mesmo que fosse, acho que não seria da sua conta.

— Você está apaixonada? — Ela agarrou meu braço. O elevador parou no segundo andar, mas ela não se moveu. As portas voltaram a se fechar.

— Você está me machucando, Samantha. — Puxei o braço com força. Suas unhas longas arranharam minha pele.

Ela piscou algumas vezes, surpresa, então deu um passo para trás, como se eu a tivesse ofendido. Olhei para Amaya, que também não parecia estar entendendo muita coisa.

— É isso, Júlia? Você ama o Marcus? — Samantha insistiu, seu rosto em uma máscara inexpressiva.

— Isso também não é da sua conta — falei, paciente.

— Certo. — Seus olhos se estreitaram.

— Relaxa, Sam — Amaya disse, um tanto hesitante. — A Júlia sabe o que está fazendo. Já é bem grandinha.

Chegamos ao térreo e eu e Amaya saímos do elevador. Samantha continuou lá dentro, me encarando de um jeito tão estranho que tremores reverberaram por minha espinha. Qual era o problema dela?

Assim que as portas se fecharam, Amaya voltou o rosto para mim.

— Já tinham me dito que ela era esquisita, mas não achei que fosse tanto assim. Eu, hein?

— Ela não é, May. Nunca foi. Até hoje, pelo menos.

Por que diabos Samantha tinha agido daquele jeito? Ela era sempre tão doce e gentil com todo mundo. Não fazia sentido ela se chatear só porque eu e o Marcus...

A menos que o problema não fosse eu, mas...

Ah, não.

A imagem de Samantha, com sua beleza exuberante, sentada no colo de Marcus preencheu minha mente.

Meu corpo todo se retesou, como se eu tivesse em perigo iminente. Não entendi direito o significado daquilo, pois havia também um sentimento muito forte de posse, e uma necessidade quase selvagem, primitiva, de manter Marcus bem longe da Samantha.

Amaya passou os braços por meus ombros, me obrigando a olhar para ela.

— Agora que estamos só nós duas, me conta de verdade o que aconteceu entre vocês.

— May...

— Pode editar, Ju. Pode manter as melhores partes só pra você. Mas, pelo amor de tudo que é mais sagrado, me conta como foi que vocês acabaram juntos ou eu vou ter um ataque!

Rindo, fui para o refeitório contando uma pequena parte da noite mais mágica da minha vida, mas uma vozinha irritante em minha mente insistia em querer saber o que teria acontecido entre Marcus e Samantha.

43
Marcus

— Você é um idiota! Não me passou pela cabeça que pudesse ser tão idiota assim, mas você é, Marcus — Max dizia.

Ele já estava nisso fazia uma boa meia hora. Desde que chegamos ao restaurante, na verdade, e exigiu que eu lhe contasse tudo.

E eu contei. Não havia mais motivo para segredos. Ele ficou particularmente irritado com o fato de Júlia e Berenice estarem morando comigo.

— Você já disse isso, Max. — Peguei um pãozinho na cesta e comecei a parti-lo. O fato de eu não conseguir parar de sorrir irritou meu irmão ainda mais.

— Que tipo de merda você está fazendo, Marcus? Fingir um noivado para uma senhora doente?

Acabei bufando.

— Max, não começa. Eu sei o que estou fazendo.

— Eu duvido muito. Como você pôde envolver a Júlia nessa história? Como pôde se meter na história dela? Envolver uma mulher doente nessa rede de mentiras? Mentir para os nossos pais? Para mim?!

— Você não acha que é meio irônico me passar um sermão sobre esse assunto? Justo você, que se casou por conveniência, para conseguir uma promoção?

Ele estreitou os olhos para mim.

— Não foi assim. Eu já gostava da Alicia.

— E eu gosto da Júlia. — Joguei os nacos de pão de volta na cesta.

Max ficou calado por um instante, me observando.

— Gosta quanto?

— Muito mais do que devia, Max. Muito mais do que a minha sanidade permite. Eu não consigo parar de pensar nela. É... é um inferno!

— Você está apaixonado? — ele perguntou, perplexo.

— É por aí. — *Senhoras e senhores, eu estou apaixonado.* Essa era a verdade que eu andava querendo esconder, até de mim mesmo. Mas depois da noite de ontem tinha se tornado impossível. A timidez de Júlia ocultava o vulcão que existia dentro dela. Quando toda aquela paixão entrou em erupção, quando ela se entregou daquela maneira inocente e ainda assim apaixonada, eu me vi sem defesa. Eu poderia viver cem anos e não seria capaz de esquecer a noite anterior. Eu estava louco por ela. Total e completamente apaixonado.

Os cantos da boca de Max tremeram.

Grunhi.

— Se você sorrir, eu juro que vou te fazer engolir essa cesta!

— Eu não ia. — Mas ele lutou para manter a expressão sob controle. — Então vocês...

— Não sei. Realmente não sei, Max.

Eu estava confuso. Não queria me afastar de Júlia. E depois de ontem nosso envolvimento tinha sido elevado a outro nível. Mas eu ainda tinha tanta coisa para resolver, tantos nós a serem desatados antes que pudesse me arriscar em um relacionamento...

Max, sendo Max, sacou no mesmo instante o que estava se passando na minha cabeça.

— Marcus, você não devia ficar pensando esse tipo de bobagem.

— Não estou pensando em nada — resmunguei.

Ele me estudou por um momento, desconfiado.

— Está, sim. E devia mesmo parar. A Júlia é uma ótima moça, e está na cara que ela te faz bem. Você devia era pensar numa maneira de contar para os nossos pais sobre ter se envolvido com a sua cuidadora. Aliás, o que eles acharam do seu apê?

— Eles gostaram. A mãe ficou mais tranquila.

Eles tinham ficado impressionados e um pouco surpresos também, levando em conta o alívio estampado na cara da minha mãe e o sorriso besta na do meu pai. Eles nem ao menos estranharam quando eu disse que o quarto menor estava trancado porque o dono havia perdido a chave e eu estava esperando a cópia ficar pronta. Minha mãe perguntou sobre Júlia, a suposta cuidadora, é claro, mas logo deixou o assunto de lado ao ver a cozinha adaptada.

— Nossa!

— Que belo trabalho fizeram aqui. — Meu pai se agachou para olhar mais de perto meu serviço sob a pia.

— Valeu, pai.

Ele virou a cabeça imediatamente.

— Foi você?

Concordei com a cabeça.

— Bom trabalho, garoto. — Um sorriso presunçoso enrugou a cara do meu velho, e ele voltou a examinar o trabalho com a madeira, correndo a mão por ela.

— Marcus, meu querido! — Minha mãe começou a abrir os armários e a verificar a arrumação. — Está tão organizado. E funcional! — Ela se virou para mim. — Você pode fazer tudo sozinho.

— Eu posso, mãe.

Ela colocou as mãos em meus ombros e se inclinou para beijar minha cabeça.

— Estou tão orgulhosa, Marcus. — Sua voz tremeu.

Não me ofendi com sua surpresa. É claro que ela ficaria preocupada comigo. Não foi assim quando Max se mudou? Ela ligava para ele oito vezes por dia. Até que ela estava lidando bem com minha saída de casa. Ligava apenas nove vezes, em dias úteis.

— Que bom — a voz de meu irmão penetrou meus ouvidos, me trazendo de volta para o restaurante. O celular dele tocou. Max relanceou a tela. — Vou ter que ir, Marcus.

— Beleza. Também tenho um compromisso. — Já eram quase duas. Eu tinha que sair agora ou acabaria me atrasando para a consulta.

Eu me despedi do meu irmão, mas não disse para onde estava indo. Era apenas uma consulta de rotina — mais uma naquela infindável sucessão —, e não havia motivo para incomodar ninguém.

෴

Àquela altura, eu já conhecia cada detalhe do consultório da dra. Olenka. Dos vasos de madeira espalhados nos cantos aos cartazes nas paredes alertando sobre osteoporose, desvio de coluna, fraturas diversas. Um ambiente calmo e bem iluminado onde as pessoas entravam ansiando por um milagre. Eu era apenas mais uma delas.

A dra. Olenka entrou na sala com seu jaleco branco se balançando com graça

— Olá, Marcus. — A mulher alta, de traços firmes, passou por mim e se acomodou atrás da mesa. — Como você está?

— Bem. E você, doutora?

— Muito bem. Continua praticando esporte?

— Eu nado pelo menos três vezes por semana.

Ela puxou minha pasta e começou a fazer anotações.

— E a fisioterapia?

— Continuo fazendo tudo direitinho.

— Notou algum sinal de melhora desde a última vez que nos vimos?

Eu me remexi na cadeira.

— Não.

— Humm... Você conhece o procedimento. — Ela se levantou, os instrumentos já dispostos sobre a mesa, e eu me peguei pensando que, quando ela usava a expressão "humm...", sempre vinha depois um "não vamos nos precipitar". Não gostei daquilo.

A dra. Olenka fez os exames de rotina em mim, verificando da pressão arterial aos reflexos. Sua testa estava vincada quando ela terminou.

— Marcus, quero pedir novos exames. Mas não se preocupe. Não é nada que você já não tenha feito antes.

— E por quê? — eu quis saber, desconfiado.

— Quero analisar o progresso da sua lesão.

Eu entendi o que ela não disse. Já fazia tempo demais desde que a sensibilidade nas pernas voltara. Apenas isso. Nada mais acontecera. Nenhum movimento, nenhuma mudança.

— Está demorando muito, não é? — perguntei, de chofre.

— Cada pessoa reage de um jeito, cada corpo tem um ritmo diferente, Marcus. Ao que parecia, o meu era o mais lento possível.

— Mas já devia ter ocorrido alguma mudança.

— Humm... Não vamos nos precipitar. — Ela deu um tapinha em meu ombro. — Sua última ressonância tem três meses. Preciso saber o que aconteceu de lá para cá.

Ela ligou para a clínica onde eu faria o exame e o marcou para dali a meia hora.

Fiz tudo no automático. Fui de um lugar para outro, observei meu braço ser espetado e o contraste ser injetado e tentei muito não pensar no que aquilo poderia significar. No fundo eu sentia como se estivesse chegando ao final de uma longa corrida. O resultado podia ser tanto a vitória que eu desejava quanto ficar no meio do caminho.

E não pude parar de pensar em Júlia. Ela lidava muito bem com minha limitação. Na maior parte do tempo, parecia se esquecer dela. E estávamos no início de algo que poderia ser ainda mais... mais. Eu queria isso. Queria tudo que envolvesse Júlia.

Mas não pude evitar me perguntar se poderia funcionar. Eu seria capaz de dar tudo o que ela precisava, ser o que ela precisava, se nunca mais voltasse a ficar sobre meus próprios pés?

Por que agora?, me peguei pensando. Por que eu tinha que ser obrigado a pensar em tudo isso justo *hoje*, quando estava feliz como havia muito tempo não me sentia?

Enquanto eu me deitava na cama estreita da máquina de ressonância e me mantinha imóvel, me peguei pensando se aquele era o meu julgamento, se o veredito seria dado em dois dias. O último deles, sem salvo-conduto, réplica, recursos.

De uma coisa eu estava certo. O resultado daquele exame mudaria minha vida. De um jeito ou de outro.

44
Júlia

Estava chovendo quando meu turno terminou. Conferi se a mochila estava bem fechada antes de me enfiar naquele aguaceiro. Uma buzina insistente me fez olhar para a rua.

Marcus!

— Não imaginei que você viesse me pegar — falei, sem fôlego, depois de entrar em seu Honda, jogando a mochila no assoalho para poder prender o cinto de segurança.

Ele não disse nada. Apenas me observou como se não me visse havia décadas. Sua mão se elevou para se encaixar em minha bochecha. Seu semblante estava rígido, como se ele lutasse contra algo realmente doloroso.

— O que foi? — Preocupada, toquei seu queixo.

Abanando a cabeça, ele fechou os olhos e me beijou. Um beijo repleto de saudade e... medo?

— O que aconteceu, Marcus? — insisti, quando ele libertou minha boca.

— Nada. Estava com saudade, só isso. — Mas havia uma sombra em seus olhos. O que estava acontecendo? — Temos que ir buscar sua tia. Como foi o seu dia? — Engatou a marcha e acelerou.

— Produtivo. — Bom, quase. — E o seu? — especulei, na tentativa de que ele dividisse comigo o que quer que o estivesse perturbando daquele jeito.

— Nem tanto. Uma das crianças colocou macarrão dentro da impressora. Levei quase a manhã inteira para tentar tirar almôndegas e molho de dentro da máquina.

— Por que alguém colocaria macarrão na impressora?

— Para imprimir em 3D. — Ele fez uma careta. — Ainda não entendi a lógica.

Acabei rindo, e ele chegou a sorrir, mas foi tão breve que mal passou de um lampejo. Qual era o problema?

Ah, claro! Max, lembrei.

— Então você sobreviveu ao confronto com o seu irmão.

— Não foi tão ruim como eu imaginei. — Ele acionou a seta e mudou de faixa. — Ele está bravo, mas não tanto quanto eu achei que ficaria. Eu tinha bons argumentos.

— Que bom.

Então, se não era isso, o que poderia ser?

— E quanto à sua tia? — ele quis saber. — O que você vai dizer a ela sobre a noite de ontem? Ela pareceu bastante decepcionada hoje de manhã, porque nós não estávamos nos agarrando nem nada quando chegamos em casa.

— Eu também notei. E por isso mesmo não vamos dizer nada. Quer dizer, ela vai tentar descobrir se aconteceu alguma coisa. Foi uma sorte ela não ter percebido que eu tive uma noite espetacular só de olhar para mim. Tenho medo que ela entenda tudo errado e ligue para a Allure marcando o nosso casamento para a semana que vem.

Porque seria exatamente isso que aconteceria se ela soubesse — ou mesmo desconfiasse — do que havia acontecido sobre o tapete de sua sala.

A tensão ao redor de Marcus pareceu ceder, e do nada um sorriso daqueles de tirar o fôlego lhe curvou a boca.

— Ontem foi *mesmo* espetacular, Pin.

— Ah. — Onde estava meu filtro quando eu mais precisava dele? Minhas bochechas se incendiaram. — Eu não... eu não quis dizer... eu...

— Mas não foi o bastante. — Ele manteve o olhar à frente. Sua fisionomia se tornou séria, como se ele não devesse dizer aquilo. Ou não pudesse. — Eu ainda quero você pra cacete, Júlia.

Inspirei fundo, experimentando um tipo de alívio que poucas vezes senti na vida.

— Eu também quero você, Marcus — murmurei. — Tanto que chega a doer.

Ele imediatamente voltou o rosto para mim, o olhar intenso, as pupilas fazendo aquela coisa de dilatar...

— Cuidado! — gritei, quando um borrão vermelho passou na frente do carro.

As rodas do Honda travaram e fomos jogados para a frente. Ricocheteei no banco, o cinto de segurança se esticando de súbito, o rosto ficando a centímetros do para-brisa, o coração pulsando erraticamente.

Xingando, Marcus encostou o carro no meio-fio e ligou o pisca-alerta.

— Caramba, aquele cara é louco! Não podia ter entrado na sua frente daqu..

— Mas me calei quando ele enroscou os dedos em minha nuca e me puxou para si. Ele me beijou com força, um beijo afoito e molhado que fez minhas entranhas se embolarem.

— Cacete, Júlia! Não posso bater o carro com você dentro — disse contra meus lábios.

— Marcus! — Eu o afastei (com alguma relutância de ambas as partes, é verdade) e o fitei a sério. — Você não pode bater o carro de jeito nenhum!

— Então nunca mais me diga esse tipo de coisa enquanto eu estiver dirigindo.

— Que coisa? Que eu quero você?

Ele meio gemeu, meio grunhiu e voltou a me beijar, dessa vez com delicadeza, sem pressa, fazendo promessas silenciosas que eu daria qualquer coisa no mundo para compreender o que significavam.

Quando libertou minha boca, manteve o rosto junto ao meu, a testa apoiada na minha. Mantive os olhos fechados, meus dedos brincando em seu queixo.

— Então, sobre aqueles seus planos... — ele sussurrou.

— O que é que tem? — Acabei sorrindo. Mal podia esperar para ver sua reação.

— Tem certeza que não envolve você nua?

Dei risada e abri os olhos. Ah, meu Deus, como ele era bonito...

— Tenho, Marcus. E agora acho melhor a gente ir pegar a tia Berê ou vamos nos atrasar, e os meus planos vão por água abaixo.

— Ok. — Ele sapecou um beijo em minha boca antes de se aprumar. — Mas espero que esse seu plano seja *muito* maneiro, já que você não pretende tirar a roupa e tudo o mais. A propósito, já que você mencionou a sua tia, vamos fingir que não aconteceu nada entre a gente, certo?

— Certo. E o que acabou de acontecer neste carro não pode se repetir de jeito nenhum quando estivermos em casa, Marcus.

— E fora de casa? — Seu rosto ganhou uma seriedade pouco característica.

Então, aquele era o momento. Ele me dava a escolha. Deixar rolar o que quer que estivesse acontecendo entre nós ou terminar de uma vez, pondo fim à confusão toda. Um mês antes eu nem teria que pensar, mas agora...

— Eu acho... acho que não tem problema. — Desviei os olhos para minhas mãos retorcidas sobre o colo.

Tenho quase certeza de que o ouvi soltar o ar com força, como se o estivesse prendendo antes.

— Só que, Marcus, nós temos que ser muito cuidadosos. A tia Berê não pode descobrir que... que esse lance está rolando. — Experimentei olhar para ele. Algo o divertia, a julgar pelo tremor nos cantos daquela boca suculenta.

— Então — começou —, primeiro nós fingimos para a sua tia que estávamos envolvidos quando não estávamos. E, agora que *estamos*, vamos ter que fingir que não estamos. É isso mesmo? — Ele coçou a sobrancelha. — Entendi tudo direitinho?

— É.

— Eu só estava verificando... — respondeu, divertido. Levou a mão ao volante, pronto para sair da vaga.

Meu celular emitiu um ruído novo. Relanceei a tela, franzindo a testa.

— Ué...

— O que foi? — Marcus quis saber.

— É o aplicativo da câmera portátil. Recebi uma notificação de que ela foi ativada. — Cliquei no ícone e o aplicativo se abriu, exibindo uma imagem em tempo real.

Do meu sabotador!

— Não acredito! Faz a volta, Marcus. Preciso ir para a L&L agora! — ordenei. Minhas mãos tremiam tanto que tive dificuldade para segurar o telefone e firmar a vista.

— Calminha aí, Júlia. Não faça nada de cabeça quente. Pode não ser o seu sabotador.

— Mas é! Ninguém no TI se atreve a mexer numa máquina que não seja a sua. É quase uma regra.

— Você o conhece?

— Eu achava que sim. — Eu não conseguia acreditar no que estava vendo no meu celular. Como pude me enganar tanto?

— Ok. — Marcus respirou fundo. — E o que você pretende fazer? Como vai provar que é essa pessoa que está fazendo as alterações no site?

— Eu tenho a gravação! — Ergui o celular.

— Que não prova nada além de que alguém precisou usar o seu computador. Até sabermos que realmente foi feita uma alteração no site, você não tem nada.

— Mas... Droga! — Ele tinha razão.

Do outro lado da rua, avistei Américo e Inácio saltarem de um táxi, usando as pastas para cobrir a cabeça e se proteger da chuva.

— Marcus, aquele é o meu chefe. Eu tenho que falar com ele. Você pode pegar a tia Berê?

— Júlia, você não devia... — Ele bufou, balançando a cabeça. — Saco. Tudo bem. Vou buscar a sua tia. Só toma cuidado.

Saltei do Honda, me esquivando dos carros que vinham em alta velocidade até chegar à outra calçada.

— Américo! — chamei. Ele se virou para trás, procurando. Seu rosto assumiu uma postura mais séria quando me viu.

— Júlia! — ele disse assim que consegui alcançá-lo. — O que está fazendo aqui?

— Eu... hã... — Tá, meu plano não ia muito além de saltar do carro e correr atrás do homem. Marcus tinha razão: até surgir o novo bug — e *haveria* um —, eu não tinha nada. Olhei para a tela do meu celular, agora cheia de gotas de água. Meus óculos começaram a embaçar, mas a imagem continuava em movimento. — Humm... Eu queria saber se você tem horas.

— Você me chamou no meio desta chuva apenas para saber as horas? — Por sua expressão, ele não estava feliz com isso.

— É que eu acho que o meu celular está com algum problema.

Ele fez uma careta — ou acho que fez; era difícil enxergar com as lentes esbranquiçadas e cheias de gotas — e relanceou o caro relógio dourado em seu pulso esquerdo.

— São seis e quinze.

— Tem certeza que são seis e quinze? — insisti.

— Tenho.

— Certeza absoluta? Que são seis e quinze? — Os pingos gelados entravam pela gola da minha blusa e escorriam por minha coluna.

Ele me olhou com suspeita.

— Certo, Júlia. O que você está armando?

— Nada. Só quero ter certeza de que você está me dizendo que, neste momento, são seis e quinze.

— Já são seis e dezesseis — Inácio disse, prestativo.

— Tá. Seis e dezesseis, então. — Eu já não conseguia vê-los, então tirei os óculos. Não mudou muita coisa.

— Isso tem a ver com... — Américo se interrompeu sugestivamente.

Fiz que sim uma vez.

Ele coçou uma sobrancelha com o polegar.

— Você está me dizendo que tem alguém agora mesmo na sua mesa, sabotando a L&L?

— Não. Só estou dizendo que são seis e dezesseis e...

— Seis e dezessete agora — ajudou Inácio, alheio à carranca que Américo lhe dirigiu.

— Obrigada, Inácio — agradeci. — Então, eu só estou dizendo que são seis e dezessete e eu estou bem aqui, a muitos quarteirões da L&L, falando com você, debaixo desta chuva.

Ele trincou o maxilar e pegou seu telefone. Ligou para a segurança da L&L e solicitou que a câmera fizesse uma varredura no setor de TI.

— Eu posso ajudar. — Criando coragem, mostrei a ele o vídeo em tempo real em que Samantha aparecia.

Seus olhos se arregalaram em surpresa. Bom, eu também estava tentando entender.

Por que Samantha tentaria me prejudicar? A menos que quisesse a minha vaga para um amigo ou parente, e mesmo assim eu não conseguia acreditar que ela desceria tão baixo apenas para ajudar alguém a arranjar um emprego. Ela sempre foi legal comigo. Desde que nos conhecemos, tentara ao máximo se aproximar de mim. E, exceto por aquela cena no elevador, sempre foi um amor de pessoa. Às vezes até em exagero!

Tudo fingimento. Agora eu via a verdadeira Samantha. Era a mesma mulher fria e grosseira que eu vislumbrara naquele mesmo dia, que ficara furiosa só porque...

Espera aí.

Seria por isso? Seria por causa de Marcus que ela andava me sabotando — e a empresa onde trabalhava? Depois daquele ataque, eu não achava tão impossível. Mas as alterações foram feitas antes que ela soubesse que eu havia me envolvido com Marcus.

Ou não? Afinal, Marcus e eu estávamos fingindo um noivado. Será que ela tinha ouvido alguma coisa a respeito? Ela podia ser tão vingativa assim?

Apenas Marcus poderia me dar essas respostas, e isso, infelizmente, teria que ficar para mais tarde. Agora eu precisava agir ou acabaria perdendo o emprego.

— Você pediu autorização para instalar uma câmera na sua mesa? — a voz furiosa de Américo me chegou aos ouvidos.

— Hã... não.

Ele sacudiu a cabeça.

— Deus do céu. Quando essa porcaria toda vai acabar? — Inspirou fundo. — Preciso de uma bebida. Vamos lá, Júlia. Você vai ficar comigo até... a porra do meu celular tocar. Se ele tocar.

Não fomos muito longe. Só até a esquina, no barzinho não muito limpo onde quase todos os funcionários da L&L davam uma passadinha para tomar um trago antes de voltar para casa. Não havia mesa disponível, de modo que Inácio,

Américo e eu nos espremos no balcão. Meu chefe inteirou seu colega do que andava acontecendo enquanto eu quicava na banqueta alta.

Nós três acompanhamos Samantha desligar meu computador, pegar sua bolsa e ir embora.

— Então, me conta como é o seu relacionamento com ela — perguntou Américo depois de engolir o segundo uísque. E pediu mais um. — Me faça entender.

— Não sei se sou capaz, Américo. Ela sempre foi muito legal comigo. Eu realmente não entendo por que ela está fazendo isso.

— Que interesse ela pode ter? — O barman colocou um copo com o líquido ambarino em frente a ele. — Por que estaria te sabotando? O cargo dela é superior ao... — O telefone de Américo tocou. Nós nos encaramos enquanto ele levava o aparelho à orelha. — Sim. Não, tudo bem, pode falar. — Ele fechou os olhos, sacudindo a cabeça, e eu tenho certeza de que mentalmente resmungou um palavrão. — Que tipo de problema? Quando isso aconteceu? Tudo bem, vamos resolver o mais rápido possível. — Desligou.

— Então...? — estimulei, já que ele ficou calado.

Aumentando minha agonia, Américo pegou seu terceiro uísque e o virou, pousando o copo no balcão com um baque.

— Preciso ir, Inácio. Há um bug no site — Américo resmungou. *Ah, eu sabia! Sabia!* Ele pegou a carteira no bolso do paletó e separou duas notas, deixando-as ao lado do copo. Então me encarou. Estava furioso. — Muito bem, Júlia, vamos dar uma olhada na sua máquina antes de ligar para o Hector e dar as boas notícias.

Inácio apertou seu ombro em solidariedade. Eu assenti com firmeza e segui meu chefe para fora do bar.

45
Júlia

Eu estava absolutamente dolorida enquanto arrastava os pés pelo corredor da L&L em direção ao elevador. Havia passado quase a noite toda devassando minha máquina, com Américo pendurado em meu ombro. Hector se juntou a nós depois de um tempo e ambos assistiram repetidas vezes ao vídeo gravado pela minha câmera-espiã. Guto me ligou nesse momento, e tive de me desculpar, pois havia esquecido completamente que marcara com ele. Expliquei que tive problemas no trabalho e voltaria a ligar no dia seguinte, se tudo corresse bem.

Marcus também me mandou uma mensagem:

> Está td bem?

Respondi que sim, que estava na L&L e pedi que avisasse à tia Berê que eu ia chegar tarde.

Hector estava furioso, me fez milhares de perguntas sobre Samantha. Não contei a eles que eu desconfiava de que a motivação da garota fosse uma paixão doentia pelo meu... por Marcus.

Hector e Américo logo pularam para teorias de conspiração — o que fazia muito mais sentido —, e não demorou para que meu chefe levantasse a suspeita de que ela andava trabalhando para um concorrente. A diretoria seria acionada; uma reunião de emergência seria marcada para o dia seguinte.

Não foi exatamente uma surpresa encontrar o Honda de Marcus estacionado quase na entrada da L&L, e me senti extremamente grata.

— Então, como foi? — ele perguntou assim que entrei.

— Um pesadelo, Marcus. — Soltei um pesado suspiro. — E eu acho que foi apenas o começo.

— Vou te levar para comer alguma coisa, e então você me explica tudo com calma.

Sacudi a cabeça, exausta.

— Só quero ir pra casa, se estiver tudo bem.

Marcus me estudou por um longo segundo, e eu devia estar mesmo um bagaço, pois ele não discutiu enquanto ligava o carro e tomava o caminho do seu apartamento.

— Então... — ele começou, o belo rosto iluminado pelo painel do carro. — Vai me contar o que descobriu?

Com um suspiro, comecei a narrar tudo o que tinha acontecido desde que eu saltara do seu carro. Ele balançava a cabeça vez ou outra, mantendo os olhos na estrada, e não deixou transparecer nenhum reconhecimento quando mencionei Samantha.

— Você tem alguma ideia de por que essa moça fez isso? — ele perguntou.

Me diz você.

— Deve ser como o seu Hector falou. Ela estava trabalhando para algum concorrente.

— Você não acredita nisso.

— Eu... hã... — Levei as mãos ao cabelo embaraçado depois de toda aquela chuva. Eu queria perguntar o que havia acontecido entre ele e Samantha, mas estava cansada demais. — É impressão sua.

Seus lábios se contraíram, formando uma linha fina reprovadora, mas ele não insistiu, e dirigiu calado o restante do trajeto.

Depois de deixar o carro na garagem do prédio, ele e eu fomos para o elevador, e encontramos o porteiro ali.

— Ah, srta. Júlia! Que bom que eu a encontrei — seu Emerson foi dizendo. — Encontraram a pantufa da sra. Berenice.

— Que pantufa?

— A que ficou enroscada entre o elevador e a parede do fosso. Foi por isso que o elevador parou ontem. Só que o sapato está destruído. Posso jogar fora, né?

— É... É claro. — Não era possível. Ela não tinha feito isso!

O elevador chegou, e eu e Marcus entramos. Assim que a cabine se fechou, ele me encarou, a diversão e a perplexidade duelando em seu semblante.

— Me diz que ela não fez isso de propósito. — Ele deu risada, incrédulo. — Me diz que ela não fez o único elevador deste prédio parar só para que eu não pudesse voltar para casa e tivesse que passar a noite em outro lugar com você.

— Eu... — Eu adoraria poder negar. Realmente adoraria. Recostei-me na parede fria, mordendo o lábio. — Eu não sei. Tomara que não.

— Meu Deus! — exclamou Marcus, correndo a mão pelo cabelo, rindo.

As portas do elevador se abriram, assim como a do apartamento. Tia Berenice estava usando sua camisola verde-clara estampada de vaquinhas. Corri para abraçá-la, afundando a cabeça em seu pescoço com cheirinho de alfazema e de tia Berê.

— Tia! A senhora não devia ter me esperado acordada.

— Eu não esperei. Só levantei para tomar um copo de água e ouvi o elevador. Ah, meu amor, o Marcus me disse que você teria que trabalhar até mais tarde, mas não pensei que seria até tão tarde. Conseguiu resolver tudo?

— Sim, claro. Vem, vou ajudar a senhora a voltar para a cama.

— O Marcus mencionou que dessa vez era um problema bem grave — ela insistiu.

— Deu tudo certo. Pode dormir tranquila.

— Que bom, meu amor. — Ela tocou meu rosto ao chegarmos ao quarto. — Fico mais tranquila. Não quero que se chateie por qualquer assunto que seja.

Eu a ajudei a se deitar e a cobri com o lençol.

— Ah, quase esqueço. Encontraram uma das suas pantufas no fosso do elevador.

— Ora, então foi lá que eu perdi. Saí para conhecer o jardim do prédio. Disseram que era bonito, mas não é... E só percebi que estava sem uma delas quando cheguei em casa. — Seus olhos se fecharam. Não parecia culpada. Talvez tivesse sido um acidente, afinal. — Esses malditos remédios me transformaram numa máquina de roncar. Não consigo manter os olhos abertos.

— Descanse, tia. Amo você.

Ela não respondeu, pois já estava dormindo. Decidi tomar um banho, e ao passar pela sala ouvi uma movimentação na cozinha. Fui para o banheiro e fiquei um bom tempo sob a água, deixando o calor desmanchar os nós na musculatura do pescoço, mas não ajudou muito. Quando terminei, encontrei a casa em silêncio, embora a luz da cozinha ainda estivesse acesa.

Hesitante, repousei a mão na maçaneta e a girei. Marcus estava arrumando a mesa.

— Feche a porta — ordenou em voz baixa. — Não quero acordar sua tia de novo. Preparei uma coisa para você comer. Está com fome?

— Não muita. — Mas, ao olhar para os sanduíches sobre a mesa, meu estômago roncou alto.

Marcus riu de leve e puxou a cadeira.

— Vem, senta aqui e come.

Seu pequeno gesto me emocionou profundamente. Eu estava tão habituada a cuidar de alguém que era estranho que se desse o contrário. Tentei agradecer, mas não consegui.

— Coma. Não precisa ter medo. Sou um cozinheiro razoável. Pode confiar em mim. — Ele empurrou em minha direção um prato com um sanduíche de peito de peru, queijo, mostarda e alface.

Eu o observei por um longo instante.

— Marcus, não quero que você me entenda mal, mas eu preciso saber o que rolou entre você e a Samantha.

— O *quê*?

— Eu não perguntaria se não fosse tão importante. — Eu me desculpei, mortificada. — Ela ficou muito mexida quando soube que você e eu... que nós estávamos... bom... você sabe. — Contei o que havia acontecido no elevador enquanto mordiscava o sanduíche.

— Você acha que eu me envolvi com essa garota que tentou te ferrar? — Uma sombra obscureceu seu olhar. — Você deduziu que eu magoei essa moça e que ela estava se vingando de mim usando você? — E se empertigou um pouco.

Eu me encolhi de leve, abandonando a comida.

— A Amaya me contou que você... bom... acordou curtindo a vida. Me pareceu lógico.

Ele esfregou o rosto, parecendo magoado.

— Júlia, eu nem sei qual delas é a Samantha!

Observei seu rosto, da maneira como sua boca se contraía à raiva que chispava naqueles olhos sempre tão profundos, e que agora refletiam uma franqueza indissolúvel.

— Eu acredito em você, Marcus.

Américo e Hector deviam estar certos. Samantha estava tentando prejudicar a empresa. Provavelmente usara meu terminal porque me achava uma tola, incapaz de descobrir sua fraude. Sendo honesta, ela teria mesmo sido a última pessoa em quem eu pensaria.

— Acredita? — Sua expressão mudou, seu olhar se tornou quente e capturou o meu.

Concordei com a cabeça, lentamente.

Sua mão deslizou pelo tampo da mesa, até encontrar a minha. Ele a levou aos lábios. Minha pele se incendiou no mesmo instante, uma chama ardente lambendo meu corpo dos pés à cabeça.

— Acho melhor... eu... humm... — Era muito difícil tentar formular uma frase quando ele continuava a beijar meu pulso, chegava mais perto e continuava subindo até alcançar a dobra do cotovelo. Quem poderia imaginar que aquele pedacinho de pele fosse tão sensível? — Marcus...

— Humm... — Ele continuou com a carícia, agora na parte de dentro do meu braço.

— Nós combinamos... — comecei, mas me detive quando ele me puxou para perto e alcançou meu pescoço. Tudo o que pude fazer foi enredar os dedos naquele cabelo sedoso.

— Combinamos o quê? — Mordiscou minha orelha. — Combinamos o quê, Pin? — Sua língua traçou o desenho do lóbulo.

Ahhhhhh!

— Eu... eu não sei. — Fechei os olhos. — Estou confusa.

— Eu também estou confuso. E lidar com isso tem sido um inferno, já que a confusão só vai embora quando estou com você assim. — Com delicadeza, ele me incitou a ficar em pé entre ele e a mesa, sua mão grande envolvendo minha cintura.

Inclinando-se para a frente, ele beijou minha barriga e delicadamente suspendeu a camiseta do meu pijama, beijando meu estômago, minhas costelas, meu umbigo.

— Quando você está comigo — continuou —, não há confusão. Tenho certeza de tudo.

— Tudo o quê? — Apoiei as mãos em seus ombros largos. A essa altura minha respiração voava.

Ele levantou o olhar para mim. Uma mecha negra lhe caiu sobre um dos olhos de turmalina. Eu a empurrei para o lado.

— Tudo o que realmente importa, Pin.

46
Marcus

Eu não conseguia me concentrar. Minha cabeça estava zunindo, e a aula estava uma droga. As crianças não mereciam aquilo.

— Ok, quem aqui está a fim de um filme? — sugeri aos meus alunos. A gritaria foi ensurdecedora. — Ok, ok. Se vocês falarem ao mesmo tempo, a Mazé vai deixar o professor sem sobremesa.

A maioria ficou quieta.

— Todos para a sala de vídeo, em fila indiana e ordenada por altura. Do maior para o menor. Eder, para de chutar o seu irmão.

— Mas ele está me provocando! — reclamou o garoto.

— É claro que está. Ele é seu irmão. É para isso que ele existe. Mas você vai ficar sem sobremesa também se não parar com isso.

Ele cruzou os braços, fechando a cara, e foi para a porta, dois metros distante do irmão mais novo.

— O que vamos assistir? — Amanda, a mais jovem da turma, quis saber. — Pode ser *Cinderela*?

Gemidos masculinos — ou quase isso — preencheram a sala.

— *Cinderela* é para bebês! Eu queria mesmo era ver um filme de zumbis que comem o cérebro das pessoas e transformam elas em lobisomens. — Eder arreganhou os dentes, em sua melhor imitação de lobisomem.

— Deixa de ser bobo! — Amanda rebateu. — Todo mundo sabe que se um zumbi te morde você vira tartaruga-ninja!

— Cê é louca, menina! — O irmão de Eder mostrou a língua.

— Sem língua, Juninho — corrigi. — E não vamos ver nada com zumbis, lobisomens, tartarugas-ninjas ou princesas. É sobre um rei que é morto numa emboscada, e o assassino assume o reino. O filho do rei é banido ainda criança, e tem que crescer e depois lutar com o vilão para honrar a memória do pai e recuperar o que é seu por direito.

— Legal! — todos gritaram ao mesmo tempo.

— Aposto que vai ter luta de espada e muito sangue! — Eder disse, já liderando a fila.

— Aposto que serão naves espaciais que cospem raios laser! — retrucou Amanda, no meio das outras crianças.

Eles foram saindo e eu resolvi esperar pela gritaria que certamente viria assim que descobrissem que não havia luta de espadas nem naves espaciais em *O rei leão*. Ao menos eles iriam se divertir um pouco, já que eu não estava conseguindo esse feito com minha aula.

Mas como poderia ser diferente, se o resultado do exame sairia no dia seguinte e eu não conseguia parar de pensar que a minha vida podia estar sendo decidida naquele instante? Era como ter uma guilhotina pendurada acima do pescoço, sem saber se ela ia descer ou não.

Pensei em contar a Júlia sobre isso, depois de ter feito amor com ela sobre a mesa da cozinha, mas não fui capaz.

Como é que vinte e quatro horas podem custar tanto a passar?

Meu telefone tocou. Era Max.

— Ei, como você está? — perguntei.

— Esgotado, Marcus. Quando eu acho que tudo está entrando nos eixos de novo, alguma falcatrua nova aparece.

— A Júlia me contou sobre a sabotagem.

— A Alicia está furiosa. Além dessa história da Samantha, há um rombo no orçamento da filial de Munique. Parece que os problemas resolveram aparecer todos de uma vez. E justo agora que o casamento está se aproximando. A Alicia está sobrecarregada, e não consigo pensar em um jeito de aliviar os ombros dela. Tudo o que eu fiz foi ligar para a agência responsável pela festa e dizer que não queremos pombas, pavões, araras ou qualquer pássaro na cerimônia.

Um "AHHHHHH" coletivo veio da sala de vídeo.

— Quer almoçar comigo amanhã? — ele perguntou.

— Não vai dar. Eu tenho... tenho uma consulta.

— Por quê? O que aconteceu? — exigiu.

— Nada. Na verdade a consulta foi ontem. Mas a dra. Olenka achou melhor pedir uns exames novos.

— Por que você não me avisou? Eu teria ido junto!

— Pensei que fosse mais uma consulta de rotina, por isso não falei nada. Fez-se silêncio do outro lado da linha.

— E... e não foi? — ele perguntou um pouco depois, a voz levemente instável. Neguei com a cabeça, embora ele não pudesse ver. Diabos. Eu odiava trazer mais preocupação a meu irmão, mas se eu não falasse com alguém sobre aquilo acabaria enlouquecendo.

— Ela solicitou outra ressonância. O resultado sai amanhã — expliquei. — Acho que é isso, Max. A final do campeonato é amanhã.

É claro que ele entendeu o que eu queria dizer.

— Meu Deus, Marcus. — Ele soltou uma longa expiração. — O que ela disse? Quais foram as palavras exatas da dra. Olenka?

Descrevi a ele tudo que pude lembrar. Meu irmão ouviu com atenção, murmurando alguns "ãrrãs" vez ou outra. Quando terminei, ele ficou em silêncio por tanto tempo que tive de perguntar:

— Ainda está aí?

— Estou. Claro que estou. — Ouvi o barulho de algo caindo no chão. — E vou com você amanhã. Sem discussão.

Eu não tinha ânimo para discutir.

— O que vai acontecer se... — comecei — você sabe... se a dra. Olenka não tiver boas notícias? — Claro que eu esperava apenas um resultado para os exames. Mas e se não fosse assim?

— Você vai continuar sendo você, Marcus — ele falou, sem hesitação. — Não importa qual seja o resultado. Quando você se der conta disso, tudo vai ficar mais fácil. E isso pode não significar nada. Pode ser só mais um exame, como tantos que você já fez. Ela mesma disse que não deveríamos nos precipitar. Eu vou estar com você. Vou estar sempre com você.

Havia muitas coisas sobre as quais eu não tinha certeza naquele momento, porém Max nunca foi uma delas. Meu irmão sempre ficaria a meu lado, não importava quão estúpido eu fosse ou quão ruim a situação ficasse. Ele sempre estaria lá. Sempre esteve.

Eu me despedi, depois de concordar que ele passaria em casa para me pegar para a consulta, me sentindo absurdamente grato por ter sido abençoado com um irmão como o meu.

Fechei a sala de informática e fui para a de vídeo, mas parei na metade do caminho. Amanda estava sentada no primeiro degrau da escada, o queixo descansando nas mãozinhas.

— O que você está fazendo aí? — perguntei, embora já soubesse. Ela fazia a mesma cena toda semana.

— Eu fiquei muito cansada.

— Sei.

Ela aguardou, me olhando com expectativa, com aqueles imensos olhos castanhos. Suspirei.

— Vamos, Amanda. Pode subir.

— Êêêêêêêêêêêêê!

Em um piscar de olhos, a menina estava no meu colo.

— Bem rápido, tio Marcus! Vai bem rápidooooooo!

Bom, pelo menos alguém gostava daquela geringonça. Ajeitei a menina no colo e fui o mais rápido que pude. Ela riu o caminho todo. Ficou triste quando chegamos à sala e ela teve de descer e se sentar na almofada verde com os demais.

Mazé já tinha ligado o DVD, e o balde de pipoca era passado de mão em mão. Todas as cabecinhas voltadas para a tela. A minha, no entanto, estava no dia seguinte e em tudo o que ele poderia me trazer. Esperança? Alívio? Frustração? Mais dor?

Meu telefone vibrou. Júlia me mandara uma mensagem:

> Tirei algumas horas de folga por causa da hora extra de ontem.
> Consegue me encontrar mais tarde?

> Onde?

Ela me enviou o endereço. Ficava fora da rota da L&L. Que estranho. Mais estranha ainda foi a mensagem que chegou a seguir:

> Não venha de carro.

> Pq? Ônibus é complicado pra mim.

> Eu posso imaginar. Desculpa. Juro que vai valer a pena.
> É sobre aquele plano.
> E eu prometo ficar nua em algum momento hoje.
> Por favor?
> ;)

Como diabos eu poderia dizer não?

> Já estou lá!!!

Eu não fazia a menor ideia do que Júlia estava tramando. Mas, fosse o que fosse, esse pequeno mistério ajudou a dispersar minha preocupação com o rumo que minha vida poderia tomar no dia seguinte.

❧

Depois de esperar mais de meia hora por um ônibus acessível e não ver nenhum, desisti e chamei um táxi, chegando ao local marcado com quarenta minutos de atraso. Júlia me esperava em frente a um parque um pouco afastado do centro.

— Desculpa o atraso. Condução é sempre um pé no saco.

— Não tem problema. E desculpa ter feito você vir sem o carro. É que...

O ronco de uma moto... não, de um triciclo motorizado — um Harley-Davidson Tri Glide Ultra Classic! — encobriu o que ela dizia, e a máquina estacionou a menos de dois metros de mim.

— Bem na hora. — Júlia se aproximou do trike. — Obrigada por isso, Guto — ela disse ao sujeito. Eu me empertiguei.

— É um prazer ajudar. — Ele girou o tronco, puxou uma perna para transpor o eixo que dividia a moto, depois ajeitou a outra. De lado no acento, se esticou até alcançar algo no suporte traseiro, e eu não precisava nem ver para saber que ele tiraria dali uma cadeira de rodas.

Observei, completamente perturbado, o cara montar o equipamento e pular do trike para a cadeira. Quem diabos era ele?

— Tem outro no baú. — Ele retirou o capacete e o entregou a Júlia. Então me encarou com curiosidade. — Você deve ser o Marcus.

— E você é...

— Alguém que acabou de economizar mil pratas e ainda vai fazer duas pessoas felizes. — Ele jogou a chave da moto em minha direção. — É toda adaptada. O esquema é semelhante à daquelas scooters, só que muito mais veloz. Você vai adorar. Cuida bem dela, falou?

— Obrigada, Guto — Júlia repetiu, sorrindo, radiante.

— Eu que agradeço. O programa da loja está tinindo! — Ele piscou para ela.

— Mais tarde eu pego ela no endereço que você me passou. Bom passeio.

Ele começou a se afastar.

Encarei Júlia.

— Humm... Surpresa... — ela falou, sem jeito.

— O que está acontecendo? Por que aquele cara me deu a chave da moto dele? E de onde você o conhece?

— Conheci na sex shop. Aí eu liguei anteontem, porque achei que ele saberia onde eu poderia alugar uma dessas coisas — indicou o trike com a cabeça —, já que a internet não ajudou. Por sorte, ele tinha uma. E também um bug enorme no programa da loja. Foi coisa simples de resolver. Consegui fazer tudo rodar na hora do almoço. Só que ele não podia ficar fora da loja por muito tempo, por isso tivemos que encontrá-lo aqui.

— Por quê? — Tive de perguntar, embora a resposta parecesse óbvia. — Por que você queria uma dessas, Júlia?

Ela entendeu errado e ficou ainda mais sem graça.

— Você disse que sentia muita falta de andar de moto. Que daria tudo para subir em uma de novo. Eu fiz uma pesquisa e descobri que muitas pessoas com algum tipo de deficiência estão adaptando trikes. Só que eu não sabia onde encontrar um assim. Aí lembrei que o Guto mencionou a moto dele quando estive na loja e resolvi arriscar. Deu mais certo do que eu imaginei.

Abri a boca, mas nenhum som saiu. Minha garganta parecia ter sido fechada com cimento, o peito doía. Júlia interpretou meu silêncio de outra maneira.

— Achei que você fosse gostar. Desculpa, Marcus — ela disse, mortificada. — Vou ligar para o Guto e dizer que não vamos precisar da... Ahhhhhhhh! — gritou quando alcancei sua camiseta e a puxei para mim.

Ela caiu sentada em meu colo e eu a abracei firme, pela cintura e pelas coxas. Beijei Júlia até sentir que ela derretia em meus braços, até meu coração bater tão forte e alto que eu tinha certeza de que ela era capaz de ouvir. Que todo mundo, no raio de um quilômetro, era capaz de escutar.

— Você... gostou? — ela perguntou um tempo depois, meio sem ar.

— Você nem faz ideia, Júlia. — Eu não estava falando da Harley-Davidson. Era ela. Era Júlia que fazia meu peito doer, minha voz embargar e os olhos pinicarem.

— Então acho melhor a gente ir logo. Só podemos ficar com o trike até as oito.

— Que alívio. — Afastei seu cabelo para longe do rosto, me recompondo o melhor que pude. — Se você dissesse que poderíamos ficar com ele até a meia-noite, eu ia desconfiar que estava no meio da porcaria da história da Cinderela.

Ela deu risada e pulou sobre os próprios pés.

Devagar, eu me aproximei da Harley, estudando-a por um instante, encontrando todos os pontos onde eu poderia me apoiar para subir. Não foi tão fácil, mas também não foi tão complicado assim. As tiras nas laterais serviam para prender meus joelhos e me deram um pouco de segurança. A cadeira, no entanto, ficou um pouco longe, e, antes que eu pudesse pedir que Júlia a trouxesse para mais perto, ela já havia removido uma das rodas e me entregava. Depois de guardá-la no suporte, estendi a mão para ajudá-la a subir. Ela se ajeitou atrás de mim, o capacete extra encaixado na cabeça.

Examinei o painel — que máquina!; havia mais mostradores e botões que no painel do meu carro —, me familiarizando com as adaptações. Era tudo muito simples, como Guto havia dito.

— Tudo certo. — Júlia passou as mãos sob meus braços, prendendo-as em meus ombros, colando o corpo em minhas costas. — Quando você quiser.

Puxando uma grande lufada de ar, girei a chave, os dedos trêmulos. A Harley rosnou sob nós como um bicho enraivecido. Experimentei girar o acelerador e o grito reverberou em meu peito.

— Pronta? — perguntei por sobre o ombro.

— Acho que sim. E você?

— Mais pronto do que eu imaginei que estaria. Se segura, Pin.

Comecei devagar, passando as marchas com cuidado, mantendo a velocidade baixa e estável nas largas avenidas, movimentadas àquela hora da tarde. Fui dirigindo até tomar uma estrada praticamente deserta.

E então eu acelerei de verdade.

Foi como em meus sonhos: o vento no rosto, a sensação de liberdade, a felicidade plena. Mais que isso. Era um reencontro comigo mesmo. Ali em cima eu me senti completo. O homem que eu havia sido antes do acidente.

A emoção transbordou e meus olhos pinicaram. Abri a boca e extravasei na forma de um grito tudo que eu reprimira nos últimos anos. Tão alto e violento que cortou o ar e se misturou ao da Harley. Era um rugido de guerra, um "pode vir, caralho!", que eu dirigia à vida, ao destino, ao inferno. E a mim mesmo, acho.

Um novo gritou se juntou ao meu, dando-lhe corpo, densidade. Júlia berrava a plenos pulmões, como se compartilhasse daquele furacão de emoções.

Às vezes você se sente tão sozinho que parece estar à deriva no meio do oceano. Nada à frente, nada atrás, nada em lugar nenhum exceto as ondas que quebram sobre você, ameaçando engoli-lo. Mas algumas vezes — raras vezes — um ponto negro surge no horizonte e vai crescendo até se tornar a silhueta de um barco, até uma mão se esticar em sua direção e você sair do inferno. Júlia era o meu barco, a mão estendida, o ponto negro no meu nada.

Nós dois gritamos até perder a voz. Até eu começar a rir descontroladamente. Ela gargalhou também, se agarrando mais a mim, roçando o nariz em meu ombro. Diminuí a velocidade, inclinando a cabeça em direção à dela, esperando que ela entendesse aquilo como uma carícia, um beijo.

— Obrigado, Pin.

— Eu que agradeço. Isso é muito mais legal do que eu tinha imaginado. Podemos ir de novo? Beeeem rápido?

— Podemos fazer o que você quiser. — E talvez Max tivesse razão, e eu também pudesse fazer o que quisesse, independentemente do resultado dos exames.

Talvez eu pudesse continuar sonhando com Júlia.

47
Júlia

Os olhos de tia Berenice me acompanhavam enquanto eu me movia pela cozinha, preparando o café da manhã.

— Por que o Marcus já saiu? — ela quis saber.

— Ele tinha um compromisso. — Um que ele não quis me dizer qual era.

— Vocês ainda não reataram?

Apenas balancei a cabeça e me concentrei em picar as frutas para a salada.

— Meu amor, senta aqui — demandou ela.

Eu me detive por um instante, sequei as mãos no pano de prato e então fiz o que ela pediu, evitando olhar para a mesa e lembrar tudo o que Marcus havia feito comigo sobre ela duas noites antes.

— Querida, eu sei que você anda escondendo coisas de mim. Me deixe terminar — ela implorou quando tentei interromper. — E muitas delas têm a ver com o Marcus. Você não tem que me contar tudo, mas sabe que, se precisar de um conselho, é só dizer. Amar é tão confuso, não é?

Fiz que sim com a cabeça.

— Só quero que você saiba que eu estarei aqui — ela prosseguiu. — Mesmo quando eu não estiver mais. Você tem vivido em função da minha doença por... Deus do céu, cinco anos! Tudo o que eu desejo é que você viva um pouco a sua vida.

— Mas eu estou vivendo, tia.

— Meu amor... — Ela pousou a mão salpicada de pintinhas marrons sobre a minha. — Tudo na sua vida gira ao meu redor. Isso é lindo, Juju, mas não é certo. Não quero que você sacrifique sua vida pela minha. Se é isso que está te impedindo de reatar com o Marcus...

— Não é. É coisa nossa — interrompi rapidamente, ajeitando a gola de sua camisa florida, assim não teria de encará-la. — E eu não estou sacrificando nada. Não é um sacrifício me preocupar com a senhora, do mesmo jeito que eu sei que não é para a senhora se preocupar comigo. É só... amor.

— Ah, meu docinho! É tanto amor que não cabe dentro de mim. Mas eu estou bem. E muito contente por ver você saindo da sua concha.

— A senhora anda sentindo mais algum efeito colateral com esse remédio novo, além do sono? — perguntei, querendo mudar de assunto.

— Nenhum. E veja você... Ontem à tarde o dr. Victor ligou perguntando a mesma coisa. Ele disse que vai passar aqui mais tarde, mas apenas porque está com saudade. Vê se pode uma coisa dessas!

Então essa era a razão da maquiagem e do spray de cabelo assim tão cedo.

Fiquei mais um pouco com ela, até Magda chegar, e então corri para a L&L. No caminho recebi uma mensagem de Marcus que me fez ficar da cor de um tomate maduro:

> Na próxima a gente podia tentar uma cama.

> Vc só pensa nisso?

Na noite passada, depois de devolver a moto para Guto no horário marcado, Marcus ainda nadava em adrenalina, inquieto, um brilho no rosto que perdurou a noite toda e me impediu de dormir. Lá pelas tantas da madrugada, com tia Berenice roncando alto, fui até a cozinha tomar um copo d'água. Marcus também não tinha conseguido dormir e me encontrou ali. Ele me encarou com os olhos consumidos pelas chamas. Sem perder tempo, me puxou para seu colo e me arrebatou com um beijo lascivo, as mãos passeando por meu corpo, se infiltrando por baixo da minha camiseta.

— Eu preciso sentir você — ele sussurrou em minha orelha.

Bom, algo muito parecido estava se passando pela minha cabeça. Por isso encaixei as pernas ao redor de seus quadris, abraçando-o, enquanto ele nos levava para a área de serviço e passava a chave na porta. Aquele homem lindo tinha uma expressão selvagem no rosto ao começar a me despir. O sexo também foi assim: bruto, cru, tão intenso que deixou marcas na minha pele e na dele.

Ele me levou para seu quarto mais tarde, onde nos enroscamos feito um novelo de lã. Então apagou a luz e a escuridão recaiu sobre mim. Senti o pânico se avolumar na boca do estômago, mas Marcus me abraçou com força, enterrando o rosto em meus cabelos, e a coisa mais extraordinária aconteceu. Meus antigos medos não conseguiram emergir. Não tenho certeza se foi a presença dele ou a maneira como eu me sentia quando estava com ele — mais forte e confiante —, mas pela primeira vez na vida consegui dormir na total escuridão.

O celular em minhas mãos vibrou, trazendo sua resposta:

> A culpa não é minha. Elas estão por toda parte.

Com a mensagem havia a foto de um belo arranjo de velas artesanais coloridas, e eu engasguei violentamente, a ponto de a mulher ao meu lado no ônibus me perguntar se eu estava passando bem.

Chegou mais uma:

> Aquele passeio foi o melhor presente que eu já ganhei.
> Ontem foi o dia mais incrível da minha vida.

> Da minha tb.

> Obrigado, Pin.

Por causa disso, passei o restante do percurso sorrindo, mas o sorriso murchou assim que cheguei à L&L. Samantha estava arrumando suas coisas e me encontrou assim que me sentei no meu cubículo.

— Eu vou acabar com você — ela falou entredentes, vindo em minha direção.

— Acho que quem devia dizer isso sou eu. Afinal, foi você que tentou me prejudicar. E eu ainda nem sei por quê, Samantha.

— Sua filha da puta ingrata! Eu te dei o melhor de mim!

— Me sabotando?

— Para com isso, Samantha. — Américo a pegou pelo braço e a arrastou até sua mesa. — Termine logo de arrumar suas coisas e chega de confusão. O segurança vai te acompanhar.

Ivan testemunhava a cena boquiaberto, e juro que quase pude ouvir seu coração se partir. Samantha não deu a mínima para ele e jogou seus pertences de qualquer jeito em uma caixa de papelão, o olhar psicopata fixo em mim. Quando acabou, empinou o queixo e atravessou o setor de TI, tal qual uma rainha que acabara de sofrer um golpe e fora destronada. Ao passar em frente à minha mesa, ela se deteve.

— Eu só queria uma coisa, e você a tirou de mim. Eu vou fazer o mesmo com você — resmungou. — Pode esperar.

Moreira, o segurança miúdo, estava realmente desconfortável ao empurrá-la em direção ao elevador.

— Não dê atenção — Ivan me disse. — Ela só está nervosa por ter sido demitida.

Samantha parecia ter perdido o juízo, isso sim. Se bem que, com todas as suas mentiras e armações, ficava difícil julgar quando é que ela esteve sã. Eu só esperava que Ivan tivesse razão e que todo aquele ódio fosse momentâneo.

A questão era que eu não fazia a menor ideia do que aquela maluca queria. Eu realmente acreditei em Marcus, então não tinha uma única teoria sobre o motivo que a teria levado a me sabotar. E, pelo visto, nunca viria a saber

Pelo menos era o que eu pensava.

Mas pensei errado.

48
Marcus

Minhas mãos estavam frias e suadas, e eu tive de secá-las mais de uma vez na perna da calça jeans. Max também parecia ter problemas de concentração, mudando de posição a cada dezoito segundos.

— Marcus, é a sua vez — disse a secretária da dra. Olenka.

Meu irmão ficou de pé, soprando o ar com força, como se se preparasse para um confronto. Eu inspirei fundo, ajeitei a camiseta, esfreguei as mãos nas pernas outra vez e, com dois movimentos longos de braço, já estava dentro do consultório. Olenka examinava a grande pasta da ressonância. Ela me lançou um sorriso cordial e foi assim que eu soube.

Ela não precisava ter se dado o trabalho de perguntar como eu tinha passado, se havia surgido algum fato novo ou se eu estava me alimentando direito antes de finalmente dizer:

— O seu exame não mostra nenhuma mudança, Marcus. Os nervos não se conectaram perfeitamente, por isso você tem sensibilidade, mas não os movimentos.

— Mas eles ainda podem se conectar — Max disse com firmeza.

Ele ainda não havia entendido.

— Não, Maximus. O processo terminou. O corpo dele fez o que podia. Eu lamento. Gostaria de ter notícias melhores, Marcus, mas o seu quadro estagnou. Não há para onde ir. É... irreversível.

— Tudo bem — eu me ouvi dizer. E, naquele momento, estava tudo bem. Acho que o torpor fez tudo ficar bem. Eu não conseguia pensar, então não era capaz de sentir.

Eu me lembro de ter saído do consultório, com Max quieto a meu lado. Eu me lembro de ter entrado no carro e pensado: *É isso aí*. Estava calmo. Totalmente tranquilo.

Então, meu irmão fez a gentileza de guardar no porta-malas a maldita coisa que me acompanharia para sempre. Foi naquele momento que eu me dei conta de que era isso. Aquele seria o resto da minha vida.

Não havia como fugir.

Não havia como escapar.

Max se acomodou atrás do volante, o olhar torturado, assim como sua expressão.

— Marcus, eu...

— Não, Max — cortei, porque senti a ruptura. A fenda se abria e tudo ameaçava extravasar.

— Eu só... — Ele socou o volante com raiva.

Olhei para fora, para a calçada onde as pessoas passavam apressadas, acompanhando o movimento de suas pernas — movimentos que meu corpo jamais voltaria a repetir.

— Ela pode estar enganada — Max disse. — Podemos procurar uma segunda opinião. Podemos...

— Me leva pra academia.

— Agora? Marcus, acho que não é o melhor momento para isso. Você precisa...

— Pelo amor de Deus, Max. Me leva para a porra da academia! — urrei.

Ele ficou quieto por um instante, examinando-me com os olhos agoniados. Mas girou a chave. Nenhum de nós falou durante o trajeto, que pareceu durar uma vida inteira. Assim que chegamos, fui direto para o vestiário e depois para a piscina. Cercado de água, com meu corpo se movendo sem dificuldade, comecei a pensar.

E a sentir.

As braçadas no início eram longas, marcadas, mas a raiva foi se derramando pela fenda pouco a pouco, me envenenando. Meus movimentos se tornaram mais agressivos.

Eu tinha feito tudo certo, segui todas as malditas recomendações, me esforcei ao máximo e ainda assim não adiantou nada.

Eu não ia andar. Nunca mais.

Nunca mais.

— Marcus — Max chamou da borda. — Você precisa parar com isso e falar sobre o que aconteceu.

Continuei nadando. Esticar, puxar, expirar, prender o fôlego, esticar, puxar, expirar, prender o fôlego...

— Marcus, por favor.

Esticar, puxar, expirar...

Eu não ia voltar a andar.

E daí? Muita gente não anda.

A questão não era exatamente essa. Tudo se tratava da vida que eu havia sonhado e que se evaporara no éter agora. Eu me sentia vazio. Oco de sonhos, de esperanças, de vida.

Oco, ponto-final.

— Marcus, se você não quer falar comigo, pelo menos pare com isso. Vai acabar se matando se continuar nadando desse jeito. Marcus!

Era isso. Minha vida agora era essa. Nada mais de deixar tudo em suspenso para quando eu voltasse a andar. Isso não iria acontecer.

Não iria acontecer.

Acho que nunca vivi um momento tão assustador quanto aquele em toda a minha vida. Olhar para a frente e não ter ideia de como continuar.

49
Júlia

Era fim de tarde quando entrei no apartamento de Marcus, sentindo a cabeça latejar. Tia Berenice e Magda estavam em frente à TV. Nenhuma das duas piscava. E mastigavam sem parar.

Meu Deus do céu.

— Tia Berenice! — Joguei a mochila sobre a mesa com estardalhaço. — Comendo bala de goma escondido!

Ela jogou o saco para Magda.

— Foi xó uma. Xuro! — falou, com as bochechas inchadas de doce.

Dei risada, mas peguei o pacote da mão de Magda e fui até a cozinha para jogá-lo no lixo. Voltei para junto delas e me sentei ao lado de minha tia.

— O que estão vendo? — eu quis saber.

— *Gata em teto de zinco quente* — ela contou. — O melhor do Paul Newman.

— Com certeza — Magda ecoou, os olhos fixos no homem na tela. — Sobretudo quando ele está furioso — suspirou.

— Acabou de começar. Vem aqui, Juju. — Tia Berê bateu a mão na coxa.

Eu me espreguicei no sofá, deitando a cabeça no colo dela enquanto Elizabeth Taylor gritava furiosa com Paul porque ele se recusava a fazer amor com ela e a ofendia, aconselhando-a a arranjar um amante. Tia Berenice arfou quando ele disse isso, como se aquela fosse a primeira vez que via o filme, e não a quinquagésima.

Fiquei ali, no colo dela, mas algo não parecia certo, por alguma razão. Havia uma ansiedade dentro de mim, como se algo ruim estivesse prestes a acontecer. Tentei prestar atenção à tela e esquecer aquilo, mas conforme o relógio andava eu ficava mais e mais ansiosa. O filme acabou perto das oito, e Marcus não havia voltado para casa ainda.

Mandei uma mensagem perguntando se estava tudo bem, mas ele não retornou imediatamente, como era costume.

Consegui esperar quase uma hora antes de decidir ligar.

— Marcus, onde você...? — fui dizendo quando ele atendeu. Só que.

— É o Max.

Meu coração retumbou de medo.

— Ah. Oi, Max. É a Júlia. Está tudo bem com o Marcus?

— Não, não está. — Ele respirou fundo.

Fechei os olhos. Eu sabia. De alguma maneira, eu sabia.

— Ele está bem? Está ferido?

— Não, mas vai acabar se machucando se não parar de tentar se matar por exaustão. Olha, será que você poderia vir pra cá? Estamos na academia. Talvez ele ouça você, já que a mim ele não escuta.

Eu quis fazer muitas perguntas, mas estava assustada demais e queria ver Marcus o mais depressa possível. Avisei tia Berenice que ia me encontrar com ele (fazendo a melhor interpretação da minha vida ao sorrir como se aquilo fosse um encontro para uma possível reconciliação) e corri para a rua em busca de um táxi, pois era o jeito mais rápido.

Dessa vez não precisei de ajuda para encontrar a piscina, e fiquei surpresa ao encontrar Max de braços cruzados, recostado à parede, olhando com uma expressão furiosa para o irmão na água.

— O que aconteceu, Max? — perguntei, apressada.

— Ele vai preferir te contar. Só me ajude a fazê-lo sair da água. Ele vai acabar se matando desse jeito. Já está nisso há três horas.

Relanceei Marcus. Ele nadava num ritmo frenético. Estava fazendo isso havia três horas? Me espantava que ainda não tivesse apagado.

— Não sei se consigo convencê-lo de coisa alguma, Max.

— Se você não for capaz, vou ter que usar a força, e hoje eu não queria ter que fazer isso. Vai acabar com ele. — Uma sombra escura cruzou seu rosto. — Por favor, Júlia. Fala com ele.

— Eu... eu vou tentar.

Fui até a piscina com cautela e percebi que não estava usando o sapato certo quando escorreguei em uma poça. Recuperando o equilíbrio, me aproximei pé ante pé, tentando entender o que estava acontecendo, fazer as palavras de Max e as atitudes de Marcus terem algum sentido. Deduzi que eles haviam se desentendido ou algo assim.

— Marcus — chamei quando estava perto o bastante. Ele não me ouviu. Continuou com as braçadas furiosas. — Marcus!

Ele diminuiu o ritmo, tirando a cabeça da água.

— O que você está fazendo aqui? — perguntou, surpreso.

— Eu é que pergunto. O você tá fazendo?

— Nadando. Por quê? Também vai dizer que eu não posso?

Pisquei, alarmada com tanta rispidez.

— Não. Mas eu acho que toda essa água vai fazer mal para o seu cérebro. E nós dois sabemos que ele já não é dos melhores — tentei brincar.

Quase funcionou. Ele franziu a testa, meio sorriu, meio gemeu. Mas em segundos voltou à fachada irritadiça.

— Vai pra casa, Júlia. Hoje eu não vou ser uma boa companhia pra você. — Mergulhou, retomando as braçadas.

Observei Max por sobre o ombro. Com um gesto de cabeça, ele me incitou a continuar.

— Marcus, você já está ficando enrugado, sabia? Não é uma visão muito atraente.

Ele se deteve, me olhando com irritação.

— Qual parte do "vai pra casa" você não entendeu?

— Qual parte do "sai dessa porcaria de piscina agora" você não entendeu?

— Por que você está tão preocupada comigo?

Soltei um suspiro. Às vezes ele era tão idiota.

— Olha, não sei o que rolou entre você e o Max pra que você esteja assim tão chateado, mas se matar de exaustão não é a melhor maneira de revidar seja lá o que ele tenha dito ou feito. Já pensou em colocar uma bomba de tinta na pasta dele?

— Você não sabe de nada, Júlia. — Sua voz estava rouca, torturada.

— Pois é — murmurei, tentando ocultar a tristeza. — Porque você decidiu não me contar.

Ele bufou.

— Só quero ficar sozinho. É pedir muito? Deus, por que todo mundo acha que eu preciso de ajuda?

Eu me encolhi, magoada. Marcus, com sua estranha habilidade de adivinhar como eu me sentia, percebeu, pois socou a água e fechou os olhos.

— Desculpa. Eu não quis ser grosseiro com você, só... estou tendo um dia de merda. Por favor, vai pra casa. Eu só quero um pouco de espaço. Só me deixa quieto até as coisas se assentarem na minha cabeça, ok?

— Que coisas?

Ele balançou a cabeça, parecendo devastado.

— Só... vai pra casa, Pin. E leva o Max junto. — Ele se lançou na água com tanta fúria que parecia que ela o havia ofendido e que ele tentava exterminá-la com a força dos braços.

Seja lá o que estivesse acontecendo, era muito mais grave do que eu havia suposto. De maneira alguma eu o deixaria sozinho naquele estado. Eu precisava tirá-lo daquela piscina de qualquer jeito.

— Marcus! — Comecei a acompanhá-lo pela borda. Tive de acelerar o passo para alcançá-lo. — Tá legal. Sabia que, enquanto você ficou aí, nadando feito um maluco, perdeu uma das sessões de cinema antigo da tia Berenice? Você pode dizer o que quiser, mas eu sei que você se div... Ahhhh! — Meu pé esquerdo encontrou uma poça. Tentei recobrar o equilíbrio, mas não havia nenhum ponto onde eu pudesse me apoiar, e caí na piscina. Fui direto para o fundo, ou pelo menos achei que tivesse ido. Era profunda demais, e meus pés não encontraram o chão. Comecei a me debater. Os pulmões ardiam com o esforço antinatural de reter o ar dentro deles.

Estiquei os braços às cegas, buscando onde me agarrar. Deparei-me com um par de mãos grandes e as segurei como pude, lutando para subir à superfície. As mãos tentaram se desvencilhar das minhas, e, em meu desespero, só pude puxá-las para mais perto, cravando as unhas para que elas não sumissem. Mas de que adiantava? Meus pulmões atingiram o limite, e eu abri os olhos e a boca. O grito mudo se transformou numa confusão de bolhas brilhantes, e mesmo assim pude ver o terror absoluto no rosto de Marcus. Foi nesse instante que a água penetrou meu nariz, minha garganta, meu esôfago e, por fim, meus pulmões. E então veio a escuridão. Um mundo negro onde nada existia. Nem mesmo eu.

⁓⑤⁓

Pressão. Muita pressão em meu peito. Tentei abrir os olhos para entender do que aquilo se tratava, mas não fui capaz, embora algo dentro mim tenha se agitado, querendo fazer o caminho contrário.

— Vamos! Respira, Júlia. Respira!

Mas eu estava respirando. Ou não?

Não, constatei. Então isso significava que eu havia morrido?

Tentei encontrar a pulsação que mantinha meus órgãos vivos. Tinha alguma coisa ali, mas era diferente, quase um eco.

— Não faz isso comigo. Respira.

Pressão, pressão, pressão. Sensação estranha na garganta. E de repente eu encontrei as batidas do meu coração, e com elas os meus pulmões, que começaram a queimar, como se milhares de agulhas os espetassem. Subitamente o líquido subiu pelo esôfago e garganta. Um jorro de água saiu de minha boca entre espasmos involuntários que me fizeram me contorcer inteira.

— Graças a Deus — alguém disse.

Voltei a cabeça em direção a essa pessoa, finalmente conseguindo abrir os olhos. Marcus estava deitado a meu lado e mantinha os olhos fechados, respirando com dificuldade. Uma gota de água caiu em meus olhos. E mais outra. Olhei para cima e encontrei a razão das goteiras. Max estava com meio corpo sobre mim, completamente encharcado.

— Você está bem? — ele perguntou, afastando o cabelo do rosto para que parasse de pingar em mim.

— Meu peito está doendo. O que... aconteceu?

A mão calejada que eu já conhecia tão bem agarrou a minha e a apertou. Virei o rosto para Marcus. Seus olhos estavam mais brilhantes que o normal quando ele os abriu e fixou em meu rosto.

— Você se afogou — contou, em voz baixa. — Tentei te tirar da água, mas você começou a se debater. Pensei que nós dois fôssemos morrer. E teríamos morrido se não fosse o Max.

— Eu não sei nadar — confessei, estupidamente.

— Eu sei, Pin. De hoje em diante você está proibida de se aproximar de uma poça d'água que seja.

— Vou ver se conseguiram chamar a ambulância. — Max se levantou e correu para a porta de saída.

— Você está bem? — Marcus perguntou.

— Acho que estou, e você?

Ele assentiu, mas evitou contato visual mirando o teto metálico do ginásio.

— Desculpa, Marcus. Eu não queria que você se afogasse. Só, sabe, fiquei desesperada e... não sabia o que eu estava fazendo.

— Se debater é a reação natural de quem está se afogando. Por isso eu tentei te imobilizar. Mas não consegui nadar só com um dos braços. Eu precisava das... — "Pernas" era a palavra que ele não conseguiu dizer.

Marcus virou a cabeça para o outro lado, escondendo o rosto, mas seu peito subia e descia rápido demais. Um soluço que pareceu ter vindo do fundo de sua alma quebrou meu coração em milhares de pedaços.

Reunindo a pouca energia de que ainda dispunha, consegui me arrastar para perto dele. Beijei seu ombro, aquele com as cicatrizes, antes de deitar a cabeça ali, mantendo meus dedos entrelaçados aos seus. Lágrimas escorriam em meu rosto e se empossavam onde nossa pele se tocava. Eu queria ter dito tanta coisa a ele, mas nada parecia adequado. Então, fiquei ali, ouvindo os soluços que ele tentava esconder, segurando sua mão com tanta força que a minha começou a ficar dormente.

Desejei ficar com ele daquele jeito pelo resto da vida, mas os paramédicos chegaram e nos cercaram, empunhando lanternas tão perto dos meus olhos que me cegaram.

Foi com algum esforço que conseguiram soltar minha mão da de Marcus para que eu pudesse ser examinada. Entretanto, era Marcus quem segurava com força dessa vez, como se não suportasse me deixar partir.

50
Marcus

— Tem certeza de que está bem? — Max perguntou pela milionésima vez enquanto eu me ajeitava na cama do hospital. Eu odiava aquelas camas.

— Estou bem, Max.

Meu irmão se sentou a meu lado e soltou o ar com força.

— Não minta para mim. Você não está bem. Não depois de um dia como o de hoje.

É, eu não estava bem porra nenhuma. Como poderia?

Enquanto nadava sozinho naquela piscina e começava a sentir dor, revolta e medo, eu não conseguia enxergar nada, nenhum futuro, nenhuma possibilidade de uma vida feliz. Braçada após braçada, eu seguia indo e vindo, numa tentativa inútil de que uma solução pudesse brotar. Foi então que um rosto delicado e pálido surgiu em minha mente e me sorriu. O sorriso dela lançou luz sobre todos aqueles pensamentos obscuros e eu pensei que talvez, só talvez, eu soubesse como seguir em frente.

Talvez eu não tivesse que desistir de tudo. Eu estava me saindo bem. Tinha um emprego — não o dos meus sonhos, mas ainda assim era um emprego —, tinha boas notas no curso, estava vivendo por conta própria. E eu tinha encontrado Júlia.

Mesmo antes do acidente, nunca pensei que um dia eu fosse de fato encontrar alguém que me fizesse sentir todas aquelas coisas. Que olhar para alguém despertasse em mim aquela sensação de paz e alívio. Que fazer esse alguém feliz fosse mais importante do que a minha própria felicidade.

Eu me flagrei pensando que talvez houvesse uma maneira de ficar com ela sem lhe roubar a liberdade de uma vida sem limitações. Eu poderia ser cuidadoso, planejar tudo com antecedência. Poderia levá-la a quase todos os lugares; só precisaria ligar antes e me certificar de que eu não teria problemas. A praia, claro, seria uma complicação. Poucas se preocupavam com a acessibilidade, mas eu poderia dar um jeito. Tinha visto na internet uma cadeira com rodas bem largas, que não afundariam na areia. Eu poderia ser um namorado como qualquer outro, desde que planejasse tudo antes. Não lhe tiraria nada.

Foi nesse ponto que Júlia apareceu. Foi nesse ponto que a realidade me atingiu outra vez.

Ela caiu na piscina. Ela se afogou. E tudo o que eu pude fazer foi quase me afogar também, porque não fui capaz de tirá-la da água sozinho. Não pude ser o homem que ela precisava que eu fosse. Nunca seria.

Os paramédicos chegaram e correram até ela. E, assim como a vida, me obrigaram a deixá-la partir. Eu estava dentro da ambulância quando me dei conta disso. E comecei a socar o que estava ao meu alcance. E gritei como no dia anterior. Alto e forte, até a garganta doer e eu sentir as veias em meu pescoço saltarem e enrijecerem. Dessa vez, porém, não era um grito de guerra. Era o lamento de um soldado que acabara de tombar no campo de batalha.

O paramédico pensou que houvesse algo errado comigo e tentou me examinar, mas Max logo entendeu o que estava acontecendo. Os braços de meu irmão me envolveram, primeiro me contendo, depois me amparando e, por fim, me confortando.

— Estou aqui — ele dizia, com a voz embargada. — Pode chorar. Estou aqui, Marcus. Eu estou aqui.

E eu chorei até meus olhos quase explodirem. Chorei pela vida que eu tinha e que jamais teria. Chorei pelos meus sonhos desfeitos. Chorei por meu irmão, que ainda se sentia culpado pelo pneu da moto ter estourado. Chorei pelos meus pais e por suas esperanças perdidas.

E chorei por Júlia.

Não sei o que teria acontecido se Max não estivesse ali. Eu não desejava que ninguém me visse daquele jeito além dele. Meu irmão ficou comigo o tempo todo, exceto quando me levaram para a sala de raio X e eu pedi que fosse dar uma olhada em Júlia.

— Você logo vai ser liberado. Vamos lá para casa, Marcus — Max repetiu, me trazendo de volta para aquele quarto de hospital. — Não quero te deixar sozinho naquele apartamento.

— Não vou estar sozinho, Max.

— Não vai estar perto para que eu possa dar uma olhada em você — ele retrucou, torturado.

Soltei um longo suspiro, olhando para a lâmpada fluorescente no teto.

— Max, olha... As coisas estão meio bagunçadas na minha cabeça, mas de uma coisa eu sei: você tem que deixar isso para trás. Você não tem culpa do que aconteceu. Ninguém tem. Foi um acidente, como tantos outros.

— Acho que vai ser mais fácil conseguir deixar isso para trás quando eu perceber que você também deixou, Marcus.

Alicia abriu a porta, me impedindo de dizer qualquer coisa a ele, o que foi bom, pois eu não tinha uma resposta.

— Ah, graças a Deus você está bem. — Minha futura cunhada veio me abraçar, e eu me surpreendi ao vê-la chorar.

Max e eu garantimos que eu estava bem, mas ela só se convenceu quando o paramédico apareceu com minha alta. Pedi para ver Júlia imediatamente. No entanto, ao chegar ao quarto onde ela estava internada e levar a mão à maçaneta da porta, ouvi uma voz masculina ali dentro. Dênis estava com ela.

Minha mão caiu sobre a perna.

— Você não vai entrar? — Alicia perguntou, sem entender.

— Não. — Eu me afastei daquela porta, daquele quarto, indo para o fim do corredor enquanto a risada de Júlia me chegava aos ouvidos.

51
Júlia

— Então eu tive que lavar a bolsa dela enquanto ela continuava gritando que eu tinha assassinado a sua bebê. Juro, Júlia, nem tinha caído muito suco de tomate. Um meio copo, no máximo.

Acabei rindo de novo. Dênis estava me contando suas histórias mais engraçadas fazia mais de meia hora. Muitas delas eu já conhecia, mas não importava. Meu amigo estava tentando me fazer parar de pensar no que havia acontecido, e estava conseguindo. Quase.

Ele pegou minha mão e a levou aos lábios.

— Fiquei louco de preocupação até chegar aqui. Quando o Max ligou avisando, eu fiquei com medo de que ele pudesse estar mentindo quando disse que você estava bem. Rezei o caminho todo, Ju.

— Obrigada por ter vindo. Eu não queria ficar sozinha, por isso pedi pro Max te ligar. Você viu o Marcus? Ele parecia bem? — Eu não o via desde a academia. Fomos trazidos em ambulâncias separadas, e tudo o que eu sabia é que ele estava naquele hospital em algum lugar.

— Não vi, mas o Max disse que ele está bem. Fica tranquila.

— Você ficou quando ele te disse que eu estava bem?

— Tá legal. Já entendi. — Ele fez uma careta, se levantando.

— Obrigada, Dênis.

Mas não houve tempo para nada, já que o médico que me atendera entrou, e eu fui liberada. Assim que retiraram o soro de meu braço, pulei da cama, doida para ver Marcus. Precisei de apenas seis passos para isso. Ele estava no corredor, a algumas portas de distância, os braços cruzados sobre o peito, uma expressão dura no rosto. Alicia e Max um pouco mais atrás.

Ele me olhou dos pés à cabeça duas vezes, e acho que fiz o mesmo, me certificando de que cada pedacinho dele estivesse no lugar. Meu corpo todo tremeu na ânsia de correr até ele e me jogar em seu colo. Mas algo em seu olhar me impediu.

— Bom, acho que você tem carona para casa — Dênis me disse. — Passo lá amanhã para te ver.

— Obrigada, Dênis.

Ele me deu um beijo no rosto, acenou para os demais — Alicia e Max retribuíram, Marcus não — e desapareceu no corredor.

— Vamos? — Max perguntou, com gentileza.

Estudei Marcus, de sua postura rígida à frieza em seu rosto. Não era exatamente a recepção que eu tinha imaginado.

Um pouco hesitante, fiz que sim com a cabeça, deixando o casal ir na frente, esperando que Marcus ficasse um pouco mais para trás e eu pudesse falar com ele. No entanto, ele se adiantou, colocando Max e Alicia entre nós.

&

Tentamos não fazer barulho para não despertar minha tia, mas foi inútil, já que ela nos esperava acordada. Temi que seu coração não fosse resistir ao nos ver chegar como dois zumbis repletos de marcas de agulhas nos braços e roupas amassadas, mas ela aguentou firme, e imediatamente entrou no modo "tia Berê", cuidando de mim e tentando fazer o mesmo com Marcus. Ela só desistiu quando Max garantiu a ela que ele mesmo faria isso.

Ela me ajudou com o banho, por mais que eu insistisse que nada daquilo era necessário, e foi muito estranho. Eu estava tão habituada a cuidar dela que parecia errado que se desse o contrário.

Ela esquentou uma sopa congelada e me deu na boca. Desapareceu por uns instantes e, a julgar pelas risadas de Max e Alicia, acho que fez o mesmo com Marcus. Ela me colocou na cama, como fazia quando eu tinha cinco anos, e se deitou a meu lado, cantarolando minha música favorita de ninar. Adormeci, mas fui levada para as águas profundas de um pesadelo, em que eu assistia enquanto Marcus era capturado por uma besta de duas cabeças.

Acordei arfando, o coração na boca, e, sem fazer barulho, saí do quarto na pontinha dos pés. Entreabri a porta do quarto dele com cuidado. Marcus estava acordado, o abajur aceso, olhando para o teto, imerso em pensamentos. Por sua expressão, não parecia um bom lugar para estar, não.

Ele virou a cabeça e me analisou de cima a baixo, como se me absorvesse. Sem dizer nada, Marcus ergueu o lençol em um convite que eu não pensei duas vezes para aceitar, me aconchegando a ele, enroscando os braços e as pernas em seu corpo quente, como se tentasse me enfiar sob sua pele.

— Me desculpe — murmurei.

— Por quê? — Ele começou a acariciar meus cabelos ainda úmidos.

— Pelo que aconteceu na piscina. Eu devia ter sido mais cuidadosa.

— Esquece isso. Acidentes acontecem. Mas eu falei sério, Júlia. Não quero você perto de uma piscina até que aprenda a nadar. — Ele me abraçou com força e soltou um longo suspiro.

— Pensei que você estivesse com raiva de mim. Você mal falou comigo no caminho do hospital para cá.

— Eu só tive um dia ruim.

Fiquei um pouco decepcionada por ele não ter dividido comigo o que o incomodava tanto. Porque mesmo agora, enquanto me abraçava, eu o sentia mais distante. Não que ele tivesse obrigação de me contar alguma coisa, mas, depois do que aconteceu, da experiência que tivemos naquela piscina, eu me senti ainda mais próxima a ele, a ponto de querer lhe contar tudo sobre mim. Ele, por outro lado, se afastava.

O medo de que eu estivesse entendendo tudo errado fez meu peito doer, mas então Marcus colocou o indicador sob meu queixo e o inclinou para cima.

— Tudo o que eu quero agora é esquecer o mundo por um instante. — Seus olhos chispavam, mas havia algo escondido sob todo aquele brilho. Uma tristeza, uma dor profunda. — Por favor, me faça esquecer, Júlia.

— Como?

Sua resposta foi abaixar a cabeça e me beijar. Um beijo tão delicado quanto faminto, muito doce e ao mesmo tempo lascivo. Ele nunca tinha me beijado daquele jeito, como se... como se estivesse me guardando na memória.

❧

No dia seguinte, tudo o que eu queria era ir para casa. O clima estava esquisito na área de TI. Muitos me olhavam com certo temor. Amaya tentou me tranquilizar dizendo que era por causa de Samantha, mas no fundo eu sabia que eles estavam com medo, por eu ter colocado uma câmera escondida. Que tipo de maluca faz isso, não é mesmo? Foi um saco repetir a mesma história de novo e de novo e de novo, ainda mais quando meu corpo parecia ter sido atropelado por um rolo compressor.

Eu estava bem, mas o quase afogamento me deixara exausta. Marcus, por outro lado, acordara como se nada tivesse acontecido. Ele engolira muita água tentando me salvar, é verdade, mas ela não entrara em seu pulmão, como no meu caso. Eu tinha conseguido escapar do quarto dele antes que tia Berenice acordasse. Ele estava um pouco aéreo, mas achei que fosse normal. Eu mesma não estava conseguindo me concentrar direito naquele dia.

Nunca o dia me pareceu mais longo, e acho que alguém lá em cima ficou com pena de mim, pois consegui um lugar no ônibus e cheguei em casa em tempo recorde.

Encontrei Marcus esticado no sofá, sem camisa, olhando para a TV desligada, perdido em pensamentos.

— Júlia! — exclamou, se sentando. — Você chegou cedo!

— Nem eu acredito nisso. Cadê a tia Berê?

— Ela foi para casa com a Magda. Disse que não aguentava mais ficar aqui dentro.

Acabei gemendo ao jogar a mochila na mesa.

— E eu que achei que ia pra cama mais cedo hoje.

Marcus relanceou o corredor, esticando o braço para a cadeira.

— Escuta, Júlia...

Eu me soltei na poltrona. Algo espetou minha bunda. Eu me levantei o suficiente para tirar o que quer que fosse dali debaixo.

Uma bolsa.

Uma bolsa feminina.

Olhei para Marcus. Ele pressionou os lábios, fechando os olhos, como se sofresse.

— Eu posso... — começou, mas se interrompeu quando a porta do banheiro se abriu e uma garota muito bonita saiu de lá.

Eu já a vira antes, na academia. E ela vestia apenas uma camiseta.

De Marcus.

— Marcus, esse seu chuveiro é... Ah, oi. — Ela se deteve tão logo me viu.

Fiquei de pé, o coração batendo tão rápido que doía. Ah, meu Deus.

— Júlia, espera...

Dei um passo para trás. Ele não podia ter... ele não havia realmente... ele não...

Não percebi que estava correndo até passar a mão na alça da mochila e disparar pela porta. Apertei o botão do elevador repetidas vezes, como se assim o fizesse chegar mais depressa. Isso deu tempo para Marcus me alcançar.

— Júlia, eu posso explicar — falou atrás de mim.

— Pode? — *Isso não está acontecendo. Isso não está acontecendo. Isso não está acontecendo.*

— Não é o que parece.

Girei sobre os calcanhares e o encarei com raiva.

— Não ouse insultar minha inteligência! Desde quando? — exigi saber. — Desde quando você está saindo com ela? E não precisa se dar o trabalho de inventar uma desculpa. Nunca estivemos em um relacionamento exclusivo. Na verdade, nunca tivemos um relacionamento e ponto-final.

Sua postura mudou, como se eu o tivesse magoado profundamente. Mas ele logo se recuperou, e uma frieza glacial enevoou seu olhar sempre tão quente.

— Eu não pretendia te magoar. — Sua voz espelhava sua expressão. — Esse lance com a Sandrinha tem um tempo. Achei que tivesse acabado, mas... bom... a gente se encontrou por acaso hoje, e as coisas saíram...

— Pare! — me ouvi sussurrar. Meu corpo se sacudia com os tremores.

— Parar por quê, Júlia? Você queria ouvir, não queria? Ou pensou que o que aconteceu entre nós dois tivesse mudado quem eu sou? — E abriu aquele seu meio-sorriso cafajeste, enquanto me estudava com os olhos frios. — Você pensou. — Ele balançou a cabeça, como se sentisse pena. — Menina, essa coisa de amor só acontece naqueles filmes idiotas que a sua tia assiste. Na vida real a coisa é bem diferente. O que rolou entre nós foi bom, claro, mas foi só isso. — Ergueu os ombros. — Nada de especial.

Senti como se uma parte de mim morresse naquele instante.

— Sinto como se estivesse te vendo pela primeira vez, Marcus. Eu não conheço você. — Porque aquele homem frio e sarcástico não era o mesmo cara que tinha feito amor comigo, apaixonadamente, na noite anterior.

— É possível. Você romantizou algo que na verdade era só sexo.

Aquilo foi a gota-d'água.

— Você esteve certo esse tempo todo. Eu sou muito idiota! Desde a primeira vez que eu te vi, percebi o tipo de canalha que você é, mas ignorei meu sexto sentido e me deixei envolver. Eu *acreditei* em você! Sou muito, muito burra! — Eu estava toda dormente, o que era bom. Ficava mais fácil conseguir dizer o que era preciso se eu não sentisse nada abaixo do pescoço. — Eu gostaria de dizer que te odeio, Marcus, mas nem isso eu consigo sentir. Acho que eu devia te agradecer por ter me ajudado quando eu mais precisei — continuei. — Mas não vou. Eu te ajudei também, e estamos quites. Vou deixar você para trás, assim como todas as mentiras que nós criamos juntos, e pode apostar que nunca mais vou pensar em você. Sou muito boa em armazenar coisas desagradáveis e trancafiá--las nos confins da alma. — Minha voz falhou.

Aquela sombra se esvaiu por um instante, e por um momento louco tive a impressão de estar olhando para o meu amante, para o homem em cujos braços eu me sentia segura e querida. Ele era um tremendo ator.

E eu não.

Tudo foi de verdade para mim. Tudo foi real.

— Adeus, Marcus Cassani.

Não consegui esperar o elevador chegar; abri a porta de emergência e corri escada abaixo.

52
Marcus

Quando Júlia bateu a porta da escada de emergência com força e saiu correndo, desejei que o tempo voltasse. Eu havia agido como um canalha. Mas que opção eu tinha?

Voltei para o apartamento e fechei a porta, sem saber direito o que fazer. Uma parte de mim queria ir atrás dela. A outra estava irredutível em sua decisão.

— Por que você mentiu para ela? — Sandrinha perguntou, me lembrando de que ainda estava ali. — Desculpa. Eu não quis bisbilhotar, mas a porta ficou aberta e eu acabei ouvindo. Por que mentiu para ela, Marcus? Você a magoou de propósito. Você a fez pensar que nós estivemos juntos, mas eu só usei o seu banheiro para me livrar de toda aquela tinta.

Sandrinha encontrara, a caminho do trabalho, alguns garotos que conhecia. Um deles havia acabado de receber a notícia de que passara no vestibular. Estava no meio de um trote e a sujara com todo tipo de porcaria. Como sabia que eu morava ali perto, ela apareceu e me pediu uma camiseta limpa emprestada; pediu também para usar o banheiro. Eu não planejei nada. Simplesmente aconteceu.

— Por que você deixou ela pensar que aconteceu alguma coisa entre a gente? — ela insistiu.

— Porque foi preciso.

— Eu não entendo, Marcus. Tá na cara que você é louco por ela. — Sandrinha puxou a barra da camiseta e fez um nó na lateral, revelando o short de lycra preto. — Por que seria idiota o bastante para perdê-la de propósito?

— Eu tenho meus motivos.

Depois do incidente na piscina, tudo ficou claro. Eu nunca poderia ser o homem de que Júlia precisava. Não me restara nem mesmo a possibilidade de um sonho. Estava tudo acabado.

Desde que saímos do hospital, eu não parava de pensar em uma maneira de fazê-la entender isso. Ainda não tinha chegado a conclusão alguma quando ela apareceu em meu quarto naquela madrugada, pálida e insegura, apertando os dedos um no outro com ansiedade. Eu devia tê-la mandado embora. Ela já tinha pressentido que algo estava diferente. Teria facilitado tudo para nós dois.

Mas não pude. Eu precisava dela. Precisava de seu calor e de seu perfume para me ajudar a calar a gritaria em minha cabeça. Precisava sentir seu gosto em minha língua, o toque de suas mãos delicadas para afastar os monstros que espreitavam nas sombras de minha mente. Precisava de seu corpo junto ao meu, pele contra pele, para me sentir um pouco menos morto por dentro. Eu me perdi nela pelo tempo que pude. E depois, quando tudo acabou e ela se entregou à exaustão, passei os braços ao seu redor e a segurei durante toda a noite, pois assim a escuridão não me tocava.

Quando o dia estava nascendo, ela abriu os olhos e meu viu, sorrindo com ternura. Assim que Júlia saiu da cama, de meu abraço, as sombras recaíram sobre mim, me devorando aos poucos. Não consegui ir trabalhar naquele dia, e, por mais que gostasse de Berenice, fiquei aliviado quando ela decidiu ir para a casa da amiga. Eu precisava pensar em como afastar Júlia de mim, já que obviamente era incapaz de me afastar dela. E então Sandrinha apareceu, Júlia chegou minutos depois e... bem, estava feito.

— Eu não sei quais são os seus motivos — Sandrinha disse —, mas não acredito que exista um convincente o bastante para explicar uma burrada como essa que você acabou de fazer.

Eu me aproximei da janela, atento à portaria. Uma cabeleira cor de mel passou pela porta envidraçada. Ela se abraçou, parecendo tão frágil e pequena. Despedaçada.

Deixei a cabeça pender de encontro ao vidro. Cara, aquilo doía demais.

— Olha, Marcus, você pôs um fim no nosso caso por causa dessa garota. Você fez a coisa certa uma vez. Vá atrás dela. Explique que não aconteceu nada — Sandrinha disse logo atrás de mim. — Você a ama, não é?

— Amo. Amo mais que qualquer coisa no mundo, Sandrinha. Amo mais do que qualquer homem amou ou possa amar uma mulher.

— Pois então. Vai atrás dela e diga isso. Implore se for preciso. Eu nunca senti o que você parece sentir por essa garota, mas eu vou te dizer: se um dia acontecer comigo, eu vou fazer tudo o que estiver ao meu alcance para preservar algo tão precioso. Não seja idiota.

Instantes depois, ela fechava a porta suavemente, mas eu permaneci ali na janela, os olhos fixos em Júlia. Aos tropeços, ela dobrou a esquina e desapareceu. Não houve pompa nem circunstância. Nada de música triste ao fundo. Nada de chuva ou trovoadas para dramatizar a cena. Nada nem remotamente parecido com aqueles filmes que dona Berenice me obrigara a assistir. Júlia saiu da minha vida sem alarde, exceto pelos gritos de agonia em meu peito conforme uma espada invisível me rasgava ao meio.

53
Júlia

Em momentos em que tudo parece ir de mal a pior, a família é que nos mantém erguidos, mesmo que ela não seja de sangue. Existem laços tão fortes que só o coração é capaz de atar.

Meu coração estava partido, a avalanche de sentimentos me sufocava, me deixando sem ar, como se estivesse me afogando de novo. Por isso eu precisava de tia Berê naquele instante. Queria afundar em seu colo e chorar até a dor retroceder. No entanto, eu temia que me ver sofrendo daquele jeito fosse demais para seu coração doente.

Então eu tive de ser forte outra vez. O único problema era que eu não estava conseguindo fazer o que prometera a Marcus. Aquela dor tão aguda no centro do peito se recusava a se encolher num cantinho dentro mim, para que eu pudesse ignorá-la e seguir adiante. Enquanto eu descia do ônibus e tomava a direção da casa de Magda, me perguntei se poderia ganhar um coração novo um dia. Um que não amasse tanto Marcus.

Parei em frente ao portão da casa de Magda e inspirei fundo. Ainda não sabia como explicar para tia Berê que voltaríamos para o sobradinho sem ter que dizer os motivos. Para todos os efeitos, Marcus e eu estávamos separados desde que fomos morar com ele.

Avistei meu melhor amigo do outro lado da calçada, um saco de pão nas mãos.

— Agora a noite ficou melhor — ele disse, animado, se aproximando. Quando estava perto o suficiente, porém, estacou no lugar, uma sombra lhe cruzando o rosto. — O que aquele filho da puta fez?

— Nada que eu já não esperasse, Dênis. A minha tia está na sua casa?

— Júlia, o que o Marcus fez com você? — exigiu.

Balancei a cabeça, relanceando o sobradinho verde que eu tanto amava.

— Não tenho tempo para pensar nisso agora. Vamos ter que voltar para casa.

— Florzinha — ele me cortou, tentando me abraçar, mas eu me esquivei.

— Não, Dênis, por favor. Eu não vou aguentar. E eu tenho que aguentar. Preciso resolver um monte de coisas ainda hoje. — Onde eu poderia conseguir uma banheira àquela hora da noite?

— Ju, você está parecendo um zumbi.

— Eu quase me afoguei ontem. Tenho uma ótima desculpa.

Ele abriu a boca para retrucar, mas meu celular tocou. Por um momento — por um ridículo momento — pensei que pudesse ser Marcus, ligando para dizer "peguei você" e explicar que tudo não passou de uma brincadeira de mau gosto. Mas não era ele.

— Júlia? — soou a voz grave do dr. Victor.

A porta da frente se abriu. Tia Berenice apareceu na varanda, um copo de suco na mão.

— Como vai, doutor?

Então ele disse as palavras que eu esperava ouvir havia dois anos.

— O coração apareceu. Você precisa levá-la ao hospital agora, para que possamos prepará-la para o transplante. Consegue chegar lá em meia hora?

— O que foi, Juju? — Tia Berê arrastou seus sapatos pela varanda, enquanto eu murmurava um fraco sim para o dr. Victor e desligava.

Olhei para a mulher a minha frente. Minha tia querida. Minha mãe. Senti tanta coisa ao mesmo tempo que era difícil descrever. Alívio e esperança. Um medo paralisante.

— Júlia, o que foi? — Ela tocou meu rosto.

— Seu coração. Ele... ele apareceu.

O copo de suco em sua mão escorregou, colidindo contra o concreto, se estilhaçando em três pedaços enquanto ela levava a mão ao peito e empalidecia.

— Tem certeza?

— Temos que ir para o hospital agora.

— Vou chamar um táxi — ouvi Dênis dizer, inquieto.

Tia Berenice me abraçou, enterrando a cabeça em meu peito.

— Ah, eu pensei que ele nunca apareceria. — Ela sacudiu a cabeça. — Que nós estávamos nos enganando esse tempo todo.

Apenas passei os braços ao redor dela, porque, para ser franca, também me senti assim muitas vezes.

O táxi encostou e isso bastou para que eu agisse, ainda que lágrimas gordas escorressem em meu rosto agora, e eu não soubesse dizer se eram da dor de um coração partido, do medo de que algo desse errado na cirurgia ou de esperança.

— Tem um batom aí nessa mochila, meu amor? — tia Berenice perguntou assim que nos acomodamos no banco de trás do carro. Dênis e Magda ficaram para preparar uma mala para ela.

Batom? Num momento como aquele?

— Eu... Humm... — Abri a mochila e peguei o único batom que tinha, entregando a ela. Tia Berenice usou o espelho retrovisor para aplicar a maquiagem. Quando o rosa cobriu seus lábios, percebi como ela estava pálida.

— Diga aaaah. — E, antes que eu pudesse impedir, ela corria o bastão sobre minha boca. Tentei detê-la, mas não adiantou. E ela ria ao me devolver o cosmético. — Não me olhe tão espantada assim. Batom traz força e segurança a uma mulher. E nós duas precisamos de ambas as coisas neste momento.

Seus dedos finos e trêmulos se entrelaçaram aos meus, também instáveis. E permanecemos assim, de mãos dadas, até que o táxi parou em frente ao hospital.

54
Marcus

A vida é uma grande merda, pensei, largado no sofá, enquanto virava a garrafa de vodca e nada caía em meu copo.

Mas que diabos. Quem tinha bebido toda a minha vodca?

— Marcus... — Alicia chamou. Ela e Max surgiram na sala de jantar.

— Ei, *vozêz doiz*! — Apertei os olhos. Ué, havia dois de cada.

— A porta estava aberta. Nós fomos entrando... — ela comentou, olhando com a testa franzida para a garrafa em minha mão. Ah, ela também estava intrigada com o mistério da vodca desaparecida.

— Mi *caza, zu caza*!

— Você está bêbado? — meu irmão perguntou, de cara amarrada.

— Nãããããããããão.

— O que está acontecendo? — Alicia quis saber. — Cadê as suas hóspedes?

— Quem pode *zaber*! — Tentei me sentar. Precisei de três tentativas para conseguir. Meus reflexos estavam meio lentos. Max suspirou e chegou mais perto, me ajudando a me ajeitar na cadeira.

Eu o peguei pelo cotovelo, obrigando-o a se abaixar para que nossos rostos ficassem na mesma altura. E comecei a rir, porque ele ficava engraçado com dois narizes.

— Max, eu amo *vozê*. Eu amo *vozê* pra *cazzete*, cara!

— Quanto você já bebeu? — Ele pegou no chão uma garrafa com dois dedos de vodca dentro.

Arrá! Mistério resolvido. A vodca havia mudado de embalagem.

— Quase nada. *Zó* um golinho ou dois. Me dá *ezza* aí. — Tentei pegá-la, mas meu irmão a afastou.

Um celular tocou ali perto. Acho.

— Alô. Oi, Amaya — Alicia disse. — Sim, eu soube.

— Tudo bem. Pode ficar com *ezza*. Tem mais na cozinha.

Era realmente engraçado como a mobília pareceu ter mudado de lugar, e eu de repente me senti em um carrinho de bate-bate. Estava rindo quando abri o armário da cozinha e peguei outra garrafa de vodca.

Meu irmão estava logo atrás de mim, os olhos estreitos.

— Onde está a Júlia, Marcus?

— Max, eu não *zei* nem onde deixei meu telefone. — Não encontrei um copo, então bebi direto do gargalo. Inferno, nem aquilo fez a ardência no peito diminuir. Mas mais um trago e com certeza resolveria o problema.

— Sim, claro. Ela vai precisar de um tempo. — Alicia apareceu sob o batente. Seus olhos azuis se fixaram em mim. — Sem problemas. Ok. Obrigada por avisar, Amaya. — Ela encerrou a chamada. — A Júlia vai ficar em casa uns dias. Ela acabou de ligar para a Amaya. O coração da dona Berenice apareceu!

Pelo menos uma boa notícia.

— Você... não vai correr pra lá agora mesmo? — ela quis saber quando tudo o que eu fiz foi levar a garrafa à boca.

— Não.

— Por que não? — Alicia olhou de mim para Max, então de volta para mim. Dei de ombros.

— Eu sabia! — Max explodiu. — Seu grande idiota.

— O quê? — Alicia colocou o telefone no bolso.

— Ele terminou com a Júlia. — Meu irmão correu a mão pelos cabelos claros.

— O quê? Mas por quê? — Alicia me encarou. — Marcus, que merda você fez?

— Quem pode *zaber*, *Alizia*? Eu *fazzo* merda o tempo todo. — Tomei mais um gole. Não. Ainda nada de anestesiar a dor. Mais um então. — Pode *zer* que eu tenha dado a entender que transei com outra garota.

— Cacete! — Max cuspiu.

— Ah, Deus, Marcus! — Alicia gemeu. — Mas você ama a Júlia! Qualquer um percebe! Por que faria uma coisa estúpida dessas? Você tem de ligar pra ela agora. — Alicia apanhou o celular e me estendeu. Vai dizer que fez tudo errado e vai, sei lá, beijar os pés dela para o resto da vida se ela te perdoar.

Eu me afastei dela, ficando de frente para a parede.

— Eu não *pozzo*, *Alizia*. Não. *Pozzo*!

— Por que não?

— Porque eu não vou condená-la à minha vida cheia de *limitazzões*!

— Que coisa mais cruel de se dizer, Marcus. — Senti quando ela se aproximou. — É ridícula. Você não é um condenado. Tem uma deficiência... Duas, se levar em conta essa sua cabeça cheia de vento. Você está se afundando em autopiedade e afastando a Júlia porque está com medo de como a vida vai ser de agora em diante. Mas você não pode decidir esse tipo de coisa sozinho!

— Não adianta, Alicia. Ele não ouve ninguém. — Max tomou a garrafa da minha mão quando eu a levava à boca e a esvaziou na pia.

— Ei! Eu paguei por *izzo*! — Tentei recuperar minha vodca.

— Estou pouco me lixando. — Ele voltou o rosto zangado para mim. — Você é um cretino, Marcus! Jogou fora a melhor coisa que já te aconteceu na vida.

— Você acha que eu não *zei dizzo*, caralho? — berrei.

Alicia e ele se entreolharam. Ela assentiu, deixando a cozinha em silêncio. Enterrei a cabeça nas mãos.

— Mas eu não *zou* a melhor coisa que *acontezeu* na vida dela, Max. *Ze* eu *zair* do caminho, ela vai ter a chance de encontrar alguém que *pozza zer* tudo o que ela *prezisa*. Talvez até já tenha encontrado. — Porque Dênis parecia ser um bom sujeito, o filho da mãe. E ele a amava. Poderia fazê-la feliz, e uma hora dessas ela iria perceber isso.

— Pode parar. — A voz do meu irmão soou grave. — Isso não tem nada a ver com ela encontrar alguém melhor e *tudo* a ver com o que aconteceu na piscina ontem.

Ergui a cabeça, o encarando com raiva.

— É a *mezzma* coisa! Eu achei que poderia fazer dar *zerto*, achei que podia fazer as coisas *funcionarem* entre a gente *zem* ter que *zacrificar* a vida dela também. E eu tentei por *zinco* minutos, Max, e ela quase morreu!

— Porque ela não sabe nadar! — ele gritou.

— Não importa! Eu estava ali e não fui capaz de ajudá-la quando ela mais *prezisou*. Ela podia ter morrido, e tudo que eu pude fazer foi quase me afogar junto, porque o meu corpo não presta pra nada! Porque a minha vida agora é *ezza*. Porque é *nezza* maldita coisa que eu vou viver pro resto da vida. E eu não *pozzo* fazer nada a respeito, porque não há mais nada a *zer* feito!

Não sei de onde veio o soluço. Realmente não sei. E, antes que aquilo se transformasse em algo ainda mais embaraçoso, decidi ir para o meu quarto.

A questão foi que a porta da cozinha mudou de lugar sem que eu percebesse e acabei batendo contra os azulejos. Um movimento brusco me fez girar. Quando Max apoiou as mãos nas rodas para me deter, meus olhos continuaram girando. Ok, talvez eu estivesse um pouquinho bêbado.

Assim que consegui recuperar o foco, me deparei com aquele rosto furioso. Alguma coisa semelhante a um demônio com dor de dente.

— Me deixa em paz! — berrei.

— Três coisas. Primeira: não vou te deixar em paz nunca. Segunda: você está deixando passar a informação mais importante. Acho que você está muito bêbado e não prestou atenção em tudo o que você mesmo disse. Ou se apegou à palavra errada. Você vai viver nesta cadeira. *Viver*, Marcus. E tem feito isso muito bem nos últimos três anos. Não tenho dúvidas de que vai continuar assim. E a terceira: eu sei que é difícil aceitar. Sei que dói, porque está doendo em mim também, mas, se você acha que eu vou te deixar cair num abismo de onde nunca mais vai poder sair, está enganado.

A próxima coisa que eu soube foi que meu nariz estava em seu sovaco, e seu braço em minhas costas, o punho batendo de leve em meu ombro.

Eu odiava admitir, mas precisava daquele abraço. E das palavras também, eu acho.

— Vou te ajudar a encontrar um ponto de partida para sair dessa, Marcus. É uma promessa. — Meu irmão se endireitou, enfiando as mãos nos bolsos, o rosto esculpido em uma máscara de obstinação.

— Como, Max? — Como ele faria isso, se eu tinha mandado embora o meu ponto de partida?

Tentei mover a cadeira, mas calculei errado o movimento e quase tombei no chão.

— Eu não sei, Marcus. Mas acho que um banho frio e um café bem forte podem ser um bom começo.

Eu teria preferido a vodca que ele despejara na pia. Não se pode ter tudo na vida.

55
Júlia

Dênis e Magda me encontraram no hospital e ficaram comigo a noite toda. Nós nos revezávamos, ora no corredor, ora na capela. Eu rezava por minha tia, mas também pela pessoa que deixou este mundo antes da hora, deixando para trás um gesto de amor tão grande. Quantas vidas haviam sido salvas por aquela única alma?, eu perguntei. Quantas pessoas teriam a chance de continuar vivendo graças à bondade de um anônimo? Um herói sem rosto, que não pedia nada em troca; apenas se doava, literalmente. Eu o amaria, mesmo sem saber quem ele ou ela era, até o fim dos meus dias.

Levou quase dez horas para termos alguma notícia de tia Berê, e foi o próprio dr. Victor quem a trouxe.

— A cirurgia foi um sucesso. Há riscos, mas o tempo vai se encarregar de mandá-los para longe — ele disse, com uma convicção tão assustadora que fez meu coração baleado dançar.

Então Dênis precisou ir trabalhar e Magda foi para casa, apenas para tomar um banho e pegar algumas mudas de roupa para mim e umas camisolas para tia Berê. Me deixaram entrar no CTI apenas no fim da tarde. Vestida dos pés à cabeça com roupas hospitalares verdes e uma máscara no rosto, caminhei devagar até a figura pálida plugada a dezenas de cabos e tubos deitada na cama alta. Ela dormia. Senti os olhos ardendo.

— Mãe — deixei escapar baixinho, alisando seus cabelos para longe da testa.

Seus lábios se curvaram, os olhos tremularam e se abriram devagar.

— Então... eu preciso estar... — ela começou, com dificuldade — entre a vida e a morte... para que... você me chame de mãe?

Acabei rindo.

— A senhora está se sentindo bem?

— Sim. Muito bem. — Mas fez uma careta de dor quando tentou mover a cabeça.

— Fica quietinha ou vão me mandar sair.

Ela respirou fundo.

— É tão estranho, Julinha. As batidas... são diferentes das minhas. Tão rápidas... e decididas. Acho que vou ter que... me habituar a esse novo ritmo.

— A senhora vai ter tempo pra isso — sorri para ela. — Muito tempo agora.

— Graças a essa alma bondosa. Rezei tanto por ela. Enquanto estava aqui sozinha, perdida em pensamentos, eu pedi para o Nosso Senhor cuidar muito bem dela.

— Eu também.

Ela fixou os olhos em meu rosto, examinando cada detalhe visível. A mão plugada a um largo tubo de soro se moveu minimamente. Eu a peguei com todo o cuidado e me inclinei, colocando-a em minha bochecha.

— Eu estava com tanto medo — ela disse, com a voz trêmula.

— Eu sei. Eu também. Mas o dr. Victor disse que o pior já passou. A senhora foi muito corajosa.

Ela sacudiu a cabeça de leve e deixou a mão cair.

— Eu não estava com medo da cirurgia. Estava com medo de... perder o meu coração. Passamos por tanta coisa, ele e eu. Eu não sabia como seria... quando ele não estivesse mais aqui dentro. O que eu sentiria com esse, sabe? Porque esse coração... não viu você crescer. Nem ficou apertado toda vez... que você ficou doente. Nem se alegrou quando você... passou de ano no colégio em primeiro lugar. Nem se emocionou quando você acordou assustada por culpa de um pesadelo e me chamou de mãe, como fez ainda agora.

— Eu... eu não pretendia...

— Eu sei. — Ela me mostrou um sorriso triste. — E eu gostaria muito que tivesse pretendido.

— Gostaria? — perguntei, surpresa.

— Ora, meu amor, é claro que sim. Quando você era pequena e sua mãe ainda era viva, eu tinha esperança de que um dia ela... pudesse se emendar, ser a mãe que você merecia. Eu nunca quis tomar o lugar dela, Juju. Mas a vida se encarregou disso... e desde então eu espero que você me veja como... bem... — Uma lágrima rolou por sua face.

— Eu pensei que a senhora não gostasse. Sempre que eu a chamava assim, a senhora chorava!

— Ah, Júlia! E porque aquilo me emocionava muito... Era alegria. E dor também... pelo destino cruel da minha irmã... pelo seu. Eu estava com tanto medo de que tudo isso tivesse se perdido para sempre.

— Vai ficar tudo bem... mãe.

Minha mãe. Não seria tão difícil assim me acostumar com aquilo. Eu já pensava nela dessa maneira desde que tinha três anos. Só tinha medo de dizer em voz alta.

Os olhos dela marejaram, mas sorriram.

— Vai mesmo. Agora eu sei. Assim que eu abri os olhos e vi você eu soube. Porque esse coração... começou a bater muito forte e muito rápido. Ele se apaixonou por você também, meu amor. Exatamente como... aconteceu quando eu a vi pela primeira vez. Não importa quantos corações eu venha a ter nesta vida, eles sempre vão ser seus, minha Jujuba.

Eu me inclinei e, sem remover a máscara, beijei sua testa, agradecendo ao destino por ter me dado aquela mulher. Minha mãe.

— Por que nós estamos chorando? — ela indagou de repente. — Este é um momento feliz!

— Eu não estou chorando. — Esfreguei a mão no rosto para secar as bochechas úmidas. Os óculos pularam.

Com alguma dificuldade, ela deu risada.

— Você acha que agora o dr. Victor vai me deixar comer uma bela costelinha?

— Não hoje. — Acabei rindo e fungando ao mesmo tempo, enquanto acariciava seus cabelos. — Mas um dia desses. Se a senhora for boazinha e fizer tudo direitinho, claro.

— Então eu vou ser a melhor paciente do mundo!

— Ah, eu duvido muito — a voz grave do dr. Victor reverberou pelo CTI. Ele entrou sem fazer barulho e fechou a porta com cuidado. — Só um milagre faria você dar ouvidos ao seu cardiologista.

Minha mãe estalou a língua.

— Não tenho que ouvir quando você fica todo mandão. Não sou da sua equipe, doutor. Você não pode ficar me... dando ordens assim. Hunf!

Ele suspirou teatralmente.

— Realmente não posso. Não sou nada além de um pobre médico.

Ela riu com algum custo enquanto ele se aproximava e checava todos os aparelhos.

— Ora, também não precisa fazer drama. — Ela o encarou. — Se você prometer que não vai mais me obrigar a viver de brócolis e salada, eu posso ser uma boa paciente.

Ele me lançou um olhar que dizia "o que eu faço com ela?".

Boa sorte com isso, doutor.

— Como está se sentindo, Berenice?

— Como se o mundo inteiro estivesse dentro de mim.

— Isso é bom. — Ele desceu a mão e encontrou a dela, apertando-a suavemente. Os dedos de minha mãe se prenderam aos dele.

Espera aí.

— Obrigada, Victor. Você foi maravilhoso.

— Eu diria "sempre às ordens", mas, nesse caso, prefiro não ter que vê-la tão cedo em uma mesa cirúrgica. — Sorriu, os olhos travados nos dela.

Olhei de um para o outro, minha boca escancarada como a de um peixe morto. Aquilo não tinha absolutamente nada de clínico. Nenhuma relação médico-paciente. Aquilo mais parecia uma cena dos filmes que...

Um sorriso bobo esticou meus lábios. O novo coração de mãe Berenice estava tendo um dia agitado. E parecia mais que disposto a se apaixonar.

O oposto do que acontecia com o meu, me dei conta. Eu jamais voltaria a permitir que alguém chegasse tão perto, tão fundo, quanto Marcus havia chegado. E agora só me restava esquecê-lo. Apesar do que eu havia dito a ele, ainda não tinha ideia de como começar a fazer isso. Nem a mais remota ideia.

56
Marcus

Cheguei em casa perto das oito e fui para a cozinha preparar o jantar. Uma rápida olhada no armário e descobri que eu estava sem Doritos. E sem miojo. Saco. Havia algumas coisas na despensa, coisas que dona Berenice havia comprado. Envergonhado, como se as latas de tomate me observassem de maneira acusadora, fechei o armário e liguei para a pizzaria.

Desde que Júlia tinha ido embora, voltar para casa era assim. Eu ainda sentia o cheiro dela impregnado em todos os cantos do apartamento, e tudo parecia gritar "Seu grande idiota!", das almofadas no sofá à TV, que eu já não ligava. E o silêncio que antes eu prezava tanto agora parecia me sufocar até eu ter de abrir todas as janelas em busca de ar. Nunca adiantava, claro, mas eu tentava. E sabia que a culpa era minha.

Nunca fui muito bom em lidar com situações extremas. Não achava que havia errado em terminar com a Júlia, mas a forma como fiz isso, sim. Em minha defesa, minha cabeça estava fodida. Eu tinha saído daquele consultório com a sensação de morte. Não uma morte física, mas a morte de minha vida antiga, do antigo eu. Imagino que seja normal meter os pés pelas mãos numa situação dessas.

Quando a dor da morte começou a se assentar, veio o luto por tudo aquilo que nunca seria. Minha família foi incrível, me deu todo o suporte de que eu precisava, sobretudo meu irmão. Em momento algum eles sentiram pena de mim, coisa que eu odiava — ironicamente, fui o único a fazer isso.

Teria sido impossível suportar aquilo sem eles. E, em algum momento, a dor cedeu. Não desapareceu, e acho que nunca desapareceria, mas não era tão grande quanto eu havia imaginado. Conforme ela retrocedia, uma dor diferente surgiu, e essa sim era monstruosa.

— Coração partido — Max disse certa noite, enquanto eu o ajudava a preparar o jantar em sua casa. E eu não discuti; era isso mesmo. Meu coração estava destroçado.

Então eu pretendia tomar um banho, comer a pizza e cair na cama, mas me detive ao passar pelo quartinho que Júlia e Berenice haviam ocupado. Eu não entrava ali desde que elas haviam se mudado para minha casa. Segurei a maçaneta, inspirei fundo e abri a porta. O ar parecia saturado, os móveis precisavam de uma boa espanada, mas tudo estava como as duas haviam deixado. Nada fora do lugar, exceto pela camisola verde de vaquinhas da dona Berenice, dobrada aos pés da cama. Abri a gaveta da cômoda que fora ocupada por Júlia. Corri os dedos de leve sobre as blusas dobradas à perfeição. No entanto, senti um calombo rígido sob a pilha de tecido. Curioso, dei uma espiada e descobri uma caixinha de madeira antiga, com o desenho desgastado de uma rosa na tampa. Peguei-a com cuidado. De início, seu conteúdo me pareceu apenas lixo. Entretanto, reconheci a pequena margarida, agora seca, com que ela brincara em nosso primeiro encontro, o guardanapo de papel com o logo da lanchonete que ela dobrara e desdobrara para disfarçar a tensão, o isqueiro em formato de coração, o recibo da pista de boliche...

Ela havia guardado algo de cada momento em que estivemos juntos. Cada uma daquelas coisas havia sido importante para ela. Cada um daqueles objetos dizia que ela não tinha se aproximado de mim por pena ou por causa de sua natureza dependente. Eles afirmaram algo que, no fundo, eu já sabia, e tinha medo de acreditar.

— Ah, Pin... — Meu coração deu um coice dentro do peito, me deixando sem ar.

Meu Deus, o que foi que eu fiz?

✍

O interfone tocou e tive de engolir em seco para controlar a súbita umidade que me brotou nos olhos. Fechei a caixinha de tesouros e a coloquei de volta na gaveta com muito cuidado.

— Seu Marcus, seu pais estão aqui — o porteiro foi dizendo quando atendi. — Eu pedi para eles esperarem, mas a sua mãe me deixou falando sozinho e a essa altura já deve...

Alguém bateu à porta.

— Sem problemas, seu Emerson.

Desliguei e fui abrir a porta. Minha mãe tinha duas travessas nas mãos. Meu pai segurava mais quatro.

— Olá, meu querido. Espero que esteja com fome. — Ela me beijou rapidamente e foi entrando. — Posso colocar na geladeira?

— Claro, mãe.

— Fiz tudo o que você gosta. Dá para congelar. — Ela enfiou a comida na geladeira.

— Pensei que vocês só viessem para o fim de semana, por causa das paradas do casamento do Max. — Fechei a porta e me juntei a eles na cozinha.

— Eu também — bradou meu pai, equilibrando as travessas.

— Eu fiquei com saudade dos meus meninos. Vou passar na casa do seu irmão daqui a pouco. Como está se sentindo, meu amor?

— Bem, mãe. Não precisava ter trazido comida. Eu sei cozinhar, lembra?

Ela foi até a pia para se livrar de um pouco de molho que respingara em seu pulso.

— Ah, mas você anda sem tempo. A Alicia me contou que está atolado, com as provas finais chegando. E eu trouxe lasanha. Posso esquentar? Ou você prefere estrogonofe?

— Eu acabei de pedir uma pizza. — Ergui os ombros, me desculpando.

— Ah, bem... — ela se queixou, desolada. — Julius, coloque essas no freezer.

Depois de meu pai guardar a comida, eles foram para a sala. Assim que se sentou, os olhos da minha mãe voaram para a porta do quarto que eu havia deixado aberta.

Ah, diabos.

Ela se levantou e foi até a entrada, examinando tudo com a testa franzida.

— Bem... a Júlia tem um gosto muito peculiar para roupas de dormir — comentou.

— Não é dela, mãe. É da tia Berenice.

Seu rosto se voltou para mim de imediato.

— De quem? — meu pai quis saber.

— Senta aqui, mãe. Eu tenho algumas coisas para contar para vocês.

Ela fez o que eu pedi, se acomodando ao lado do meu pai, a mão buscando a dele como se estivesse prestes a ouvir algo muito ruim. Comecei a contar toda a história, da discussão que tivemos para que eu pudesse sair de casa, o noivado de mentira, o envolvimento culminando no rompimento. Conforme eu ia falando, meus pais se entreolhavam calados, o que era pouco típico dos Cassani.

— Então eu menti para vocês para poder sair de casa, e fui devidamente castigado pela vida. A Júlia nunca foi minha cuidadora. Me perdoem. Eu só queria provar a mim mesmo que era capaz de me virar.

Eles esperaram em silêncio, me encarando com expectativa.

— E...? — minha mãe incentivou quando eu não disse nada.

— E o quê?

— E a sua grande revelação? — Meu pai inclinou a cabeça.

— Eu acabei de fazer, pai.

— Ah... — lamentou minha mãe, decepcionada. — Pensei que você tivesse algo realmente novo para nos dizer. Nós já sabíamos sobre a Júlia.

— Sabiam?

— Marcus, por favor! — Meu pai revirou os olhos. — Você olhava para aquela menina como se ela fosse uma lasanha!

— Claro que nós não imaginávamos nada sobre esse noivado falso — minha mãe alisou a saia — para tentar salvar a tia dela. E eu fico orgulhosa que você tenha tentado ajudar. Mas, com relação a você e à Júlia, nós soubemos assim que os vimos juntos. Qualquer um podia ver que vocês estavam apaixonados.

Qualquer um menos eu. Precisei daquela caixinha de tesouros para acreditar que milagres existiam.

E eu tinha feito tudo errado.

Meu pai assentiu, como se tivesse lido meus pensamentos e concordasse.

— Ela ama você. — Ele cruzou os braços. — E você é um belo de um paspalho por não ter enxergado isso a tempo.

— Mas nunca é tarde para corrigir um erro. Como você vai tentar recuperar o amor dessa moça? — minha mãe quis saber.

— Eu... eu não sei.

A pizza chegou. Meu pai se levantou para receber.

— Bom, então é melhor começar a pensar, antes que outro rapaz perceba o tesouro que ela é e você fique a ver navios. — Ele foi atender a porta.

Eu não tinha pensado em ir atrás dela. Estava tão seguro de que havia feito o que era certo que não parei para pensar em tentar me reaproximar. Não até encontrar sua caixinha de tesouros e sentir brotando no peito algo que eu pensei que jamais voltaria a sentir. Esperança.

Só que, entre todas as maneiras que eu poderia ter pensado para afastar Júlia, optei justamente por aquela de que, eu sabia, não haveria volta. Júlia tinha dificuldades para se relacionar, e ainda mais para confiar nas pessoas. Ela confiava em mim. E eu a traí. Não exatamente, mas era nisso que ela acreditava. Que eu a *fiz* acreditar.

Cacete. Eu ia precisar de mais um milagre.

57
Júlia

Américo foi compreensivo e me deu uma semana de folga para que eu pudesse ficar com minha mãe. Ele nem ia descontar nada do meu salário — o que era uma bênção, pois o plano de saúde não cobriu todos os gastos, e parecia que tudo custava uma fábula.

Ela ficou por um mês no hospital antes de ser liberada, a fim de evitar infecções e complicações. Claro que isso a desagradou profundamente, e ela só aceitou tomar o caldo de legumes que as enfermeiras trouxeram para sua primeira refeição pós-transplante depois de o dr. Victor lhe informar a data da alta, se tudo corresse bem. Magda e Dênis nos visitavam todos os dias, e, quando tive de voltar ao trabalho, foi Magda quem ficou no meu lugar.

Então o dia da abençoada alta chegou, e fomos felizes para casa, mamãe usando uma máscara sobre a boca e o nariz. Os vizinhos apareciam a toda hora, e ela os recebia com um sorriso e o cabelo cheio de laquê, mesmo que ainda estivesse frágil e cansada. Eu a ajudava com o penteado, apesar de sempre ficar meio torto, pois minhas habilidades nesse departamento eram as mesmas que no strip. Ela, no entanto, sempre elogiava e dizia que estava perfeito.

O dr. Victor foi muito gentil, nos visitando à noitinha sem cobrar nada, e eu desconfiava que sua preocupação e cuidado com minha mãe se devessem ao fato de que ele parecia reluzir quando olhava para ela.

E assim a vida foi retomando seu curso, o medo do inevitável cedendo aos poucos. Foi um tempo muito corrido, o que foi bom. Sobrara pouco tempo para pensar... *nele*. Somente quando eu caía na cama, esgotada depois de cuidar de minha mãe, da casa, da comida, das plantas e das roupas sujas, se tornava difícil evitar pensar nele. Em tudo o que aconteceu entre nós.

Também era difícil evitar pensar nele quando eu ia trabalhar com roupas velhas e desbotadas, já que todas as minhas peças boas continuavam em sua casa.

Evitei o máximo que pude, improvisando com todo tipo de coisa que consegui encontrar, mas, quando tudo o que restou foi ir para o trabalho naquela manhã usando uma calça de moletom da época do colegial e uma camisa estampada da Magda — e fui chamada na sala da presidência —, resolvi botar um ponto-final naquela história de uma vez por todas.

Mandei uma mensagem para Marcus enquanto seguia para o elevador:

> Preciso pegar minhas coisas. Qdo posso passar aí?

> Qdo quiser. Vou sair hj à noite. A casa vai estar livre.

> Ok.

Isso me deixou aliviada. Eu não queria vê-lo.

Dei uma ajeitada no cabelo quando cheguei à antessala, onde dona Inês trabalhava. Ela deixou escapar uma risadinha ao examinar minhas roupas, enquanto se levantava e anunciava minha chegada ao seu Hector. Seria consolador saber que ele tinha um pouco de catarata.

Não era o caso, como percebi logo que entrei em sua sala e o peguei me estudando dos pés à cabeça com a testa enrugada, de dentro de seu terno caríssimo.

— Queria me ver, seu Hector?

O presidente interino da L&L indicou a cadeira em frente a sua mesa.

— Sim, Júlia. Sente-se.

Fiz o que ele disse e evitei cruzar os braços. Sempre me sentia coagida diante dele. Não que ele tivesse feito algo para isso; era só que sua figura era sempre séria.

— Falo em nome da diretoria quando digo que apreciamos sua conduta no que se refere à sabotagem, ainda que alguns não concordem com seus meios.

— Eu não pedi autorização porque não sabia em quem podia confiar, seu Hector.

— Eu imaginei. Nós apreciamos muito a sua lealdade. Por isso temos uma proposta. Queremos que você seja a gerente de TI na divisão da L&L...

Minha nossa!

... em Munique.

Ah.

— Munique?

Ele fez que sim.

— Estamos com alguns problemas por lá. Desvios de verbas ainda não explicados. Queremos alguém de confiança que mande relatórios semanais até o caso ser inteiramente solucionado.

— Hã... Uau.

— Vejo que a notícia te pegou de surpresa. — Ele sorriu, benevolente.

— É... um pouco. — Muito!

Eu não acreditava que a chance da minha vida estava batendo em minha porta. E não acreditava que eu não iria abri-la.

Tomei fôlego.

— Seu Hector, foi muito generoso me oferecer a gerência de TI em Munique. Essa é a proposta que eu esperei ouvir a vida toda, mas... mas eu não posso aceitar. — Em qualquer outra ocasião eu não hesitaria, mas mamãe precisava de mim. Eu não podia deixá-la sozinha neste momento.

— Não precisa responder agora. Eu sei que é uma grande mudança. Pense no assunto e, quando chegar a uma conclusão, comunique ao Américo. Três dias são suficientes?

Fiz que sim, mas eu não precisava de mais tempo.

Ainda assim, agradeci a oferta antes de deixar a sala.

Inês acenou de trás de sua mesa, mas sua testa estava encrespada.

— Ei, o que foi? — Amaya me encontrou no corredor.

— Nada. A chance da minha vida acabou de passar por mim e eu tive que dizer "vai com Deus".

— O quê? Por quê?

Balancei a cabeça e sorri.

— Entre a carreira e a família, eu sempre vou escolher a segunda opção, May.

Voltei para meu cubículo. Eu mal tinha me ajeitado na cadeira quando Ivan jogou uma bola de papel em mim.

Lancei um olhar comprido para ele.

— Nem me olhe assim — resmungou. — Uma bola de papel é pouco para a raiva que eu estou de você. Você foi convidada para ir pra Munique e disse não? Tá de brincadeira?

— Não, não estou. E como é que você sabe disso? Não faz nem cinco minutos que eu saí da sala do seu Hector!

— As notícias correm. Sabe quantas pessoas queriam estar no seu lugar agora?
— Ivan, eu tô ocupada. Preciso terminar isto aqui antes do fim do dia.

Ele jogou as mãos para cima, frustrado.

— E a culpa é de quem? Lá em Munique você mandaria nos pobres coitados programadores juniores.

— Por que você não faz uma pausa? — sugeri, impaciente.

— Não adianta. Eu vou te perturbar para o resto da vida. Que burrada, Júlia. Francamente. Eu esperava mais de você.

Peguei os fones de ouvido dentro da mochila e os encaixei na orelha. Não podia mais ouvir Ivan, mas o vi sacudir a cabeça mais de uma vez.

Meu serviço não rendeu muito. Em parte porque Ivan ficava me distraindo, jogando clipes, bolas de papel e elásticos na minha cabeça, e em parte porque eu estava um pouco receosa de voltar para o apartamento de Marcus. Não sabia o que sentiria ao entrar ali de novo, mas estava certa de que, o que quer que fosse, doeria.

E eu não me enganei. Quando o expediente chegou ao fim, me vi protelando a ida para o ponto de ônibus. E piorou muito quando desci da condução e por fim entrei no prédio dele. Havia uma emoção dolorida, mas também algo bom, saudoso. Um sentimento agridoce que perdurou pela subida até o segundo andar, até eu encaixar a chave na porta. Inspirei fundo e soltei o ar com força.

— Tá. Eu posso fazer isso.

Com cuidado, abri a porta e espiei lá dentro. Tudo quieto.

Não seja boba, Júlia. Ele saiu.

Mas o cheiro dele estava por toda a parte, e eu tive de bloquear as imagens indesejadas que teimaram em se infiltrar em meu cérebro. Eu não precisava daquilo agora.

Fui para o quarto. Meu pé derrapou no piso quando parei de repente ao ver a porta do quarto dele se abrir. Marcus surgiu sob o batente, os cabelos ainda molhados, vestindo jeans e camiseta vermelha. Soltei o ar com força. Ele ainda era enlouquecedoramente lindo.

O olhar de Marcus percorreu meu corpo de alto a baixo, e eu tentei manter a postura. Até lembrar que estava vestindo uma blusa de Magda! Passei a mão nos cabelos, numa tentativa de parecer mais apresentável. Ah, que se dane. Eu não estava ali para impressioná-lo, de todo jeito.

— Pensei que você tivesse saído — acusei.

— Acabei me enrolando na fundação e cheguei mais tarde do que previ. Vou me encontrar com o Max e o Nick. Mas não se preocupe, já estou de saída.

Dei de ombros, abrindo a porta do quarto onde eu e minha mãe tínhamos vivido por algumas semanas. Peguei as malas no canto e as coloquei sobre a cama, imediatamente puxando as roupas das gavetas e as enfiando de qualquer jeito na bagagem.

Marcus me observava da porta, exatamente como fizera no dia em que eu estava no mesmo cômodo, também com malas sobre a cama, mas fazendo o trabalho contrário. Aquilo me deixou um pouco nervosa, e muito atrapalhada. Acabei por derrubar algumas peças mais de uma vez.

— Eu soube que a sua tia conseguiu o transplante — Marcus comentou. — Como ela está?

— Ótima. Em alguns meses vai poder ter uma vida absolutamente normal.

— Que bom. Fico feliz.

Em menos de vinte minutos, eu verificava as gavetas, agora vazias. Certo. Peguei tudo.

Fechei as malas e puxei a alça de uma, colocando-a no chão sobre as rodinhas. Fiz o mesmo com a outra e, com dificuldade, comecei a arrastá-las enquanto equilibrava as duas mochilas. Marcus saiu do caminho e eu me embananei no corredor, as rodinhas se enroscando. Uma mão grande tocou a minha, enviando ondas elétricas por todo o meu corpo. Eu me afastei do toque imediatamente. Que droga! Meu corpo idiota ainda não havia entendido que eu não estava mais apaixonada por ele.

Porque eu não estava.

Não estava. Não estava. Não estava!

— Deixa eu te ajudar. — Ele puxou a bagagem com agilidade e desenroscou as rodinhas, liberando as malas. — Você veio sozinha?

— É, o Dênis teve que ir numa palestra.

— Ah... — murmurou. Algo no que eu disse o desagradou. — Então acho que vou te levar em casa antes de ir para o meu compromisso.

De jeito nenhum.

— Obrigada. Não mesmo, obrigada.

Ele suspirou.

— Júlia, como você vai entrar no ônibus com toda essa bagagem?

— Eu me viro. Aqui está a chave. — Coloquei-a na beirada da estante da sala. — Ééééé... Tchau.

— Júlia, espera — ele chamou quando eu já empurrava a última mala para fora do apartamento. Mantive os olhos no chão. — Você está bem?

— Ótima.

— Estou falando sério. Você precisa de alguma ajuda com a sua tia, ou talvez com o contrato com a Allure? Porque eu posso conseguir um bom advogado pra você.

— Eu preferiria decepar minha mão direita a aceitar sua ajuda. — Chamei o elevador.

— Não era para ser assim. — Ele suspirou. — Não quero que você pense em mim como uma pessoa ruim. Só... muita coisa aconteceu e eu não tenho certeza se fiz a coisa certa.

O elevador chegou. Coloquei as malas lá dentro enquanto Marcus segurava a porta. Entrei e apertei a letra T.

— Você nunca mais vai olhar para mim? — desafiou.

Ergui a cabeça e meu coração deu uma cambalhota. Ele era tão lindo que doía. Mas parecia cansado, meio abatido. Em seus olhos verdes cristalinos faiscava uma emoção que, um mês antes, eu teria acreditado ser verdadeira.

— Eu realmente espero que não — falei.

Ele trincou o maxilar e abriu a boca, mas as portas se fecharam. Eu me apoiei nas paredes frias e soltei o ar com força. Tudo bem, eu havia sobrevivido a esse encontro. Agora nós poderíamos nos encontrar na rua e fingir que não nos conhecíamos, como sempre acontece com ex-amantes quando o romance acaba mal.

⚜

Depois de uma boa briga com as malas para fazê-las chegar ao ponto, pensei que estava com sorte ao ver um ônibus encostar tão depressa. No entanto, o motorista, depois de dar uma bela olhada na minha bagagem, fechou a porta e partiu acelerado. O segundo fez a mesma coisa. O terceiro nem chegou a parar.

Abri a mochila e contei o dinheiro que tinha. Uma corrida de táxi até minha casa custaria o equivalente a nossa conta de água. Fechei a carteira e a guardei. Tudo bem. O próximo ônibus pararia, com certeza.

Um Honda prata passou do outro lado da avenida, fez uma manobra que eu tenho quase certeza de que era ilegal, então parou bem onde eu estava. O vidro desceu e a cara de Marcus apareceu.

— Tem certeza que não quer uma carona?

Outro ônibus se aproximava.

— Tenho! — Juntei as malas e endireitei os ombros.

O ônibus passou direto. Que droga!

— Eu acho que você está perdendo tempo. — Marcus coçou a nuca. — Ele nem parou.

— E como ia parar, se você está com esse carro estúpido no meio do caminho?

Ele se virou para a frente, mas ouvi o ploc da porta sendo destravada. A tampa do porta-malas se ergueu ligeiramente. Foi nesse instante que começou a chover. Cansada, encharcada, furiosa, os óculos embaçados.

Quer saber? Eu podia muito bem entrar naquele carro e fazê-lo ir até o fim do mundo, onde ficava minha casa. A viagem seria insuportável, mas ficar esperando uma condução que nunca pararia seria pior, ainda mais àquela hora da noite. Era pedir para ser assaltada, mesmo debaixo de chuva. Ele me devia isso!

Joguei tudo no bagageiro e entrei no carro. Marcus engatou a marcha e acelerou.

— Como andam as coisas na L&L? — ele perguntou depois de um tempo.

Dei de ombros, olhando pela janela.

Eu o ouvi bufar.

— Júlia, as coisas não precisam ser assim. Eu sei que te magoei, mas nós podemos ser civilizados.

— Eu estou sendo civilizada. Não te mandei ir pro inferno nenhuma vez.

— Ainda — ele reclamou.

Mais silêncio. Dessa vez um beeeem longo.

— Você não vai perguntar como é que eu estou? — ele quis saber.

— Não.

— Não está interessada?

Não respondi. Porque eu estava preocupada com ele, mesmo que não quisesse. Ele parecia tão abatido. Teria relação com o que o deixara tão irritado no dia em que quase nos afogamos? Porque obviamente não podia ser por minha causa. Ele tinha aquela morena boazuda para esquentar sua cama.

Ah, claro. Como eu era idiota. Devia ser por isso que ele parecia tão exausto.

— Qual é, Júlia? O que custa perguntar? Nem que seja por educação?

Suspirei, exasperada, ainda olhando para fora.

— Como você está, Marcus?

— Eu estou bem.

— Que bom.

O farol fechou. O *tic-tic-tic* da seta ligada e o *ush, ush, ush* dos limpadores de para-brisa eram os únicos sons dentro do carro.

— Sabia que o elefante é o único animal com quatro joelhos virados para a frente? — Marcus soltou.

Ergui os ombros, os olhos fixos na calçada. É claro que eu sabia.

— A Terra fica cem quilos mais pesada todo dia, devido à queda de poeira espacial. Sabia disso? E as minhocas podem ter até nove corações. E a Paris Hilton calça quarenta e três.

Eu o encarei, me perguntando se, por acaso, ele havia batido a cabeça e perdido o juízo.

— É sério. Baita pezão. — Ele riu, um pouco nervoso. — Sabia que, se um tubarão ficar muito tempo de cabeça pra baixo, ele entra em coma?

— Sério? — Eu não queria perguntar, juro que não. Mas foi mais forte do que eu.

— Supersério — assentiu energicamente, um vislumbre de sorriso lhe repuxando o canto da boca. — Ah, você vai adorar essa. A Torre Eiffel fica quinze centímetros maior no verão.

— Por causa da dilatação.

— É! E a Coca-Cola seria verde se não adicionassem corantes... — Ele continuou contando aquelas coisas absurdas durante toda a viagem.

Eu não queria ter me mostrado tão interessada, mas o que podia fazer? Ele pegou no meu ponto fraco: cultura inútil era sempre divertido.

Quando dei por mim, ele já estacionava em frente à minha casa.

— Humm... Obrigada pela carona.

— Sempre às ordens. Você acha que é tarde para uma visita? — Olhou para a janela da sala às escuras.

— Provavelmente. Minha mãe anda dormindo um bocado esses últimos dias. Por causa dos remédios.

— Sua *mãe*? — Ele pareceu surpreso.

Ergui os ombros.

Desci do carro, indo para a parte traseira a fim de retirar a bagagem e amontoá-la na calçada. A chuva havia se transformado em uma fina garoa.

— Peguei tudo. — Fechei o porta-malas.

Sua cabeça apareceu na janela do motorista.

— Esqueci de te falar qual é a mentira mais contada no mundo.

Eu me aproximei da janela.

— E existe uma? — eu quis saber. Ele fez que sim. — Qual é?

— É "eu estou bem" — proferiu, em tom soturno.

Ele me encarou por um minuto inteiro antes de acelerar, me deixando ali, no meio da rua, sob a garoa, assistindo-o dobrar a esquina, me perguntando se eu havia entendido o que acabara de acontecer.

58
Júlia

A casa estava em completo silêncio quando entrei. Deixei a bagagem logo na entrada, investigando.

— Mãe?

— Aqui em cima!

Eu a encontrei no quarto, dobrando roupas e as colocando sobre a cama.

— Eu faço isso, mãe. A senhora devia estar deitada!

— Estou cansada de ficar sem fazer nada. Olha, não é adorável? — E me entregou um panfleto de uma clínica que mais parecia um condomínio. As casas brancas levavam placas no jardim bem aparado. Radiografia. Laboratório. Emergência.

Um arrepio subiu por minha coluna.

— Por que está me mostrando isso?

— Decidi morar aí por uns tempos.

— O quê?! Mãe, você enlouqueceu? Não vou deixar a senhora ir para esse lugar nem por cinco minutos!

— A decisão não é sua. É minha, Júlia.

— Mas você não pode! Eu... Nada disso! — Abracei o monte de roupas sobre a cama e enfiei no guarda-roupa de qualquer jeito.

Ela me segurou pelo pulso e me fez olhar para ela.

— A Inês me ligou. E eu não gostei do que ouvi. Você prometeu, Júlia. Prometeu que não ia deixar sua vida de lado por minha causa, e veja só. Você disse não à grande chance da sua vida!

Eu me encolhi.

— Aquela não foi a grande chance da minha vida.

— Pode ter sido, sim. E você a rejeitou para poder cuidar de mim.

— Não. Eu rejeitei porque amo você!

— Ah, meu amor. — Ela soltou meu braço e foi se sentar na beirada da cama. — E eu te amo tanto, minha Jujuba! Mas eu sei bem o que se passa nessa sua cabeça. Não tente me enganar. Você teria aceitado a proposta se a minha saúde não estivesse comprometida.

— A decisão é minha! — Cruzei os braços.

— Assim como a minha — ela disse, suavemente. — Vou morar na clínica. Vou estar bem amparada, com profissionais de primeira, vinte e quatro horas por dia. Não se preocupe com os gastos. Não vamos pagar nada. O dr. Victor conseguiu uma vaga para mim.

Meu coração deve ter parado, pois eu não sentia nada abaixo do pescoço. Minhas pernas bambearam, e eu tive de dar um passo para trás e me recostar no armário.

Ela estava... ela estava me...

— Ah, Júlia, não. Não, meu amorzinho! — Ela se levantou, tomando meu rosto entre as mãos finas e beijou minha bochecha. — Eu não estou te abandonando. Estou deixando você ir. Você precisa me deixar para trás e seguir o seu caminho. É assim que funciona. E eu vou estar aqui te esperando, sempre, porque é isso que as mães fazem. Eu já vivi bastante, meu amor. Mas você, não. Ainda nem começou e já está metendo os pés pelas mãos. Não se joga fora uma chance como essa por causa de uma velha!

— Mãe!

— Sabe quantas almas esperam por um coração, Júlia? Homens, mulheres, crianças. Talvez esse coração fosse mais útil no peito de alguém mais jovem. Talvez não. Quem pode dizer? O que eu acredito é que tudo acontece por um propósito maior. Se eu tive uma nova chance, devo aceitar e levar a vida da melhor maneira que eu puder. Você devia seguir o meu exemplo. Viver é arriscar, Júlia. E eu agradeço por querer ficar aqui comigo, mas está na hora de você começar a cuidar de você. Se não aceitar a oferta do seu Hector, um dia vai olhar para trás e ficar triste. Vai sonhar com o que poderia ter sido. Você já abriu mão de tanta coisa. Eu a proíbo de desistir da sua carreira.

— Mas não estou desistindo! Só não quero ir pra Munique. — Eu a contornei e me sentei a seu lado.

— É claro que quer. Imagine só. Viver na Europa por uns tempos, com todas as despesas pagas e ainda recebendo um belo salário. Você precisa ir. E visitar todas as lojas de vestidos de noiva e me mandar umas fotos do que está se usando por lá.

Balancei a cabeça. Aquela discussão não ia dar em lugar nenhum. Eu não ia para Munique e ponto-final.

— Mãe, já que tocou no assunto, agora que está bem, acho que devia cancelar o casamento que a senhora contratou. Já falei com a Melissa. Ela não pode devolver todo o dinheiro, mas é melhor do que nada. A senhora só precisa assinar um distrato.

Ela me olhou fixamente.

— Então não existe a menor chance de você e o Marcus se reconciliarem?

— Não.

— Que pena. — Seu semblante foi dominado pelo pesar. — Quando ele me visitou no hospital, eu pensei que ainda havia uma chance.

Eu a encarei, incrédula.

— Ele visitou a senhora no hospital? *Quando?*

— Ah, esqueci que era segredo. — Cobriu a boca com a mão.

Olhei para ela, chocada demais para formular uma frase coerente.

— Ele só ia quando você estava no trabalho — revelou, vencida. — Perdi as contas de quantas vezes ele me visitou. Eu sei que você não quer vê-lo, mas eu queria, Juju. Gosto muito dele e ele de mim. Nós nos tornamos amigos. Desculpe não ter dito nada antes.

— Sobre o que... o que ele... vocês...

— Não se preocupe. Ele quase nunca toca no seu nome. — *Quase nunca* não era nunca. — E ele sempre faz o melhor que pode para continuar com a mentira que vocês dois inventaram. Não foi por ele que eu descobri a verdade, não.

— Que... — Ah, meu Deus. — Que verdade?

Seus olhos se enrugaram nos cantos conforme ela sorria.

— Eu conheço você, Juju. Sempre soube que vocês não estavam envolvidos.

Precisei de um minuto inteiro para conseguir encontrar minha voz.

— *Sempre?*

— Claro! Percebi assim que vi vocês dois juntos, e fiquei muito chateada, sobretudo porque já havia contratado o casamento. Mas então eu reparei no seu jeito perto dele e... bom, achei que tinha algo diferente, especial, acontecendo. E eu estava certa. Foi tão bonito acompanhar a paixão crescendo entre vocês. Melhor que qualquer um dos meus filmes antigos.

Não. Não era possível.

— A senhora sabia o tempo todo? E me deixou seguir em frente com aquilo?

Ela revirou os olhos.

— É claro que eu não ia permitir que você se casasse com um homem que não amava. Só queria ver onde aquilo ia dar.

Precisei me levantar. Era informação demais! Comecei a andar pelo quarto.

— Então — comecei —, eu passei o inferno, com medo que a senhora descobrisse a mentira, que visse nos meus olhos que eu não estava dizendo a verdade, que tivesse que carregar a culpa da sua morte pelo resto da vida, e a senhora sabia a verdade o tempo todo?

— Você também fingiu, meu amor — apontou, com delicadeza.

— Porque eu estava tentando salvar a sua vida!

— E eu também, Júlia. — Ela se levantou e empinou o queixo para me encarar. — Você não tinha uma vida. Apenas trabalho, eu, mais trabalho, me levar a médicos. Eu queria que você entendesse a diferença entre levar a vida e viver a vida. E você nunca viveu tão intensamente quanto depois que se envolveu com o Marcus. Eu só queria que você fosse feliz, filha!

Não dava para acreditar. Ela sabia o tempo todo! Havia mentido para mim. Como pôde?

Ah, bem, talvez porque eu tivesse mentido primeiro. Ela nunca teria precisado fingir se eu não tivesse feito isso antes. E ela acreditara em mim antes de conhecer Marcus, ou jamais teria gastado todas as suas economias naquele casamento extravagante. E, quando percebeu que eu tinha mentido — arrumara um noivo falso! —, de que outra maneira ela poderia ter agido senão entrando na brincadeira?

Levei as mãos à cabeça e comecei a rir. E então a gargalhar.

— Do que você está rindo? — ela perguntou, receosa.

— De nós duas! Fingimos uma para outra, tentando fazer a outra feliz, e não adiantou nada!

— Eu sempre te disse que mentir não leva a nada. Pois aí está a prova.

Eu me deixei cair no colchão, rindo até a barriga doer. Minha mãe também não conseguiu segurar o riso. Virei o rosto para ela.

— A senhora estava esperando que eu e o Marcus nos apaixonássemos de verdade, não é? Por isso não cancelou o pacote assim que percebeu que eu tinha mentido.

— Ah, Juju... — Ela pegou uma mecha do meu cabelo e começou a trançar. — Eu estou sempre esperando que o amor vença. É claro que cheguei a pensar em algo assim.

Balancei a cabeça. Uma das primeiras providências a tomar: jogar todos aqueles DVDs no lixo.

— Me desculpe por não ter contado que eu já sabia, filha. Eu não imaginei que o Marcus ia feri-la tanto. Pensei que ele realmente amasse você. Ele tem todos os sintomas de um homem apaixonado. Não entendo.

— Me desculpa também, mãe. Eu nunca quis mentir para a senhora. Mas o dr. Victor disse que não devíamos te deixar agitada, e eu sabia que a senhora ficaria, se soubesse que eu tinha mentido. Eu só quis...

— Eu sei. — Ela terminou a trança e começou a desfazê-la.

— Ele sabe? Que a senhora sabe?

— Não. Tentei falar com ele uma vez, mas ele negou. E foi tão sincero dizendo que estava apaixonado por você que eu acreditei nele. Júlia, não sei o que aconteceu entre vocês porque você não me contou e acho que nem vai contar, mas, seja lá o que for, tem algo errado nessa história. Aquele rapaz ama você.

Ela não sabia o que estava dizendo. Tinha sido enganada por Marcus, exatamente como acontecera comigo. Toquei a gola da sua camisa e olhei em seus olhos.

— Mãe, a senhora não vai se mudar de verdade para o asilo, vai?

Ela fez uma careta divertida.

— Deus me livre! Só de pensar me dá calafrios. Mas, Júlia, eu gostaria muito que você reconsiderasse a proposta do seu Hector. Uma chance dessas não bate na porta duas vezes.

— Vou... vou pensar. — Porque eu não queria dar início a uma nova discussão.

— Ótimo. — Ela beijou minha testa.

— Olá! Alguém em casa? — a voz de Dênis veio do andar de baixo.

— Já estou descendo, Dênis — gritei. E para minha mãe: — Vamos sair, mas eu vou levar o celular. Tudo bem?

— Ai, que alívio! — ela suspirou. — O dr. Victor ligou. Ele vai vir fazer uma visita de cortesia. Eu já estava pensando em qual desculpa inventaria para te colocar para fora de casa.

❧

Depois de tomar um banho e vestir roupas decentes, eu e Dênis saímos. Havia um lugar que ele queria ir fazia certo tempo.

— Como foi o seu dia? — perguntei enquanto caminhávamos pela calçada.

— Razoavelmente bom. Fui demitido. Corte de funcionários.

— O quê? — Eu o segurei pela mão, obrigando-o a parar. — Dênis, como isso pode ser bom?

Meu amigo não tinha uma profissão, exatamente. Em vez de cursar uma faculdade, ele preferiu começar a trabalhar cedo, para que Magda pudesse largar o caixa da farmácia, onde trabalhou por vinte e três anos, e fosse tratar sua coluna. Ele cuidava da casa e da mãe desde os dezessete.

— Eu não estava feliz mesmo, florzinha. Acho que precisava de um empurrão. Acabei me acomodando, sabe? Eu estava juntando uma grana para comprar um carro, mas acho que posso esperar um pouco mais. É uma boa hora para mudar de ares e tentar algo novo. Uma área completamente nova e excitante.

— Como o quê?

— Estou pesquisando ainda — comentou, animado.

Retomamos a caminhada, um pouco mais devagar agora.

— Então... Munique, hein? — Ele me cutucou com o ombro.

Soltei o ar com força.

— Eu não vou, Dênis.

— Mas devia ir. Uma oportunidade dessas não bate na porta duas vezes.

Por que todo mundo ficava me dizendo isso?

— Dênis, eu não posso aceitar. Não é o momento certo.

— E por isso mesmo você deveria aceitar. Se não for agora, jamais vai ter coragem de se abrir para o desconhecido. Além disso, Munique pode te ajudar a superar *você sabe quem*. Cidade nova, estimulante, um novo desafio. É disso que você precisa agora, minha flor. E nós vamos continuar aqui, te amando e torcendo por você.

— Dênis... — suspirei, exausta.

— Sei que isso te assusta, mas ir para Munique não é nos abandonar, Júlia. É apenas geografia, um pouquinho mais longe do que o outro lado da rua. Você ainda vai estar pertinho, logo ali... do outro lado do Atlântico. Só isso.

— Só isso — zombei.

— Além do mais, vai ser podre de chique dizer para todo mundo que a minha melhor amiga mora na Europa. Talvez eu até consiga ir te visitar. Consegue imaginar? Nós dois passeando pelo Sena...

— O rio Sena fica em Paris.

— Tá vendo? — se animou. — Mais uma razão para você aceitar ir para Munique. Para me ensinar um pouco de geografia.

— Mas eu não vou.

— É claro que vai. — Ele passou o braço por meus ombros. — Porque você é a pessoa mais inteligente que eu conheço e vai perceber que esse convite para a Alemanha é a melhor coisa que poderia ter te acontecido agora.

Mas eu já havia pensado. E a resposta continuava sendo *não*.

Ergui o rosto, pronta para lhe dizer isso, mas o vi olhando fixamente para a frente, o rosto lívido. Acompanhei seu olhar. Um homem de pouco mais de um metro e meio nos olhava, boquiaberto. Não tive de perguntar para saber que ele era o safado que quebrara o coração do meu amigo.

— Você tá brincando comigo — encarei Dênis.

— Eu sei — ele suspirou. — O safado é lindo, né?

Lindo? O rapaz teria de nascer de novo para ser considerado *bonito*. Lindo levaria pelo menos umas três encarnações. O amor era mesmo cego.

— Você tem que falar com ele. Você precisa encerrar esse assunto e nunca mais pensar nele para poder seguir em frente.

— Não posso, florzinha. Não tenho nada para dizer. Eu fui traído. Fim de papo.

— Fim de papo coisa nenhuma! Ele não pode fazer esse tipo de coisa, deitar a cabeça no travesseiro e dormir sossegado. Ele tem que saber que magoou você, que o seu coração está sangrando, que dói pensar nele, que você perdeu a fé no amor e a culpa é toda do Marcus! — Sacudi a cabeça. — Dele! Eu quis dizer que a culpa é dele! — Apontei para o rapaz, o rosto ardendo.

— Ju, eu sei que você está ferida — sua voz mal passou de um sussurro dolorido — e que nós compartilhamos os mesmos sentimentos neste momento, mas você precisa entender que...

Eu estava cansada de tentar entender. Um de nós ia ter o encerramento que merecia e ponto-final. Eu me desvencilhei de Dênis, pronta para dizer poucas e boas para aquele cretino, mas meu amigo me segurou pelo braço.

— Não, Júlia. Você não vai fazer isso!

— Mas a gente tem que fazer alguma coisa, Dênis. Ou homens como ele e o Marcus vão continuar partindo o coração de outras pessoas.

— Não coloque o Marcus na mesma categoria daquele babaca. — Ele esfregou a nuca. — Acredito que exista uma boa explicação para o que ele fez.

Revirei os olhos.

— Você também não, Dênis.

— Dênis — ouvimos.

Eu e meu amigo olhamos para o rapaz, que agora estava a dois passos de distância.

— Achei que fosse você.

Dênis endireitou os ombros e apenas acenou com a cabeça. O olhar de Cadu se demorou um pouco no rosto de meu amigo, então se dirigiu a mim, me examinando da cabeça aos pés.

— Você está saindo com uma garota? — ele perguntou, parecendo não acreditar.

As feições de Dênis endureceram.

— Da última vez que nos vimos você estava trepando com o entregador de pizza, e essa é a primeira coisa que decide me dizer?

O rapaz olhou para os lados.

— Não faça uma cena. Eu tentei explicar, mas você não quis me ouvir. Eu cometi um deslize, mas quem não comete?

— Eu — Dênis objetou.

— E eu. — Levantei a mão.

Cadu me fuzilou. Cretino!

— Eu tentei te dizer — ele explicou a Dênis. — As coisas saíram do controle. Vamos conversar. Vamos acertar essa situação. Eu ainda penso em você. Sinto sua falta. — Ergueu a mão para tocar o ombro do meu amigo.

Dênis se afastou.

— Mas eu não penso mais em você, Cadu. — Ele me pegou pelo braço e começou a praticamente me arrastar pela calçada.

— É sério? Você está mesmo saindo com essa aí?

Dênis parou, os olhos apertados em duas fendas. Meu melhor amigo sempre foi a pessoa mais tranquila deste mundo, e era praticamente impossível tirá-lo do sério. Por isso fiquei tão espantada quando ele me soltou, fez a volta e acertou o nariz de Cadu. Tudo isso em quatro segundos.

— Caralho! Ficou louco? — bramiu Cadu, tentando deter o sangramento nasal.

— Nunca mais fale dela assim.

— Puta que pariu, Dênis! Você quebrou o meu nariz!

— Você quebrou o meu coração. Era justo quebrar alguma coisa sua. Adeus, Cadu. — Com o peito estufado, a cabeça erguida, Dênis me pegou pela mão e recomeçou a andar. Parecia extremamente calmo, e se eu não o conhecesse tão bem jamais perceberia que estava fervilhando por dentro enquanto nos afastávamos daquele crápula.

— Você não precisava ter batido nele. — Apertei o passo para conseguir acompanhá-lo.

— Ninguém vai te chamar de *essa aí* quando eu estiver por perto e sair ileso, florzinha. Não mesmo.

— Você quebrou o nariz dele — comentei, tentando muito não sorrir.

— Eu sei.

— Como você se sente?

— Mal. Muito mal. — Mas um minúsculo sorriso se abriu em seu rosto.

Dênis tinha acabado de ter seu encerramento. E agora estava pronto para recomeçar.

Quem dera eu pudesse fazer o mesmo com relação a Marcus, pensei, sonhadora.

— Podemos entrar? — Ele apontou para um pub do outro lado da avenida
— Preciso de uma bebida.

— Eu também preciso. Vamos lá.

O pub de dois andares estava bem cheio, e a única mesa vaga ficava do lado de fora, na varanda. O lugar era legal, a decoração toda em madeira escura, o colorido ficando por conta das TVs ligadas em canais esportivos. Dênis e eu nos acomodamos e pedimos dois chopes. Eu podia lidar com um pouco de álcool sem acabar no AA, afinal.

— Aos finais dramáticos! — ele brindou.

— Aos recomeços — corrigi.

— Se é assim, acho que devo avisar que tem um cara muito gracinha que não tirou os olhos de você desde que entramos. — Apontou a caneca para minha esquerda.

Não cheguei a olhar. Não estava a fim.

Dênis deu risada.

— Como eu disse. Aos finais dramáticos! — Ele bebericou seu chope e então pousou a caneca à sua frente. Cruzando os braços sobre a mesa, se inclinou para mim, exibindo um sorriso malandro. — E o seu está logo ali atrás, me encarando com a mesma doçura de Jack, o Estripador.

— O quê? — Eu me virei imediatamente. Marcus estava ali!

59
Júlia

Marcus, Max, Paulo, o namorado da Mariana — e cujo nome eu havia esquecido —, e Nicolas estavam numa mesa mais ao fundo.

O maxilar de Marcus estava trincado, o olhar selvagem fixo em Dênis. Havia tanta raiva nele que eu me encolhi. Então ele voltou os olhos em minha direção e fez um cumprimento de cabeça. Assenti brevemente, me virando na cadeira.

— Que droga!

— Parece que hoje foi instituído o dia dos ex, hein? — Dênis brincou.

Não achei nada engraçado, sobretudo porque eu juro que sentia o olhar de Marcus nas minhas costas. Aquilo fez um calor brotar dentro de mim, deixando meu rosto e pescoço em chamas. Meus óculos começaram a embaçar.

— Preciso ir ao banheiro — eu disse a Dênis, já me levantando da cadeira.

Entrei no pub sem ver muita coisa, me desviando de mesas e garçons com bandejas repletas de coisas, até conseguir me enfiar no toalete. As paredes negras e rubras embotavam a iluminação, deixando o ambiente quase sombrio. Fui até o par de pias e joguei um pouco de água no rosto quente. Não era possível que Marcus tivesse tanto controle sobre meu corpo daquele jeito. Eu não podia deixar que isso acontecesse. Mas, por Deus, como é que eu podia fazer aquilo parar?

Sem ter ideia, inspirei fundo algumas vezes, endireitei os ombros, pronta para fazer a melhor atuação da minha vida e fingir que ele não existia.

Minha performance durou apenas vinte e dois segundos. Só até eu sair do banheiro e dar de cara com ele.

— Nós precisamos conversar — ele foi dizendo.

— Não tenho nada para falar com você. — Tentei passar por ele, mas ele me bloqueou. — Marcus, me deixa passar.

— Não até você ouvir o que eu tenho a dizer.

— Mas eu não quero... Ahhhhh! — gritei quando ele me pegou pela mão e me puxou para dentro do banheiro masculino. — Marcus!

Havia um homem em frente ao urinol, que não ergueu os olhos quando passamos por ele. Marcus abriu a porta do reservado para deficientes e me empurrou lá dentro.

— Você ficou maluco? — sussurrei assim que ele trancou a porta.

— Fiquei — esbravejou. — Fiquei louco de ciúme no momento em que te vi chegar de mãos dadas com aquele cara.

— O Dênis? — Ele estava curtindo com a minha cara?

— É, o Dênis. Estou de saco cheio desse cara. E preciso falar com você o porquê disso.

— Nós não temos nada para dizer um ao outro. E, mesmo que tivéssemos, eu não ia querer fazer isso no banheiro de um bar!

— Onde, então? — Ele empinou o queixo teimoso. — Onde nós podemos conversar?

— Em lugar nenhum!

— Então vai ter que ser aqui mesmo.

Ouvi a porta do banheiro bater, e depois apenas o som de minha respiração descompassada. Eu não queria ficar ali com ele. Sua presença me deixava confusa, minha cabeça não trabalhava direito e eu começava a pensar em coisas em que não devia. Sobretudo quando ele olhava para mim daquele jeito, como se estivesse com fome. Muita, muita fome.

— Eu contei aos meus pais sobre a gente — ele disse.

— Por quê?

Ele deu de ombros.

— Estou cansado de mentiras. Contei que você nunca foi minha cuidadora, que nós mentimos pra sua... sua mãe, e que acabamos nos envolvendo de verdade. Gastei saliva à toa. Eles já sabiam.

— O *quê*? Como?

— Eles sacaram tudo quando nos viram juntos. E me conhecem bem. Perceberam que eu estou apaixonado por você.

Ah, meu Deus do céu, exatamente como a minha mãe. Parece que eu e ele andamos fazendo papel de bobos nesta hist...

Espera.

— Você não estava apaixonado por mim! — Encarei-o com raiva.

— Estava sim, Júlia. — Ele travou os olhos nos meus. — E ainda estou.

— Me deixa sair. — Porque, se ele ia começar a dizer aquele tipo de coisa, eu ia... eu ia... eu não tinha a menor ideia.

— Eu não transei com a Sandrinha — ele começou, parecendo exausto. — Eu quis que você pensasse isso, mas não fiquei com ela.

— Tá. Agora você pode fazer o favor de abrir a porta?

Ele sacudiu a cabeça e continuou bloqueando a passagem.

— Eu já fiquei com ela muitas vezes, mas não naquele dia. Não depois que eu me envolvi com você.

— Não faz isso, Marcus. — Passei os braços ao redor do corpo. — Não me insulte desse jeito.

— Estou falando a verdade. Eu quis que você pensasse que eu tinha transado com ela, que eu não levava a sério o que nós dois tínhamos, mas isso não é verdade. Bom, não no que se refere à Sandrinha ou a qualquer outra mulher. Ela se sujou a caminho da academia. Passou para pegar uma camiseta limpa emprestada. Aí você apareceu e eu deixei que pensasse que tinha rolado alguma coisa. Mas, desde que eu me envolvi com você, nunca mais toquei em outra mulher.

Claro.

— Posso ir embora agora?

— Não, porque você não está me escutando! — Ele socou a lateral do reservado, que vibrou. — Eu tive motivos para fazer o que fiz. Eu queria que você ficasse com raiva de mim. Queria que você me deixasse para que eu não tivesse que te deixar. Eu... — Ele esfregou o rosto. — Cacete, eu nunca teria conseguido fazer isso.

Seu olhar parecia franco. E devastado também. Olhando para ele agora, parecia impossível imaginar que ele mentia. E meu coração tolo começou a sussurrar que talvez ele estivesse sendo sincero. Mas era por causa dele, do meu coração idiota, que eu havia me metido naquela confusão. E Marcus mesmo me disse mais de uma vez que mentir era fácil.

Por isso, antes que meu coração vencesse a batalha com meu cérebro, tratei de me mandar dali. Eu me esquivei dele, jogando o corpo pelo lado esquerdo para alcançar a tranca da porta. Antes que meus dedos fizessem contato, porém, as mãos de Marcus rodearam minha cintura, me restringindo.

— Que inferno, Júlia! Por que você tem que ser tão teimosa?

— Por que você tem que ser tão canalha? — Lutei com ele, praticamente subindo em seu colo para alcançar a maldita trava.

— Mas eu não sou mais, cacete! Agora para quieta, ou você vai se machucar e eu não quero isso.

Não lhe dei ouvidos e continuei tentando abrir a porta.

Ouvi-o suspirar, exasperado, e então ele firmou as mãos em meus quadris e eu perdi o equilíbrio. Por causa da posição em que estava, acabei com uma perna sobre cada roda da cadeira.

— Você sente alguma coisa por mim? — sua voz mal passava de um sussurro.

— Ah, eu sinto. Sinto uma vontade louca de te socar! — Fechei a mão em punho e acertei seu ombro.

Sua boca se curvou naquele meio-sorriso presunçoso.

— Não foi assim que eu te ensinei, Pin.

— Argh!

Eu o soquei de novo. E de novo. E mais uma vez.

— Me solta! — murmurei, esperando que ele não ouvisse o tremor em minha voz.

— Mas, Júlia, eu não estou te segurando. — Seus olhos estavam nos meus, quentes e verdes e intensos e... Meu Deus, onde estava o ar quando mais se precisava dele?

E ele não estava *mesmo* me segurando, o que era realmente muito esquisito, já que eu não conseguia sair de onde estava.

— Eu amo você, Pin — ele disse, o rosto tão franco que quase cometi o erro de acreditar.

— Pois eu odeio você! — Soquei seu peito.

— Eu sei. Mas eu amo você. Não posso evitar.

— Por que você continua me dizendo... — Eu me interrompi quando aquele olhar que parecia lançar faíscas para dentro de mim se fixou em minha boca. Marcus inclinou a cabeça em minha direção. — Não se atrev...

Mas era tarde, e o beijo me pegou de guarda baixa. Eu o soquei algumas vezes, então o segurei pela gola da camisa e o afastei, encarando-o com raiva, meu peito subindo e descendo rápido demais, a boca formigando.

— Eu odeio você! — gritei.

— Eu sei.

— Odeio muito!

— Eu sei, Pin. — Com delicadeza, ele afastou alguns fios de cabelo que me caíram nos olhos.

E aquele toque, tão inocente, mas ao mesmo tempo tão carinhoso e atencioso, fez tudo dentro de mim arrebentar. Saudade, frustração, tesão, raiva, medo, euforia, loucura. A paixão em sua mais crua essência.

Com um gemido quase brutal, vindo de algum canto dentro de mim, eu o puxei pela camiseta até sua boca colar na minha. Marcus também gemeu, um dos braços rodeando minha cintura sem hesitar, a mão livre envolvendo e apertando minha coxa. Soltei sua roupa apenas para enroscar os dedos em seus cabelos, me abraçando a ele com as pernas, trazendo-o para mais perto, porque ainda não estávamos juntos o suficiente. Nunca seria suficiente.

Marcus parecia sentir a mesma coisa, pois suas mãos estavam por toda parte: em minhas coxas, em minha bunda, em meus seios. Seu polegar roçou meu mamilo, causando uma onda de prazer tão grande que eu arqueei as costas. Seus lábios se abriram sobre a minha garganta, a lateral do pescoço, a língua traçando os contornos da minha orelha. Eu me agarrei a seus cabelos com ainda mais força quando ele levantou minha blusa e beijou a carne exposta, rente ao tecido do sutiã. Depois, sua língua fez o mesmo trajeto. Seus dedos calejados me tocaram ali, empurrando a seda até libertar meu mamilo intumescido. Seus lábios quentes e úmidos se fecharam sobre ele e eu gemi alto, perdendo o pouco de sanidade que ainda me restava.

— Eu amo você — ele disse contra minha pele.

Ele podia ter dito tanta coisa naquele instante. Eu teria aceitado qualquer coisa. Qualquer que fosse, menos mais uma de suas mentiras. Foi como despertar de um sonho bom e cair na dura e gélida realidade.

Essa coisa de amor só acontece naqueles filmes idiotas que a sua tia assiste. Na vida real a coisa é bem diferente, sua voz ecoou em minha cabeça.

Pulei do colo dele, as pernas instáveis, cambaleando até bater o joelho no vaso sanitário. Ele me fitou sem entender, o rosto obscurecido pelo desejo, o olhar inflamado descendo por meu corpo. Tarde demais, me dei conta de que estava completamente exposta da cintura para cima, os seios à mostra. Abaixei a blusa de qualquer jeito, o rosto em chamas por tantos motivos.

— Me deixa sair, Marcus. — Passei o braço ao redor da cintura, para tentar deter o tremor e a exigência de meu corpo para que eu voltasse aonde estava três segundos antes.

— Júlia, por favor. Eu tenho muito para te explicar. Prometo que não vou mais tocar em você.

— Eu não tenho nada para falar com você. E seria completamente maluca se acreditasse em qualquer coisa que você diz. Agora me deixa sair daqui, droga!

Ele correu a mão pelos cabelos, xingando baixo. Com um gesto brusco, fez a cadeira ficar de lado e soltou o trinco da porta.

— Eu não vou desistir de você — ele disse quando passei.

— Fica longe de mim.

— Se eu pudesse, ficaria, Júlia. É isso que você ainda não entendeu. — Ele soltou o ar com força. — Eu não vou desistir de você. E uma hora dessas você vai ouvir a razão e me escutar.

Minhas mãos estavam tremendo quando abri a porta do banheiro e saí. Colidi em cheio com uma garota. Sua bebida ensopou minhas roupas.

— Que droga. Não olha por onde... Você! Você acabou com a minha vida e com a minha bebida — Samantha cuspiu. Seu olhar embriagado deslizou por meu corpo, e ela franziu a testa. — De que inferno você saiu?

Uma porta bateu. Virei a cabeça a tempo de ver Marcus deixar o banheiro, todo desalinhado, seu olhar imediatamente travado no meu.

— Não tenho tempo para isso agora, Samantha — eu disse a ela, que olhou para Marcus, para mim, e então a fúria reluziu em seu olhar. Parece que as mentiras de Marcus não acabariam nunca.

— Júlia — chamou ele, alheio à garota que parecia prestes a explodir feito uma granada.

Saí correndo, me desviando dos clientes do bar e das mesas, até chegar à varanda.

— Você demorou tanto, florzinha, que eu achei que... — começou Dênis.

— Temos que ir embora — atalhei, sem fôlego.

— Mas por quê? Você nem encostou no seu... — Ele me examinou. — O que aconteceu? Por que você está toda descabelada, como se tivesse acabado de...

Sacudi a cabeça, incapaz de falar qualquer coisa. Enfiei a mão no bolso do jeans e deixei duas notas na mesa.

— Podemos ir pra casa? Por favor!

Dênis ficou de pé.

— Claro.

Ele liderou o caminho, mas se deteve ao chegar ao fim da varanda. Marcus, parecendo muito perigoso — e, Deus do céu, lindo —, encarava meu amigo como se ele fosse sua próxima refeição. E Dênis retribuiu o olhar, piorando tudo.

— Vamos, Dênis. — Puxei seu braço e tive de arrastá-lo para fora.

Consegui esperar que dobrássemos a esquina antes de ceder ao choro. Dênis me amparou, me abraçando com força.

— O que foi que ele disse, Júlia? — perguntou, em um tom sombrio.

— Que me ama, Dênis — solucei, enterrando a cabeça em seu peito. — Ele disse que me ama, e o meu coração estúpido quase acreditou.

— Ah, florzinha... — Ele me apertou mais forte. — Você vai ficar muito chateada comigo se eu disser que acredito nele?

Eu me desprendi do meu amigo, secando o rosto.

— Não me olha assim — ele se apressou. — Eu já disse que tem alguma coisa esquisita nisso.

— E tem! Eu me deixei seduzir por um canalha!

Voltei a andar. Dênis me acompanhou calado por alguns instantes, mas me media pelo canto do olho, os lábios pressionados, como que para mantê-los fechados.

Soltei o ar com força, irritada.

— Pergunta logo, Dênis.

— Você transou com o Marcus no banheiro daquele bar?

— Não! — Esfreguei as costas da mão no nariz. — Tá. Quase.

— Meu Deus, Júlia. — Ele exibiu os dentes brancos, perfeitamente alinhados.

— Eu sei! Podemos não falar sobre isso agora?

— Mas é *claro* que não! Você não é assim!

— Com ele eu sou, Dênis! E eu odeio isso!

— Claro que odeia. — Ele passou o braço sobre meus ombros. — E uma hora dessas vai perceber quanto.

E uma hora dessas você vai ouvir a razão e me escutar.

Eu amo você, Pin.

Eu tinha de manter Marcus longe de mim. Tinha de evitá-lo a qualquer custo. Do contrário, corria o risco de ser ainda mais estúpida e acabar acreditando nele. Só havia uma maneira de conseguir me afastar.

Peguei o celular no bolso e abri minha agenda.

— O que você pretende fazer? — meu amigo quis saber.

— Acabar com isso de uma vez.

— Alô? — veio a voz grave do outro lado da linha.

— Américo, oi. É a Júlia. Desculpa, eu sei que é tarde, mas...

— Pelo amor de tudo que é mais sagrado, me diz que não é um bug no site.

— Não! É que eu fiquei de dar a resposta sobre a Alemanha. Eu mudei de ideia. — Inspirei fundo, sob o olhar abismado de Dênis. — Eu aceito. Eu vou para Munique.

60
Marcus

Acompanhei com o olhar Júlia e o maldito Dênis desaparecerem na rua de mãos dadas.

Se ela achava, ainda que por um momento, que estar com aquele cara me faria recuar, era melhor pensar direito. Não havia nada que me detivesse. A vida se encarregara de me tirar tanta coisa, mas dessa vez eu não ia permitir. Eu a queria de volta, e faria de tudo para ser bem-sucedido. Ela não poderia fugir para sempre. E sua resposta corporal dentro daquele banheiro me disse muito mais do que ela queria ter deixado transparecer.

Ela me odiava, com toda a razão. E odiava ainda mais o fato de seu corpo parecer discordar disso.

Diabos, seria uma longa batalha fazer aquela mulher parar para me escutar e acreditar em mim.

— E então? — Max perguntou assim que voltei para nossa mesa. — Falou com ela?

— Parece que foi uma conversa boa — Breno acrescentou, malicioso.

— *Muito* boa! — enfatizou Paulo, um dos amigos mais antigos do meu irmão.

— Ele fez muito mais que falar. Olha o estado dele. — Nicolas bebericou seu chope, os olhos na gola amassada de minha camiseta.

— Ela não quis me ouvir. Ela me odeia — falei, cansado. — Não acredita em nada do que eu digo.

— Ah, cara. — Nicolas estalou a língua.

Meu irmão me encarou, muito sério.

— Nem precisa se dar o trabalho de dizer nada, Max. — Peguei minha caneca. — Já sei que eu fui um idiota...

— *Grande* idiota — ressaltou.

— ... que fiz tudo errado e blá-blá-blá. Pode acreditar, eu sei de tudo isso.
— Como você pretende convencê-la a mudar de ideia? — Paulo quis saber.
Tomei um longo gole de chope.
— Eu vou ter sorte se conseguir fazer com que ela fique no mesmo ambiente que eu, Paulo. Ela não quer me escutar. E eu não sei o que fazer agora. Só sei que não vou desistir dela.
Meu irmão esfregou o polegar na sobrancelha, tentando conter o riso.
— Por que diabos você está sorrindo? — exigi saber.
Ele fixou os olhos nos meus, a diversão aumentando exponencialmente.
— Desculpa, Marcus, mas te ver assim é reconfortante.
— Vá se ferrar, Max.
— Estou falando sério. Você andou tão deprimido que eu cheguei a pensar que... bom... você sabe — ele disse. É, eu sabia. Ele pensou que eu estivesse tão desiludido que desistiria de tudo. — Por isso é um alívio te ver assim. Você despertou.
— É, eu despertei. E quero recuperar o tempo perdido. E isso inclui ter a Júlia na minha vida outra vez. Estou aceitando sugestões de como conseguir esse feito.
Ele deu risada.
— Vamos pedir alguma coisa. Você não pensa direito de barriga vazia.
— Excelente sugestão. — Breno ergueu a mão, chamando o garçom.
Pedimos alguns aperitivos e mais bebidas. Quando ficamos sozinhos, meu primo se virou para mim.
— Me conta em que pé anda o seu relacionamento com ela — ele quis saber.
— Nick, sem ofensas, mas você entende tanto desse lance de relacionamento quanto um peixinho dourado.
Ele deliberou por um momento.
— É verdade. Mas também sei que fazer uma mulher acreditar que foi traída é um caso sem volta.
Revirei os olhos, rebatendo a vontade de socar alguma coisa. Ele, basicamente.
— Numa escala de zero a dez, meu relacionamento com ela agora é de menos dois — acabei confessando.
Ele me analisou com um sorriso besta na cara.
— Suas roupas não dizem isso. Você a beijou ou ela te bateu?
— As duas coisas. Ela me bateu, depois me beijou.
— Falou com ela sobre as suas motivações? — Max questionou. — O que te fez agir como um grande babaca. Você contou para ela?
— Max, ela não quer nem olhar para mim, quanto mais me ouvir por trinta segundos. Eu mal consegui dizer que gosto dela.

— Ela falou alguma coisa sobre o cara da joalheria?
Eu sabia que conhecia o Dênis de algum lugar. Diabos! E não podia acreditar que eu tinha deixado aquele cara me ajudar a escolher o anel para Júlia. Eu queria muito, muito mesmo socar alguma coisa.
— Ela não disse uma palavra sobre ele — contei. — Eu a arrastei para dentro do banheiro e tentei fazer com que ela me ouvisse.
— E então ela te bateu? — Paulo se intrometeu.
— Pois é.
— E depois te beijou? — Breno estreitou os olhos.
— Pelo seu estado, foi um beijo e tanto. — Nicolas riu.
— É. Eu já disse que foi assim, cacete. Por que vocês não vão pro inferno?
Os quatro se entreolharam.
— Ela está pensando demais. — Max abanou a cabeça.
— E muito furiosa porque ainda se sente atraída pelo Marcus — concordou Breno.
— Exatamente! — Paulo pegou um pastelzinho e o jogou na boca.
— Você só precisa fazer com que ela pare de pensar tanto. — Nick fixou os olhos azuis na minha camiseta, sorrindo. — E, pelo visto, você sabe como fazer isso.
Ah.
Eu poderia fazer isso? Usar a atração que ela sentia por mim a meu favor, para fazê-la realmente me ouvir?
Diabos, claro que sim!
Ela havia dito que me odiava, mas aquele beijo a desmentira. Em parte, pelo menos. Ela ainda sentia alguma coisa, e eu me agarraria a isso com unhas e dentes. Se eu conseguisse o milagre de fazê-la me ouvir e me perdoar, não voltaria a ser um grande idiota outra vez. Não de propósito, pelo menos.
Max abriu a boca para dizer alguma coisa, mas seu celular tocou. Por seu sorriso bobo ao relancear a tela, devia ser Alicia.
— Oi. Como foi a reunião? — meu irmão quis saber. Ele ouviu por alguns segundos antes de bufar. — Isso é mesmo necessário, Alicia? Nós já nos casamos uma vez e não fizemos ensaio nenhum. Certo, tudo bem. Que seja. — Ele esfregou a testa, o olhar subitamente preocupado procurando o meu.
Ah, cara, o que era agora?
— Quando foi isso? — ele perguntou à noiva. Fechou os olhos, a boca apertada até se tornar uma linha pálida ao sacudir a cabeça de leve. — Tudo bem. Eu faço isso. Até daqui a pouco.

Ele desligou, colocando o telefone ao lado da caneca de chope. Cruzou as mãos sobre a mesa, olhou para mim, para o tampo, para suas mãos, de volta para mim.

— Pelo amor de Deus, Max, desembucha logo. — Peguei meu chope e tomei um grande gole. Pressentia que ia precisar de muito daquilo em alguns instantes.

— Você vai acabar sabendo de todo jeito, e acho melhor que saiba por mim. É sobre... a Júlia.

Larguei a caneca no mesmo instante.

— Me diz que a armação toda da tal Samantha não respingou na reputação dela, porque ela é inocente. Eu acompanhei tudo bem de perto. A Júlia deu o sangue pelo site, pela empresa, e não é justo que ela seja...

— Indicada para chefiar a L&L em Munique — ele interrompeu.

— Puta que pariu — soltou Nicolas.

— Merda. — Paulo pousou a metade do pastel no prato.

— Caraaaaalho... — Breno deixou escapar.

— O quê? — perguntei. Eu devia ter ouvido errado. Júlia não podia estar indo embora para a Europa.

— E ela aceitou, Marcus — meu irmão continuou, o rosto impassível. — Tinha recusado no começo, mas mudou de ideia.

— O *quê*? — Júlia estava indo embora para a Europa?

— Ela ligou para o Américo não faz nem dez minutos. A Alicia disse que a Júlia se muda para a Alemanha em algumas semanas. Alguma coisa a fez... reconsiderar.

Não. Não alguma coisa. *Eu* a tinha feito reconsiderar.

Eu devia saber. Devia ter imaginado que pressioná-la não era a melhor saída. Fui burro o bastante para acreditar que poderia fazê-la me dar ouvidos, e tudo o que consegui foi colocá-la ainda mais fora do meu alcance.

Meu peito começou a latejar.

— O que você vai fazer? — Breno questionou, sério.

O quê, de fato?

Eu poderia lutar por ela. Poderia tentar fazê-la me ouvir e, com sorte, me perdoar. Podia tentar fazê-la mudar de ideia de novo.

Mas não ia.

— Nada. Não vou fazer nada. — Júlia havia me contado que seu grande sonho era ser o próximo Américo. Pareceu desconfortável ao dizer isso, como se estivesse sendo tola. E agora a chance caía em seu colo. Eu entendia tudo sobre sonhar alto e como era doloroso ver seus sonhos se dissolverem feito fumaça.

— Nada? — meu primo perguntou, descrente. — Você vai desistir dela assim? Balancei a cabeça.

— A Júlia sonha com uma chance dessas desde que se formou. Não posso e não vou tentar impedir que o grande sonho dela se realize. Pelo menos um de nós vai continuar sonhando. — Peguei minha caneca e a esvaziei.

— Que foda, cara... — Paulo sacudiu a cabeça.

— Vou pegar mais bebida pra gente. — Max se levantou e pousou a mão em meu ombro, apertando-o de leve ao passar por mim.

É, boa ideia. Eu ia mesmo precisar.

61
Júlia

Algumas vezes, tudo o que se precisa é de uma grande mudança, algo totalmente novo, que faça você tremer só de pensar no que o futuro lhe reserva. Porque eu sabia o que o presente havia me reservado, e não estava nada satisfeita.

O beijo no banheiro me disse duas coisas: a) eu não havia esquecido Marcus coisa nenhuma, e b) eu acabaria caindo na lábia dele, mesmo que relutasse.

Então, ir para Munique era a coisa certa a fazer. Eu repetia isso dezoito vezes por dia desde que aceitara a proposta, tentando me convencer de que não estava cometendo um grande erro.

Minha mãe ficou eufórica com a novidade, embora tenha chorado às escondidas em seu quarto, quando pensou que eu estivesse dormindo. O novo coração dela estava aguentando firme, e os medicamentos o deixaram estável. Depois de uma longa conversa com o dr. Victor — que agora nos visitava todas as noites; eu ainda não sabia o que pensar sobre isso —, em que ele me garantiu que as chances de uma complicação eram muito pequenas àquela altura, acreditei que ela poderia viver sem que eu estivesse por perto. Como eu iria viver sem ela era outra história, mas eu descobriria.

Dênis não chorou, mas o sentimento agridoce da separação iminente pairava entre nós. Eu não sabia como viveria sem ele também. Amaya ficara animada com a notícia, a ponto de planejar uma festa de despedida para meu último dia na L&L. Até Ivan estava contente.

Todo mundo estava feliz. Exceto eu, mas isso não significava nada. Apenas dizia que eu precisava de um pouco mais de tempo para entender como aquilo era bom. Era ótimo! Era maravilhoso! Era...

Aterrorizante.

Sim, aquela era a chance da minha vida, mas, caramba, a Europa era longe demais do mundinho que eu amava e ao qual pertencia. É claro que eu estava assustada, mas tentava bravamente esconder isso. Sobretudo de minha mãe. Às vezes eu a enganava. Mas só de vez em quando.

O tempo então foi passando depressa. Entre acertar os documentos necessários para a mudança e me inteirar sobre os problemas da filial da Alemanha, eu me vi às portas de embarcar para a Europa.

Naquela noite de sexta-feira, Dênis e eu seguíamos para a tal festa de despedida que May havia organizado. Minha mãe foi proibida pelo dr. Victor de participar, pois haveria muita gente e ela ainda precisava manter certa distância de vírus e bactérias, de modo que Magda e ela decidiram fazer uma sessão de carteado, com dona Inês e o próprio dr. Victor como parceiros.

O bar em formato de oca indígena estava cheio, mas, naturalmente, a maioria era de frequentadores do lugar. No entanto, eu conhecia umas vinte pessoas ali, e fiquei feliz que elas tivessem comparecido a minha despedida. Amaya era a dona da festa, pedindo porções e bebidas e discutindo com o barman por não ter nenhum drinque que pegasse fogo.

— Eu queria tanto que você tomasse um desses! — Ela retorceu os lábios em um biquinho.

— Eu não ligo, May. Pode ser qualquer coisa.

— Mas você tinha que tomar um desses. É tão divertido.

Eu a abracei com força.

— Obrigada pela festa, May. Estou adorando.

— Vou sentir sua falta, Ju. Não demora para mandar notícias, tá?

— Vamos continuar nos falando todos os dias. Prometo.

Todos do setor de TI apareceram, até Américo e seu Hector, para minha surpresa. Alicia e Max também estavam presentes, mesmo que o casamento deles fosse ocorrer dali a três dias. Paulo, é claro, estava todo animado tomando umas e outras, e acompanhava May com olhos apaixonados.

Mas o que me surpreendeu foi ver Marcus ali. Ele se manteve meio à margem das conversas e passou o tempo todo me observando. Falei com todo mundo, recebi votos de sucesso e sorte de todos, colando meu sorriso mais corajoso no rosto, enquanto Dênis se socializava com facilidade. Mantive Marcus em meu radar, sempre conservando uma distância segura, pois a última coisa que eu queria era falar com ele. Não tive alternativa, no entanto, quando o vi se aproximar de minha mesa lá pelas tantas da noite. Ivan judiava do karaokê, com a ajuda de Dênis.

— E aí? — Marcus tomou um gole de sua bebida. — Preparada para a grande mudança?

— Estou.

— Dizem que Munique é bem gelada no inverno. Leve uns agasalhos.

— Vou levar. — Mantive o olhar na dupla ao microfone. Não queria ver o que ele vestia, como a roupa lhe caía bem, como seus olhos de turmalina reluziam à meia-luz do barzinho. Não queria mais lembranças. As que eu já tinha me perseguiriam para onde quer que eu fosse.

— Você está feliz, Júlia? — ele quis saber.

— Estou tendo a oportunidade dos sonhos de qualquer profissional de TI.

— Não foi isso o que eu perguntei.

– Claro que estou feliz. — Ou quase.

— E como é que ele fica?

— Ele quem? — Cometi o erro de olhar para Marcus.

Ele vestia a mesma camiseta preta do nosso primeiro encontro. Os cabelos estavam arrumados, mas um pouco compridos demais, de modo que se curvavam de leve nas pontas. Uma mecha lhe caía sobre o olho esquerdo. A barba curta escurecia seu queixo, fazendo as íris verdes parecerem duas estrelas. Droga, por que ele tinha que ser tão bonito?

— O Dênis — apontou para meu amigo com a cabeça.

— Bom, acho que as coisas ficam como estão agora. Só vai existir um oceano entre nós, e uma saudade de igual tamanho.

Ele assentiu, olhando em volta.

— Eu te trouxe uma coisa. — Ele puxou uma caixinha de CD sob a coxa direita e me entregou. — Espero que te ajude a passar o tempo quando se sentir sozinha. Ninguém viu ainda. Eu queria que você fosse a primeira, porque... Bom, você vai entender.

Era impressão minha ou ele ficou vermelho?

— O que tem aí? — perguntei, desconfiada.

— Meus dois maiores sonhos. — Seu olhar encontrou o meu, e havia tanta intensidade nele que minha respiração ficou presa na garganta.

Eu não fazia a menor ideia do que ele estava falando, mas aceitei, com os dedos trêmulos, o que me oferecia. Torci para que ele não tivesse notado a maneira como a caixinha sambava na minha mão.

— Bem, é isso. — Ele soltou o ar com força. — Boa viagem, Júlia.

— Obrigada. Boa... boa sorte com sua vida, Marcus.

Ele me encarou por um instante antes de começar a se afastar. Meu coração batia ensandecido, sobrepondo-se ao ritmo da música que Ivan e Dênis uivavam.

Era isso. O derradeiro encerramento. A partir daquele instante eu estaria livre para seguir em frente. Então, por que eu não me sentia livre? Por que me doía fisicamente vê-lo ir embora?

Enquanto eu lutava para me manter na cadeira, Marcus se deteve. Eu o vi fazer a volta e em um piscar de olhos ele estava diante de mim outra vez.

— Só quero te dizer mais uma coisa — começou, a ansiedade e... algo que eu não consegui identificar o torturando. — Só existiu você, Júlia. Para mim, só existiu você.

— Uma pena que eu não tenha bastado, não é? — me ouvi dizer.

Ele sacudiu a cabeça, um sorriso de partir o coração curvando um dos cantos da boca.

— Você teria me satisfeito por uma vida inteira. Dez vidas. Cem delas, Júlia. Eu sei que você não acredita em mim e não posso culpá-la, mas eu precisava dizer. Nunca houve mais ninguém para mim. Apenas você. O que tem aqui dentro é seu. — Colocou a mão sobre o peito. — E vai continuar sendo, não importa para onde você vá.

Uma parte minha estava louca para pular no colo dele e enterrar a cabeça em seu pescoço, se embriagar com seu perfume. A outra, a sensata, não estava certa do que devia fazer.

Ele se afastou, falou brevemente com o irmão e deixou o bar. Meu coração estúpido queria acreditar nele. Queria tanto que ameaçava estourar. Minha cabeça, no entanto, gritava para que eu não lhe desse ouvidos. Marcus era um tremendo mentiroso, eu sempre soube disso.

— Júlia, nós não podemos ficar. Temos o ensaio do casamento em uma hora. — Alicia surgiu do nada, recostando os cotovelos no balcão logo atrás. — O Marcus já foi? — Ela deu uma olhada em volta.

— Já.

— Ah. Pensei que ele fosse ficar um pouco mais. Sabe, ele quase não tem saído. Não que eu possa culpá-lo. Eu também perderia a cabeça se recebesse as notícias que ele recebeu. — Levou a garrafa de cerveja à boca.

— Que... que notícias?

Ela deu de ombros.

— Você sabe, sobre os exames. Foi muito duro para ele ouvir que não vai voltar a andar. Essa nunca foi uma possibilidade para ele. O Marcus sempre teve tanta confiança... Foi duro. Para todo mundo.

— Ele não vai voltar a andar? — Meu coração se apertou até ficar do tamanho de uma semente de uva. Ah, Marcus...

— É irreversível, Júlia.

Irreversível.

Fechei os olhos, sentindo uma dor profunda. Ele devia ter ficado arrasado.

— Ele pirou, claro — Alicia disse, confirmando minhas suspeitas. — Estava tão certo de que conseguiria recuperar o movimento das pernas que não soube lidar com a situação.

— Eu sinto muito, Alicia. Por ele. Eu sei como ele queria isso.

— Ele está superando. Aos poucos vai perceber que a vida pode ser tão boa quanto antes, só precisa de ajustes. Ele tem melhorado muito nas últimas semanas.

Semanas?

— Quando... quando ele recebeu a notícia?

— Deixa eu ver... Tem uns... dois meses. É, faz dois meses. Não, espera... — Ela mirou seus olhos azuis em mim. — Quanto tempo faz que vocês quase se afogaram? Já tem uns três meses, não tem?

— O Marcus soube que não voltaria a andar naquele dia?

Ela fez que sim.

A consulta acontecera naquele dia horrendo em que quase nos afogamos? Foi por isso que Marcus havia perdido o juízo?

Meu Deus! Agora tudo fazia sentido. Por isso ele tinha ficado tão furioso. Não era com Max, mas com a vida. Por isso ele queria ficar sozinho, por isso me pareceu tão perdido. Não me admirava que estivesse tão transtornado.

Sendo franca, me magoou saber que ele passara por tudo aquilo sozinho, sem me dizer uma única palavra. Ele nem mesmo me considerara uma amiga. Tínhamos passado a noite toda juntos, ele podia ter me contado. Ou no dia seguinte, antes de... antes de eu flagrá-lo...

Espere um momento.

Eu não transei com a Sandrinha. Sua voz reverberou em minha cabeça. *Eu quis que você pensasse isso, mas não fiquei com ela.*

Tenho certeza de que Alicia foi capaz de ouvir as engrenagens do meu cérebro girando, uma coisa se encaixando na outra, e por fim o estalo de clareza.

— Meu Deus do céu!

— Eu sabia que você ia entender. — Ela sorriu de leve e se afastou. Instantes depois, ela e Max deixavam o bar.

Eu não podia acreditar em como havia sido idiota. Claro que, sem todas as informações, ficava complicado deduzir tudo sozinha, mas mesmo assim. Tudo estava lá: o comportamento de Marcus, a maneira distante, sua tristeza. Eu devia ter percebido. Em vez disso, deixei que meu orgulho e minha insegurança levassem a melhor e enevoassem o problema central.

Às vezes ele se abria e eu o via de verdade. Ele tinha uma imagem distorcida de si mesmo. Se achava menos importante por ter perdido o movimento das pernas. Até me disse, uma vez, que era meio homem.

E se ele não tivesse mentido? E se tivesse usado mesmo aquela garota para me afastar? E se ele tentou fazer a mesma coisa que minha mãe, quando soube da proposta de Munique? Talvez ele não tenha realmente me abandonado, só me deixou ir embora. E se ele... e se ele realmente...

Só existiu você para mim.

Disparei porta afora, quase atropelando um homem barbado que entrava no bar. Observei a rua, vasculhando cada pedacinho dela em busca do vislumbre prateado de seu Honda. Nada. Não havia nada. Ele já tinha ido embora.

— Droga.

A porta se abriu, e Dênis e Amaya passaram por ela.

— O que foi, florzinha? — ele se apressou. — Por que você saiu correndo como se o bar estivesse pegando fogo?

— Não dá tempo de explicar. May, eu preciso saber onde vai ser o ensaio do casamento da Alicia.

— Eu estou indo pra lá daqui a pouco. Mas por quê?

Eu não podia ir para Munique sem saber a verdade.

Eu tinha que falar com ele.

62
Marcus

Por que as flores precisam ter cheiro de flor?, eu me perguntava, irritado. Inferno. Dava para sentir o perfume delas mesmo ali na sacristia.

— Certo. Estão todos aqui? — Melissa perguntou, verificando sua prancheta.

— Só faltam o Nicolas e a Amaya. Eles devem chegar logo — Max respondeu.

— Muito bem. Então vamos começar. Já definiram quem vai levar a Alicia até o altar?

Alicia, que falava com Mari e Breno, fez que sim.

— Acho que meu avô ficaria muito feliz se o seu Julius me levasse.

Meu velho sorriu para ela, os olhos marejados.

— Vai ser uma honra, querida.

— Certo — Mel fez uma anotação na prancheta. — O Max deve entrar com a Mirna e...

Um alvoroço na porta de entrada a deteve. Nicolas, ligeiramente trôpego, riu.

— Foi mal, pessoal. Podem continuar.

Os olhos de Melissa se estreitaram em sua direção.

— Você veio ao ensaio bêbado?

— Já estou ensaiando para a festa também — ele piscou para ela. — Só vim dar apoio moral para o noivo.

Ela bufou.

Max, alheio a tudo isso, correu os dedos pelos cabelos e soltou o ar com força, como se se preparasse para entrar em uma competição! Tive que lutar para não rir.

— Vocês já fizeram isso antes — eu disse a ele. — Quer relaxar? Está deixando a mãe nervosa.

— Fico preocupado que alguma coisa dê errado.

— Não vai dar nada errado. Estou no comando — Melissa articulou, sem tirar os olhos da prancheta, em que fazia mais anotações.

— É. E eu estou aqui — Alicia disse. — O que pode dar errado?

Meu irmão revirou os olhos.

— Prefiro não pensar no que pode acontecer quando você está envolvida, Alicia.

— Para de bancar a mocinha ansiosa e arruma esse cabelo — zombei. — Você devia cortar para o casamento.

— Por quê? Está ruim? — Correu os dedos pelas mechas.

— Horrível.

— De dar pena — Nicolas ajudou.

— Está perfeito. Do jeito que eu gosto. — Alicia enfiou as mãos nos fios loiros, prendendo os dedos. Meu irmão abriu o sorriso mais branco de toda a história e lhe roubou um beijo.

Dei risada novamente. Meu irmão era sempre tão firme e decidido. Mas bastava olhar para ele agora para ficar com pena do pobre coitado. Por que os homens davam tanto poder às mulheres, eu não fazia ideia. Eu só sabia que não era saudável, sobretudo para o homem. Quando alguém se depara com o perigo, é prudente ser cauteloso e se manter a uma distância segura. Mas, se o perigo usar saia, bom, é um caso perdido. O cérebro entra em curto e deixa de funcionar, e então o cara é guiado por outro órgão. Um que mais parece uma besta sempre faminta. E em algum momento impossível de se precisar a besta faminta faz aquela ligação sinistra com o peito, o monstro se torna ainda mais voraz e implacável. É quando a guerra acaba e o idiota se perde para sempre. Max era um idiota perdido para sempre, assim como nosso pai, e os dois estavam mais do que contentes com isso.

Eu também era um idiota perdido para sempre. A diferença é que eu não tinha Júlia a meu lado para acalmar o monstro que lutava dentro do meu peito para escapar, arranhando e dilacerando tudo o que encontrava no caminho.

Eu deveria estar contente por ela finalmente se envolver com um homem que poderia lhe dar o que ela precisava, que a faria feliz, sem restrições. E em parte eu estava. O problema é que metade de mim queria arrebentar a cara daquele Dênis, simplesmente por ser quem ela precisava.

Pelo menos ela iria embora sabendo que havia sido muito mais que um caso para mim. Mesmo que ela não acreditasse, mesmo que não me escutasse, eu tinha dito, e isso trazia um pouco de paz ao meu coração. Talvez, em algum tempo

— e com a ajuda do CD, caso ela se desse o trabalho de um dia executá-lo — ela não pensasse mais em mim com tanta raiva.

Melissa começou a disparar ordens, me trazendo de volta para a igreja. A garota usava roupas pretas, sóbrias, combinando com seu rosto. Flagrei Nicolas olhando para ela especulativamente.

— Estão prontos? — a moça perguntou.

Max fez que sim uma vez. Movimentou a cabeça para os lados, estalando o pescoço como se estivesse pronto para entrar num ringue.

— Bem, vou voltar para o meu canto, então — disse Nicolas, mas ele ainda mantinha os olhos presos na garota com a prancheta.

Ele e Breno se acomodaram em um banco enquanto o restante de nós seguíamos Melissa até o fundo da igreja. Eu me posicionei ao lado de Mari, mas uma movimentação na lateral me fez girar a cabeça. Uma garota acenava.

— Preciso falar com você! — ela sibilou.

Franzi a testa, olhando para trás. Não havia ninguém.

— Você mesmo, Marcus! — ela fez com os lábios.

Eu já a vira. Onde tinha sido mesmo?

— É sobre a Júlia! — adicionou.

No pub. Eu a vira falando com Júlia no pub.

— Humm... Mari, eu preciso de um minuto.

— Agora, Marcus? O ensaio já vai começar!

Eu sabia. Mas, se Júlia me mandara um recado, devia ter acontecido algo muito sério.

Ou um milagre.

— Não vai levar mais que um minuto.

Deixei Mariana soltando fogo pelas ventas e me adiantei para a pequena capela lateral. A loira se afastou para me dar passagem e fechou a porta que conduzia às outras alas da igreja tão logo passei pelo batente.

— Ainda bem que você veio! Pensei que teria que fazer um escândalo para você me notar.

— O que tem a Júlia? — perguntei, de chofre. Não podia atrapalhar o ensaio, ou Max arrancaria minhas orelhas. Com a ajuda de Mari.

— Você precisa vir comigo. Não há tempo para explicar. — Ela começou a empurrar minha cadeira em direção à porta de saída.

Havia algo estranho nela, em sua expressão. Um pensamento sinistro me ocorreu. Segurei as rodas com força para detê-las.

— O que aconteceu com a Júlia? — exigi saber, enquanto implorava que Deus a protegesse do que quer que fosse.

— Você precisa vir comigo agora!

— Depois que você me disser o que está acontecendo.

A loira respirou fundo, pressionando a ponte do nariz.

— Eu não queria ter que fazer isso. Juro que não.

— Fazer o quê? E quem é você?

Os lábios dela se abriram num sorriso estranho.

Não vi o objeto maciço que me atingiu a nuca, mas senti — e como senti — a pancada e o sangue quente e úmido empapando a camiseta. Meus olhos reviraram nas órbitas, meu corpo desmontou e teria ido direto para o chão se ela não tivesse agarrado meus cabelos e inclinado minha cabeça para trás, abaixando o rosto para que ficasse a centímetros do meu. Seu sorriso se transformara em outra coisa. Uma carranca cruel e assustadora, que fez os pelos de meu corpo se eriçarem.

— Pode me chamar de seu pior pesadelo, meu bem.

63
Júlia

— Preciso mijar — Dênis falou a meu lado, no banco de trás do carro de Amaya.

— Aguenta mais um pouco — resmunguei. — Estamos quase chegando.

— Florzinha, eu estou aguentando já faz vinte minutos. Minha bexiga vai explodir!

Às vezes ele era pior que uma criança.

— É logo depois daquela ponte, Dênis. Segura aí. — Amaya mudou de faixa e acelerou um pouco mais. — Então, você não vai mesmo me contar por que precisa falar com o Marcus assim tão desesperadamente?

Relanceei Paulo, sentado bem a minha frente.

— Eu... te explico depois.

— É, Mayzinha, ela explica depois — Paulo ajudou, como... como se soubesse de alguma coisa. — Só anda logo. Deve ser muito importante.

— E é! — Não que eu esperasse uma reconciliação nem nada. Mas eu precisava entender por que ele achou que, se não ia voltar a andar, tinha que me afastar.

— Ué, por que tem tanta polícia aqui? — Dênis falou, se inclinando para a frente para poder observar melhor. Havia três viaturas paradas no meio da rua, as luzes piscando no teto, tingindo a igreja de vermelho-sangue. Um arrepio subiu por minha coluna. Aquilo não parecia bom. Nada bom.

— Bem, isso não pode ser um bom sinal — Paulo disse, ecoando meus pensamentos.

— Será que a Alicia aprontou alguma? — Amaya perguntou, enquanto manobrava o carro e encostava atrás do de Marcus.

Nós nos apressamos em direção à capela, Dênis olhando para todo lado, como se buscasse pistas, mas eu só queria pôr os olhos em Marcus. Tinha um pressentimento ruim, como no dia em que quase nos afogamos. Podia ser apenas um eco daquilo. Uma lembrança por causa das luzes do carro de polícia, que me fizeram lembrar das ambulâncias.

Logo que botamos os pés na igreja, avistei uma garota passando apressada por entre os bancos. E eu a reconheci de imediato.

— Melissa — chamei, me aproximando. — O que está acontecendo?

— Júlia! Ah, meu Deus, Júlia. — Ela fechou os olhos, os ombros arriados em completo cansaço. Os cabelos em minha nuca ficaram de pé. — Eu estava tentando descobrir o seu telefone. O Marcus está com você?

— Não. Melissa, cadê o Marcus? — Minha voz tremeu.

— Eu não sei. Ninguém sabe. Ele sumiu. Estava aqui, saiu para ir ao banheiro, acho, e desapareceu. Havia... — ela engoliu em seco — sangue na saída lateral da igreja e na cadeira dele...

Ah, meu Deus, por favor, não.

— Ei, respira! — Dênis me amparou quando o mundo começou a oscilar.

— Vou falar com o Max — Paulo se apressou em direção ao aglomerado de cabeças dentro da igreja. Amaya, depois de apertar minha mão, o seguiu.

Em meio ao barulho ensurdecedor de meu pulso, que ressoava nas orelhas, e ao girar atordoante do cenário, avistei uma cabeleira negra. Ele estava sentado um pouco mais afastado da confusão.

— Marcus! — chamei.

Ele se virou.

Era Nicolas.

— Acho que você precisa se sentar, Júlia — Dênis falou ao longe.

Ele me levou até um dos bancos de madeira. Nicolas veio a nosso encontro, se agachando a minha frente, tomando minha mão entre as suas.

— Você teve notícias dele? — perguntou, com delicadeza.

Balancei a cabeça freneticamente.

— Nicolas... o Marcus... — balbuciei. — Você acha que... ele pode...

— Não sei — ele disse, trincando os dentes. — Nós só sabemos que ele não saiu desta igreja por vontade própria.

Os saltos de Melissa repicavam enquanto ela se aproximava do nosso pequeno grupo.

— A polícia quer falar com ela — disse a Dênis.

— E com quem eles não querem? — Nicolas rosnou.

Obriguei-me a ficar de pé e me juntar ao grupo na saída lateral. Dona Mirna estava sentada numa cadeira, o rosto coberto pelas mãos, chorando. Seu Julius, pálido, acariciava suas costas e murmurava alguma coisa ao policial de cabeça raspada. Alicia roía as unhas num canto.

— Não entendo por que nós ainda estamos aqui. — Max andava de um lado para o outro, como um leão enjaulado. — Por que a polícia não está fazendo nada?

— Até onde sabemos, não houve crime — o policial respondeu, calmamente.

— O que você acha que aquelas manchas são? Suco de groselha? — Alicia apontou para as manchas escuras, quase negras, no chão.

Meu estômago revirou.

— Precisamos analisar tudo, senhorita — o policial prosseguiu. — Até onde sabemos, o seu cunhado pode ter se cortado por acidente e tomado um táxi até a farmácia mais próxima.

— Como, se ele é cadeirante? — seu Julius interveio.

— Vou te mostrar o que é se ferir por acidente — Alicia avançou sobre o sujeito.

— Calma. — Max a abraçou pela cintura e a puxou para longe do policial. — Não vai ajudar se você for presa. Vamos encontrá-lo.

— Mas eles só ficam fazendo perguntas, enquanto o Marcus... — Ela lutou para manter o controle.

— Eu sei, Alicia. Eu *sei*! — Max respondeu, o queixo duro.

O policial de cabeça raspada me olhou especulativamente.

— Você é a namorada do Marcus?

Relanceei os pais dele. Eles não demonstraram surpresa. Na verdade, nem sei se chegaram a ouvir.

— Não estamos mais juntos. — Era melhor que tentar explicar. Mais simples.

— Sou o investigador Freitas. Se importa de responder algumas perguntas?

— Tudo bem.

— Tem alguma ideia de onde ele pode ter ido?

— Não.

— Suspeita de alguém que possa querer fazer algum mal a ele? Ajuste de contas? Vingança?

— Não. O Marcus é um cara legal. Nunca o vi destratar ninguém. Só uma vez, quando... — Ah, meus Deus! Seria possível que o tarado do cinema tivesse descoberto como encontrar Marcus e agora voltado para acertar as contas?

— Quando...? — ele insistiu.

— Uns meses atrás, nós fomos ao cinema, e um cara... — Contei tudo a ele, relembrando cada mínimo detalhe do que acontecera naquela noite. Max ouviu tudo com muita atenção. Os pais dele também. Mirna ainda chorava, apertando o braço do marido conforme eu prosseguia com a narração. — O Marcus me disse que o sujeito tinha sido solto, eu não sei... se ele pode ter vindo atrás dele... por vingança.

— Preciso verificar a informação. — O policial se afastou, desviando da cadeira de Marcus, já sacando um celular.

Perdi o contato com o mundo conforme olhava a cadeira de rodas vazia. Senti um aperto no coração tão terrível que achei que pudesse morrer.

— Por que você não se senta outra vez, florzinha? — Dênis apontou para uma velha cadeira de madeira escura, e eu mordi o lábio inferior para evitar um soluço. Irromperia em lágrimas a qualquer momento.

— Preciso de um pouco de ar — consegui dizer, já correndo para fora.

Trêmula, com o coração sangrando, me deixei afundar nas escadas de granito.

Ele tem que estar bem. Ele tem que estar bem!, eu repetia sem parar.

O celular vibrou em meu bolso.

Uma mensagem de Marcus! Ah, meu Deus, ele estava bem! Meus dedos se sacudiam pela descarga de adrenalina, fruto do alívio. Percebi meu equívoco ao abrir o aplicativo e ver a foto anexada à mensagem. Na imagem, viam-se apenas uma cabeleira negra e uma parte do pescoço, de onde lágrimas rubras escorriam, seguindo para os ombros, onde a camiseta se rasgara e exibia antigas cicatrizes.

As palavras logo abaixo se tornaram um borrão enquanto eu tentava segurar o telefone com os dedos trêmulos.

> Como você se sente quando alguém te impede de ter aquilo que você mais deseja?

Eu pisquei uma vez. E imediatamente soube quem o havia levado.

64
Júlia

Meu coração batia tão rápido que eu pensei que fosse pular de dentro do peito. Minhas pernas estavam bambas, e correr era difícil. Sei que eu devia ter entrado na igreja e mostrado a mensagem para a polícia, mas fiquei com medo. A burocracia sempre atrapalhava tudo.

Então, tomei o primeiro táxi e liguei para a L&L. Seu Moreira atendeu e me forneceu o endereço de que eu precisava. Rezei durante todo o trajeto para que eu chegasse a tempo.

A casa era parecida com uma fortaleza. Tudo o que se podia ver era a porta da frente e um caminho de pedras ladeado de roseiras semimortas. Uma mancha vermelha no capacho me fez estremecer. Ele estava ali. Em que condições, eu não sabia. Assim como também não fazia a menor ideia do que faria, nem o que me esperava.

Bati na porta, tentando controlar a respiração e os tremores por todo o corpo. Samantha a abriu e sorriu de um jeito que me causou calafrios.

— Até que você é rápida para entender. Quando quer. — Inclinou a cabeça para o lado, me avaliando atentamente.

— Onde ele está, Samantha? — Fui entrando sem esperar por um convite. Estava escuro ali dentro, as janelas e cortinas fechadas, o ar saturado. Um mausoléu. E ficou ainda mais sombrio quando ela fechou a porta e imediatamente passou a chave. Não tive de olhar para saber que ela sumiria com ela.

— Bem, vamos brincar de esconde-esconde. Está com você!

Hesitante, as costas rente à parede, fui indo em frente, tateando meio às cegas

— Marcus? — chamei.

Minha visão começou a se ajustar à parca luz, que mal perpassava a cortina pesada. Vi um vulto sobre o sofá.

— Marcus!

Corri para ele, me ajoelhando a seu lado. Suas pernas pendiam num ângulo estranho, a cabeça encostada no braço, os olhos fechados. Apoiei uma das mãos perto de sua cabeça. Meus dedos se encharcaram com algo úmido e pegajoso.

— O que ela fez com você? — Toquei seu rosto com dedos trêmulos, à beira das lágrimas. — Acorda. Marcus, por favor, acorda! Fala comigo.

Não, não, não. Não pode ser tarde demais. Simplesmente não pode!

Como se tivesse lido meus pensamentos, mesmo estando inconsciente, ele emitiu um gemido baixo.

— Marcus!

Suas pálpebras se ergueram e me encontraram. Seu olhar embotado passeou por meu rosto, como se não entendesse o que estava vendo. Ele tinha dificuldade para manter o foco, e temi que pudesse ter sofrido algum dano grave.

— Vou tirar você daqui. — Solucei, acariciando sua testa. Ah, meu Deus, havia um talho enorme ali. — Vou cuidar de você. Não se preocupa, tá? — Tentei sorrir.

Pela maneira como seus malares se elevaram, eu sabia que ele estava franzindo a testa. Experimentou olhar ao redor, e, mesmo desnorteado como estava, algo deve ter feito sentido para ele, já que o mais puro horror se espalhou por seu semblante.

— Júlia! Não... Sai daqui — ele disse baixinho, numa voz áspera e engrolada.

— Ah, você já o encontrou. Fim da nossa brincadeirinha.

As luzes da sala se acenderam. Pisquei algumas vezes, desorientada diante da claridade. Conforme minha vista voltava ao normal, pude dar uma olhada em Marcus. Ah, meu Deus. Havia muito sangue atrás de sua cabeça. Ele precisava de cuidados imediatamente.

— O que você fez com ele? — minha voz não passou de um sussurro, enquanto eu tocava seu queixo. Ele tentou pegar minha mão, tateando quase às cegas, como se estivesse embriagado.

— Nada que ele não merecesse. Eu me pergunto agora o que vou fazer com você...

Voltei o rosto para ela, que chegava mais perto, batendo uma peça de metal no queixo. Uma faca.

Aquilo não era nada bom.

— Fuja, Júlia — Marcus sibilou.

Uma ova que eu ia deixá-lo ali.

— Samantha, olha, você não está bem da cabeça. — Fiquei de pé, protegendo Marcus com o corpo. — Solta essa faca. Vamos conversar.

— Ah, *agora* você quer conversar.

— Você está confundindo as coisas. Não é dessa forma que você vai conquistar o coração dele, não.

Uma gargalhada horripilante ecoou pela sala, ao mesmo tempo em que um arrepio gélido percorreu minha coluna, terminando na nuca.

— Ah, Júlia. Você é mesmo uma piada. Eu não quero conquistar esse pobre coitado aleijado.

Meu corpo todo sacudiu, dessa vez de raiva. Ouvi-la usar aquele adjetivo cruel me fez querer pular em seu pescoço e torcê-lo. No entanto, o restante do que ela havia dito se infiltrou em meu cérebro.

Se ela não estava apaixonada pelo Marcus, qual era o propósito de tudo aquilo?

E o que uma foto minha estava fazendo em sua estante? Dezenas delas, na verdade, tiradas só Deus sabe como...

Ah, meu Deus!

Não era Marcus quem ela queria.

— Nem eu quero — murmurei, tentando desembaralhar os pensamentos.

Era a mim.

Saco. Se eu fosse melhor em ler as pessoas, certamente teria percebido antes.

— Não? — ela vacilou.

Balancei a cabeça, as ideias se organizando rapidamente. Ela sequestrara Marcus para me levar até ali. Ela o ferira por acreditar que eu o queria. Não tinha sido essa sua mensagem?

"Como você se sente quando alguém te impede de ter aquilo que você mais deseja?"

Eu tinha de agir depressa. Precisava chamar uma ambulância com urgência e manter Marcus longe daquela psicopata. E só havia uma maneira: dizer aquilo que ela queria ouvir até conseguir desarmá-la.

— Claro que não — fui dizendo. — Quem ia querer um relacionamento com ele depois de conhecer... você? — Esperei que ela estivesse tão nervosa quanto eu e não tivesse notado minha breve hesitação.

Ela se aproximou em duas passadas largas, e não fui rápida o bastante para me esquivar da mão que espalmou meu rosto.

— Mentirosa! — E me acertou com tanta força que eu cambaleei.

— Some daqui, Júlia! — Marcus tentou se sentar, mas parecia atordoado demais para conseguir algum equilíbrio.

— Como você pode dizer que não o quer? — Samantha urrou. — Você transou com ele!

— Eu só fiquei com ele porque a minha autoestima estava lá embaixo...

Foquei os olhos na estante, em busca de inspiração. Minha bochecha queimava pelo tapa. Apertei os olhos. Nunca usei um vestido de bolinhas roxas.

A moça nas fotos não era eu. Não em todas, pelo menos. Mas a semelhança era grande. Quem era ela? O que a Samantha tinha feito com ela?

— O Marcus foi apenas uma distração para me ajudar a sair da deprê — continuei falando, tentando ganhar tempo. Samantha beijava a garota em uma das fotos. Eram amantes. — Eu me apaixonei por alguém no ano passado, mas essa pessoa não parecia estar interessada em mim. Você nunca... me deu abertura... Sam — arrisquei.

Ela se retesou dos pés à cabeça, uma emoção diferente cruzando seu rosto. Parecia esperança.

— Isso é verdade? — perguntou, com a voz tão miúda que eu mal a ouvi.

Fiz que sim uma vez. Ela hesitou, coçando a cabeça com a ponta da faca.

— Acho que agora — prossegui — não vou mais precisar dele, vou?

Devagar, Samantha deu um passo à frente. Tentei bloqueá-la, pois ela estendeu o braço em direção a ele. Aquele que segurava a faca.

— Então, você não vai se importar se eu der um fim nele.

— Não particularmente. — Engoli em seco, mas tentei manter o sorriso, ocultando meu desespero. — Mas vou me importar muito se você acabar presa por matar um homem inocente. Por favor, Sam, não faz isso. Não posso suportar a ideia de te ver atrás das grades.

— Você... não pode? — perguntou, confusa.

— Claro que não. — Esfreguei o nariz. Os olhos dela reluziam agora, mas a arma ainda estava perigosamente próxima do pescoço de Marcus. — Você sabe que eu me importo com o que acontece com você.

— Você não se importou quando me colocaram para fora da L&L. — Ela veio para cima de mim, a faca em punho. — Na verdade, foi você quem me dedurou!

— Só porque eu estava muito chateada! Eu confiava em você, e aí você me traiu. Fiquei sem chão. Sabe como é isso? Se sentir traída por alguém de quem você gosta muito? Eu nem entendi por que você fez aquilo tudo. Eu sei que você sente alguma coisa por mim. — Obsessão, talvez.

Ela fez uma careta.

— Eu não queria te prejudicar. — Sua voz era quase um sussurro. — Nunca quis! Só fiz aquilo porque eu queria que você precisasse de ajuda. Da *minha* ajuda. Eu esperei que me procurasse, mas você nunca procurou. Pensei que, se passássemos algum tempo juntas, você lembraria de tudo e voltaria para mim. — Ela apoiou a ponta da faca no antebraço e começou a girar. — Mas você nunca lembrou. Não lembrou, não.

Uma lágrima carmim surgiu no ponto onde ela mantinha a lâmina. Deus do céu. Ela tinha perdido a cabeça de vez.

— Nunca lembrou — repetiu. — Por que nunca lembrou, Paula? Por que você não voltou pra mim? Por que voltou pra ficar com ele?

Paula. Eu podia apostar que era a garota da foto, que se parecia um bocado comigo. Samantha já atingira um nível que eu dificilmente conseguiria alcançar usando a lógica.

— Por que você ficou com ele, Paula? — Deu risada, mas lágrimas escorriam por suas bochechas agora. — Nós éramos perfeitas juntas! Por que você foi embora, porra? — Ela me pegou pelos cabelos e colocou a ponta fria da faca sob meu queixo.

— Solta ela! — Marcus bradou, tentando se sentar outra vez, mas acabou de cara no chão.

Samantha riu alto.

— Olha que bonitinho. Tem um vermezinho no meu tapete.

— Sam, me escuta, por favor — chamei.

— Não! — Ela voltou seus olhos cruéis e alucinados para mim. — Não quero ouvir mais nada. Estou farta de tudo isso, farta de tanta dor. Só quero que isso acabe logo. E vai ser agora, nesta sala. Você vai primeiro, depois eu. Estaremos juntas, como sempre deveria ter sido.

Marcus começou a se arrastar pelo chão, como se estivesse numa trincheira, se aproximando sem fazer barulho.

— Se eu não posso ter você, Paula, ninguém mais vai ter.

— Sam, não faz isso. Olha, eu tive que ir embora uma vez, porque... — *você é louca* — você sabe por quê. Mas eu estou de volta. Vamos ficar juntas agora, tá? Ninguém vai nos separar. Vai ser como antes. Perfeito. — Hesitante, pousei as mãos nos ombros dela.

— Não acredito em você — cuspiu. — Você jurou que ficaríamos juntas para sempre e foi embora mesmo assim.

— Mas dessa vez eu não vou. Prometo.

Marcus já atravessara mais da metade da sala. O que ele pretendia chegando assim por trás de Samantha eu não fazia ideia. Bom, fazia, mas apenas se ele tivesse perdido o juízo.

— O que você... — Ela moveu a cabeça apenas alguns milímetros, seguindo a direção do meu olhar. Se ela visse Marcus se aproximando sorrateiramente, partiria para cima dele com a faca.

Por isso, fiz a única coisa que me ocorreu. Eu a puxei para mais perto e colei a boca na dela. Tá, não foi a melhor ideia que já tive. Em minha defesa, digo que não é muito fácil pensar com a ponta de uma faca tentando romper seu pescoço.

Samantha também deve ter pensado que não era uma boa ideia, pois se enrijeceu toda, a faca atravessando as primeiras camadas da derme, mas mesmo assim não permiti que se afastasse, sempre a encarando. A chama maligna deixou os olhos dela de repente, e foi imediatamente substituída por uma fragilidade que poucas vezes vi no rosto de um adulto.

Ela fechou os olhos. Então, algo a fez vacilar. A mão de Marcus agarrou inesperadamente seu tornozelo. A faca deixou minha pele por um breve instante quando ela olhou para baixo, tentando entender o que estava acontecendo.

Certo, Marcus. Vamos ver se você é um bom professor.

Dobrei o braço num triangulo isósceles enquanto recuava o tronco para a esquerda. Girei com toda a energia, acertando o queixo de Samantha. Ouvi o barulho de metal caindo no chão e me agachei imediatamente em busca da faca, mas nada daquilo era necessário. Samantha tombou feito uma árvore, inconsciente, sobre Marcus.

Joguei a faca para o outro lado da sala e o ajudei a rolar a garota de cima de seu corpo.

Marcus levou a mão a minha nuca, me segurando com firmeza enquanto seus olhos, meio alucinados, meio embriagados de dor, escrutinavam meu rosto, meu corpo, como se para se certificar de que eu estava inteira. Ele cuspiu um palavrão ao encontrar a ferida em minha garganta.

— Não é nada. — Coloquei a mão delicadamente em seu rosto. — Você está bem?

Ele assentiu.

— Bom trabalho. Aprendeu direitinho. — Tentou sorrir.

— Ah, Marcus... — solucei, passando os braços ao redor de seu pescoço com cuidado.

— Shhh! Acabou. — Ele abaixou a cabeça e depositou um beijo em meu ombro. Então me afastou com gentileza. — Temos que imobilizar a Samantha, antes que ela acorde.

Concordei em silêncio. Lágrimas turvavam minha visão, então não foi tão simples assim encontrar algo para amarrar Samantha. Marcus se esticou e remexeu no bolso da calça dela, fazendo uma careta de dor ao pescar seu celular. Ele o levou à orelha depois de teclar alguma coisa.

— Max, sou eu. Não, tudo bem, estou legal, só um pouco tonto. Eu não sei. Júlia, você sabe o endereço daqui?

Enquanto ele repetia para o irmão o endereço que lhe passei, achei o cinto de um roupão no banheiro. Marcus me ajudou a amarrar as pernas e os braços dela.

— Posso saber em que porra você estava pensando quando decidiu vir aqui sozinha? Eu quase tive um infarto quando te vi, Júlia.

— Eu fiquei com medo da polícia me atrasar. Fiquei com medo que essa maluca... que ela... — Um soluço me impediu de terminar a frase.

Marcus estendeu a mão e me puxou para junto dele, soltando um pesado suspiro. Afundei a cabeça em seu pescoço, mas imediatamente recuei ao esbarrar os dedos em uma poça de sangue.

— Você está sangrando muito.

— Não é nada. — Com os olhos nos meus, ele espalmou meu rosto ainda dolorido pelo tapa. Tão de leve que eu mal senti. — Obrigado, Júlia.

Balancei a cabeça.

— Eu não teria conseguido sem a sua ajuda. Vem. Vou te ajudar a ir para o sofá.

Ele estremeceu.

— Não. Chega daquele sofá para mim. Só me ajude a ir até aquela parede.

Ele era pesado, e ferido daquele jeito não pôde me ajudar muito. Foi com bastante esforço que consegui levá-lo até o outro lado da sala. Olhei ao redor e avistei um lenço de seda estampado sobre o aparador. Ia ter que servir. Eu me ajoelhei diante dele e, com um puxão firme, rasguei o lenço ao meio.

— Agora me conta. — Ele deixou escapar um grunhido quando afastei os cabelos de sua testa e pressionei o tecido na ferida, com cuidado, para estancar o sangramento. — Como foi beijar uma garota?

Eu quase dei risada.

— Não acredito que essa é a primeira pergunta que você quer me fazer! Pode segurar para mim? — Indiquei o pano, que já começava a ensopar. Toquei seu queixo gentilmente e o fiz virar para o outro lado. A fenda era profunda. — Ah, Marcus...

— Não é nada. Esquece isso. E a minha pergunta é tão boa quanto qualquer outra. — Ele voltou o rosto para mim e deu de ombros, fazendo uma careta de dor involuntária quando apertei a seda em sua nuca.

— Desculpa. — Eu me encolhi também. — O que ela fez com você, Marcus?

— Me pegou de guarda baixa. Agora vai, me conta. — Seu indicador tocou meu antebraço. — Foi como você imaginava, ou esse não foi o seu primeiro beijo gay?

— Acho que o que você realmente quer saber é como eu cheguei aqui.

— Isso fica pra depois. Para quando a polícia chegar. — Ele deixou a cabeça pender contra a minha mão, aquela que segurava o lenço para deter o fluxo do sangramento, e suspirou. — Assim você não precisa ficar revivendo tudo isso. Quero saber o que você vai deixar de fora.

Eu o encarei.

— Como você sabe que eu vou ocultar essa parte?

— Porque você está, apesar de tudo, com pena da garota.

— Como você faz isso, Marcus? Como sempre consegue adivinhar o que eu estou pensando?

— Já te falei que um mágico nunca conta os seus truques. — Ele exibiu seu sorriso de canto de boca. — Mas vou dar uma dica. Eu conheço cada expressão sua, Júlia.

Algo dentro de mim arrebentou. Lágrimas e soluços fizeram meu corpo chacoalhar. Marcus jogou o lenço para o lado e passou o braço por meus ombros, me puxando delicadamente para seu peito.

— Vai dar tudo certo. Está tudo bem, fica calma. Shhhh. — Ele acariciou meus cabelos. — Já passou, Júlia.

Aquilo só me fez chorar ainda mais. Não que eu não acreditasse nele. De algum jeito as coisas teriam de se acertar, em algum momento. O que me tirou dos eixos, o que partiu meu coração em milhares de pedaços, foi o fato ridículo — diante dos acontecimentos das últimas horas — de ele me chamar pelo nome.

Eu já não era mais a sua Pin.

65
Júlia

Assim que parei de ensopar a camiseta de Marcus, Max chegou com a polícia e o pai. Ambos ficaram aterrorizados com o que viram, e pouco escutaram do que Marcus e eu dissemos ao investigador Freitas. Verdade seja dita, Max me pegou pelos ombros em certo momento, me avaliando de cima a baixo, tentando encontrar ferimentos, já que suspeitei que naquele momento ele não era capaz de formular uma frase.

A ambulância foi chamada e Marcus foi levado para o furgão. Quando passou por mim, estendeu a mão em minha direção. Pousei a palma contra a sua. Seus dedos se entrelaçaram em meu pulso num instante e ele não soltou mais, obrigando-me a acompanhá-lo. Seu Julius e Max nos seguiram no carro da polícia, pois o espaço não era tão grande dentro da ambulância, e Marcus precisava de cuidados imediatos.

— Ela precisa de um curativo no pescoço — ele disse ao paramédico.

— Eu já examinei. É superficial. E você tem uns talhos bem feios, amigo.

— Primeiro ela. — Ele tentou se esquivar quando o médico aproximou um chumaço de algodão embebido em um líquido escuro.

— Lamento. Vem primeiro quem sangra mais. — Ele obrigou Marcus a virar a cabeça e começou a trabalhar na ferida que havia na parte de trás. Marcus não disse nada, não emitiu um único silvo enquanto o médico realizava os primeiros procedimentos, e manteve o olhar no meu durante o tempo todo, a mão ainda presa a meu pulso, como se tivesse medo de me soltar. Era compreensível. Eu mesma não conseguia imaginar o tipo de pesadelo que Samantha havia infligido a ele. Acho que, para ele, eu funcionava como uma ligação para fora daquele inferno.

Meu celular tocou, e tive de me virar um pouco para pegá-lo.

— Florzinha, onde você está? — Dênis foi dizendo. — Por que não atendia o telefone?

— Calma, Dênis. Agora está tudo bem. Encontrei o Marcus. A Samantha tinha... sequestrado ele.

Marcus desviou o olhar para o teto da ambulância e soltou meu pulso.

— O quê? Mas por quê? Ele está bem? Você está?

— Sim, acho que estamos, dentro do possível. O Marcus está bastante machucado.

— Não estou — ele resmungou.

— Está sim — o paramédico disse, sem erguer os olhos do que estava fazendo.

Dênis quis mais detalhes, mas eu não estava em condições de dar. Não queria reviver tudo aquilo agora, então prometi que contaria tudo assim que nos encontrássemos. Ele desligou, já a caminho do hospital.

Assim que chegamos, Marcus foi levado para fazer uma tomografia, enquanto fui atendida no pronto-socorro e ganhei um curativo. Dênis me encontrou saindo dali e achou que era um bom momento para gritar comigo.

— Burra! Muito burra! Por que você não me avisou? Por que foi lá sozinha, caralho? Aquela louca podia ter te matado! — ele grunhiu, me pegando pelos ombros. — Nunca mais faça isso! Nunca mais corra em direção a uma psicopata! — Então afundou minha cabeça em seu peito e passou os braços ao meu redor.

— Não acredito que tudo isso estava acontecendo e você não me contou nada!

— De que ia adiantar, Dênis? Não havia nada que você pudesse fazer. — Nem ninguém. — A Samantha está completamente louca.

— Eu podia ter tentado te proteger! Ter ido com você. Como você pôde ocultar tudo isso de mim, Júlia? Sabotagem, sequestro, tentativa de homicídio! Como essa moça pôde fazer uma coisa dessas?

Depois de sermos levados para uma sala desocupada e ouvirmos o que o investigador Freitas descobrira sobre Samantha, não era tão inacreditável assim.

Samantha e Paula viveram juntas por quase dez anos. Tinham um relacionamento perfeito, eram parceiras em tudo e nunca brigavam. Porém, quatro anos atrás, Samantha insistiu que fossem acampar com alguns amigos. Paula não queria ir, não era muito aventureira, mas cedeu aos apelos da namorada. Aconteceu num fim de semana do Dia das Mães. As duas acabaram se perdendo do grupo, na mata. Elas conseguiram montar a barraca e se abrigar na primeira noite, enquanto aguardavam o resgate. Mas esfriou muito, então decidiram acender uma fogueira. Tudo que as duas tinham eram uma lanterna e um canivete, e saíram para procurar galhos caídos nos arredores para acender a tal fogueira. Paula encontrou uma árvore tombada havia certo tempo. Ao retirar alguns galhos secos, descobriu um ninho de escorpiões eriçados. Ela foi picada por três deles. Samantha conseguiu levá-la de volta para a barraca, mas três horas depois seu coração parou. Samantha não a soltou em momento algum. Os bombeiros só a encontraram após três dias, ainda embalando o corpo sem vida de Paula, já em estado de decomposição.

Samantha tentou se suicidar seis vezes no período de um ano e meio, chegou a ser internada numa clínica psiquiátrica, mas não pareceu apresentar melhora. A família imaginou que o trabalho pudesse salvá-la. E funcionou. Desde que começara a trabalhar na L&L, no ano passado, ela nunca mais atentou contra a própria vida.

Freitas me mostrou uma foto dos arquivos do acidente de Paula. Éramos mesmo muito parecidas.

— Acredito que as tentativas de suicídio tenham parado quando a cabeça perturbada de Samantha encontrou um paliativo para a dor — ele disse.

— Eu — murmurei.

Freitas fez que sim.

— Caralho — silvou Dênis, cobrindo a boca com os dedos.

— Você se materializou no sonho dela — prosseguiu o investigador. — A namorada que voltou do mundo dos mortos. E, quando você não correu para os braços dela, como ela esperava, Samantha começou a maquinar todo tipo de subterfúgio para atraí-la. Isso também não surtiu efeito. A única saída que ela encontrou foi eliminar a fonte do que ela acreditava ser o empecilho. O sr. Marcus Cassani.

— Ela pretendia matá-lo, então? — Dênis quis saber.

— É provável. Júlia seria a próxima. E ela terminaria por cometer suicídio. Muito típico.

Estremeci. Meu coração se condoera ao ouvir a história de Samantha, mas pensar no que ela poderia ter feito com Marcus eliminou qualquer sentimento que não fosse raiva, estivesse ela doente ou não.

— E o que acontece agora? — questionei.

— Ela vai ser internada numa clínica para doentes mentais — explicou Freitas. — Duvido muito que consiga sair de lá. Para a segurança dela e a pública. A menina é um perigo.

Depois disso, ele demandou que eu o acompanhasse até o quarto de Marcus, pois tomaria seu depoimento. Eu me senti grata. Estava louca de preocupação

Queria saber se a tomografia apontara algum dano em seu cérebro por causa da pancada. Dênis não pôde entrar comigo. Já tinha gente demais lá dentro.

Marcus estava no primeiro andar, rodeado pela família. Alicia e Max estavam abraçados ao pé da cama. Dona Mirna estava numa cadeira ao lado da cabeceira, acariciando o braço do filho caçula. Seu Julius mantinha a mão no ombro dela. Nicolas estava recostado na janela. Entramos sem fazer barulho, mas Marcus virou a cabeça em minha direção no mesmo instante, como se fosse capaz de sentir minha presença.

Não foi tarefa fácil ouvir o que ele tinha para contar ao investigador.

— Ela fingiu que era amiga da Júlia, e eu só percebi que tinha algo errado pouco antes de ela me acertar por trás. Não cheguei a perder os sentidos, mas fiquei num limbo de entorpecimento esquisito. Ela me... — ele relanceou a mãe e a mim — levou até o carro...

— Arrastando? — Freitas indicou os curativos em seus joelhos.

Ele fez que sim, a contragosto, enquanto a mãe arfava e eu engolia em seco.

— Não me lembro de muita coisa depois disso. Só de ela me jogar no sofá. Usei a pouca energia de que ainda dispunha e lutei com ela. Mas ela tinha um crucifixo de bronze maciço, de uns trinta centímetros, e eu não tinha nada. — Encostou a mão na testa, onde levara alguns pontos.

Os Cassani começaram a falar ao mesmo tempo, horrorizados, e Freitas ameaçou colocá-los para fora mais de uma vez. Quanto a mim, corri para o banheiro e acabei vomitando, e só não fui levada de volta para o pronto-socorro porque garanti que não havia batido a cabeça.

Freitas foi embora, deixando a promessa de que tornaríamos a nos ver em breve, para dar andamento ao processo.

— Júlia, minha querida. — Seu Julius pegou minhas mãos, levando-as aos lábios. — Como está se sentindo? Precisou tomar ponto?

— Estou bem, seu Julius. Foi só um arranhão.

— Nossa heroína! — Mirna deixou a cabeceira da cama para me abraçar, e achei que aquilo era um gesto e tanto. — Jamais vou poder agradecê-la o suficiente por ter ido ao encontro daquela... monstra e salvado o nosso menino.

— Mãe! — Marcus gemeu.

Ela revirou os olhos.

— O que foi dessa vez? Está bravo por que eu te chamei de menino ou por que eu afirmei que ela te salvou?

— Por que não vamos comer alguma coisa? — sugeriu Max. — Ninguém comeu nada ainda.

— Excelente ideia, filho — concordou seu pai.

— Mas... — Mirna começou.

— Vamos aproveitar que a Júlia está aqui. Ela não vai deixar o Marcus fazer nenhuma besteira. — Alicia pegou o cotovelo da sogra com gentileza. — Vamos, você precisa comer alguma coisa.

Mirna assentiu uma vez, depois de dar uma longa olhada em seu caçula.

— Não sei o que fizemos de errado, Julius — ela disse ao marido enquanto era conduzida para fora. — Nossos meninos se metem em confusões que sempre terminam no hospital!

— Não tenho certeza se o problema está nos nossos meninos, Mirna...

Max ainda ria ao fechar a porta.

Eu me aproximei da cama, devagar. Marcus acompanhou meus movimentos como se fosse uma águia.

— Estou preocupado com você — ele disse. — Como está o seu estômago?

— Melhor. E você? O que a tomografia mostrou?

— Está tudo em ordem, mas você devia ter ouvido. Nunca tinham visto um cérebro como o meu. Falaram algo sobre lobos parietais semelhantes aos do Einstein. — Ele me mostrou aquele meio-sorriso presunçoso.

— É mesmo? E eu que achei que pudessem comparar o seu cérebro ao de uma estrela-do-mar... Ah, verdade. Elas não têm um.

O sorriso se alargou.

— Você acabou de tentar fazer mais uma piada?

— Eu *fiz*, não tentei — corrigi. Tomei fôlego. — Marcus, eu preciso te pedir desculpa. Nada disso teria acontecido se eu não tivesse metido você nisso.

— Você não pode se culpar pela insanidade da Samantha.

— Posso sim. Ela estava obcecada por mim, e você se tornou um alvo porque eu te meti numa história que não devia nem ter existido. Eu me sinto responsável pelo que ela fez com você.

— Não quero que se sinta assim. Se me lembro bem, fui eu que me ofereci para ser seu noivo e te propus o acordo. Você nunca me obrigou a nada. Você não tem culpa. — Ele se remexeu na cama, um sorriso a meio caminho. — Mas até que foi engraçado, não foi? Você pensando que ela estava interessada em mim, quando na verdade ela queria você.

Revirei os olhos.

— Tive esperanças de que, por estar ferido, você se tornaria mais tolerável, mas vejo que me enganei.

Ele deu risada. No entanto, o clima no quarto ficou estranho e eu não sabia onde colocar as mãos. Havia tanta coisa que eu queria perguntar, mas não era o momento. Ele já tinha passado pelo inferno naquela noite. Não precisava reviver recordações que o machucavam também.

— Bom, eu... vou indo. Minha mãe deve ter caído no sono, ou já teria me ligado a esta hora. Se precisar de alguma coisa, é só me ligar. Quer dizer, se você quiser. — Comecei a me afastar.

— Júlia, espera. — Ele ergueu a mão e tocou meu pulso, prendendo-o. Seu olhar continha tudo o que eu lembrava: fogo, desejo, desespero. — Você não pode ficar mais um pouco?

Meu coração se inflamou de esperança.

— Eu...

A porta se abriu inesperadamente e uma garota entrou, toda alvoroçada. Ela correu para a cama, se jogando de encontro a Marcus.

Eu a conhecia. É claro que sim.

— Eu acabei de falar com o seu irmão na lanchonete, e ele me contou o que aconteceu. Que coisa horrível, Marcus! — Ela se endireitou para olhar em seu rosto. — Você está bem agora?

— Obrigado pela preocupação, mas estou muito melhor do que pareço, Sandrinha.

— Vim acompanhar minha cunhada. O bebê dela deve nascer esta noite, e quando vi o Max com aquela cara... Ah, desculpa — disse ela ao me notar ali parada. — Não queria ter interrompido vocês. Foi mal.

— Não interrompeu. — Apenas quando senti meu coração se partir de novo é que me dei conta de que havia acreditado no que ele me dissera. Que não tinha acontecido nada entre eles.

Acho que nunca me senti mais tola em toda a minha vida. Eu me deixei enganar pelo mesmo homem duas vezes. Eu quis odiá-lo. Quis muito, mas não fui capaz. Minha estupidez não tinha limites.

— Bom, eu vou indo. — Acenei para eles e tentei sorrir, piscando rápido para aplacar a umidade que de repente insistia em se acumular em meus olhos. — Se cuida, M-Marcus.

— Júlia, não. — Ele tentou se sentar e Sandrinha o impediu, colocando a mão pequenina em seu peito. Também não precisava ficar tocando nele daquele jeito para que eu entendesse o recado.

— Calma aí, grandão. Você está muito machucado para se levantar — ela disse.

— Júlia, por favor — ele implorou quando comecei a me afastar. — Nós não terminamos ainda.

Mas tínhamos terminado, sim. Agora, de uma vez por todas.

— Adeus, Marcus — consegui sussurrar.

— Júlia! Não!

Saí do quarto sem olhar para trás, fechando a porta. Um ruído agudo, de alguma coisa se quebrando, soou ali dentro, e eu fechei os olhos.

— O que aconteceu? — Dênis estava diante de mim, o semblante preocupado.

— Meu encerramento, Dênis — consegui dizer.

— Ah, Júlia... — Ele tentou me abraçar, mas eu me esquivei, pois do contrário acabaria abrindo o berreiro.

A porta tornou a se abrir e a cabeleira castanha de Sandrinha apareceu no vão. Assim que me viu, ela disparou em minha direção.

— Não é o que você está pensando — foi dizendo. — O Marcus e eu somos apenas amigos agora. Juro! Você tem que acreditar em mim. Aquele cara te ama, garota.

— Claro que sim.

— Tô falando sério. Não vou mentir. — Ela pegou uma mecha de cabelo e começou a torcer, parecendo nervosa. — Teve um tempo em que eu achei que ele pudesse ser o cara certo pra mim. Mas aí você apareceu e... bom, ele ficou louco por você. Não sou de ficar esperando migalhas, entende? Quero tudo ou então nada. Meio-termo não rola comigo. Nosso caso acabou quando ele se envolveu com você. Acredite em mim.

Massageei as têmporas. Os acontecimentos da noite se misturavam, e eu não conseguia lidar com mais nada.

— Desculpa. Eu estou muito cansada. Só quero ir pra casa.

— Mas... — Sandrinha começou.

Apenas abanei a cabeça e comecei a me afastar. Dênis me seguiu, quieto.

Foi a passos lentos e não muito firmes que deixei o hospital e Marcus para trás.

66
Júlia

Passaporte, documentação da L&L, bolsinha de remédios, óculos reserva, euros...
Terminei de conferir minha mala pela terceira vez e fechei o zíper. Verifiquei a bolsa, checando se estava tudo ali, e acabei encontrando o CD que Marcus me dera na noite passada. Fiquei olhando para a caixinha por um bom tempo. Desde que deixei o hospital, eu evitava pensar nele ou no que Sandrinha tinha me dito.

E se eles estivessem dizendo a verdade? Eu não conhecia Sandrinha, mas ela pareceu bastante sincera. E quanto a Marcus...

Apertei o CD entre os dedos.

Meus dois maiores sonhos, dissera ele, pouco antes de se declarar. O que aquilo queria dizer?

Bom, só havia um jeito de saber. Dei uma olhada em volta, me certificando de que estava sozinha, levantei a tampa do laptop, abri a caixinha e inseri o CD no drive. Ah, tudo bem. Ele nunca saberia que eu dei uma espiada.

— Pegou um casaco? — minha mãe perguntou ao entrar no quarto.

Apertei uma tecla antes que o CD carregasse. A tela se apagou de imediato.

— Sim, mãe.

— E uns hidratantes? Sua pele sempre fica mais seca no frio, e Munique deve ser mais fresca que aqui.

Acabei rindo.

— A senhora sabe que lá deve ter um milhão de lojas, né? E que eu estou indo trabalhar em uma empresa de cosméticos?

— Sei, e duvido que você vá entrar em alguma loja ou pegar um potinho de qualquer hidratante na fábrica. — Ela se sentou na beirada da cama. — Liguei para a Melissa da Allure agora há pouco. Ela vai devolver uma parte do dinheiro, já que não vai ter casamento nenhum.

— A menos que a senhora e o dr. Victor resolvam juntar as escovas de dentes.

— Que ideia, Júlia! — Revirou os olhos. — Estamos nos conhecendo melhor. Só isso. Ninguém falou nada sobre compromisso. Ainda mais na nossa idade.

Eu me sentei a seu lado e peguei sua mão. Como eu ia conseguir dizer adeus a ela?

— Não precisa ficar tão tensa — minha mãe disse, suavemente. — É só uma viagem transcontinental.

— Não é com isso que eu estou preocupada, mãe. Tem certeza de que está bem? — Fazia só dois meses e meio que o transplante acontecera. Ela se recuperava espantosamente bem. Nenhuma complicação, sem rejeições, mas ainda assim...

— Quantas vezes vou ter que dizer que me sinto como se tivesse vinte anos? Além disso, eu tenho um médico particular agora. — Uma risadinha coquete lhe escapou. Então apertou meus dedos, me encarando. — Meu amor, eu vou sentir sua falta. Tanta que não sei o que vou fazer dos meus dias até te encontrar de novo. Mas você tem que fazer isso. Pela primeira vez na vida, quero que pense em você primeiro, que seja a sua prioridade.

— Tá...

— A minha filha vai ser uma mandachuva no Velho Mundo! — Ela deu risada. — A Marlucy vai morder os cotovelos de inveja.

Acabei rindo também.

— Não que a senhora vá se gabar nem nada disso.

— Imagina. Vou mencionar o assunto uma ou duas vezes. Agora, se você arrumar um noivo por lá, aí sim eu vou ficar insuportável.

Soltei um suspiro.

— Mãe...

— Desculpe, meu amor. Saiu sem querer. É o hábito. Eu sei que você ainda... — Ela se interrompeu quando me retraí. — Enfim. Eu sinto muito por tudo que a fiz passar. Se eu não tivesse sido tão maluca, nada disso teria acontecido. Mas a questão, meu amor, é que eu estou feliz que você esteja de coração partido. Porque amar é assim, Júlia. Às vezes a gente consegue ser feliz para sempre. Outras vezes o final não é tão alegre assim. O que importa é a experiência, e a marca que o amor deixa. O Marcus foi o seu primeiro amor e, tenho certeza, vai ficar marcado em você para sempre. Um dia você vai olhar para trás e um sorriso bobo vai surgir no seu rosto quando pensar nele.

— Espero que a senhora esteja certa. — Que aquela dor fosse mesmo embora, porque eu não conseguia respirar direito.

Ela me abraçou e me beijou a testa.

— Agora chega disso. É hora de mudar de ares e recomeçar em Munique. Mas, por favor, não vire um robô que só pensa em trabalho de novo. Trate de se divertir.

Acabei rindo enquanto fungava.

— Prometo que não vou me tornar um robô. — Mas era isso que eu precisava. Focar no trabalho e deixar a vida pessoal em suspenso por um tempo. Isso com certeza espantaria a dor. — E a senhora trate de se comportar.

— Jamais! Tenho um coração novo, pronto para fortes emoções, e não vou hesitar em usá-lo.

A campainha tocou.

— Ah! Deve ser o Victor — ela exclamou, horrorizada, automaticamente levando os dedos aos cachos acaju. — E eu nem passei batom hoje!

— Vou abrir a porta para ele enquanto a senhora se arruma.

— Obrigada, meu amor. — Disparou para o banheiro.

Desci as escadas de dois em dois degraus e abri a porta de uma vez, um sorriso no rosto. E então congelei. Não era o dr. Victor.

— Oi — Marcus disse, naquele tom de barítono.

Meu coração disparou, batendo tão forte que eu temi que ele pudesse ouvir. Max estava com ele, parecendo muito ansioso. Recompondo-me o melhor que pude, consegui perguntar:

— Você não devia estar na cama, se recuperando?

— Eu adoro essa menina — Max balbuciou.

— Eu preciso falar com você — Marcus foi dizendo. — É importante.

— Humm... Entra. — Eu me afastei para lhes dar passagem.

Max, porém, olhou para o portão.

— Eu vou esperar no carro. — Deu um soco de leve no braço do irmão.

Marcus fez um pequeno aceno de cabeça para ele antes de entrar em casa. Ele olhou para a sala, para o sofá... e para o tapete, onde havíamos feito amor pela primeira vez.

Meu rosto esquentou com a lembrança.

— Victor, querido, desço em um instantinho! — gritou minha mãe do andar de cima.

— Não é ele, mãe. É... o Marcus.

Após trinta segundos, ela apareceu no topo da escada, um olho maquiado de azul, o outro ainda limpo.

— Marcus... — sussurrou, apaixonadamente.

Não pude evitar sorrir. Ela realmente gostava dele, não importava que as coisas não tivessem dado certo entre a gente.

— Dona Berenice, a senhora está linda como sempre.

— Ah... — Ela ficou vermelha. — Bem, vou terminar de me arrumar, já que comecei. Vou deixar vocês sozinhos por um instante.

Ele acenou, parecendo grato. Assim que minha mãe desapareceu, ele mirou os olhos verdes em mim, e tive de reprimir um tremor.

Era uma coisa boa eu estar indo para longe dele. Realmente... muito boa.

— Já está com tudo em ordem para a viagem? — ele perguntou, com gentileza.

— Sim.

— É... Claro. — Sorriu, mas era um sorriso educado, meio nervoso ou... assustado.

— O que está fazendo aqui, Marcus? Você devia estar em casa, descansando. Ou ajudando com o casamento. Não é amanhã?

— Foi cancelado. O meu irmão e a Alicia ainda não conseguiram digerir tudo o que aconteceu. Não tem clima. Vão remarcar para daqui a alguns meses. E o meu irmão me ajudou a fugir de casa. Eu tinha algo muito importante para te perguntar.

Já que ele não disse nada, só ficou me olhando daquele jeito intenso, como se me absorvesse, me obriguei a abrir a boca.

— E qual é a pergunta?

Ele inspirou fundo, mantendo o olhar profundo em mim.

— Você acredita em amor à primeira vista, Júlia?

— Que diferença faz agora?

— Só responde.

— Não sei.

Ele concordou com a cabeça, sério.

— Eu também não sabia, até que aconteceu comigo. Ela olhou para mim e aconteceu. Bastou isso, Júlia. Não sei explicar direito. Não foi nada daquela baboseira de luzes e música que a TV pinta. Foi algo dentro de mim. Um arrepio ou qualquer coisa assim. Se é verdade o que dizem sobre todo mundo ter um par predestinado, eu soube que ela era o meu. E, olha, não era só físico. Ela era muito bonita, tudo nela me atraía, mas foram os olhos que me deixaram de quatro. Enquanto eu olhava dentro deles, senti como se tivesse chegado ao... ao que quer que a vida tinha me reservado. Era ela, eu sabia que era.

— Não acredito que você veio até aqui para me dizer esse tipo de coisa. — Tateei atrás de mim, buscando apoio. Acabei encontrando o encosto do sofá e me deixei cair no assento.

— Ah, droga, comecei errado. Posso começar de novo?

Eu não disse nada. Marcus, sendo Marcus, entendeu aquilo como um sim.

— Quatro anos antes, eu estava indo para a casa de uma colega da faculdade. A gente já tinha ficado algumas vezes, mas não estava funcionando pra mim. E eu pretendia dizer isso a ela naquela manhã. Era um dia bonito, ensolarado e quente, e eu adorava estar em cima da minha moto. Juro que eu não passei dos limites. Pilotei como sempre, só curtindo. Dobrei uma esquina qualquer, e quando fiz a curva ouvi o estouro do pneu. Não tive tempo, Júlia. Perdi o controle da moto, e depois disso não lembro de mais nada. Acordei no hospital, com parafusos e ataduras pelo corpo todo, muita dor na parte superior e um nada absoluto e assustador na inferior. Quando me contaram que eu tinha perdido os movimentos das pernas, eu pensei que fosse passageiro. Tinha que ser. Eu não podia ficar aleijado.

— Não gosto que você... — balancei a cabeça.

— Eu sei que você não gosta dessa palavra. — Ele sorriu, carinhoso. — Eu também não gosto. Mas é assim que as pessoas veem gente como eu. Era assim que eu via. Nunca parei pra pensar que um dia eu estaria do outro lado. — Inspirou fundo. — Então, fiz o que todo mundo faz, eu acho. Me recusei a acreditar que nunca mais voltaria a andar. Por um tempo funcionou, mas, depois de sete cirurgias e nada mudar, as coisas começam a ficar diferentes. Por quase um ano eu não tive melhora alguma. Mas aí a sensibilidade dos pés e das panturrilhas voltou, e você pode imaginar como eu fiquei animado com isso. Ia acontecer. Eu ia voltar a andar, era só questão de tempo.

Meu coração se apertou.

— E foi então que aconteceu o lance com a garota — explicou. — Eu estava trabalhando, tentando solucionar um problema no sistema, quando a vi e senti todas aquelas coisas que eu falei antes. Eu tentei esquecer a menina, juro que tentei, Júlia, porque era o momento errado para mim. Eu tinha outras coisas em que me concentrar, tinha que retomar minha vida primeiro, antes de querer... antes de me meter nessa confusão chamada amor.

Meu coração começou a batucar no peito, o estômago em uma sucessão de loopings. Era realmente uma ótima ideia continuar sentada, ou eu iria direto para o chão. Era eu. A garota por quem ele se apaixonou à primeira vista não era Sandrinha. Era eu!

— Só que essa moça começou a atrapalhar tudo, sobretudo o trabalho. — Ele fez uma careta. — Eu não conseguia pensar em outra coisa que não fosse ela. Isso foi antes de eu saber que ela estava com problemas. Uma tia doente e uma história esquisita sobre um falso noivo. Então eu pensei: *É isso. Posso ficar perto dela sem causar dano a nenhum de nós.* Parecia o plano perfeito. Eu não pretendia me aproveitar da situação, mas em algum momento foi necessário, e eu percebi a maneira como seu corpo reagiu ao meu toque... Ah, Júlia, tudo o que eu havia planejado caiu feito um castelo de cartas. Eu só pensava em você, quando te veria de novo, quando falaria com você, quando teria a chance de tocá-la outra vez, como poderia irritá-la...

Acabei rindo, ainda que não quisesse.

— Ah, sim. — Ele arqueou uma sobrancelha. — Eu tinha que fazer você pensar em mim. Mesmo que fosse porque eu te matava de irritação. Aporrinhá-la parecia o caminho mais fácil. É uma tática muito usada pelos homens de sete anos de idade.

Droga, acabei rindo outra vez.

— O problema, Júlia... — ele chegou mais perto, até ficar a meio metro de mim, seu rosto dominado por uma seriedade quase grave — ... é que eu fui arrogante demais. O plano perfeito não funcionou, e eu descobri que não sou tão bom mentiroso quanto imaginava. Eu estava completamente apaixonado e queria mais. Eu não estava atuando quando citei *Jane Eyre* naquele jantar. Acho que nunca um texto descreveu com tanta exatidão como eu me sentia. Como ainda me sinto. Uma paixão fervorosa e solene *realmente* surgiu no meu coração. Você se tornou o centro do meu mundo, e eu me sinto ligado a você como jamais me liguei a ninguém. É irreversível.

Eu arquejei. Não pude evitar.

— E então veio a consulta com a minha ortopedista — ele prosseguiu. — Era para ser só mais uma, mas...

— Mas o que você queria não ia acontecer — murmurei delicadamente, quando o vi lutar contra a emoção.

Os olhos verdes dispararam para os meus.

— Como você sabe disso?

— Não por você, claro.

— Você precisa entender, Júlia. Depois de refazer os exames, a dra. Olenka chegou à conclusão de que o meu quadro estagnou. A minha lesão é permanente. Eu não vou voltar a andar. — Ele desviou o olhar.

— Eu sinto muito, Marcus.

— Eu também. O Max estava comigo e... Ah, ele se sente responsável. Não importa quantas vezes eu diga que ele não tem nada a ver com isso, ele simplesmente não acredita. É o jeito dele. Sempre chamando a responsabilidade para si, como um maldito herói. — Coçou a sobrancelha. — A Alicia e eu temos falado com ele. Acho que ele vai acabar superando.

— Então foi por isso que você estava se matando na piscina, naquela tarde. Concordou com a cabeça.

— Pode parecer idiotice, mas a primeira vez que eu me dei conta do que a palavra "permanente" significava foi quando o Max guardou minha cadeira na mala do carro depois da consulta. Aquela era a minha vida. E eu não tinha como fugir dela sem parecer um covarde e devastar minha família. Então, fui para a academia e caí na piscina, porque ali eu não me sinto pela metade, Júlia. Sou eu, a água e nada mais. Ela me ajuda a pensar. E eu fiquei ali, me perguntando como seria o resto da minha vida, e nem vi a hora passar. É estranho, mas o que eu mais lamentava não era perder a chance de andar de novo, mas pensar que por causa da minha condição eu teria que desistir dos meus sonhos. Isso me atingiu como um caminhão sem freio.

— Você não precisa desistir, Marcus. Só precisa...

— Me adaptar, eu sei. Você me mostrou isso, com o trike... e tantas outras coisas. Eu passei umas boas duas horas pensando que podia fazer o mesmo com todo o resto, e isso incluía você. Aí você apareceu, e você se afogou. — Ele esfregou a testa, fechando os olhos, como se tentasse afastar a recordação. — Se não fosse pelo Max, não estaríamos tendo esta conversa agora. Eu percebi que nem toda a adaptação do mundo seria suficiente para que eu pudesse estar com você como eu queria. Eu tinha que te deixar. Mas não consegui. Então, eu fiz você me deixar. Eu nunca mais toquei em mulher nenhuma desde que nós nos envolvemos.

Olhei para minhas mãos, unidas entre os joelhos.

— Então você me afastou por causa de uma coisa tão estúpida quanto eu ter caído na piscina?

— O cacete que foi uma estupidez. Você quase morreu!

Ergui os olhos para ele, com raiva.

— Passou pela sua cabeça que o problema é meu, por não saber nadar, e não seu, por não poder andar?

Ele aceitou o desafio, empinando o queixo, a fúria inflamando seu olhar.

— Mas o problema é meu, Júlia. É meu problema porque eu te amo, porque eu quero você só pra mim. É problema meu quando tudo o que eu mais quero é correr até você, te apertar em meus braços e depois fazer amor com você até a sua cabeça rodar e não restar nada dentro dela a não ser eu. É problema meu quando eu quero ser o seu maldito super-herói, o cara com quem você sempre vai poder contar pra tudo. Você precisou de mim e eu falhei! Isso acabou comigo, porque quando nós estávamos juntos a vida ficava... fácil de novo. — Sua voz se embargou. Ele clareou a garganta. — Com você eu me sinto eu mesmo de novo.

Balancei a cabeça, incapaz de compreender o que ele dizia. Não fazia sentido. Nada daquilo fazia sentido para mim.

— É isso que eu não entendo, Marcus. Porque, se você me dissesse que eu te fazia mal, que eu te lembrava da época em que você andava e tudo o mais, eu até compreenderia. Mas, se não é assim, como você pode me mandar embora? Lamento muito que você continue nessa cadeira, mas não por mim. É por você, pela tristeza que isso te causa. A maneira como você se locomove nunca importou para mim.

— Eu sei, Júlia. Acho que eu sempre soube disso, mas fiquei com medo de acreditar. — Ele fechou os olhos e balançou a cabeça, parecendo tão perdido, tão devastado. — Se você pudesse estar dentro de mim, entender o que eu sinto por você, Júlia, talvez compreendesse. — Ele abriu os olhos, que chispavam com intensidade. — Eu amo você. Amo tanto que não sei o que fazer com esse sentimento. Amo tanto que meti os pés pelas mãos. E foi por te amar demais que eu acabei te perdendo.

Soltei o ar com força, parte de mim tremendo na ânsia de me atirar em seu colo. O problema era aquela outra parte, a lógica, que gritava que apenas isso não bastava.

Tomei fôlego.

— Você mentiu pra mim mais de uma vez, Marcus. Se julgou no direito de decidir por mim. Mas sabe o que mais me dói? É ter a consciência de que você passou por tudo isso e decidiu me deixar de fora. Eu... não consigo mais confiar em você. Não quando você decide o que é o melhor para mim e age feito um idiota. Não se você diz que me ama em um momento, mas no outro me diz que foi só um lance sem importância. Você é como o deus grego Jano. Dois rostos idênticos, só que um sempre diz a verdade, e o outro mente. E eu nunca sei com qual deles estou lidando.

Ele trincou o maxilar, uma sombra enevoando seu rosto.

— Isso acabou — falou, firme. — Isso tudo ficou pra trás. As coisas se encaixaram na minha cabeça. Eu nunca mais vou mentir para você.

— Até algum outro problema aparecer e você decidir que o melhor para mim é me afastar de novo. — Levei as mãos às têmporas, lutando para calar o zumbido confuso em minha cabeça. — Eu não posso fazer isso, Marcus. Não posso.

Ele ficou me encarando, uma emoção nova lhe dominando as feições. Desespero? Dor? Derrota?

— Não existe nada que eu possa dizer para fazer você mudar de ideia, não é?

— Eu prefiro confiar no meu bom senso dessa vez. Mas fico feliz que você tenha me contado a verdade. — Eu estava a um passo de chorar, e não ia fazer isso na frente dele outra vez. — É melhor você ir agora. Tenho muita coisa para fazer ainda. Embarco amanhã bem cedo.

Seu olhar, mortificado, devastado, destruído, quase me fez mudar de ideia. Por muito pouco não mandei tudo às favas e corri até ele. Mas eu não podia. Se ele quase me destroçara antes, o que seria capaz de fazer agora, quando dizia que me amava e meu coração tolo queria acreditar nele?

Marcus me observou por um longo momento, como se estivesse me guardando na memória. Uma tristeza profunda, que parecia vir do fundo da alma, lhe atravessou o rosto. Um adeus, que ele não foi capaz de verbalizar. Ele deixou a sala, fechando a porta com um clique suave, sem olhar para trás.

Subi as escadas de dois em dois degraus, o coração retumbando nos ouvidos. O rosto devastado de Marcus girava com suas palavras em minha cabeça.

Eu amo você. Amo tanto que não sei o que fazer com esse sentimento. Amo tanto que meti os pés pelas mãos. E foi por te amar demais que eu acabei te perdendo.

Entrei no quarto sem enxergar nada, quase atropelando minha mãe.

— Você está bem? — ela perguntou, me segurando pelos ombros.

Um soluço me escapou.

— Não, mãe. — Joguei os braços ao redor dela e comecei a chorar.

— Júlia, tem certeza de que está tomando a decisão certa, filha? — Ela acariciou minhas costas.

Sacudi a cabeça.

— Não. — Solucei.

— Ah, meu amorzinho... — Ela me levou até a beirada da cama e me fez sentar. — Não chore. Você está de cabeça quente agora para julgar tudo o que ouviu. Dê um tempo a si mesma.

Ela estendeu a mão para pegar a caixa de lenços na escrivaninha. No entanto, acabou derrubando o desodorante sobre o teclado do meu laptop, que imediatamente voltou à vida.

Tentei não olhar para a tela. Tentei mesmo, mas o som agudo de coisas se chocando me fez olhar. Letras se entrelaçaram antes de explodir e formar o nome "MC Games".

— Ah, Júlia, desculpe. Como eu desligo isso?

— Espera, mãe. — Eu me levantei, me aproximando lentamente do notebook.

Na tela, um motoqueiro surgiu, serpenteando pela avenida em alta velocidade. Ele entrou em um prédio e a porta da garagem desceu, deixando tudo na penumbra. Uma luz se acendeu com um estalo e o motoqueiro entrou em foco.

— Nossa — minha mãe comentou ao meu lado. Eu nem tinha percebido que ela havia se aproximado. Minha atenção estava naquelas imagens e em seus gráficos perfeitos.

O motoqueiro tirou o capacete e revelou... uma longa cabeleira marrom, que combinava perfeitamente com o rosto feminino. Era uma garota. De grandes olhos castanhos e lábios fartos demais para o rosto ovalado.

— Juju, é você! Ela é você!

— Acho que não. — Mas a questão é que ela se parecia mesmo comigo. Até a pinta na lateral do pescoço.

— Claro que é! Igualzinha! O que é isso?

— É um... jogo. É o projeto do Marcus, acho. — Caracteres se sobrepuseram ao rosto da garota, e ela os acompanhava, assimilando as coordenadas. As letras desapareceram.

"Boa sorte, Pin", a voz masculina robotizada proferiu.

Pin!

Assisti, boquiaberta, à motoqueira recolocar o capacete e dar partida na moto. Ela deixou a garagem. A fase um começou a carregar enquanto meu coração retumbava. Por que ele desenvolvera um game em que a protagonista se parecia comigo e tinha o meu apelido?

Fechei os olhos, tentando controlar a tormenta que acontecia em meu íntimo.

— Mas por quê? — murmurei para o nada.

— Não é óbvio, Juju? Você é a musa dele! — Mamãe apertou minha mão. — E ele está dizendo ao mundo, em alto e bom som, que ama você! Ah, meu Deus! Isso é a coisa mais romântica de toda a história das declarações de amor!

Eu a encarei, boquiaberta. Era... era isso que aquele game queria dizer?

"O que tem aí?", eu perguntara a ele. "Meus dois maiores sonhos", fora sua resposta.

Ele havia concluído o game. Seu sonho estava pronto. E o outro... o outro era...

Minha mãe bufou, me olhando com as sobrancelhas abaixadas.

— O que você ainda está fazendo aqui, menina?

67
Marcus

Ao sair da casa de Júlia, tive de abrir os dois primeiros botões da camisa. Respirar estava difícil. Joguei a cabeça para trás, mirando o céu, tentando não pensar, apenas respirar. Não conseguia me obrigar a ir em frente, então fiquei ali, no portão da casa dela, vendo o sol de fim de tarde ser engolido por nuvens cinzentas. Do mesmo jeito que Júlia desaparecia da minha vida.

Esfreguei o peito, tentando me livrar da maldita ardência. Aquilo nunca iria embora, não é? A ausência sempre estaria ali, me lembrando de que a vida pode ser muito mais do que cruel.

Pensei em quais seriam as chances de meu irmão me levar para minha casa, onde eu poderia decidir o que preparar para o jantar: miojo ou Doritos? Doritos, claro. Cai melhor com tequila. E eu pretendia me encharcar disso até meu cérebro adquirir a consistência e a função de massinha de modelar, e não queria ninguém por perto para testemunhar o estrago.

Max me viu atravessar o portão, e bastou uma olhada em meu rosto para que ele soubesse.

Eu a perdi.

Fui idiota o bastante para perder a melhor coisa que já me aconteceu, porque... bom... eu tinha sido um grande e completo babaca.

Meu irmão balançou a cabeça, sofrendo também. Ele queria que desse certo tanto quanto eu.

Ele desceu do carro para me encontrar.

— Ela não quis te ouvir?

— Pior, Max. Ela me ouviu. — Soltei uma lufada de ar. — Mas eu fiz o que ela mais temia. Eu a abandonei. Ela nunca vai me perdoar.

— *Nunca é muito tempo* — ele respondeu

— Não nesse caso. A Júlia se afasta de tudo que pode colocá-la em risco, que a faça se sentir ameaçada. E eu sei que ela se sente assim comigo.

— Porque ela te ama, Marcus.

— Talvez. Mas eu apostaria a minha bola esquerda que ela vai dar um jeito de me esquecer.

— Nem sempre... — Ele se interrompeu, olhando para trás de mim. — Ela está vindo aí.

— O quê?

— Vou voltar para o carro. — Ele se inclinou um pouco, pousando a mão em minha nuca. — Escuta, Marcus... Implore, rasteje se for preciso. Mas não a deixe escapar de novo!

Ele atravessou a rua enquanto eu me virava. Júlia corria de um jeito meio desengonçado, quase infantil, e por pouco não me fez sorrir. Mas se deteve a poucos passos e me encarou, o peito subindo e descendo, as bochechas coradas Linda.

Ela era tão linda...

E ficou muda feito o poste logo atrás dela. Seus olhos estavam vermelhos. Ela havia chorado. Mas também vi neles algo que eu desejava mais que tudo nesta vida.

Por favor, Deus. Não brinque comigo agora.

Ela abriu a boca.

— Eu... — começou, mas se deteve, incerta de como continuar.

— Sim? — *Apenas mais duas palavras. Diga,* implorei em silêncio. *Pelo amor de tudo o que é mais sagrado, apenas diga.*

— Eu... desenvolvi uma estranha obsessão por velas — ela disse, por fim

Pisquei algumas vezes.

— Como?

— Toda vez que passo em frente a uma loja e vejo uma vela, acabo entrando e comprando. Cheguei até a roubar uma da Magda. Depois eu devolvi, mas mesmo assim. — Ela corou. — Acho que preciso de ajuda profissional.

— Humm... Eu...

— Também comecei a gostar de música antiga. — Ela abaixou o olhar para as mãos, entrelaçadas na altura da barriga. — De Marvin Gaye especialmente, o que é bem esquisito, porque a coisa mais antiga que eu gostava até então era Nirvana. E comecei a gostar de motos. Nunca vi muita graça, mas agora eu gosto. — Ela espiou por entre os cílios longos e escuros e sorriu com doçura. — Não vejo a hora de subir em uma outra vez. E eu nunca mais dormi de luz acesa. Ainda penso em fantasmas, um em específico, mas já não tenho medo. E eu vou me matricular num curso de natação em Munique. E... e... — Ela parou para tomar fôlego. — Você disse que queria ser o meu herói. E você é faz tempo, Marcus, só que não percebeu ainda. Não aquele tipo de herói de capa e cueca por cima da roupa, mas aquele que faz a gente se sentir protegida e querida e... desejar viver a vida. Ser uma pessoa melhor. Aprender a lidar com os medos.

Ela estava dizendo o que eu achava que estava?

— O que... o que você está querendo me dizer? — perguntei, temendo estar entendendo tudo errado.

Ela revirou os olhos, bufando com nervosismo.

— Estou dizendo que eu *amo* você, seu cretino! Francamente, Marcus, você continua sendo a pessoa inteligente mais burra que eu conheço.

Algo em meu peito explodiu feito uma supernova, me tirando o fôlego, deixando todo o meu corpo dormente. Por anos eu esperei sentir aquilo. A sensação de estar completo outra vez. Mas não tinha percebido que não eram as partes do meu corpo que me trariam a felicidade plena, e sim aquela garota tímida, de olhar inocente, sob o qual se abrigava um vulcão voluptuoso. Eu havia depositado minhas esperanças no lugar errado.

Eu me aproximei dela sem hesitar, estendi a mão, enroscando os dedos em sua camiseta, e a puxei até ela estar em meu colo. Passei o braço por suas pernas, segurando-a onde eu queria.

— Eu acho que você tem razão, por isso vai ter que falar de novo para que eu possa entender. — Espalmei seu rosto, tão lindo e amado.

Seus olhos me encontraram e sorriram, como imaginei naquela tarde na piscina.

— Eu amo você, Marcus. — Ela virou o rosto para depositar um beijo em minha palma calejada.

Fechei os olhos, me sentindo grato a Deus, à vida, às plantas que cresciam, aos pássaros que piavam, às formigas que... faziam coisas de formigas. Aquele era o milagre pelo qual eu havia ansiado. Júlia retribuir o meu amor era o presente mais precioso com o qual eu poderia ter sido agraciado.

Deslizei a mão por sua bochecha suave, seguindo em direção aos cabelos bagunçados. Enrosquei os dedos ali, puxando-os levemente para trás, para que seu pescoço ficasse exposto.

— Repete — falei, beijando sua garganta.

— Eu amo você, Marcus. Mas vou te matar se mentir para mim outra vez.

— Às vezes é tão frustrante falar com você... — Ri em sua garganta. Ela estremeceu de leve, enroscando os dedos em meus cabelos. Eu amava quando ela fazia aquilo.

— Imagino que seja. — Ela puxou minha cabeça para trás, para que pudesse olhar em meus olhos. — Deixa eu facilitar as coisas pra você. Eu te amo, Marcus. Com suas limitações, cicatrizes, piadas ruins e essa teimosia de jumento. Por isso, nunca mais minta para mim. Eu posso lidar com a verdade, seja ela qual for, tá?

Meus olhos começaram a pinicar, o nó na garganta me fez pigarrear e eu precisei de duas tentativas para fazer minha voz sair direito.

— Jumento, é? — tentei brincar, ou acabaria... suando pelos olhos. — Mais alguma parte minha te lembra um jumento?

— As orelhas. São imensas e peludas. — Ela correu o dedo por minha orelha, me observando com todo o amor do mundo.

Afundei os dedos ainda mais naquela cabeleira castanha e trouxe sua boca para junto da minha. E me dei inteiro a ela. Eu me entreguei a Júlia e àquele beijo sem nenhum medo, sem nenhum *mas*, sem *senão* ou *e se*. Júlia havia sido minha tábua de salvação no meio do meu oceano de agonia. Ela era meu maior e melhor sonho. E a melhor parte? Ela também se entregava a mim sem nenhuma ressalva, medo ou insegurança.

Cacete. Se amasse mais aquela mulher, eu morreria.

Quando o beijo ameaçou sair de controle e se tornar impróprio para a via pública, o som da buzina sendo acionada repetidamente fez Júlia se sobressaltar e olhar em volta. Do outro lado da rua, Max sorria largamente enquanto esmagava a buzina feito um maluco.

— Finja que não o conhece — acabei rindo. Júlia também.

A porta do segundo andar do sobrado em frente ao de Júlia se abriu e Dênis apareceu na sacada.

Ah, certo. Ainda tínhamos um problema.

— Eu acho que ele merece uma explicação — falei a ela.

— Ah, pode ter certeza que o Dênis vai querer saber cada detalhe. Mas ele já deve ter entendido o básico. Estava torcendo para que isso acontecesse. — Ela enlaçou meu pescoço com as mãos. — Espero que ele tenha tanta sorte quanto eu e encontre um cara legal.

— Uma garota, você quer dizer.

— Não. Um cara.

— O quê? — perguntei. Apenas para verificar que toda a felicidade de antes não tinha causado um curto-circuito em meu cérebro e eu estava acompanhando o que ela dizia.

As sobrancelhas de Júlia se ergueram, seu olhar escrutinando meu rosto, então algo fez sentido para ela. Que bom. Pelo menos um de nós estava entendendo alguma coisa.

— Marcus, o Dênis é gay. Você sabia disso, não sabia?

Obrigado, meu Deus!

— Não, eu não sabia. Ele deu a entender que existia algo entre vocês dois. — Olhei furioso para a sacada, mas o filho da mãe tinha sumido de vista.

— Ah, meu Deus. — Ela começou a rir. — Era por isso que sempre parecia que você queria quebrar o pescoço dele?

— Queria não. Eu *vou* quebrar o pescoço dele assim que estivermos no mesmo andar.

Um coro de violinos ecoou pela rua. Em seguida a voz potente de Frank Sinatra se juntou a ele:

♪ *It had to be you, it had to be you*
I wandered around, and finally found the somebody who
Could make me be true, and could make me be blue
And even be glad just to be sad — thinking of you. ♪

Olhei para Júlia e sorri.

— Me concederia esta dança?

Ela assentiu, repousando as mãos em meus ombros. Passei o braço em sua cintura, colei meu rosto ao dela e então manuseei a roda para frente e para trás, girando devagar, numa dança meio sem ritmo, mas quem se importava? Eu estava dançando com a mulher dos meus sonhos.

Por entre as cortinas da sala do sobradinho verde, vi o rosto emocionado de Berenice sorrir para mim. Sorri de volta, porque naquele instante era tudo o que eu poderia fazer. Uma fina garoa começou a cair, mas Júlia não pareceu se importar, suspirando em meus braços enquanto balançávamos sem pressa. Um farol potente foi acionado, transformando as gotas de chuva que nos cercavam em minúsculas estrelas cadentes douradas. Júlia arfou, sorrindo, e ergueu o rosto para que as estrelas o tocassem. Nunca vi nada tão bonito em toda a minha vida.

Valeu, Max.

Também olhei para cima e avistei Dênis debruçado na balaustrada da sacada, a fonte da música. Eu realmente ia matá-lo.

E depois abraçaria aquele filho da mãe.

— Obrigado — fiz com os lábios.

Ele piscou para mim, sorrindo largamente antes de entrar e deixar a porta aberta.

Uma gota de chuva escorreu pela bochecha de Júlia e se pendurou em seu queixo. Eu a apanhei com os lábios. Ela então olhou para baixo e sua boca buscou a minha. O beijo foi calmo, repleto de ternura, mas eu sentia que algo começava a fervilhar sob a superfície.

Afastando-a com delicadeza, admirei seu rosto afogueado, os lábios esticados no sorriso mais lindo que eu já tinha visto, os olhos... escondidos pelas lentes embaçadas.

Rindo baixinho, eu o tirei de seu rosto.

— Oi. — Acariciei sua bochecha. — Você é coisa mais linda deste mundo, Júlia.

Ela inclinou a cabeça em direção ao meu toque.

— E você é o borrão mais bonito que eu já vi.

Dei risada.

— Obrigado. Ninguém nunca me disse isso.

— O que acontece agora, Marcus? — perguntou.

Acariciei seu queixo.

— Agora eu vou te levar para minha casa. Vou fazer amor com você até não existir um único pensamento coerente na minha cabeça. E depois acho que vou providenciar meu passaporte.

Seus olhos ficaram imensos, a boca formando um O mudo, como se não acreditasse no que estava ouvindo. Ela precisou de duas tentativas para conseguir perguntar:

— Você vai para Munique comigo?

— Você acha mesmo que eu vou correr o risco de te perder de vista? Eu já te perdi duas vezes. Não vou ser idiota de te perder pela terceira vez, Pin. É uma promessa. — Tomei sua mão e a deitei sobre meu coração, para que ela soubesse que eu não estava mentindo.

Ela sorriu, mas lágrimas se empoçaram em seus olhos, a menina abandonada dentro dela afundando em alívio. Ela escondeu o rosto em meu pescoço para que eu não a visse chorar, enredando os dedos na gola da minha camiseta. Eu a abracei com força, tentando com isso fazer seus medos ficarem todos no mesmo lugar onde eu deixara os meus: no passado.

Tá certo. A vida é uma grande merda às vezes, pensei, enquanto a segurava em meus braços. *Mas em outras é quente e vibrante, e tão bonita que faz o peito doer. Não é o jeito como seu corpo se move, como você vê, ouve ou sente o mundo que* importa, mas a maneira como você *vive*. E esta é a parte difícil: aprender a viver. Envolve ser adulto, aprender a lidar com as perdas e situações traumáticas. Também envolve se abrir para outro ser humano, aceitar a mão estendida, dar o melhor de si a quem se ama. Eu ainda estava aprendendo tudo isso. Quanto mais eu aprendia, mais bonita e preciosa a vida me parecia.

Júlia também estava aprendendo, e ainda se atrapalhava um pouco ao tentar externar o que sentia, dividir o que a preocupava, mas eu sabia que ela conseguiria chegar aonde queria. E eu estaria lá com ela, porque esse havia se tornado o meu maior sonho agora. Fazer da vida dela o conto de fadas cor-de-rosa que deveria ter sido desde o início.

— O que foi? — Ela tocou meu rosto. — Você está bem?

Enrosquei os dedos em seus cabelos embaraçados, trazendo seu rosto para mais perto, beijando-a com ternura.

— Eu estou bem. Estou muito mais que bem, Pin.

68
Júlia

— Queridos amigos, estamos hoje aqui reunidos para testemunhar a união deste homem e desta mulher...

Olhei para Marcus por entre as flores do buquê. Ele sorriu daquele jeito malandro e piscou, me fazendo ficar vermelha e baixar os olhos. Deus do céu, ele estava tão bonito com aquele paletó cor de areia e a camisa azul-clara, que destacava ainda mais seus cabelos negros. Não usava gravata e havia deixado os dois primeiros botões abertos, revelando os fios escuros e macios onde eu adorava deitar a cabeça. Tentei prestar atenção na cerimônia e varrer da mente as imagens impróprias da noite passada. Eu estava numa igreja, pelo amor de Deus! Provavelmente era pecado pensar em Marcus nu.

Magda me cutucou com o braço e eu voltei a atenção para o padre e o casal a sua frente.

— Repita depois de mim. Eu, Berenice Muniz, aceito você, Victor, como meu legítimo marido...

Sorri conforme minha mãe repetia tudo numa voz clara e ligeiramente divertida. Ela era a noiva mais linda e radiante que eu já tinha visto. E fizera questão de confeccionar o próprio vestido, claro. Uma peça elegante, em um tom de rosa antigo muito delicado. O tubo reto e longo tinha um pouco de renda no busto, a mesma aplicação que havia na gola do casaqueto bem cortado, que a deixou elegante e feminina. Os cabelos estavam presos para cima, sustentando a tiara de vovó Marta com uma quantidade alarmante de laquê, mas Magda me dissera que era assim mesmo e que eu não deveria me preocupar com a possibilidade de ela ter um ataque de asma.

Sua recuperação era espantosa, e até o dr. Victor estava surpreso. Exceto pelos remédios que a acompanhariam para sempre, sua vida hoje era praticamente a mesma de antes da doença. Isto é, quase. Agora ela estava realizando seu maior sonho.

Mamãe acabou não cancelando o contrato com a Allure. No fim das contas, já que estava tudo pago, achou que seria boa ideia se outra pessoa o usasse. No caso, ela mesma. Ela pedira Victor em casamento durante um jogo de buraco no mês passado, e a resposta dele fora: "É só marcar a data, Berê. Bati!" E ali estavam eles, aos sessenta e dois e sessenta e cinco anos, começando uma vida juntos. Partiriam dali a dois dias em um cruzeiro que percorreria a costa grega.

Victor era o noivo perfeito dos contos de fadas, com seu fraque cinza e um cravo branco na lapela. Enquanto minha mãe não conseguia parar de sorrir, o coitado não conseguia parar de chorar.

Marcus também estava se divertindo com a cena, e me lançou um olhar do tipo "Dá pra acreditar nesse cara?". Àquela altura eu já conhecia todas as suas expressões.

Ele havia ido para Munique uma semana depois que eu chegara lá, como prometera. E ficou comigo até eu aprender a me locomover pela cidade. Não que eu precisasse, mas foi bom tê-lo ali, preocupado comigo, cuidando de mim. Chefiar a área de TI se provou um imenso desafio, e foi maravilhoso ter o colo dele me esperando quando eu chegava em casa. Depois de quinze mágicos dias, Marcus voltou para o Brasil para terminar a faculdade. Ele finalmente mostrou seu game ao professor de roteirização — que ficou louco por *Pin, o jogo* —, e em poucas semanas conseguiu um investidor para dar andamento ao projeto. A MC Games saíra do papel. Algumas revistas da área apontavam seu game como a próxima febre. Ele até conseguira a página que tanto queria na Wikipédia, embora a palavra "magnata" não constasse nas informações. *Ainda*, ele vivia ressaltando.

Os Cassani estavam orgulhosos do caçula. Sobretudo Max.

— Agora repita: eu, Victor Augusto Sanchez, aceito você, Berenice...

Os votos foram proclamados, as alianças trocadas, duas vidas que recomeçavam. Victor encaixou as mãos trêmulas no rosto de minha mãe e a beijou demoradamente, para delírio de Magda.

E para minha felicidade.

Eu sei. Acho que o romantismo é mesmo contagioso.

∽

Na saída da igreja, Marcus me alcançou, furtivamente entrelaçando os dedos aos meus, e me ajudou a distribuir o arroz. Mamãe fez questão de seguir todas as tradições.

Então, vinda do nada, uma dúzia de pombas sobrevoou a entrada da igreja, para desaparecer em questão de segundos. Mamãe as acompanhou com os olhos marejados.

— Simplesmente lindo — murmurou.

Passei os braços ao redor dela, apertando-a com força, depois beijei Victor, que pareceu contente, mas um tanto sem graça. Um homem mais velho, com um largo bigode, se aproximou.

— Parabéns, Victor. E muitas felicidades para a sua bela dama — cumprimentou, todo galante.

— Obrigado, Walter.

— Ora, muito obrigada. — Mamãe corou de leve.

— E esta bela jovem deve ser a filha de Berenice — ele comentou, me estudando. — Dá para ver a semelhança ente as duas, sobretudo a beleza.

Mamãe olhou para mim, para os meus cabelos, agora cheios de cachos, graças ao babyliss, para o vestido verde-água — inspirado em um de Audrey, claro — que ela havia feito com tanto amor.

— Sim — disse, pousando a mão em minha bochecha, os olhos reluzindo de orgulho. — Não existe moça mais linda que a minha Juju. Nem por fora, nem por dentro.

— Mãe — murmurei, ficando ainda mais vermelha.

Ela viu Marcus um pouco mais atrás.

— Meu querido, você está tão bonito! — E o beijou tantas vezes que ele também acabou corando.

— Agora você sabe como é ser filho da Berenice — comentei, depois que o casal foi engolido pelos convidados, ansiosos por parabenizá-los.

— Estou começando a descobrir. — Ele coçou a sobrancelha com o polegar.

Amaya e Paulo passaram pela porta de mãos dadas.

— Sua mãe está maravilhosa! — ela foi dizendo. — Que cerimônia linda, Ju! Vou te dizer: valeu cada centavo. Mal posso esperar para ver o que vai ter na festa.

Eu também!

— Parabéns, Júlia. — Paulo me lançou uma piscadela, então cumprimentou Marcus com familiaridade.

Eu e May continuávamos nos falando todos os dias, às vezes sobre trabalho, já que eu enviava relatórios constantes para Hector e Alicia. Na maior parte do tempo, porém, só jogávamos conversa fora, como se ainda morássemos no mesmo continente.

Dênis também cumpriu sua promessa. Ele me ligava pela internet pelo menos três vezes por dia. Até mamãe aprendeu a usar o aplicativo, então me atualizava sobre o que andava fazendo, enviava fotos de si mesma, do prato de comida, do gato que aparecera no jardim e agora lhe fazia companhia (e teve uma que ela enviou por engano, de Victor não vestindo nada além de uma cueca samba-canção — eu ainda tinha pesadelos por causa disso). E me ligava às três da manhã para bater papo. Isso sempre me fazia rir. Ela nunca lembrava do fuso horário. Minha família continuava perto de mim, mesmo distante.

Mamãe e Victor escaparam dos convidados, entraram na carruagem — semelhante à de Kate Middleton — e partiram para a recepção apoteótica organizada por Melissa logo em seguida.

— Dênis, meu amor, me deixa só ajeitar a sua gravata! — Magda resmungou ao passar pela porta de braço dado com o filho. Meu amigo revirou os olhos, mas ergueu o queixo, como um bom menino. — Inês! Inês! Espere! Vamos juntas para a festa! — ela acenou.

— A senhora precisa de uma carona? — Walter perguntou a ela, todo galante.

Magda se deteve e o encarou por um instante. Seus olhos perderam o foco ao admirar o largo bigode.

— Bem... sim.

Ele lhe ofereceu o braço.

— Será um prazer acompanhá-la.

Ela não hesitou, aceitando o braço com uma expressão que era pura lisonja e... algo mais.

Marcus riu, olhando para a cara amarrada de Dênis.

— Quem sabe a sua mãe é a próxima a casar — ele disse ao meu amigo.

— Era só o que faltava! — Dênis gemeu. — É melhor aquele sujeito manter os bigodes longe da minha mãezinha!

Dei risada.

— Ah, Dênis, deixa ela se divertir um pouquinho. Pode ser que seja só um lance sem importância.

— Minha mãe não tem essas coisas de lance sem importância. — Ele se empertigou e eu acabei rindo de novo.

— Mas eu pedi um cupido! Cupidos não têm genitais! — Melissa saiu da igreja cuspindo fogo. — Não me interessa. Os convidados não podem ser obrigados a olhar para um testículo enquanto enchem os pratos. Livre-se dele, Fabi. Não do cupido, dos testículos! — Ela revirou os olhos.

Dênis e Marcus silvaram em uníssono.

Ela ouviu, se deteve por um instante e pousou a mão no ombro do meu amigo.
— Aproveite a folga.
Ele apenas abanou a cabeça, enquanto ela seguia gritando com a tal Fabi.
— Eu estou amando meu novo emprego, e adoro a Mel, mas às vezes ela me apavora.
— Dá pra entender por quê — Marcus concordou.
— É melhor eu ir agora. — Ele se inclinou para me beijar.
— Opa, sem beijinhos. Circulando, Dênis. — Marcus passou um braço possessivo por minha cintura.
Dênis estreitou os olhos para ele.
— Eu vou, mas só porque quero pegar um bom lugar na festa. — E relanceou um dos convidados de Victor, um belo rapaz de gravata roxa que também não tirava os olhos dele.
Meu amigo estava com o coração vazio, mas andava ocupado. Ele e Melissa, da Allure, acabaram se encontrando por acaso em uma festa e ela descolou um bico na agência para ele. Ali estava algo que realmente empolgava Dênis. Organizar festas, conhecer gente nova todos os dias. E ele se saiu tão bem, era tão carismático, que acabou sendo efetivado. Eu nunca o vira tão animado. Exceto quando ele mencionava suas próximas férias em Munique. Marcus o estava ajudando com o roteiro. Eles ainda se desentendiam, mas acho que era mais por diversão que qualquer outra coisa.
— Eu vou indo, então. — Meu amigo deu dois passos, se afastando, mas se deteve e encarou Marcus por sobre o ombro. — E, apenas para a sua informação, ela me beija o tempo todo quando você não está por perto. — E seguiu seu caminho gingando.
— Eu odeio esse cara. Um folgado do caramba — Marcus reclamou, de cara amarrada.
— Odeia nada. Vocês só ficam nessa disputa boba de meninos de sete anos para ver quem vai ganhar mais a minha atenção.
Ele me encarou com aquele seu meio-sorriso.
— Eu estou ganhando, certo?
— Por uma larga diferença. — Revirei os olhos. — Agora vamos. Não quero ter que sentar perto da dona Marlucy.
Tornamos a entrar na igreja, para pegar a saída lateral, com rampa. De mãos dadas, seguimos até onde ele havia estacionado o carro. Marcus sorria o tempo todo.
Ele sorria frequentemente agora. Estava superando tudo aos poucos, sem pressa, e a parte obscura já não dominava sua alma. Sim, às vezes ele tinha momen-

tos ruins e eu o flagrava olhando para o vazio com a testa franzida, mas então ele percebia que eu estava por perto e a tristeza saudosista se dissipava. Nessas ocasiões, ele me dava um sorriso tímido a princípio, que sempre terminava em um largo, cheio de dentes perfeitos (ou em beijos, se eu estivesse ao alcance de suas mãos). Ele também nunca mais usou a expressão "maldita cadeira".

— Não consigo mais olhar para ela como uma prisão ou uma maldição, Pin — dissera ele. — Também não posso dizer que a vejo como uma extensão de mim. Mas não posso viver sem ela, então achei melhor sermos amigos.

Sua resposta me dera a certeza de que eu precisava. Ele estava realmente bem.

— Ainda bem que a sua mãe não está mais brava comigo — comentou quando já tínhamos nos acomodado em seu Honda. — A dona Berenice furiosa é uma coisa assustadora de se ver.

— Talvez você tenha achado assustador porque ela quase nunca se irrita. Mas ela ainda vai voltar ao assunto, Marcus. Pode esperar. Assim que voltar da lua de mel, já vai começar a fazer planos para o nosso casamento. Ela não vai aceitar que a gente more junto assim não.

Marcus estava de mudança para Munique, e, já que eu me instalara ali fazia dois meses, me pareceu natural convidá-lo para morar comigo. A casa era térrea, espaçosa, e só precisaria de alguns ajustes. Minha mãe não gostou da ideia. Nem um pouco.

O mesmo aconteceu com os Cassani. Ainda bem que eles estavam ocupados com o casamento iminente de Alicia e Max, ou teriam nos enlouquecido.

— Humm... — Marcus murmurou, olhando para a frente enquanto saía da vaga.

— O que esse "humm" significa? — eu quis saber.

— Nada. É só que... talvez seja uma boa ideia.

— O *quê*?!

— A gente vai acabar casando mesmo um dia desses. — Deu de ombros. — Que diferença faz se for este ano ou daqui a dez? — Ele se virou, me dando a chance de ver seu rosto. Ele estava falando sério!

— Marcus! Você não pode simplesmente pensar que eu vou me casar com você assim, do nada.

— Por que não?

— Porque você nunca me pediu!

Ele revirou os olhos.

— Casa comigo, Pin?

— Para com isso. — Soquei seu ombro. — E mantenha os olhos na rua!

Para me provocar, ele me olhou fixo.

— Eu não estou brincando — repetiu, em voz baixa.

— Marcus!

Ele voltou a atenção ao trânsito.

— Não sei por que você está tão brava. Que diferença faz se nos casarmos aos vinte e três ou aos trinta, se vamos acabar casando de todo jeito?

Tentei pensar em alguma coisa, mas nada me veio.

— Eu não sei, mas deve ter alguma!

Um sorriso preguiçoso — e muito perigoso — esticou sua boca. Oh-oh.

— Parece que vou ter que te convencer de outro jeito.

— Que jeito?

Marcus ligou a seta e parou em uma vaga — destinada a cadeirantes, aleluia! — ao lado do parque da cidade.

Então se inclinou para mim e tocou meu rosto, correndo a ponta dos dedos por minha bochecha, depois os prendeu em minha nuca, me puxando delicadamente para mais perto, para me arrebatar com um beijo que fez minha cabeça girar. Eu concordaria com qualquer coisa que ele quisesse naquele momento, desde que não parasse de me beijar.

Ele se afastou de súbito, me deixando confusa, cheia de vontade e com os óculos embaçados.

— Esqueci de dizer — disse ele. — Mudei nossas passagens. Vamos pra Holanda antes de ir para Munique.

— Por quê? — Tirei os óculos para limpá-los. Como usava um vestido de seda, puxei a ponta da camisa de Marcus para fora da calça e a esfreguei na lente. Quando os recoloquei, vi a expressão em seu rosto. Eu conhecia bem aquela expressão. Bem demais, depois de todas aquelas noites em Munique.

Minha boca ficou seca.

— Marcus...

— Você não pode começar a tirar a minha roupa...

— Eu não estava tirando a sua roupa!

— ... e esperar que eu não pense em rasgar a sua. — Seu olhar viajou por minha silhueta vagarosamente, como se estivesse correndo os dedos por ela. Meu corpo se acendeu para ele, como sempre. — Eu já disse que esse vestido ficou uma coisa do outro mundo em você?

Fiquei vermelha, concordando com a cabeça.

— Por que você mudou as nossas passagens, Marcus? — perguntei, para distraí-lo (e a mim mesma), ou acabaríamos presos por atentado ao pudor se ele continuasse me olhando daquele jeito.

— Já ouviu falar em Gouda?

— O queijo? Claro.

Ele riu.

— Não, Pin. A cidade. Fica só a uma hora de Amsterdã. — Ele exibiu o sorriso de menino que eu amava tanto.

— Tá. O que tem lá de tão importante para que você tenha mudado as nossas passagens sem me dizer nada?

Ele observou o lago à nossa frente, cercado de flores amarelas, a grama verdinha, uma família de patos. Estendendo o braço para mim, o passou por baixo de meus ombros.

— Vem cá.

Entendendo o que ele queria, manobrei o corpo até estar sentada em seu colo. Não foi nada fácil, com todo aquele tecido até os tornozelos. Fiquei prensada entre ele e o volante, as pernas sobre o câmbio, mas então seus braços fortes circularam minha cintura, me colocando na posição certa.

Ele buscou meu olhar.

— Eu estava aqui pensando... Já que a sua mãe vai estar fora, quer ficar esta semana comigo?

— Quero.

— E a próxima?

— Também. — Acabei rindo ao passar o braço por seu ombro. Deus do céu. Ele ficava tão lindo com aquele paletó...

— E quanto à semana depois dessa? — Sorriu, mas parecia um pouco nervoso. Por quê?

— É claro que eu quero!

Ele levou a mão ao bolso do paletó cor de areia, pegou alguma coisa pequena ali dentro e ficou olhando para seu punho fechado. Então lançou a força daquele olhar de turmalina sobre mim, claro e brilhante como nunca.

— E o que acha de passar todas as semanas do resto da sua vida comigo? — murmurou, abrindo a mão. O anel que ele me dera meses antes reluziu em sua palma.

— Marcus... — arfei.

— Eu estava tão confuso quando você me encontrou. E não sei ao certo o que teria acontecido se você não tivesse aparecido e dado sentido à minha vida. Antes eu pensava em você como uma coceira de que eu não conseguia me livrar. Agora eu sei que é mais do que isso. É uma infecção grave, que afeta tudo dentro de mim. Uma infecção da qual jamais vou me curar. Você está dentro de mim de uma maneira que eu não sou capaz de tirar. Cada vez que olho para você, cada vez que vejo o seu sorriso, cada vez que o seu olhar encontra o meu... Ah, caramba,

Júlia... O meu coração dói. Nunca sei se estou tendo um ataque cardíaco ou se estou me apaixonando de novo. Casa comigo, Pin.

Como eu poderia dizer não?

— Eu caso.

Uma miríade de emoções atravessou seu rosto. A alegria e o encantamento se sobressaíam, no entanto.

— Sério?

— Muito sério. Eu também amo você, Marcus.

Ele tomou minha mão e deslizou o anel por meu dedo com firmeza. Levou-o até os lábios e depositou um beijo em meu anular. Então trouxe o rosto para junto do meu e me beijou com força. Um beijo possessivo, quase rude, ao qual correspondi com a mesma intensidade. Quando ambos estávamos com problemas para respirar, ele libertou minha boca e descansou a testa na minha.

— Não acredito nisso. Vamos casar! — Toquei seu queixo.

— Ah, nós vamos. E não quero esperar muito para poder te chamar de *minha mulher*. Pode ir pensando numa data.

— Minha mãe vai pirar quando souber. — Franzi a testa. — Mas acho melhor a gente esperar ela voltar da lua de mel pra contar. Podíamos dar a notícia para ela e para os seus pais ao mesmo tempo, num jantar. O que acha?

Ele grunhiu.

— Vamos ter que fingir outra vez, Pin?

— Só por uns dias! — Dei risada. — É que, se a gente contar agora, é bem capaz da minha mãe passar a lua de mel costurando meu vestido de noiva.

Ele soltou o ar com força, resignado.

— Tudo bem. Por uns dias. Mas assim que ela voltar da viagem a gente marca o jantar e conta tudo.

— Combinado. — Comecei a brincar com a gola de sua camisa azul. — Então... o que é que tem de tão especial em Gouda?

Ele acariciou meu lábio inferior com o polegar, depois continuou deslizando o dedo por meu pescoço até ele desaparecer no decote do meu vestido, repousando sobre meu coração, que subitamente batia furioso. Inclinando a cabeça, aproximou a boca do meu ouvido.

— *A noite das velas*, Pin. Uma noite em que a cidade é iluminada apenas pelas chamas das velas mais bonitas do mundo. — Ele mordiscou meu lóbulo sensível. — É isso que tem em Gouda. — Sorrindo diabolicamente, ele levou meu dedo anular direito à boca e o sugou suavemente.

Um tremor violento me sacudiu por dentro.

— V-velas?

— Velas. — Beijou o dorso da minha mão. Depois meu pulso.

Prendi a respiração e os dedos em sua cabeleira negra. Meu corpo sempre acordava ao menor toque dele. E, bom, Marcus me tocava com frequência. Bastava um roçar suave e eu entrava em combustão. E Marcus era o único que conseguia me livrar daquela agonia. Ele até arranjou maneiras criativas para encurtar a distância entre nós nas noites em que dormimos separados por um oceano. E também me mostrou muitos outros truques envolvendo velas, o que me fez perder a cabeça mais de uma vez. Apenas pensar em uma já fazia meu corpo vibrar. Uma cidade repleta delas?

— Vamos ficar em um hotel perto do centro — ele continuou. — Parece um castelo de conto de fadas. Já fiz as reservas.

— Você já fez? Está planejando me levar lá desde quando?

— Desde que você foi pra Europa. Parece ser uma cidade linda, muito romântica. Você vai gostar. Eu vou cuidar disso pessoalmente. — Beijou a ponta do meu nariz. Sua barba recém-aparada me fez cócegas.

Se alguém me dissesse seis meses antes que eu estaria ali, num vestido bonito, feito para o casamento de minha mãe, aos beijos com aquele homem irritantemente lindo, eu teria rido. Tanto havia mudado desde então, mas a maior mudança havia ocorrido dentro de mim. Eu me descobrira, me livrara de fantasmas, me arriscara, e nunca tinha sido tão feliz em toda a minha vida. Tudo isso por causa de uma mentirinha de nada.

Acabei rindo.

— O que é tão engraçado? — Marcus quis saber.

— Eu só estava pensando... Não é estranho que a nossa história tenha começado com uma grande mentira?

— Nós tínhamos que partir de algum lugar. — Ele brincou com um de meus cachos. — Começou com uma mentira, mas se tornou algo verdadeiro mais rápido do que eu posso dizer "tire a roupa". Foi a mentira perfeita.

Dei risada outra vez, abraçando-o pelo pescoço.

— Mentira perfeita... Marcus, isso não existe.

— Existe sim. Você estar aqui agora é a prova disso. E este é apenas o começo da nossa história. O melhor ainda está por vir.

— Melhor? Como pode existir algo melhor do que isso? — Eu não podia imaginar nada.

Ele se inclinou até seu rosto estar a um suspiro do meu. Suas belas íris verdes foram engolidas pela pupila.

— Eu vou amar te mostrar como, Pin. — Então colou a boca na minha e provou seu argumento.

AGRADECIMENTOS

Este livro exigiu muito de mim, e eu jamais o teria concluído sem ajuda. Por isso, meu muito obrigada a todos que doaram um pouquinho de seu tempo para que eu pudesse contar a história de Júlia e Marcus. Em especial a Claudio Figueredo, Tanise Melo, Liziane Constantino, Carol Constantino, Carla Fernanda, Rebeca Kim e Anderson Vidal. Sem vocês, este livro não teria acontecido. (Se eu esqueci alguém, me perdoe.)

Um gigantesco OBRIGADA à minha editora, Raïssa Castro, e à equipe da Verus: Ana Paula Gomes, Anna Carolina Garcia, Lígia Alves, Raquel Tersi, André Tavares. É maravilhoso poder trabalhar com vocês!

Às minhas leitoras beta: Joice Vieira, Cinthia Souza, Aline Benitez e Raquel Areia. Não me canso de dizer: vocês são as melhores!

Aos meus amados leitores. Vocês têm alguma ideia de quanto são fabulosos? Obrigada!

Aos meus pais queridos, que me apoiam desde sempre, e à minha irmã, que finalmente sabe do que eu estou falando. Amo vocês!

E, por fim, aos meus amores, Lalá e Adri. Obrigada por não me considerarem uma louca quando fico olhando para o nada e digo que estou trabalhando (eu realmente estou!), por segurarem a minha mão e me manterem presa ao chão, por me entenderem quando eu mesma não consigo. Eu não poderia ter melhores companheiros para dividir esta aventura chamada vida. Este livro é para vocês!

Impresso no Brasil pelo Sistema Cameron da Divisão Gráfica da
DISTRIBUIDORA RECORD DE SERVIÇOS DE IMPRENSA S.A.